중학교

# 역사②
# 평가문제집

박근칠 교과서편

# 구성과 특징

## 중단원 내용 이해하기

핵심 개념을 일목요연하게 정리하여 교과서의 내용을 한눈에 파악할 수 있도록 하였습니다.

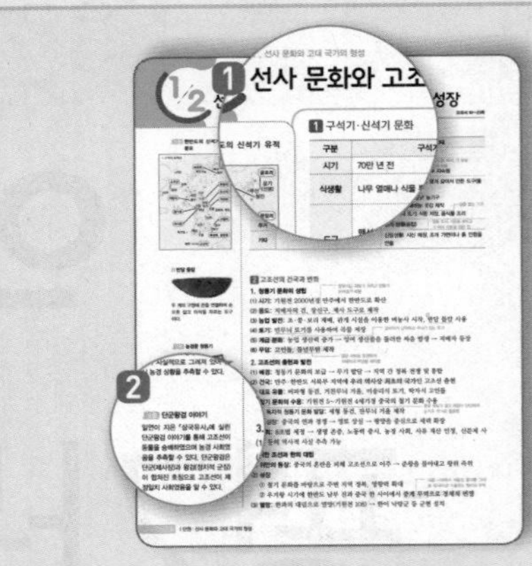

**1 내용 정리**
교과서의 기본 개념과 핵심 내용을 쉽게 이해할 수 있도록 정리하였습니다.

**2 / 보충**
내용을 이해하는 데 도움이 되도록 용어 풀이와 보충 자료를 제시하였습니다.

**3 교과서 속 자료&개념**
교과서에 제시된 자료를 꼼꼼하게 분석하여 관련 개념을 정리하였습니다.

**4 개념 꿀꺽**
다양한 개념 문제를 제시하여 배운 내용을 확인할 수 있게 하였습니다.

## 문제로 실력다지기

기본 문제와 실전 문제를 통해 실력을 다지고, 교과 내용에 대한 이해도를 점검할 수 있도록 하였습니다.

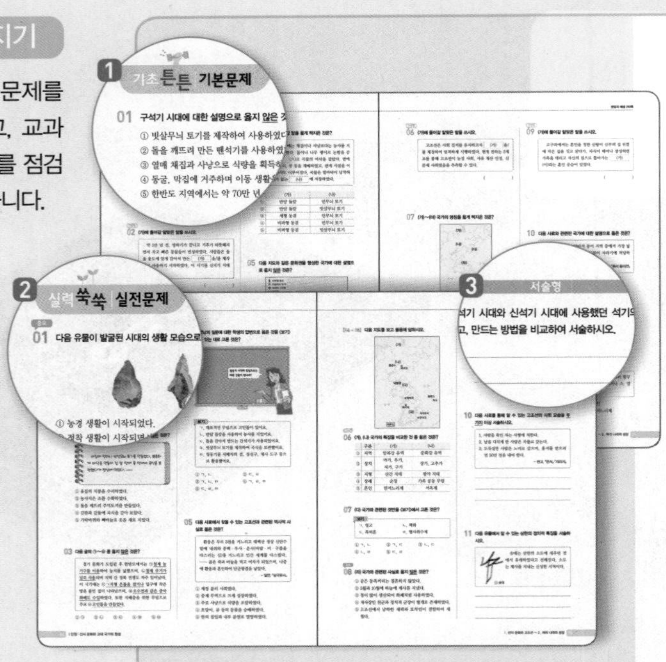

**1 기초 튼튼 기본 문제**
단원의 핵심 내용을 중심으로 기본 문제를 구성하였습니다 시험에 자주 출제되는 문제에는 중요 표시를 하여 집중 학습이 가능합니다.

**2 실력 쑥쑥 실전 문제**
고득점을 위해 반드시 풀어봐야 할 문제들을 풍부하게 수록하였습니다 심화 학습이 가능한 고난도 문제를 제시하여 실력을 높일 수 있습니다.

**3 서술형 문제**
서술형 문제를 별도의 코너로 제시하여 서술형 문제에 대한 적응력을 높일 수 있습니다.

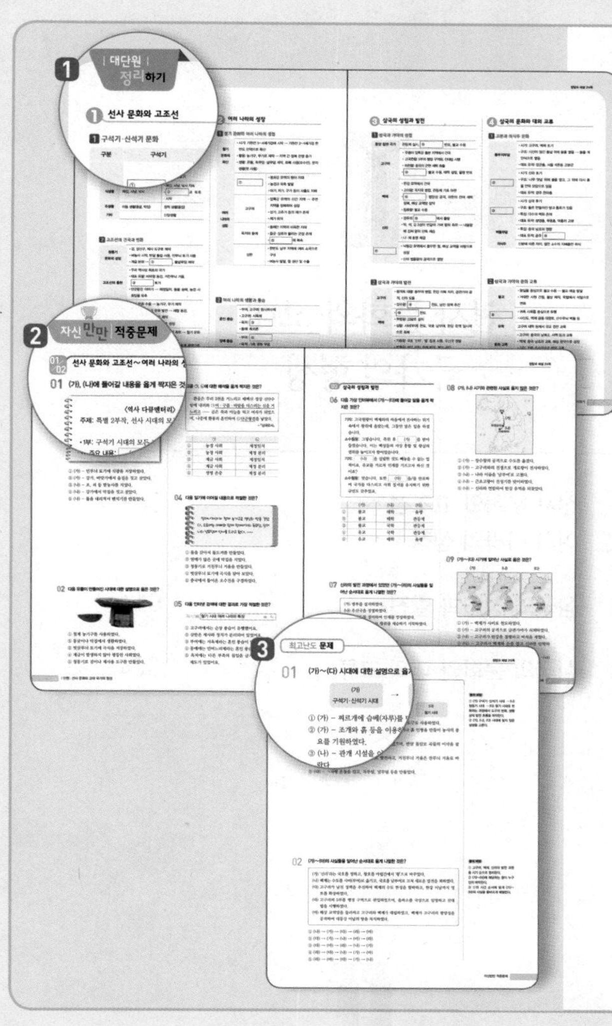

❶ **대단원 정리하기**

대단원에서 배운 내용을 표로 정리하고, 단답형 문제를 풀어 봄으로써 학습 내용을 다시 한 번 정리할 수 있습니다.

❷ **자신만만 적중 문제**

대단원을 종합적으로 점검해 볼 수 있도록 중단원별로 핵심 문제를 수록하였습니다.

❸ **최고난도 문제**

대단원별로 난이도가 높은 문제들을 풀이 비법과 함께 제공하여 실력을 한층 더 높일 수 있습니다.

## 대단원 마무리하기

단원 전체의 핵심 내용을 표와 문제를 통해 종합적으로 확인할 수 있도록 하였습니다.

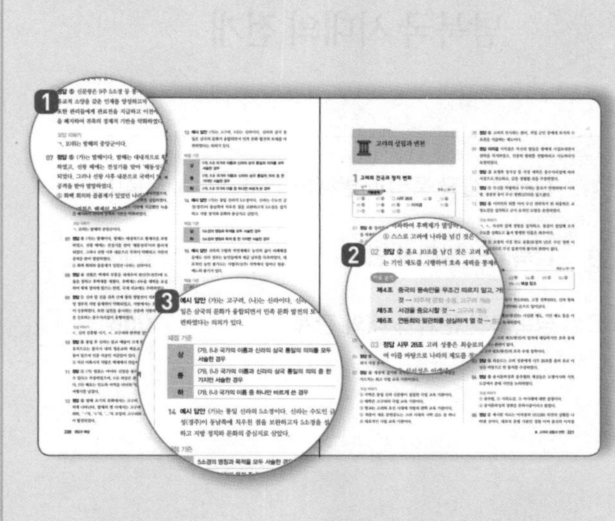

❶ **오답 피하기**

틀린 선택지를 바로잡아 틀린 부분을 쉽게 이해할 수 있습니다.

❷ **자료 분석**

자료 이해도를 높일 수 있도록 문제에 사용된 자료를 분석하여 제시하였습니다.

❸ **채점 기준**

서술형 문제에 대한 채점 기준을 제시하여 스스로 학습이 가능합니다.

## 정답과 해설

정답과 자세한 해설을 제시하여 학습 이해도를 확인할 수 있도록 하였습니다.

# 이 책의 차례

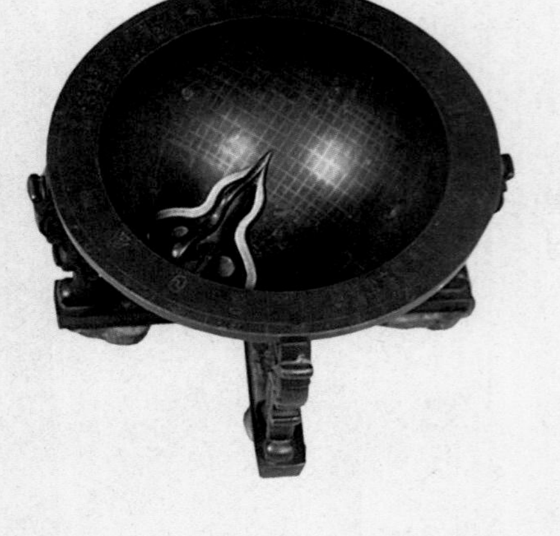

## Ⅰ 선사 문화와 고대 국가의 형성



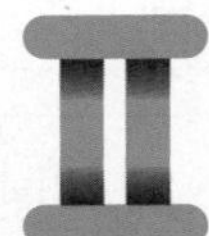

## Ⅱ 남북국 시대의 전개

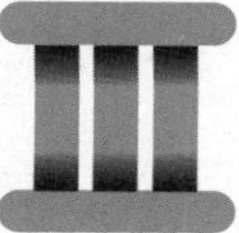

## III 고려의 성립과 변천



## IV 조선의 성립과 발전



## V 조선 사회의 변동

## VI 근·현대 사회의 전개

# I

# 선사 문화와 고대 국가의 형성

이 단원의 **목차**

▼ 강화 부근리 지석묘(인천 강화)

ㅣ사진으로 맛보기ㅣ

사진은 청동기 시대에 화강암으로 만들어진 북방식 고인돌(지석묘)입니다. 높이 2.6 m, 덮개돌 크기 7.1 m, 너비 5.5 m로 북방식(탁자식) 고인돌 중 대형에 속하며, 이 근방의 고인돌 9기가 유네스코 세계 문화유산으로 지정되어 있습니다.

ㅣ단원 열기ㅣ

이 단원에서는 만주와 한반도 지역의 선사 문화부터 청동기 시대의 특징, 고조선의 성장과 발전, 철기 시대 여러 나라의 생활상, 삼국 시대 각국의 정치·사회·문화적 특징 등 고대 국가에 대해 배웁니다.

# 1/2 선사 문화와 고조선 ~ 여러 나라의 성장

교과서 10~23쪽

보충 한반도의 신석기 유적 분포

반달 돌칼

두 개의 구멍에 끈을 연결하여 손으로 잡고 이삭을 자르는 도구이다.

보충 농경문 청동기

청동기 시대의 일 년 농사일을 보여 주는 유물로, 농경과 관련된 장면이 사실적으로 그려져 있어 당시 농경 상황을 추측할 수 있다.

보충 단군왕검 이야기

일연이 지은 『삼국유사』에 실린 단군왕검 이야기를 통해 고조선이 동물을 숭배하였으며 농경 사회였음을 추측할 수 있다. 단군왕검은 단군(제사장)과 왕검(정치적 군장)이 합쳐진 호칭으로 고조선이 제정일치 사회였음을 알 수 있다.

## 1 구석기·신석기 문화

| 구분 | 구석기 시대 | 신석기 시대 |
|---|---|---|
| 시기 | 70만 년 전 | 1만 년 전 |
| 식생활 | 나무 열매나 식물 뿌리 채집, 사냥, 물고기 낚시 | • 농사와 목축 시작 (야생의 양, 돼지, 개 등을 길들여 키움)<br>• 채집, 사냥, 낚시도 일부 지속됨 |
| 도구 | 뗀석기: 돌을 깨뜨려 만든 도구(찍개, 주먹도끼, 긁개, 슴베찌르개) (구석기 후기에 찌르개에 슴베(자루)를 추가하여 만든 사냥 도구) | • 간석기: 돌을 용도에 맞게 갈아서 만든 도구(돌 화살촉, 돌괭이)<br>• 갈판과 갈돌, 돌낫: 농기구<br>• 가락바퀴, 뼈바늘: 옷감 제작 (실을 뽑는 기구)<br>• 빗살무늬 토기: 식량 저장, 음식물 조리 |
| 주거 | 이동 생활(동굴, 막집) | 정착 생활(움집) (땅을 파서 기둥을 세우고 그 위에 지붕을 얹은 집) |
| 기타 | | 신앙생활: 시신 매장, 조개 가면이나 흙 인형을 만듦 |

## 2 고조선의 건국과 변화

### 1. 청동기 문화의 성립

(청동기는 재료가 귀하고 만들기 어려웠기 때문)

(1) **시기**: 기원전 2000년경 만주에서 한반도로 확산

(2) **용도**: 지배자의 검, 장신구, 제사 도구로 제작

(3) **농업 발전**: 조·콩·보리 재배, 관개 시설을 이용한 벼농사 시작, 반달 돌칼 사용

(4) **토기**: 민무늬 토기를 사용하여 곡물 저장 (밑바닥이 납작하고 무늬가 없는 토기)

(5) **계급 분화**: 농업 생산력 증가 → 잉여 생산물을 둘러싼 싸움 발생 → 지배자 등장

(6) **무덤**: 고인돌, 돌널무덤 제작 (많은 사람을 동원하여 지배자의 무덤을 제작함)

### 2. 고조선의 출현과 발전

(1) **배경**: 청동기 문화의 보급 → 무기 발달 → 지역 간 정복 전쟁 및 통합

(2) **건국**: 만주·한반도 서북부 지역에 우리 역사상 최초의 국가인 고조선 출현

(3) **대표 유물**: 비파형 동검, 거친무늬 거울, 미송리식 토기, 탁자식 고인돌

(4) **철기 문화의 수용**: 기원전 5~기원전 4세기경 중국의 철기 문화 수용 (원료 확보가 쉽고 재질이 단단하여 농기구·무기로 활용함)

① 독자적 청동기 문화 발달: 세형 동검, 잔무늬 거울 제작

② 성장: 중국의 연과 경쟁 → 영토 상실 → 평양을 중심으로 세력 확장

(5) **사회**: 8조법 제정 → 생명 존중, 노동력 중시, 농경 사회, 사유 재산 인정, 신분제 사회 등의 역사적 사실 추측 가능

### 3. 위만 조선과 한의 대립

(1) **위만의 등장**: 중국의 혼란을 피해 고조선으로 이주 → 준왕을 몰아내고 왕위 즉위

(2) **성장**

① 철기 문화를 바탕으로 주변 지역 정복, 영향력 확대

② 우거왕 시기에 한반도 남부 진과 중국 한 사이에서 중계 무역으로 경제적 번영 (다른 나라에서 사들인 물자를 그대로 제3국으로 수출하는 형식의 무역)

(3) **멸망**: 한과의 대립으로 멸망(기원전 108) → 한이 낙랑군 등 군현 설치

### 한반도의 구석기 유적 분포와 주먹도끼

교과서 10쪽

주먹도끼

한반도의 구석기 유적 분포

**자료 해설**

구석기 시대 초기에는 돌을 내리쳐서 만든 뗀석기 중 찍개나 주먹도끼를 만들었다. 제시된 사진은 양쪽 날을 세워 만든 주먹도끼로, 이러한 모양의 주먹도끼는 주로 유럽, 아프리카에서 발견되었는데 경기도 연천군 전곡리에서 동아시아 최초로 아슐리안형 주먹도끼가 발견되었다.

구석기인들은 주먹도끼로 짐승을 사냥하거나 짐승의 가죽을 벗기는 등 여러 용도로 사용하였다.

### 고조선의 문화권과 유물

교과서 14쪽

탁자식 고인돌

미송리식 토기

비파형 동검

**자료 해설**

고조선의 문화권은 비파형 동검, 탁자식 고인돌, 미송리식 토기가 발견되는 지역으로 추정할 수 있다. 비파형 동검은 만주와 한반도 지역에서 발견되는 동검으로 중국 동검과 달리 칼날과 칼자루를 따로 만들어 조립하여 사용하였다. 미송리식 토기는 평북 의주 미송리에서 집중적으로 출토되어 이 지역의 이름을 따 지어졌다.

고인돌은 북방식(탁자식) 고인돌과 남방식(바둑판식) 고인돌로 나뉘는데, 그중 탁자식 고인돌은 두 개의 돌기둥 위에 덮개돌을 덮어 탁자 모양으로 제작한 고인돌이다. 덮개돌의 무게만 수십 톤에 이르러, 이를 만드는 데에 수많은 사람이 필요했을 것으로 추측된다.

### 고조선의 8조법

교과서 15쪽

1. 사람을 죽인 자는 사형에 처한다.
2. 남을 다치게 한 사람은 곡물로 갚는다.
3. 도둑질한 사람은 노비로 삼으며, 용서를 받으려면 50만 전을 내야 한다.

– 반고, 『한서』 「지리지」

**자료 해설**

고조선은 사회 질서를 유지하고자 8조법을 제정하여 시행하였으며, 현재는 3개 조항이 전한다. 남을 다치게 한 사람은 곡물로 갚는다는 점에서 농경 사회였음을 알 수 있고, 도둑질한 사람을 노비로 삼으며, 배상을 치르게 하였다는 점에서 사유 재산을 인정하고 노비가 존재하는 신분제 사회였음을 알 수 있다.

## 3 철기 문화와 여러 나라의 성립

### 1. 철기 문화의 확산

(1) **시기**: 기원전 5~기원전 4세기경에 시작 → 기원전 2~기원전 1세기 한반도 전역으로 확대

(2) **활용**: 철제 농기구(따비, 삽, 쇠스랑 등), 철제 무기(고리자루칼, 창, 화살촉 등)

(3) **특징**: ㄱ자형 온돌, 독무덤과 널무덤 제작, 화폐 사용(오수전), 문자 생활(붓 사용)

철제 무기를 사용하면서 지역 간 정복 전쟁이 자주 발생함

### 2. 여러 나라의 성립

(1) **부여와 고구려**

중국 군현과 활발하게 교류함

| 구분 | 부여 | 고구려 |
|---|---|---|
| 지역 | 쑹화강 유역 평야 지대 → 농경과 목축 발달 | 압록강 유역 산간 지대 → 농경지 부족 → 주변 지역을 정복하며 성장 |
| 정치 | 왕 아래 마가, 우가, 저가, 구가가 사출도 지역을 독자적으로 지배 | 왕 아래 상가, 고추가 등 제가 존재 → 제가 회의에서 중대 사안 결정 |

(2) **옥저와 동예**

① 지역: 동해안 지역 → 비옥한 토지, 풍부한 해산물

② 정치: 왕이 없음, 읍군·삼로라고 불리는 군장이 자기 영역 지배

③ 멸망: 고구려에 특산물을 바치는 등 압력을 받다가 고구려에 복속

(3) **삼한**

① 성립: 한반도 남부 지역에서 고조선 남하 세력과 토착민 결합

② 정치: 여러 소국으로 구성, 군장이 각 소국 지배

③ 경제: 벼농사 발달, 철 생산 및 수출(진한, 변한), 철을 화폐로 사용

## 4 여러 나라의 생활과 풍습

### 1. 혼인과 장례 풍습

형이 죽으면 형수를 아내로 삼는 제도

왕이 죽으면 사람을 죽여서 함께 묻는 풍습

| 나라 | 혼인 풍습 | 나라 | 장례 풍습 |
|---|---|---|---|
| 부여, 고구려 | 형사취수제 | 부여 | 순장 |
| 고구려 | 서옥제 | 고구려 | 재물 사용, 돌무덤 제작 |
| 옥저 | 민며느리제 | 옥저 | 가족 공동 무덤 |
| 동예 | 족외혼 | 진한과 변한 | 큰 새의 깃털 사용 |

같은 동족끼리 혼인하지 않는 제도

### 2. 제천 행사

(1) **의미**: 하늘에 제사를 지내는 의식 → 하늘에 풍요 기원, 화합의 장

(2) **여러 나라의 제천 행사**: 부여(영고, 12월), 고구려(동맹, 10월), 동예(무천, 10월), 삼한(농경제, 5·10월)

(3) **천군**: 삼한의 제사장으로 정치적 군장과 별개로 존재 → 제정 분리 사회

(4) **소도**: 삼한의 신성 지역으로 군장의 권력이 미치지 못함

### 3. 사회 질서 유지

(1) **부여**: 살인자는 사형하고 그 가족을 노비로 삼음, 훔친 물건은 12배로 배상

(2) **고구려**: 죄가 있으면 제가들이 의논 후 바로 사형하고 그 가족을 노비로 삼음

(3) **동예**: 마을 간 침범 시 노비나 소, 말 등으로 배상하는 책화 실시

보충 세형 동검과 철검

하나의 무덤에서 함께 출토되어 동검에서 철검으로 변화하였음을 알 수 있다.

**독무덤과 널무덤**

독무덤은 시체를 큰 독이나 항아리 따위의 토기에 넣어 묻는 무덤이고, 널무덤은 구덩이를 파고 시체를 직접 넣거나 목관이나 목곽에 시체를 넣고 그 위에 흙을 쌓아 올린 무덤이다.

보충 쇠도끼

진한과 변한에서는 철이 많이 생산되어 교역할 때 철을 화폐처럼 사용하였다.

**서옥제**

혼인을 정한 신랑이 신부의 집 뒤곁에 작은 집(서옥)을 짓고 살다가, 자식이 태어나 장성하면 가족을 데리고 자신의 집으로 돌아가는 풍습이다.

**민며느리제**

어린 여자아이를 남자 집에서 키우다가 성인이 되면 아내로 맞이하는 제도이다.

## 교과서 속 자료 & 개념

### 여러 나라의 성장

교과서 19쪽

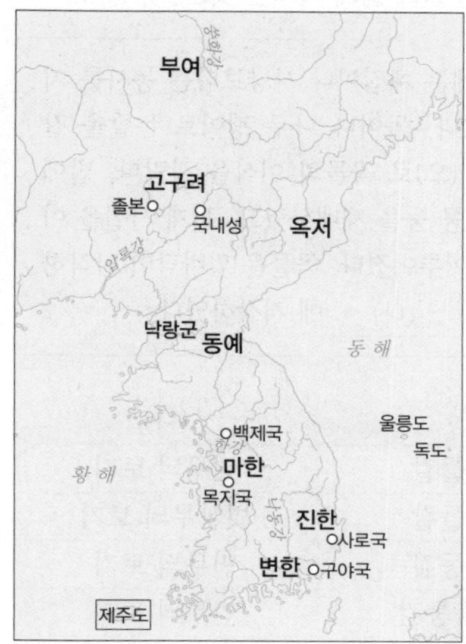


철기 문화를 바탕으로 등장한 여러 나라

**자료 해설**

부여는 쑹화강을 끼고 넓은 평야 지역에 자리를 잡아 농경과 목축이 발달하였다. 반면에 고구려는 압록강 유역의 산간 지역에 있어 농경이 원만하게 이루어지기 어려웠기 때문에 옥저, 동예 등 주변 지역을 정복하며 성장하였다. 동해안 지역에서 성장한 옥저, 동예는 토지가 비옥하고 해산물이 풍부하였으나 고구려에 특산물을 바치는 등 압력을 받았다. 결국 옥저와 동예는 고구려에 복속되었다. 한반도 남부에서 성립된 삼한은 벼농사가 발달하였으며, 진한과 변한에서 철이 많이 생산되어 낙랑, 왜 등에 수출하였다.

### 고구려의 국동대혈과 삼한의 솟대

교과서 21쪽

국동대혈

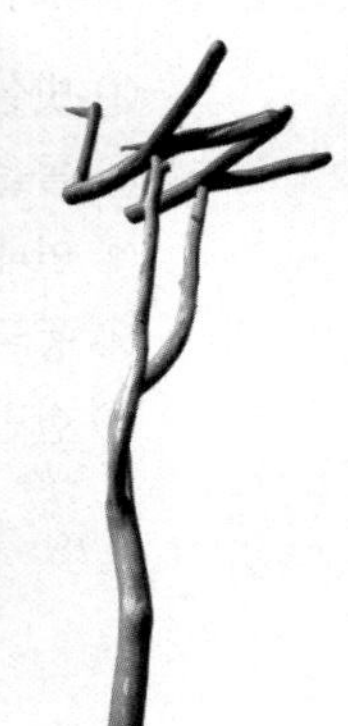

솟대

**자료 해설**

국동대혈은 현재 중국 지린성 지안, 옛 국내성 동쪽에 있는 큰 동굴이다. 『후한서』, 『삼국지』 등 중국 기록에 따르면 고구려인들은 일종의 추수 감사제로서 제천 행사인 동맹을 열었다. 이 때 국동대혈에 있는 나무로 만든 여신을 압록강 근처로 모셔 제사를 거행하였다.

솟대는 삼한의 소도에 세우던 것에서 유래하였다고 전해진다. 삼한에는 정치적 군장인 신지와 읍차 외에 제사장인 천군이 있었다. 신성한 지역인 소도에는 큰 나무를 세워 방울과 북을 매달아 놓고 귀신에게 제사를 지냈다. 솟대는 소도에 세운 기둥 막대에서 유래한 것으로 보고 있다. 소도는 군장의 권력이 미치지 않아 죄인이 들어와도 잡아가지 못하였다.

## 개념 꿀꺽

**1. 빈칸에 알맞은 말을 쓰시오.**

(1) 구석기인들은 돌을 깨어서 만든 ( )을/를, 신석기인들은 돌을 갈아서 만든 ( )을/를 사용하였다.

(2) 고조선의 문화권을 알 수 있는 유물로는 ( ), 탁자식 고인돌, 미송리식 토기가 있다.

(3) 부여에서는 마가, 우가, 저가 구가 등이 ( )(이)라는 지역을 독자적으로 다스렸다.

(4) 삼한에는 군장과 별개로 소국마다 천신을 섬기는 제사장인 ( )이/가 존재하였다.

**2. 다음 내용이 옳으면 ○표, 틀리면 ×표 하시오.**

(1) 신석기 시대 사람들은 움집 등을 짓고 한 곳에 정착하여 살았다. ( )

(2) 청동기 시대에는 계급이 분화되어 권력을 가진 지배자가 등장하였다. ( )

(3) 위만 조선은 철기 문화를 바탕으로 성장하였다. ( )

(4) 옥저에는 남자가 여자의 집에서 일정 기간 사는 서옥제 풍습이 있었다. ( )

정답
1. (1) 뗀석기, 간석기 (2) 비파형 동검 (3) 사출도 (4) 천군
2. (1) ○ (2) ○ (3) ○ (4) ×

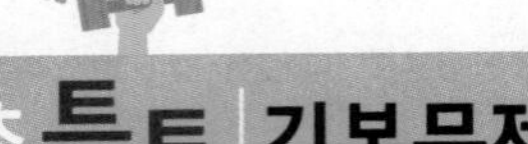

# 기초 튼튼 | 기본문제

**01** 구석기 시대에 대한 설명으로 옳지 않은 것은?

① 빗살무늬 토기를 제작하여 사용하였다.
② 돌을 깨뜨려 만든 뗀석기를 사용하였다.
③ 열매 채집과 사냥으로 식량을 획득하였다.
④ 동굴, 막집에 거주하며 이동 생활을 하였다.
⑤ 한반도 지역에서는 약 70만 년 전에 시작되었다.

단답형

**02** (가)에 들어갈 알맞은 말을 쓰시오.

> 약 1만 년 전, 빙하기가 끝나고 기후가 따뜻해지면서 작고 빠른 동물들이 번성하였다. 사람들은 돌을 용도에 맞게 갈아서 만든 (가) 을/를 제작하여 사용하기 시작하였다. 이 시기를 신석기 시대라고 한다.

(　　　　　　)

중요

**03** 다음 유물과 관련된 시대에 대한 설명으로 옳은 것은?

① 뗀석기를 사용하였다.
② 농경과 목축이 시작되었다.
③ 고인돌이나 돌널무덤을 만들었다.
④ 사냥 성공을 기원하는 벽화를 그렸다.
⑤ 문자를 만들어 통치 내용을 기록하였다.

**04** (가), (나)에 들어갈 말을 옳게 짝지은 것은?

> 청동기 시대에는 채집이나 사냥보다는 농사를 지어 식량을 얻었다. 돌이나 나무 괭이로 논밭을 갈고, (가) (으)로 곡물의 이삭을 잘랐다. 밭에서는 조, 보리, 콩 등을 재배하였고, 관개 시설을 이용한 벼농사도 이루어졌다. 곡물은 밑바닥이 납작하고 무늬가 없는 (나) 에 저장하였다.

| | (가) | (나) |
|---|---|---|
| ① | 반달 돌칼 | 민무늬 토기 |
| ② | 반달 돌칼 | 빗살무늬 토기 |
| ③ | 세형 동검 | 민무늬 토기 |
| ④ | 비파형 동검 | 민무늬 토기 |
| ⑤ | 비파형 동검 | 빗살무늬 토기 |

**05** 다음 지도와 같은 문화권을 형성한 국가에 대한 설명으로 옳지 않은 것은?

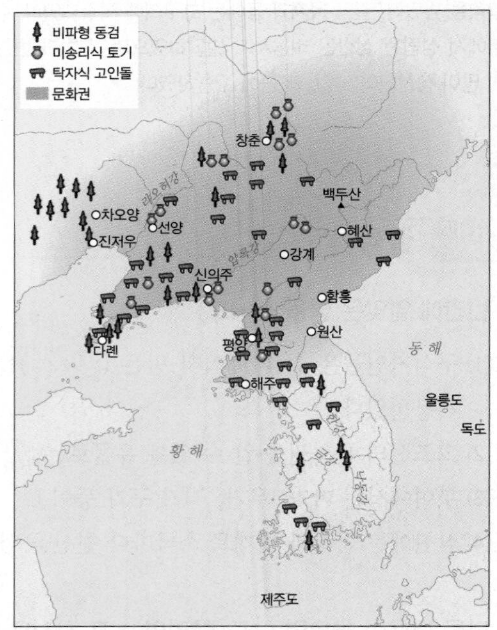


① 우리 역사상 최초의 국가이다.
② 중국의 연과 경쟁할 만큼 성장하였다.
③ 지배자의 무덤으로 탁자식 고인돌을 세웠다.
④ 제가 회의에서 나라의 중대한 일을 결정하였다.
⑤ 세형 동검 등 독자적인 청동기 문화가 발전하였다.

단답형

**06** (가)에 들어갈 알맞은 말을 쓰시오.

> 고조선은 사회 질서를 유지하고자 (가) 을/를 제정하여 엄격하게 시행하였다. 현재 전하는 3개 조를 통해 고조선이 농경 사회, 사유 재산 인정, 신분제 사회였음을 추측할 수 있다.

( )

**07** (가)~(마) 국가의 명칭을 옳게 짝지은 것은?

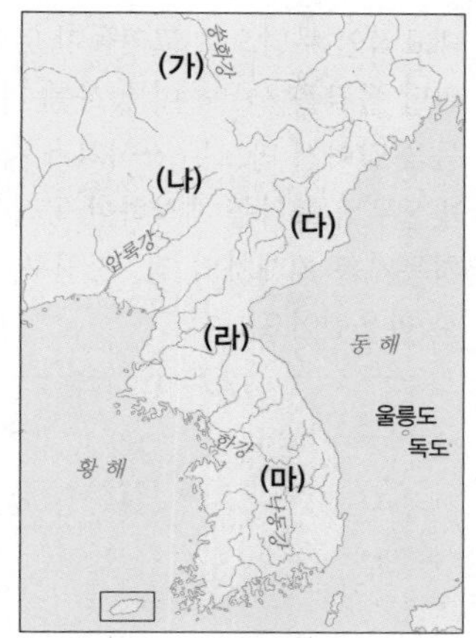


① (가) – 삼한　② (나) – 고구려
③ (다) – 동예　④ (라) – 부여
⑤ (마) – 옥저

**08** 밑줄 친 '이 나라'로 옳은 것은?

> 한반도 남부에서는 고조선에서 남하한 세력과 토착민이 결합하여 여러 소국으로 이루어진 국가를 세웠다. <u>이 나라</u>에서는 벼농사가 발달하였으며, 철이 많이 생산되어 낙랑, 왜 등에 수출하였고, 교역할 때 철을 화폐처럼 사용하였다.

① 부여　② 옥저　③ 동예
④ 삼한　⑤ 고구려

단답형

**09** (가)에 들어갈 알맞은 말을 쓰시오.

> 고구려에서는 혼인을 정한 신랑이 신부의 집 뒤꼍에 작은 집을 짓고 살다가, 자식이 태어나 장성하면 가족을 데리고 자신의 집으로 돌아가는 (가) (이)라는 혼인 풍습이 있었다.

( )

**10** 다음 사료와 관련된 국가에 대한 설명으로 옳은 것은?

> 산과 넓은 들이 많아서 동이 지역 중에서 가장 넓고 평탄한 곳이다. 토질은 곡물이 자라기에 적당하지만, 다섯 과일은 나지 않는다.
>
> – 진수, 『삼국지』 「위서 동이전」

① 고구려에 특산물을 바쳤다.
② 같은 동족끼리 혼인하지 않았다.
③ 10월에 동맹이라는 제천 행사를 열었다.
④ 읍군이나 삼로라 불리는 군장이 있었다.
⑤ 왕이 죽으면 사람을 죽여서 함께 묻었다.

중요

**11** 다음에서 설명하고 있는 제도로 옳은 것은?

> 동예에서는 산천을 중요하게 여겨 마을끼리 함부로 침입하지 않았다. 서로 침범하면 노비나 소, 말로 배상하게 하였다.

① 책화　② 무천
③ 서옥제　④ 민며느리제
⑤ 가족 공동 무덤

# 실력 쑥쑥 | 실전문제

중요

**01** 다음 유물이 발굴된 시대의 생활 모습으로 옳은 것은?

① 농경 생활이 시작되었다.
② 정착 생활이 시작되면서 움집을 지었다.
③ 지배자와 피지배자의 계급이 존재하였다.
④ 사냥, 낚시, 채집으로 식량을 마련하였다.
⑤ 돼지, 양 등을 기르는 목축을 시작하였다.

**02** 다음 가상 일기에 이어질 내용으로 적절하지 않은 것은?

> 아침에 일어나 빗살무늬 토기를 만들었다. 뾰족하게 바닥을 만들어 집 앞 땅에 푹 박아서 곡식을 보관했다가 점심에 먹었다. ……

① 움집의 지붕을 수리하였다.
② 농사지은 조를 수확하였다.
③ 돌을 깨뜨려 주먹도끼를 만들었다.
④ 갈판과 갈돌에 곡식을 갈아 보았다.
⑤ 가락바퀴와 뼈바늘로 옷을 새로 지었다.

**03** 다음 글의 ㉠~㉤ 중 옳지 않은 것은?

> 철기 문화가 도입된 후 한반도에서는 ㉠철제 농기구를 이용하여 농지를 넓혔으며, ㉡철제 무기가 널리 사용되며 지역 간 정복 전쟁도 자주 일어났다. 이 시기에는 ㉢ㄱ자형 온돌을 깔거나 입구에 작은 방을 붙인 집이 나타났으며, ㉣오수전과 같은 중국 화폐도 수입하였다. 또한 지배층을 위한 무덤으로 주로 ㉤고인돌을 만들었다.

① ㉠　② ㉡　③ ㉢　④ ㉣　⑤ ㉤

고난도

**04** 선생님의 질문에 대한 학생의 답변으로 옳은 것을 〈보기〉에서 있는 대로 고른 것은?

**보기**

ㄱ. 대표적인 무덤으로 고인돌이 있어요.
ㄴ. 반달 돌칼을 사용하여 농사를 지었어요.
ㄷ. 돌을 갈아서 만드는 간석기가 사용되었어요.
ㄹ. 빗살무늬 토기를 제작하여 곡식을 보관했어요.
ㅁ. 청동기를 지배자의 검, 장신구, 제사 도구 등으로 활용했어요.

① ㄱ, ㄴ　② ㄷ, ㄹ
③ ㄱ, ㄴ, ㅁ　④ ㄱ, ㄹ, ㅁ
⑤ ㄷ, ㄹ, ㅁ

**05** 다음 사료에서 찾을 수 있는 고조선과 관련된 역사적 사실로 옳은 것은?

> 환웅은 무리 3천을 거느리고 태백산 정상 신단수 밑에 내려와 풍백 · 우사 · 운사(바람 · 비 · 구름을 다스리는 신)를 거느리고 인간 세계를 다스렸다. …… 곰은 쑥과 마늘을 먹고 여자가 되었으며, 나중에 환웅과 혼인하여 단군왕검을 낳았다.
>
> – 일연, 『삼국유사』

① 제정 분리 사회였다.
② 중계 무역으로 크게 성장하였다.
③ 주로 사냥으로 식량을 조달하였다.
④ 호랑이, 곰 등의 동물을 숭배하였다.
⑤ 한의 침입과 내부 분열로 멸망하였다.

**[06 ~ 08]** 다음 지도를 보고 물음에 답하시오.

고난도

**06** (가), (나) 국가의 특징을 비교한 것 중 옳은 것은?

| | 구분 | (가) | (나) |
|---|---|---|---|
| ① | 지역 | 압록강 유역 | 쑹화강 유역 |
| ② | 정치 | 마가, 우가, 저가, 구가 | 상가, 고추가 |
| ③ | 지형 | 산간 지대 | 평야 지대 |
| ④ | 장례 | 순장 | 가족 공동 무덤 |
| ⑤ | 혼인 | 민며느리제 | 서옥제 |

**07** (다) 국가와 관련된 것만을 〈보기〉에서 고른 것은?

보기

ㄱ. 영고　　ㄴ. 책화

ㄷ. 족외혼　　ㄹ. 형사취수제

① ㄱ, ㄴ　② ㄱ, ㄷ　③ ㄴ, ㄷ　④ ㄴ, ㄹ　⑤ ㄷ, ㄹ

중요

**08** (라) 국가와 관련된 사실로 옳지 않은 것은?

① 같은 동족끼리는 결혼하지 않았다.

② 5월과 10월에 하늘에 제사를 지냈다.

③ 철이 많이 생산되어 화폐처럼 사용하였다.

④ 제사장인 천군과 정치적 군장이 별개로 존재하였다.

⑤ 고조선에서 남하한 세력과 토착민이 결합하여 세웠다.

## 서술형

**09** 구석기 시대와 신석기 시대에 사용했던 석기의 명칭을 쓰고, 만드는 방법을 비교하여 서술하시오.

**10** 다음 사료를 통해 알 수 있는 고조선의 사회 모습을 두 가지 이상 서술하시오.

> 1. 사람을 죽인 자는 사형에 처한다.
> 2. 남을 다치게 한 사람은 곡물로 갚는다.
> 3. 도둑질한 사람은 노비로 삼으며, 용서를 받으려면 50만 전을 내야 한다.
>
> – 반고, 『한서』 「지리지」

**11** 다음 유물에서 알 수 있는 삼한의 정치적 특징을 서술하시오.

솟대

솟대는 삼한의 소도에 세우던 것에서 유래하였다고 전해진다. 소도는 제사를 지내는 신성한 지역이다.

# 3 삼국의 성립과 발전

교과서 24~31쪽

## 1 삼국과 가야의 성립

### 1. 삼국과 가야의 등장

(1) **고구려**: 압록강 유역 → 부여, 옥저, 동예 등을 정복하며 성장

(2) **백제**: 한강 유역 → 마한의 여러 나라를 정복하여 영역 확장

(3) **신라**: 사로국(경주)을 중심으로 진한의 여러 나라를 통합하며 발전

(4) **가야**: 낙동강 하구의 변한 지역에서 여러 나라 성립

### 2. 중앙 집권 국가로의 성장

(1) **관등제**: 왕권 강화 과정에서 여러 집단의 지배자를 귀족으로 흡수하여 서열화

- 관등제: 관리나 벼슬의 등급을 규정짓는 제도

(2) **율령 반포**: 국가 체제 정비

- 율령: 통치 체제를 규정한 법

(3) **불교 수용**: 백성의 사상 통합, 왕실의 권위 강화

### 3. 고구려의 건국과 발전

(1) **건국**: 졸본 지역에서 주몽이 건국, 이후 국내성으로 천도

(2) **발전**

① 태조왕: 옥저 정복, 현도군 공격 및 요동 진출 시도

- 현도군: 고조선 멸망 이후 한이 세운 군현 중 하나

② 고국천왕: 5부의 행정 구역화, 진대법 시행(194)

- 5부: 왕족을 포함한 고구려 정치 조직의 주축이 된 5개의 부족(소노부, 계루부, 절노부, 관노부, 순노부)

③ 미천왕: 낙랑군과 대방군 점령 → 중국의 군현 세력 축출

④ 소수림왕: 불교 수용(사상 통합), 태학 설립(인재 양성), 율령 반포(통치 체제 정비)

### 4. 백제의 성립과 성장

(1) **건국**: 기원 전후 한강 유역으로 내려온 고구려계 이주민과 토착 세력의 결합

(2) **성장**: 위례성에 도읍 → 한강~황해 교통로를 이용해 중국의 선진 문화 수용

(3) **발전**

① 고이왕: 마한의 중심 세력인 목지국 병합, 관등제 기초 마련

② 근초고왕: 고구려의 평양성 공격 후 대동강 이남 영토 차지, 마한의 남은 세력 정복, 중국의 남조·왜·가야 등과 교류 → 백제의 전성기

③ 침류왕: 중국의 동진에서 불교 수용 → 정신적 통합, 문화 발전

### 5. 신라의 성립과 발전

(1) **건국**: 진한의 소국 중 하나인 사로국에서 출발

(2) **초기**: 박, 석, 김 3성이 번갈아 가며 왕(이사금)의 자리에 오름

(3) **성장**: 4세기 후반 내물왕 시기에 김씨 왕위 단독 세습, 왕호를 '마립간'으로 변경

(4) **위기**: 고구려 장수왕의 남진 정책으로 압박 → 백제와 동맹(나·제 동맹) 체결

- 남진 정책: 남쪽으로 세력을 넓히고자 추진하여 한강 이남까지 영토를 확장함

### 6. 가야 연맹의 성립

(1) **성립**: 낙동강 하류 ~ 남해안 지역 변한의 여러 소국이 발전

(2) **특징**: 멸망할 때까지 중앙 집권 국가를 이루지 못하고 연맹체 유지

(3) **금관가야**: 김해 지역에 위치, 전기 가야 연맹 주도

① 성장: 풍부한 철 생산, 낙랑(대방)–마한–왜를 잇는 해상 교역 발달

② 쇠퇴: 해상 교역 쇠퇴, 고구려 광개토 대왕의 공격 → 신라 법흥왕에 정복

- 낙랑: 고조선 멸망 이후 한이 세운 군현 중 하나로 세력이 가장 강하였음

**진대법(賑貸法)**

곡식이 부족한 봄에 국가에서 곡식을 빌려주었다가 추수기인 10월에 돌려받는 제도이다. 평민들이 빚 때문에 노비가 되는 것을 막으려는 목적으로 실시하였다.

**보충 신라 왕호의 변화**

거서간(귀인) → 차차웅(제사장) → 이사금(연장자, 계승자) → 마립간(대군장) → 왕

신라의 왕호는 신라의 성장 과정과 밀접한 관계가 있다. 초기에는 부족적 성격이 강한 호칭을 사용하다가 제22대 지증왕 때 '왕'의 호칭을 사용하기 시작하였다.

**보충 호우총 출토 청동 '광개토 대왕'명 호우**

경상북도 경주에서 출토된 그릇으로, 줄여서 호우명 그릇이라고도 부른다. 신라의 땅에서 광개토 대왕의 글자가 새겨진 그릇이 나왔다는 점에서 신라가 고구려의 영향을 받았음을 알 수 있다.

### 국내성 일대의 고구려 유적

교과서 25쪽

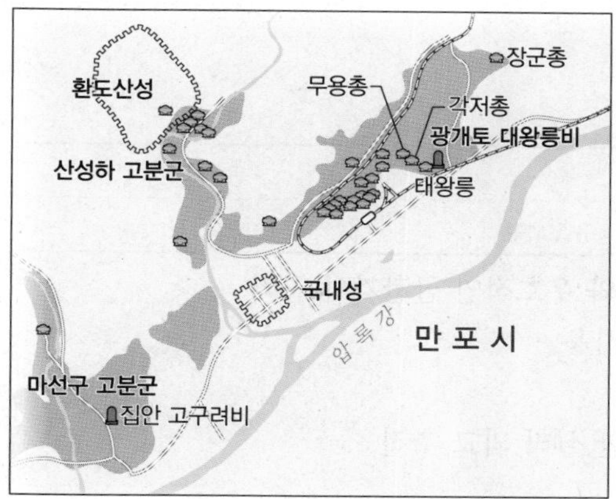


국내성 부근 고구려 유적

자료 해설

국내성은 압록강 변의 평지에 쌓은 사방이 네모난 성으로, 위급할 때 왕성으로 사용한 환도산성과 짝을 이루고 있다. 환도산성은 전쟁과 같은 위급 상황이 발생하였을 때 사용한 성으로, 삼면이 산으로 둘러싸여 있어 방어에 유리하였다.

국내성 부근에는 장군총 등의 무덤이 분포하고 있으며, 고구려의 천하관과 문자 문화를 보여 주는 광개토 대왕릉비와 집안 고구려비도 있다. 집안 고구려비는 2012년에 새롭게 발견된 고구려비이다. 4세기 말에서 5세기 초에 건립된 것으로 추정되며, 고구려 법률과 무덤의 관리를 적은 것으로 보인다.

### 4세기 백제의 영역과 칠지도

교과서 26쪽

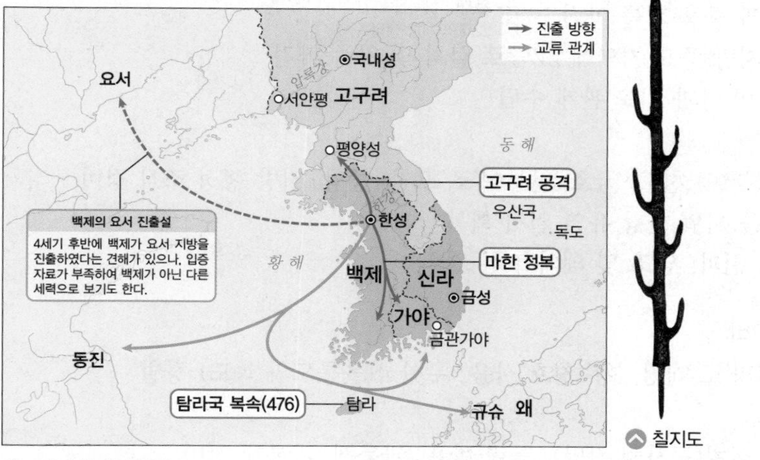


4세기 백제의 영역

칠지도

자료 해설

백제는 4세기 근초고왕 시기에 고구려의 평양성을 공격하여 고국원왕을 전사시키고 마한의 남은 세력을 복속시켰다. 또 해상 교역망을 장악하며 중국의 남조, 가야, 왜 등과 교류하였다. 백제의 요서 진출에 대해서는 『삼국사기』, 『삼국유사』 등 우리나라 역사서에 기록이 없어서 논란의 여지가 있다.

칠지도는 7개의 나뭇가지 모양의 철제 칼로, 백제의 근초고왕이 왜왕에게 보낸 것으로 전해진다. 칼의 양면에는 60여 자의 글자가 새겨져 있어 고대 일본과 백제의 관계를 보여 주는 대표적인 문자 사료이다.

### 가야 연맹의 발전

교과서 27쪽

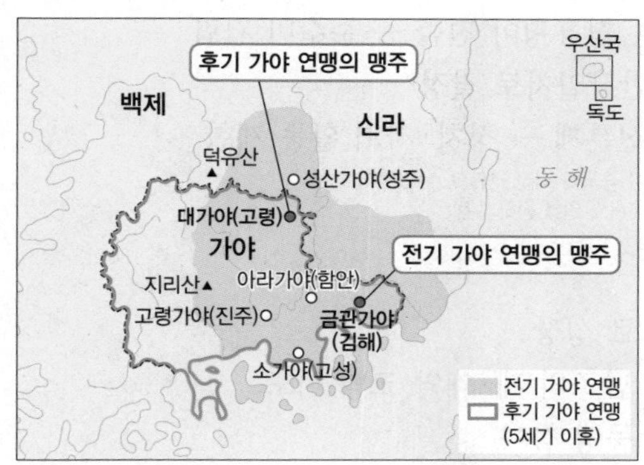


가야 연맹의 영역과 발전

자료 해설

전기 가야 연맹은 김해 지방의 금관가야를 중심으로 형성되었다. 금관가야는 풍부한 철 생산력과 유리한 해안 입지를 바탕으로 낙랑과 왜 사이에서 중계 무역을 하며 발전하였다. 그러나 신라에 침입한 왜를 격퇴하기 위해 내려온 광개토 대왕이 이끄는 고구려 군대가 가야에 침입하면서 가야는 낙동강 동쪽 영토를 상실하였고, 연맹의 중심이 금관가야에서 대가야로 바뀌었다.

보충 광개토 대왕릉비

광개토 대왕의 아들 장수왕이 세운 광개토 대왕릉비에는 주몽의 건국 신화와 함께 광개토 대왕의 업적이 기록되어 있다.

보충 충주 고구려비

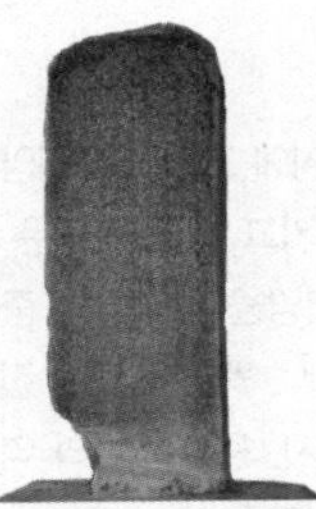

장수왕이 중원(충주)을 차지하고 신라 매금(왕)과 종속 관계를 맺는 내용이 있어, 이 시기에 고구려가 한강 유역을 장악하였음을 보여 준다.

보충 가야의 유물

갑옷 대가야 금관

가야에서는 철이 많이 생산되어 철제 투구와 갑옷 등이 많이 제작되었다. 대가야의 금관은 관테 위에 풀꽃형으로 솟은 장식을 달아 신라의 나뭇가지 모양 금관과는 다른 모습을 보인다.

## 2 삼국과 가야의 발전

### 1. 동아시아 강대국으로 성장한 고구려

**(1) 광개토 대왕**

① 영토 확장

| 북쪽 | 요동 확보, 동부여 병합 |
|---|---|
| 남쪽 | 백제 공격, 한강 이북 지역 차지 |

② 영향력 확대: 신라에 침입한 왜 격퇴, 왜와 우호적인 금관가야 공격

③ 연호 사용: '영락'이라는 독자적인 연호 사용

(연호: 임금이 즉위한 해에 붙이던 칭호)

**(2) 장수왕**

① 외교: 중국의 남북조 분열 상황을 이용한 실리 외교 추진

② 평양 천도: 국내성 귀족 세력 약화

③ 남진 정책: 백제 수도 한성 함락, 한강 이남까지 영토 확장 → 충주 고구려비 건립

### 2. 백제의 중흥 노력

(1) **배경**: 고구려 장수왕의 공격으로 한강 유역을 빼앗김 → 웅진(공주) 천도(475)

(2) **동성왕**: 신라와의 혼인 동맹 체결, 토착 세력을 중앙 귀족으로 편입 → 왕권 강화

(3) **무령왕**: 국력 회복과 중흥 기틀 마련

① 지방 통제 강화: 지방 중요 지역에 22담로 설치 및 왕족 파견

(22담로: 왕자나 왕족을 파견하여 다스리던 22개의 지방 행정 구역)

② 외교: 중국 남조의 양과 외교 관계 수립

**(4) 성왕**

① 체제 정비: 사비(부여) 천도, 국호 '남부여'로 고침, 중앙·지방 행정 조직 정비

② 영토 회복: 국력을 키워 한강 유역 일시 회복

③ 외교: 왜에 불교 전파, 남조 및 왜와 교류 강화

### 3. 신라의 통치 체제 정비

(1) **지증왕**: 국호를 '신라'로 개칭, '왕' 칭호 사용, 우산국(울릉도와 독도) 정벌

**(2) 법흥왕**

① 체제 정비: 병부 설치(군사권 장악), 율령 반포, 관등제·관복제 정비

② 불교 공인: 사상의 통일 목적

③ 영토 확장: 금관가야 병합

(3) **진흥왕(6세기 중엽)**: 비약적인 발전

① 정책: 황룡사 창건, 화랑도를 국가 조직으로 개편하여 인재 양성

(화랑도: 신라 때에 둔 청소년 수련 단체)

② 영토 확장: 한강 유역 차지, 대가야 정복, 함흥평야 진출 → 순수비 건립

(한강 유역은 한반도의 중심이자 중국과 직접 교류할 수 있었기 때문에 이때부터 신라는 삼국에서 우위를 점하게 됨)

(4) **화백 회의**: 국가의 주요 사안을 귀족들이 만장일치로 결정

(5) **골품제**: 혈통에 따라 신분을 나눈 신라의 신분제 → 정치·사회 활동 제한

### 4. 대가야의 발전과 쇠퇴

**(1) 발전**

① 5세기 후반에 후기 가야 연맹의 중심으로 성장

② 전라도 동부 지역까지 세력 확장, 중국 남조의 제·왜와 교역 시도

③ 고구려의 남하로 위기를 느끼고 나·제 동맹 참여

(2) **쇠퇴**: 6세기 백제에 전라도 동부 지역 빼앗김, 신라 진흥왕의 공격으로 멸망(562)

## 교과서 속 자료 & 개념

### 5세기 고구려의 영역
교과서 28쪽

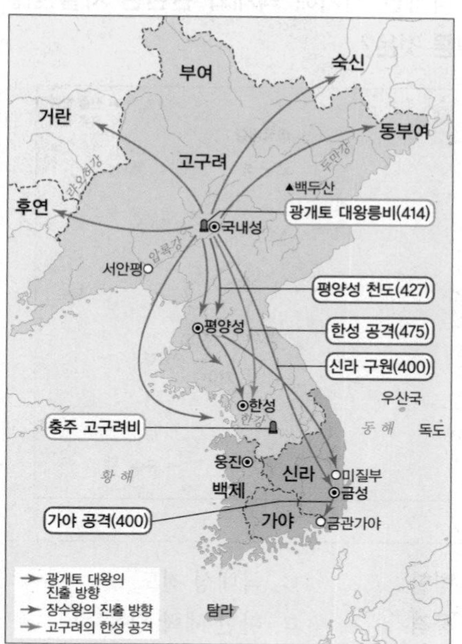

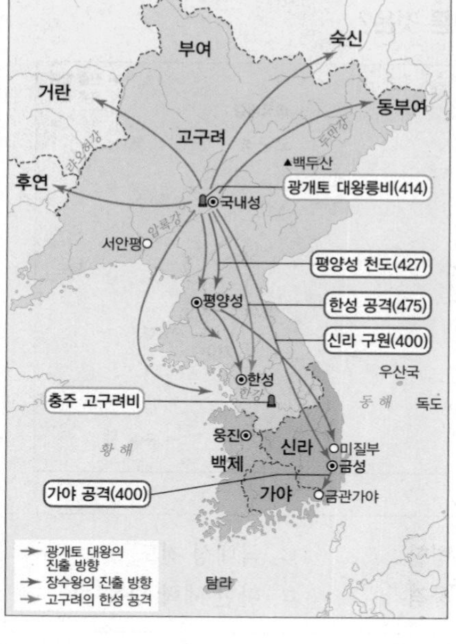

(자료 해설)

광개토 대왕은 만주 일대를 차지하였고, 장수왕은 한반도 중부 지역까지 영토를 확장하였다. 이때 고구려는 영토를 확장하고 당시 분열되어 있던 중국의 남북조와 교류하면서 고구려가 천하의 중심이라는 자부심을 갖게 되었다.

광개토 대왕릉비에서는 고구려의 영토 확장 과정과 '대왕' 칭호를 찾아볼 수 있으며, 충주 고구려비에서는 신라를 '동이(東夷)'라고 칭하는 글이 있어 고구려의 천하 의식을 엿볼 수 있다.

### 진흥왕의 영토 확장과 순수비
교과서 30쪽

단양 신라 적성비

마운령비

서울 북한산 신라 진흥왕 순수비

6세기 신라의 영역

(자료 해설)

신라 진흥왕은 백제의 성왕과 함께 고구려가 차지하고 있던 한강 상류 지역을 공격하였을 뿐만 아니라, 백제가 차지한 한강 하류 지역도 빼앗아 한강 유역을 신라의 영토로 삼았다. 또 북쪽으로 함경도의 동해안까지 점령하였으며, 낙동강 서쪽의 대가야를 정복하였다.

진흥왕은 자신이 정복한 지역을 직접 돌아다니며 이를 기념하는 순수비를 여러 개 세웠는데, 북쪽부터 순서대로 마운령비, 황초령비, 북한산비, 단양 신라 적성비, 창녕 척경비가 있다.

## 개념 꿀꺽

**1. 관련 있는 내용을 옳게 연결해 보자.**

| | | |
|---|---|---|
| (1) 무령왕 • | | • ㉠ 우산국 정벌 |
| (2) 지증왕 • | | • ㉡ 22담로 설치 |
| (3) 광개토 대왕 • | | • ㉢ '영락' 연호 사용 |

**2. 다음 내용이 옳으면 ○표, 틀리면 ×표 하시오.**

(1) 고구려 소수림왕은 태학을 설립하여 인재를 양성하였다. (　　)

(2) 백제의 성왕은 수도를 웅진(공주)으로 옮기고 국호를 남부여로 바꾸었다. (　　)

(3) 신라의 법흥왕은 율령을 반포하여 통치 체제를 정비하였다. (　　)

(4) 대가야는 신라 법흥왕의 공격으로 멸망하였다. (　　)

정답
1. (1) ㉡ (2) ㉠ (3) ㉢
2. (1) ○ (2) × (3) ○ (4) ×

## 기초 튼튼 | 기본문제

**01** (가)~(다)에 들어갈 말을 옳게 짝지은 것은?

> 고조선이 멸망할 즈음 각 지역에서 많은 국가가 나타났다. 압록강 유역에서는 (가) 가, 한강 유역에서는 (나) 가, 한반도 동남부에서는 (다) 와 가야가 일어났다.

| | (가) | (나) | (다) |
|---|---|---|---|
| ① | 백제 | 신라 | 고구려 |
| ② | 백제 | 고구려 | 신라 |
| ③ | 신라 | 백제 | 고구려 |
| ④ | 고구려 | 신라 | 백제 |
| ⑤ | 고구려 | 백제 | 신라 |

단답형

**02** (가)에 들어갈 알맞은 말을 쓰시오.

> 삼국은 초기에 여러 집단이 연맹을 맺어 성립하였으며, 가장 유력한 집단의 지배자가 왕이 되었다. 점차 왕권이 강해지며 왕은 여러 집단의 지배자를 왕 아래 귀족으로 흡수하였고, 이 과정에서 (가) 을/를 두어 관리나 벼슬의 등급을 규정지어 귀족을 서열화하였다.

( )

**03** 고구려 각 왕의 업적으로 옳지 않은 것은?

① 주몽 – 고구려 건국
② 미천왕 – 율령 반포
③ 태조왕 – 현도군 공격
④ 소수림왕 – 태학 설립
⑤ 고국천왕 – 진대법 시행

중요

**04** 다음 지도에 나타난 시기에 백제와 관련된 사실만을 〈보기〉에서 고른 것은?

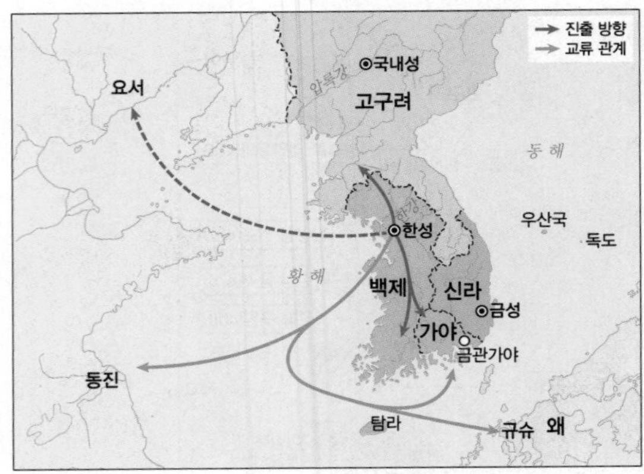


보기

ㄱ. 목지국 병합　　ㄴ. 국내성 천도
ㄷ. 평양성 공격　　ㄹ. 마한 세력 정복

① ㄱ, ㄴ　② ㄱ, ㄷ　③ ㄴ, ㄷ
④ ㄴ, ㄹ　⑤ ㄷ, ㄹ

**05** 다음 유물을 통해 알 수 있는 역사적 사실로 가장 적절한 것은?

① 왕호를 '마립간'으로 변경하였다.
② 웅진에서 사비로 수도를 옮겼다.
③ 백제와 신라가 나·제 동맹을 맺었다.
④ 박, 석, 김 3성이 번갈아 가며 이사금의 자리에 올랐다.
⑤ 신라에 침입한 왜를 격퇴한 고구려가 신라에 영향력을 끼쳤다.

**06** **다음에서 설명하고 있는 왕으로 옳은 것은?**

> 중국이 남조와 북조로 분열된 상황을 이용하여 실리를 추구하는 외교 정책을 펼쳤다. 또한 도읍을 대동강 유역의 평양으로 옮겨 국내성의 귀족 세력을 약화시켰다. 이어 남진 정책을 추진하여 백제의 수도 한성을 함락하고, 한강 이남까지 영토를 확장하였다.

① 미천왕 ② 장수왕
③ 고이왕 ④ 고국천왕
⑤ 광개토 대왕

**07** **백제의 중흥 노력에 대한 설명으로 옳지 않은 것은?**

① 국호를 남부여로 고쳤다.
② 신라와 혼인 동맹을 체결하였다.
③ 수도를 웅진에서 사비로 옮겼다.
④ 왜와 우호적인 금관가야를 공격하였다.
⑤ 22담로를 설치하고 왕족을 파견하였다.

단답형
**08** **(가)에 들어갈 알맞은 말을 쓰시오.**

> 신라는 6세기 지증왕 때 '신라'를 국호로 정하고, 왕호를 마립간에서 '왕'으로 바꾸었다. 그리고 이사부를 보내 (가) 을/를 정벌하였다.

( )

**09** **신라 법흥왕의 업적으로 옳은 것만을 〈보기〉에서 고른 것은?**

보기
ㄱ. 병부 설치 ㄴ. 불교 공인
ㄷ. 대가야 병합 ㄹ. 황룡사 창건

① ㄱ, ㄴ ② ㄱ, ㄷ ③ ㄴ, ㄷ
④ ㄴ, ㄹ ⑤ ㄷ, ㄹ

중요
**10** **다음 지도에서 알 수 있는 진흥왕의 업적으로 옳은 것은?**

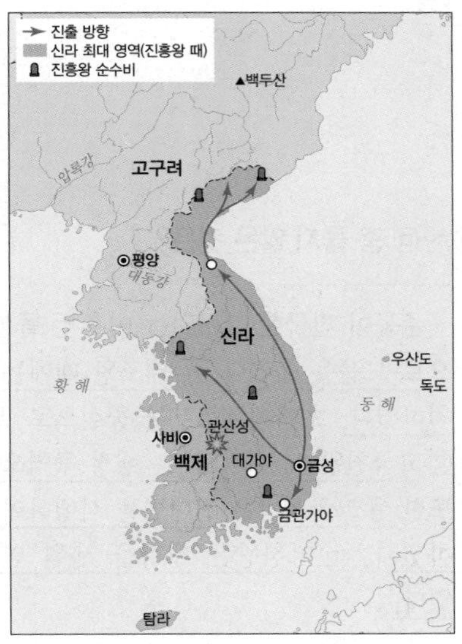


① 율령 반포 ② 태학 설립
③ 우산국 정벌 ④ 금관가야 병합
⑤ 한강 유역 차지

단답형
**11** **(가)에 들어갈 알맞은 말을 쓰시오.**

> 가야 연맹은 낙동강 하류와 남해안에 있던 변한의 여러 소국이 발전하여 성립하였다. 전기에는 김해에 위치한 (가) 이/가 연맹을 주도하였다. (가) 은/는 풍부한 철 생산을 바탕으로 낙랑과 마한, 왜를 잇는 해상 교역을 펼쳐 성장하였다.

( )

## 실력 쑥쑥 | 실전문제

**01** 다음 중 발표 내용이 적절하지 않은 모둠은?

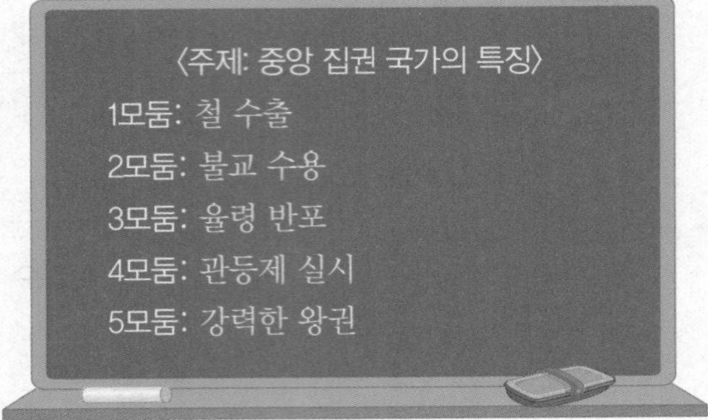


① 1모둠 ② 2모둠 ③ 3모둠
④ 4모둠 ⑤ 5모둠

**02** ㉠~㉤ 중 옳지 않은 것은?

> 주몽이 건국한 고구려는 이후 ㉠졸본에서 국내성으로 도읍을 옮겼다. ㉡태조왕 때에는 현도군을 공격하였다. 초기에는 5부를 중심으로 발전하였으나, ㉢고국천왕 때부터 5부는 행정 구역으로 바뀌었다. 또한 ㉣고국천왕은 진대법을 시행하여 빈민을 구제하였다. ㉤미천왕은 태학을 세워 인재를 양성하였다.

① ㉠ ② ㉡ ③ ㉢ ④ ㉣ ⑤ ㉤

**03** 다음 유물과 관련된 왕의 업적으로 옳은 것은?

① 중국의 동진에서 불교를 받아들였다.
② 목지국을 병합하여 영토를 확장하였다.
③ 좌평을 두고 관등제의 기초를 마련하였다.
④ 마을끼리 침입하지 못하는 책화를 실시하였다.
⑤ 평양성을 공격하여 대동강 이남 땅을 차지하였다.

고난도

**04** (가)에 들어갈 내용으로 옳은 것은?

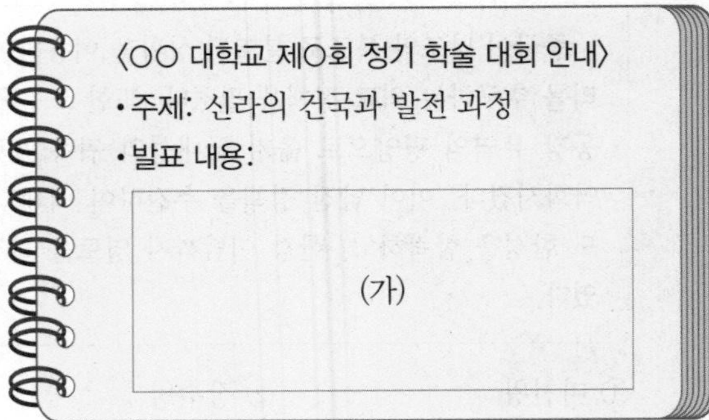


① 형수와 결혼합니다, '형사취수제'
② 남쪽으로 나아가 영토를 확장하자
③ 최초의 석씨 출신 왕, '내물 마립간'
④ 박, 석, 김 3성이 번갈아 왕을 하다
⑤ 통치 체제 정비는 나의 일, '소수림왕'

중요

**05** 다음 선생님의 질문에 대한 학생의 답변으로 옳은 것만을 〈보기〉에서 고른 것은?

**보기**

ㄱ. 신라에 침입한 왜를 물리쳤어요.
ㄴ. '영락'이라는 연호를 사용하였어요.
ㄷ. 국내성에서 평양으로 수도를 옮겼어요.
ㄹ. 화랑도를 국가적인 조직으로 개편하였어요.

① ㄱ, ㄴ ② ㄱ, ㄷ ③ ㄴ, ㄷ
④ ㄴ, ㄹ ⑤ ㄷ, ㄹ

**06** 다음 지역이 수도였던 시기 백제에 대한 설명으로 옳은 것은?

공주 공산성은 금강과 산으로 둘러싸여 적을 방어하기에 유리하였다.

① 국호를 남부여로 고쳤다.
② 불교를 장려하여 왜에 전파하였다.
③ 장수왕의 공격으로 한강을 빼앗겼다.
④ 22담로를 설치하고 왕족을 파견하였다.
⑤ 왕호가 이사금에서 마립간으로 바뀌었다.

중요

**07** 다음 비석을 세운 왕의 업적으로 옳은 것은?

① 병부 설치
② 관등제 정비
③ 우산국 정벌
④ 금관가야 정복
⑤ 한강 유역 차지

고난도

**08** 다음 지도에 나타난 국가에 대한 설명으로 옳은 것은?

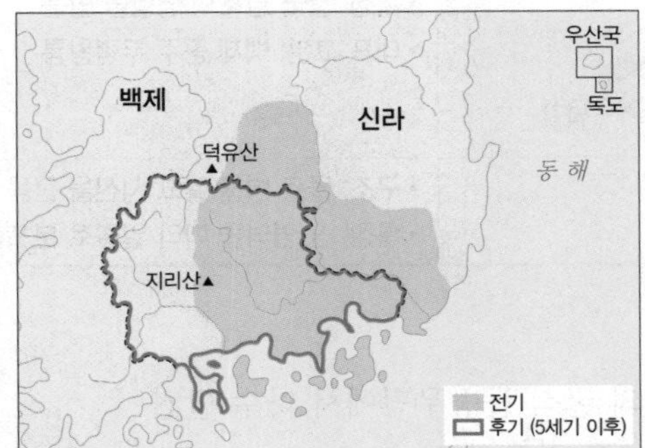


① 백제와 신라의 동맹에 참여하였다.
② 화백 회의라는 귀족 회의가 있었다.
③ 이차돈의 순교로 불교를 공인하였다.
④ 혈통에 따라 신분을 나눈 골품제가 있었다.
⑤ 고구려 광개토 대왕의 도움으로 왜를 물리쳤다.

## 서술형

**09** 삼국이 한강 유역을 차지하려 한 이유를 〈조건〉에 맞추어 서술하시오.

조건
한강 유역을 차지한 순서를 포함할 것

**10** 다음 비석을 세운 왕의 업적을 두 가지 이상 서술하시오.

고구려 대왕이 신라 매금(마립간)을 만나 영원토록 우호를 맺기 위해 중원(충주)에 왔으나 …… 동이(동쪽의 오랑캐) 매금에게 옷을 내려 주었다.

**11** 다음 지도와 같이 백제가 수도를 천도한 이유를 각각 서술하시오.

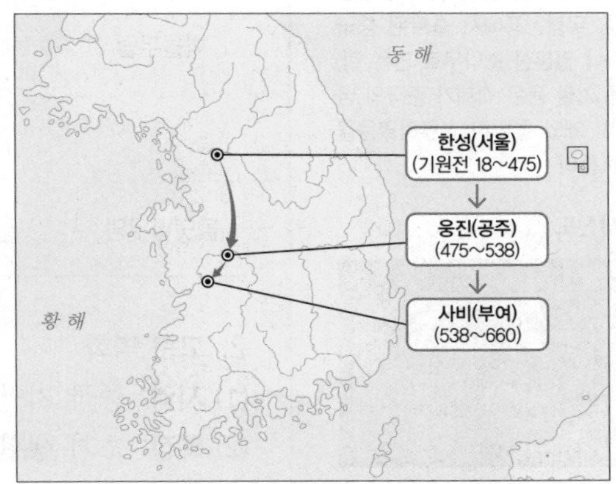

Ⅰ. 선사 문화와 고대 국가의 형성

# 삼국의 문화와 대외 교류

교과서 32~39쪽

## 1 고분과 의식주 문화

### 1. 고분 양식

#### (1) 국가별 고분 양식

| 구분 | 고구려 | 백제 | 신라 | 가야 |
|---|---|---|---|---|
| 초기 | 돌무지무덤 | 돌무지무덤 | 돌무지덧널무덤 | 돌덧널무덤 |
| 후기 | 굴식 돌방무덤 | 굴식 돌방무덤 | 굴식 돌방무덤 | 굴식 돌방무덤 |
| | | 벽돌무덤 | | |

#### (2) 고분 양식별 특징

| 양식 | 구조 | 특징 및 대표 고분 |
|---|---|---|
| 돌무지무덤 | | • 구조: 시신이 담긴 돌널 위에 돌을 쌓음 → 돌을 계단식으로 쌓음<br>• 대표 고분: 고구려 장군총, 백제 서울 석촌동 고분군 (고구려의 영향을 받아 계단식 돌무지무덤을 조성함) |
| 돌무지덧널무덤 | 널, 나무 덧널, 돌무지, 봉토, 껴묻거리 상자 | • 구조: 나무 덧널 위에 돌을 쌓은 후, 그 위에 다시 흙을 언덕 모양으로 덮음<br>• 특징: 구조상 도굴이 어려워 많은 유물이 남아 있음<br>• 대표 고분: 신라 경주 천마총 |
| 굴식 돌방무덤 | 봉토, 널방, 앞방, 널길, 이음길 | • 구조: 돌로 만들어진 방과 통로가 있음<br>• 특징: 널방에 일상생활이나 사신도를 그린 벽화가 다수 남아 있음<br>• 대표 고분: 고구려 쌍영총, 고구려 무용총, 고구려 덕흥리 고분 |
| 벽돌무덤 | 널방, 널길 | • 구조: 벽돌로 널방을 만듦<br>• 특징: 중국 남조의 영향을 받음<br>• 대표 고분: 백제 공주 무령왕릉 |
| 돌덧널무덤 | | • 구조: 돌로 벽을 쌓고 시신을 묻음<br>• 특징: 산 언덕을 따라 일렬로 분포함 |

### 2. 고분 벽화

(1) **지역**: 중국 지안·평양 일대 고구려의 굴식 돌방무덤에서 다수 발견

(2) **특징**: 초기 생활 풍속, 장식 무늬 → 후기 사신도

### 3. 신분에 따른 삶

(1) **의생활**: 직물로 만든 옷 착용, 고위 신분은 금속 장식 사용

(2) **식생활**: 끓이고 삶는 음식물 발달, 조·보리가 주식, 쌀은 소수의 지배층만 취식

(3) **주생활**: 온돌을 깐 집, 부뚜막 존재(난방과 주방의 역할)

- 온돌: 화기(火氣)가 방 밑을 통과하여 방을 덥히는 장치
- 부뚜막: 부엌 아궁이 위에 흙과 돌을 쌓아서 솥을 걸어 놓은 곳

**보충 쌍영총의 천장**

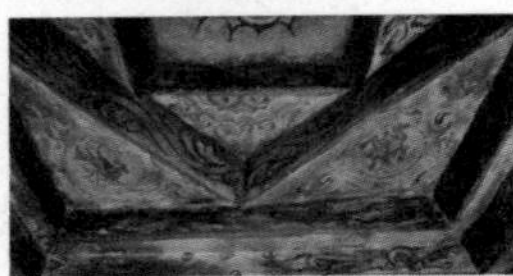

고구려의 굴식 돌방무덤에서는 내부 공간의 모서리를 점차 줄여 나가면서 쌓아 올리는 모줄임천장 구조를 찾아볼 수 있다.

**보충 덕흥리 고분 벽화**

덕흥리 고분은 평안남도 강서군에 있는 고구려 벽화 고분으로, 삼국 시대 고구려의 인물 풍속도·장식 무늬 관련 벽화가 출토되었다.

**보충 공주 무령왕릉**

벽돌로 널방을 만든 중국식 무덤이다. 무령왕릉에서 출토된 중국 청자나 일본산 소나무로 만든 관, 청동 거울 등은 백제가 중국의 남조 및 왜와 활발히 교류하였음을 보여 준다.

**사신도**

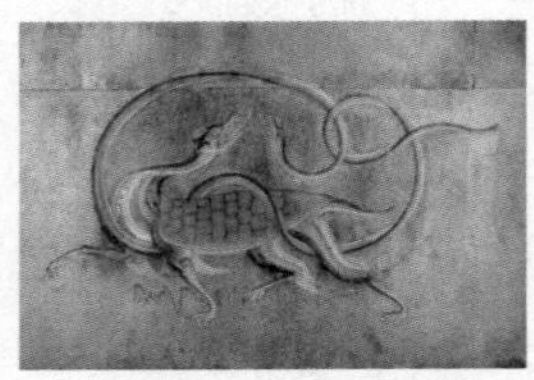

현무도(평남 강서 대묘)

도교에서 동서남북의 네 가지 방위를 상징하는 신을 그린 그림이다. 청룡은 동쪽, 백호는 서쪽, 주작은 남쪽, 현무는 북쪽을 의미한다.

## 교과서 속 자료 & 개념

### 장군총과 서울 석촌동 고분군

교과서 33쪽

장군총

서울 석촌동 고분군

자료 해설

장군총은 고구려의 대표적인 돌무지무덤으로 돌을 피라미드 모양으로 쌓아 올렸다. 무덤의 주인공은 광개토 대왕이나 장수왕으로 추정된다.

서울 석촌동 고분군은 백제 한성 시기에 만들어진 돌무지무덤으로 고구려와 달리 안을 흙으로 채우고 바깥에만 돌을 쌓았다. 백제의 초기 무덤 양식이 고구려와 비슷한 것은 백제를 건국한 세력이 고구려와 관련이 있다는 건국 신화의 내용을 뒷받침한다.

### 경주 천마총 장니 천마도

교과서 33쪽

자료 해설

거대한 돌무지덧널무덤인 천마총에서 출토된 그림으로 정수리에 뿔 하나가 달린 천마가 그려져 있다. 두 장의 장니(말다래, 말 탄 사람의 옷에 진흙이 튀지 않도록 말의 배 양쪽에 늘어뜨린 네모난 판) 위에 그려져 있으며, 국보 제207호로 지정되었다. 흰 자작나무 껍질을 겹친 뒤 고운 자작나무 껍질을 입히고, 가장자리에는 가죽을 대어 만들었다. 천마총에서는 신라 금관 중에서 가장 화려한 금관이 발견되어 6세기경에 만들어진 것으로 보고 있다.

### 벽화를 통해 본 고구려인의 일상생활

교과서 34쪽

무덤 주인공 초상화 (황해 안악 3호분)

부엌과 푸줏간(황해 안악 3호분)

자료 해설

안악 3호분은 무덤을 만든 연대가 확실한 고분으로 고구려의 생활 풍속을 잘 보여 준다. 돌방의 벽면에 주인공 부부의 초상, 행렬도, 일상생활도 등을 그렸다. 357년에 만들어졌으며, 무덤의 주인공이 미천왕이나 고국원왕이라는 설이 있다.

초상화에는 무덤 주인을 중심으로 신하들이 늘어서 있다. 신분이 높은 사람을 크게 그렸으며, 신분에 따라 복식이 다르다. 부엌과 푸줏간에는 음식을 조리하는 주방과 그 옆 건물에 고기가 걸린 모습이 그려져 있다. 이 그림을 통해 고구려의 식생활과 주거 문화를 알 수 있다.

## 2 삼국과 가야의 문화 교류

### 1. 불교와 도교의 수용

(1) **불교의 수용**: 중앙 집권 국가를 이루는 과정에서 왕실을 중심으로 수용

(2) **불교 예술의 발달**

① 사원 건립: 고구려의 정릉사, 백제의 정림사와 미륵사, 신라의 황룡사

② 탑의 변화: 목탑 → 석탑

| 이름 | 사진 | 특징 |
|---|---|---|
| 경주 분황사 모전 석탑 | | 신라의 석탑으로, 벽돌 모양으로 다듬은 돌을 쌓아 만듦 |
| 익산 미륵사지 석탑 | | 백제 최초의 석탑으로, 목탑의 양식을 그대로 간직함 |

(3) **도교 문화의 수용**: 귀족 사회를 중심으로 유행 → 고분 벽화의 사신도, 산수무늬 벽돌, 백제 금동 대향로 등

산, 강 등의 무늬를 담은 벽돌

(4) **유학의 전래**: 고구려의 태학 등에서 유교 경전 교육

### 2. 여러 나라와의 문화 교류

(1) **고구려**: 중국의 남·북조, 서역 등에서 다양한 문화 수용·발전 → 백제, 신라, 가야, 왜 등에 전달

중국의 서쪽 지역에 있던 중앙아시아, 페르시아 등을 통틀어 이르는 말

(2) **백제**: 중국 남조와 활발한 교류, 중국~가야~왜를 잇는 해상 왕국으로 성장

(3) **신라**: 고구려를 통해 중국과 교류 → 독자적으로 중국, 서역과 교류

6세기에 한강 유역을 차지하고 당항성을 통해 중국과 직접 교류함

(4) **가야**: 중국 남조, 북방, 백제, 왜를 연결하는 해상 교역로 개방

| 이름 | 사진 | 국가 | 특징 |
|---|---|---|---|
| 「양직공도」의 백제 사신 | | 백제 | 6세기 초 중국 남조의 양에 온 외국인 사절을 그린 사신도 속에 있는 백제 사신의 모습 |
| 아프라시아브 궁전 벽화 | | 고구려 | 고구려의 조우관(새의 깃털로 장식한 관모)을 쓰고 고리자루칼을 차고 있는 고구려 사신의 모습 |
| 경주 계림로 보검 | | 신라 | 신라의 고분에서 출토된 서역의 보검 장식 |

### 3. 삼국과 가야 문화의 일본 전파

(1) **백제**: 불교 전파, 학자·기술자 파견 → 가장 적극적으로 교류

(2) **고구려**: 종이와 먹을 만드는 기술 전파

(3) **신라**: 배 만드는 기술, 불상 등 전파

(4) **가야**: 바닷길을 이용해 철기, 토기 문화 전파

**보충** 금동 연가 7년명 여래 입상

높이 16.2 cm의 작은 금동 불상으로, 신라의 영토였던 경남 의령에서 발견되었으나 뒷면에 고구려와 관련된 글이 새겨져 있다.

**보충** 백제 금동 대향로

향로의 뚜껑은 산 모양으로 정상에는 봉황을 배치하였고, 몸통에 연꽃 봉우리를 장식하였다.

**보충** 고구려 수산리 고분 벽화와 일본 다카마쓰 고분 벽화

▲ 수산리 고분 벽화 ▲ 다카마쓰 고분 벽화

일본 다카마쓰 고분 벽화에 등장하는 여성의 옷차림은 고구려인의 복장이고, 머리를 묶은 모습 또한 고구려 사람들과 유사하다. 이 두 벽화의 유사성은 고구려와 일본의 문화 교류를 보여 준다.

## 교과서 속 자료 & 개념

### 금동 미륵보살 반가 사유상과 목조 미륵보살 반가 사유상

교과서 37쪽

금동 미륵보살 반가 사유상

고류사 목조 미륵보살 반가 사유상

(자료 해설)

금동 미륵보살 반가 사유상은 청동에 도금을 하여 만든 삼국 시대의 불상이다. 왼쪽 무릎 위에 오른발을 걸치고 오른쪽 팔꿈치를 무릎 위에 올려놓고 손가락을 뺨에 댄 채 명상에 잠긴 자세를 취하고 있다. 우리나라 국보 제83호로 지정되어 있다.

목조 미륵보살 반가 사유상은 일본 교토의 고류사에 있는 목조 불상이다. 일본의 국보 1호로 지정되어 있으며, 삼국 시대에 제작된 금동 미륵보살 반가 사유상과 매우 유사하여 한반도에서 제작되어 일본에 전해진 것으로 알려져 있다.

### 삼국과 가야 문화의 일본 전파

교과서 39쪽

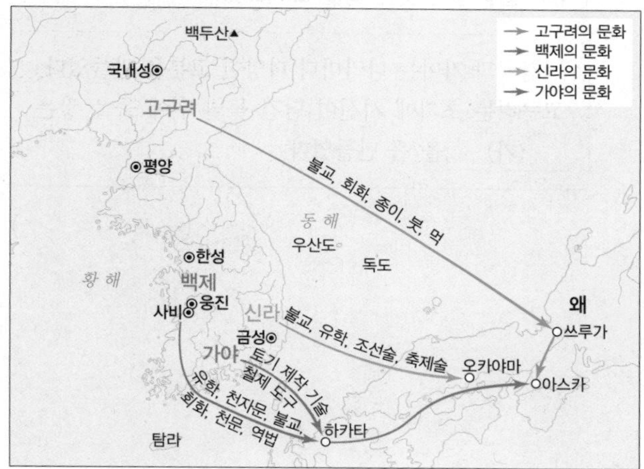


(자료 해설)

일본 고대 문화는 삼국과 가야 문화의 영향을 받아 발전하였다. 일본 역사에서 7세기 초반부터 중반까지의 문화를 일컫는 아스카 문화는 고구려, 백제, 신라의 영향을 받으며 불교를 중심으로 발달하였다.

고구려의 담징은 왜에 종이, 먹 등을 만드는 방법을 알려 주었고, 승려 혜자는 쇼토쿠 태자의 스승이 되었다. 백제의 왕인은 논어를 전하였고, 무령왕 시기에는 유학을, 성왕 시기에는 불교를 왜에 전해 주었다. 신라는 선박과 제방을 만드는 기술과 불상을 전해 주었다. 가야는 토기 제작술을 전하여 일본 고분 시대 토기인 스에키를 발생시켰고, 철기 제작 기술을 전하여 일본 고대 철기 문화를 발전시켰다.

## 개념 꿀꺽

**1. 관련 있는 내용을 옳게 연결해 보자.**

(1) 장군총 • • ㉠ 신라

(2) 천마총 • • ㉡ 백제

(3) 무령왕릉 • • ㉢ 고구려

**2. 다음 내용이 옳으면 ○표, 틀리면 ×표 하시오.**

(1) 굴식 돌방무덤 내부의 널방에는 벽화가 많이 남아 있다. (   )

(2) 고구려의 고분 벽화를 통해 당시 고구려인들의 생활 모습을 알 수 있다. (   )

(3) 익산 미륵사지 석탑은 신라 최초의 석탑으로, 목탑 양식을 간직하고 있다. (   )

(4) 가야는 일본에 불교를 전파하고 학자와 기술자를 파견하였다. (   )

정답
1. (1) ㉢ (2) ㉠ (3) ㉡
2. (1) ○ (2) ○ (3) × (4) ×

# 기초튼튼 | 기본문제

단답형
**01** (가)에 들어갈 알맞은 말을 쓰시오.

> 삼국과 가야는 나라마다 다양한 고분을 만들었다. 고구려는 초기에 시신이 담긴 돌널 위에 돌을 쌓은 (가) 을/를 만들었다.

( )

중요
**02** 다음과 같은 구조의 고분에 대한 설명으로 옳은 것은?

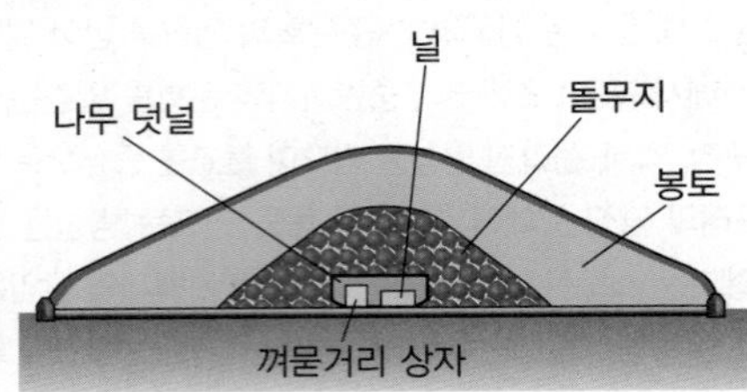


① 벽화가 많이 남아 있다.
② 백제 초기에 주로 제작되었다.
③ 고구려의 영향을 받아 만들어졌다.
④ 도굴이 어려워 많은 유물이 남아 있다.
⑤ 돌로 벽을 쌓고 시신을 묻은 구조이다.

단답형
**03** 다음과 같은 벽화가 남아 있는 고분 양식을 쓰시오.

( )

중요
**04** 다음 고분에 대한 설명으로 옳은 것은?

① 돌무지덧널무덤 양식이다.
② 중국 남조의 영향을 받았다.
③ 신라에서 만들어진 대표 고분이다.
④ 일상생활 모습을 그린 벽화가 그려져 있다.
⑤ 백제를 건국한 세력이 고구려와 관련이 있음을 보여 준다.

**05** 다음과 같은 구조의 고분만을 〈보기〉에서 고른 것은?

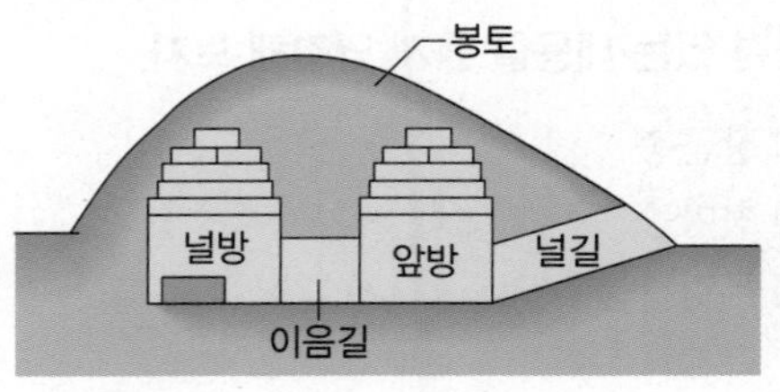


보기
ㄱ. 장군총 ㄴ. 천마총
ㄷ. 쌍영총 ㄹ. 무용총

① ㄱ, ㄴ ② ㄱ, ㄷ ③ ㄴ, ㄷ
④ ㄴ, ㄹ ⑤ ㄷ, ㄹ

**06** 삼국 시대 신분에 따른 의식주 생활에 대한 설명으로 옳지 <u>않은</u> 것은?

① 온돌을 깐 집에 살았다.
② 직물로 만든 옷을 입었다.
③ 대부분의 사람들이 쌀을 주식으로 먹었다.
④ 이전과 비교해 끓이고 삶는 음식물이 발달하였다.
⑤ 신분이 높은 사람은 옷에 금속 장식을 달기도 하였다.

단답형

**07** (가)에 들어갈 알맞은 말을 쓰시오.

> 삼국은 중앙 집권 국가를 이루는 과정에서 왕실을 중심으로 불교를 수용하였다. 이 과정에서 불교 예술도 함께 발달하였다. 대표적인 예시로 고구려에서 만들어진 소형 불상인 (가) 이/가 있다. 뒷면에 글이 새겨져 있어 경남 의령에서 발견되었으며, 제작 연대를 알 수 있다.

( )

중요

**08** 삼국 시대 도교와 관련된 유물만을 〈보기〉에서 고른 것은?

보기
ㄱ. 산수무늬 벽돌
ㄴ. 백제 금동 대향로
ㄷ. 경주 분황사 모전 석탑
ㄹ. 금동 미륵보살 반가 사유상

① ㄱ, ㄴ ② ㄱ, ㄷ ③ ㄴ, ㄷ
④ ㄴ, ㄹ ⑤ ㄷ, ㄹ

**09** 다음에서 설명하고 있는 탑으로 옳은 것은?

> 백제 최초의 석탑으로, 목탑의 양식을 그대로 간직하고 있다.

① 익산 미륵사지 석탑
② 경주 불국사 3층 석탑
③ 경주 분황사 모전 석탑
④ 양양 진전사지 3층 석탑
⑤ 부여 정림사지 5층 석탑

**10** 다음 중 백제와 중국 남조의 교류 모습을 보여 주는 유물로 옳은 것은?

①

②
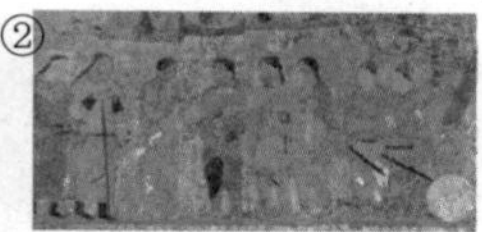
③
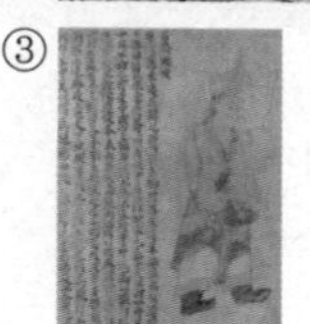
④

⑤

중요

**11** 삼국, 가야와 일본과의 문화 교류 내용으로 옳지 <u>않은</u> 것은?

① 백제는 불교를 전파하였다.
② 백제는 학자와 기술자를 파견하였다.
③ 가야는 철기와 토기 문화를 전파하였다.
④ 신라는 배를 만드는 기술을 전파하였다.
⑤ 신라는 종이와 먹을 만드는 기술을 전파하였다.

## 실력 쑥쑥 | 실전문제

**01** (가)에 들어갈 고분 양식으로 옳은 것은?

① 벽돌무덤 ② 돌무지무덤
③ 돌덧널무덤 ④ 굴식 돌방무덤
⑤ 돌무지덧널무덤

중요

**02** 다음 유적과 같은 양식의 고분을 만든 국가만을 〈보기〉에서 고른 것은?

보기
ㄱ. 가야 ㄴ. 백제
ㄷ. 신라 ㄹ. 고구려

① ㄱ, ㄴ ② ㄱ, ㄷ ③ ㄴ, ㄷ
④ ㄴ, ㄹ ⑤ ㄷ, ㄹ

**03** 다음 유물이 발견된 고분에 대한 설명으로 옳은 것은?

① 돌무지덧널무덤 양식이다.
② 백제의 대표적인 고분이다.
③ 돌로 벽을 쌓고 시신을 묻었다.
④ 사신도를 그린 벽화가 남아 있다.
⑤ 산 언덕을 따라 일렬로 분포하였다.

고난도

**04** 다음 고분의 양식에 대한 설명으로 옳은 것은?

① 돌방 내부에 벽화를 그렸다.
② 돌널 위에 돌을 쌓은 형태이다.
③ 가야의 영향을 받아 만들어졌다.
④ 고구려 초기에 주로 제작되었다.
⑤ 도굴이 어려워 많은 유물이 남아 있다.

**05** 다음 글의 ㉠~㉤ 중 옳지 않은 것은?

삼국 시대 사람들은 무덤 내부에 벽화를 그리기도 하고, 시신과 함께 껴묻거리를 묻기도 하였다. 특히 ㉠굴식 돌방무덤 양식을 쓴 고구려에서 고분 벽화가 많이 발견되는데, 주로 도읍이었던 중국 지안과 평양 일대에 집중되어 나타난다. 무덤에서 출토된 의복 장식은 장례 풍습과 더불어 사회 신분을 나타낸다. ㉡삼국과 가야의 사람들은 직물로 만든 옷을 입었으며, ㉢신분이 높은 사람은 옷에 금속 장식을 달기도 하였다. 이전 시기와 비교해 끓이고 삶는 음식물이 발달하였고 ㉣쌀이 주식으로 이용되었다. 주거 형태는 대부분 온돌을 깐 집에 살았으며 ㉤부뚜막이 붙어 있어 난방과 주방을 겸하였다.

① ㉠ ② ㉡ ③ ㉢ ④ ㉣ ⑤ ㉤

중요

**06** (가)에 들어갈 조사 내용으로 적절한 것만을 〈보기〉에서 고른 것은?

수행 평가 과제 계획서

3학년 ○반 이름 △△△

- 주제: 삼국 시대의 불교 예술
- 조사 방법: 관련 도서, 인터넷 검색
- 조사 내용: (가)

**보기**

ㄱ. 사신도　　ㄴ. 황룡사
ㄷ. 산수무늬 벽돌　　ㄹ. 익산 미륵사지 석탑

① ㄱ, ㄴ　② ㄱ, ㄷ　③ ㄴ, ㄷ
④ ㄴ, ㄹ　⑤ ㄷ, ㄹ

고난도

**07** 다음 탑이 만들어진 시대의 문화적 특징으로 옳지 않은 것은?

① 왕실을 중심으로 불교를 수용하였다.
② 석탑에서 목탑으로 양식이 바뀌었다.
③ 정림사, 미륵사 등의 사원이 건립되었다.
④ 유학이 전래되어 유교 경전을 가르쳤다.
⑤ 귀족 사회를 중심으로 도교가 유행하였다.

## 서술형

**08** 다음과 같은 벽화가 발견된 고분 양식의 명칭과 특징을 서술하시오.

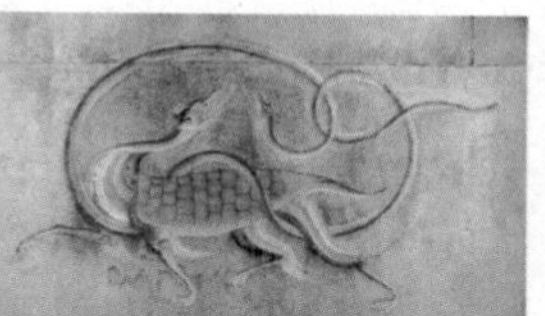

**09** 다음 벽화에서 알 수 있는 삼국 시대 문화 교류 내용을 서술하시오.

**10** 다음 벽화를 통해 알 수 있는 고구려와 일본의 관계를 서술하시오.

고구려 수산리 고분 벽화　일본 다카마쓰 고분 벽화

# | 대단원 | 정리하기

## 1 선사 문화와 고조선

### 1 구석기·신석기 문화

| 구분 | 구석기 | 신석기 |
|---|---|---|
| 도구 | ① [ ]: 돌을 깨뜨려 만든 도구 | • 간석기: 돌을 갈아서 만든 도구<br>• 가락바퀴, 뼈바늘<br>• 갈돌과 갈판<br>• 빗살무늬 토기 |
| 식생활 | 채집, 사냥, 낚시 | • 채집, 사냥, 낚시 지속<br>• ② [ ]과 목축 시작 |
| 주생활 | 이동 생활(동굴, 막집) | 정착 생활(움집) |
| 기타 | | 신앙생활 |

### 2 고조선의 건국과 변화

| | |
|---|---|
| 청동기 문화의 성립 | • 검, 장신구, 제사 도구로 제작<br>• 벼농사 시작, 반달 돌칼 사용, 민무늬 토기 사용<br>• 계급 분화 → ③ [ ], 돌널무덤 제작 |
| 고조선의 출현 | • 우리 역사상 최초의 국가<br>• 대표 유물: 비파형 동검, 거친무늬 거울, ④ [ ] 토기<br>• 단군왕검 이야기 → 제정일치, 동물 숭배, 농경 사회임을 유추 |
| 고조선의 발전 | • 철기 문화 수용 → 농기구, 무기 제작<br>• 독자적인 청동기 문화 발전 → 세형 동검, ⑤ [ ] 거울 제작<br>• 중국의 연과 경쟁할 정도로 성장 |
| 위만 조선 | • 고조선으로 이주한 위만이 왕위 즉위 → 철기 문화를 바탕으로 영향력 확대<br>• 한반도의 진과 중국의 한 사이에서 중계 무역으로 번영<br>• 한과의 마찰 및 대립으로 멸망 → 한 군현 설치 |
| 고조선의 ⑥ [ ] | • 사회 질서를 유지하고자 제정<br>• 생명 존중 사상, 노동력 중시, 농경 사회, 사유 재산 발생, 신분제 사회임을 유추 |

## 2 여러 나라의 성장

### 1 철기 문화와 여러 나라의 성립

| | | |
|---|---|---|
| 철기 문화의 확산 | • 시기: 기원전 5~4세기경에 시작 → 기원전 2~1세기경 한반도 전역으로 확산<br>• 활용: 농기구, 무기로 제작 → 지역 간 정복 전쟁 증가<br>• 생활: 온돌, 독무덤·널무덤 제작, 화폐 사용(오수전), 문자 생활(붓 사용) | |
| 여러 나라의 성립 | ⑦ [ ] | • 쑹화강 유역의 평야 지대<br>• 농경과 목축 발달<br>• 마가, 저가, 구가 등이 사출도 지배 |
| | 고구려 | • 압록강 유역의 산간 지역 → 주변 지역을 정복하며 성장<br>• 상가, 고추가 등의 제가 존재<br>• 제가 회의 |
| | 옥저와 동예 | • 동해안 지역의 비옥한 지대<br>• 읍군·삼로라 불리는 군장 존재<br>• ⑧ [ ]에 복속 |
| | 삼한 | • 한반도 남부 지역에 여러 소국으로 구성<br>• 벼농사 발달, 철 생산 및 수출 |

### 2 여러 나라의 생활과 풍습

| | |
|---|---|
| 혼인 풍습 | • 부여, 고구려: 형사취수제<br>• 고구려: 서옥제<br>• 옥저: ⑨ [ ]<br>• 동예: 족외혼 |
| 장례 풍습 | • 부여: ⑩ [ ]<br>• 옥저: 가족 공동 무덤 |
| 제천 행사 | • 부여(영고), 고구려(동맹), 동예(무천), 삼한(농경제)<br>• 삼한: 제사장인 ⑪ [ ] 존재, 소도(신성 지역) |
| 사회 질서 유지 | • 부여, 고구려: 엄격한 법 시행<br>• 동예: 마을을 침범하면 노비나 소, 말로 배상하는 ⑫ [ ] 실시 |

## 3 삼국의 성립과 발전

### 1 삼국과 가야의 성립

| 중앙 집권 국가 | 관등제 실시, ⑬ ______ 반포, 불교 수용 |
|---|---|
| 고구려 | • 주몽이 압록강 졸본 지역에서 건국<br>• 고국천왕: 5부의 행정 구역화, 진대법 시행<br>• 미천왕: 중국의 군현 세력 축출<br>• ⑭ ______: 불교 수용, 태학 설립, 율령 반포 |
| 백제 | • 한강 유역에서 건국<br>• 고이왕: 목지국 병합, 관등제 기초 마련<br>• ⑮ ______: 평양성 공격, 마한의 잔여 세력 정복, 해상 교역망 장악<br>• 침류왕: 불교 수용 |
| 신라 | • 경주의 ⑯ ______에서 출발<br>• 박, 석, 김 3성이 번갈아 가며 왕위 즉위 → 내물왕 때 김씨 왕위 단독 세습<br>• 나·제 동맹 체결 |
| ⑰ ______ | • 낙동강 유역에서 풍부한 철, 해상 교역을 바탕으로 성장<br>• 신라 법흥왕의 공격으로 멸망 |

### 2 삼국과 가야의 발전

| 고구려 | • 광개토 대왕: 동부여 병합, 한강 이북 차지, 금관가야 공격, 신라 도움<br>• 장수왕: ⑱ ______ 천도, 남진 정책 추진 |
|---|---|
| 백제 | • ⑲ ______ 천도<br>• 무령왕: 22담로 설치<br>• 성왕: 사비(부여) 천도, 국호 남부여, 한강 유역 일시적으로 회복 |
| 신라 | • 지증왕: 국호 '신라', '왕' 칭호 사용, 우산국 정벌<br>• 법흥왕: 병부 설치, 율령 반포, 불교 공인<br>• ⑳ ______: 황룡사 창건, 화랑도 개편, 한강 유역 차지, 대가야 정복<br>• 화백 회의: 귀족 회의 제도<br>• ㉑ ______: 신분제 → 정치·사회 활동 제한 |
| 대가야 | 신라 진흥왕의 공격으로 멸망 |

## 4 삼국의 문화와 대외 교류

### 1 고분과 의식주 문화

| 돌무지무덤 | • 시기: 고구려, 백제 초기<br>• 구조: 시신이 담긴 돌널 위에 돌을 쌓음 → 돌을 계단식으로 쌓음<br>• 대표 유적: 장군총, 서울 석촌동 고분군 |
|---|---|
| ㉒ ______ | • 시기: 신라 초기<br>• 구조: 나무 덧널 위에 돌을 쌓고, 그 위에 다시 흙을 언덕 모양으로 덮음<br>• 대표 유적: 경주 천마총 |
| ㉓ ______ | • 시기: 삼국 후기<br>• 구조: 돌로 만들어진 방과 통로가 있음<br>• 특징: 다수의 벽화 존재<br>• 대표 유적: 쌍영총, 무용총, 덕흥리 고분 |
| 벽돌무덤 | • 특징: 중국 남조의 영향<br>• 대표 유적: 공주 ㉔ ______ |
| 의식주 | 신분에 따른 차이, 쌀은 소수의 지배층만 취식 |

### 2 삼국과 가야의 문화 교류

| 불교 | • 왕실을 중심으로 불교 수용 → 불교 예술 발달<br>• 거대한 사원 건립, 불상 제작, 목탑에서 석탑으로 변화 |
|---|---|
| ㉕ ______ | • 귀족 사회를 중심으로 유행<br>• 사신도, 백제 금동 대향로, 산수무늬 벽돌 등 |
| 유학 | 고구려 태학 등에서 유교 경전 교육 |
| 문화 교류 | • 고구려: 중국의 남북조, 서역 등과 교류<br>• 백제: 중국 남조와 교류, 해상 왕국으로 성장<br>• 신라: 차츰 독자적으로 대외 교류<br>• 가야: 해상 교역로 개방 |
| 일본과의 교류 | • 백제: 불교 전파, 학자·기술자 파견<br>• 고구려: 종이·먹 만드는 기술 전달<br>• 신라: 배 만드는 기술 전파<br>• 가야: 철기, 토기 문화 전파 |

# 자신만만 | 적중문제

## 01/02 선사 문화와 고조선~여러 나라의 성장

**01** (가), (나)에 들어갈 내용을 옳게 짝지은 것은?

〈역사 다큐멘터리〉
주제: 특별 2부작, 선사 시대의 모든 것!

- 1부: 구석기 시대의 모든 것!
  – 주요 내용: (가)
- 2부: 신석기 시대의 모든 것!
  – 주요 내용: (나)

① (가) – 민무늬 토기에 식량을 저장하였다.
② (가) – 강가, 바닷가에서 움집을 짓고 살았다.
③ (나) – 조, 피 등 밭농사를 지었다.
④ (나) – 강가에서 막집을 짓고 살았다.
⑤ (나) – 돌을 내리쳐서 뗀석기를 만들었다.

**02** 다음 유물이 만들어진 시대에 대한 설명으로 옳은 것은?

① 철제 농기구를 사용하였다.
② 동굴이나 막집에서 생활하였다.
③ 빗살무늬 토기에 곡식을 저장하였다.
④ 계급이 발생하지 않아 평등한 사회였다.
⑤ 청동기로 검이나 제사용 도구를 만들었다.

**03** 다음 ㉠, ㉡에 대한 해석을 옳게 짝지은 것은?

환웅은 무리 3천을 거느리고 태백산 정상 신단수 밑에 내려와 ㉠비 · 구름 · 바람을 다스리는 신을 거느리고 …… 곰은 쑥과 마늘을 먹고 여자가 되었으며, 나중에 환웅과 혼인하여 ㉡단군왕검을 낳았다.
–「삼국유사」

| | ㉠ | ㉡ |
|---|---|---|
| ① | 농경 사회 | 제정일치 |
| ② | 농경 사회 | 제정 분리 |
| ③ | 계급 사회 | 제정일치 |
| ④ | 계급 사회 | 제정 분리 |
| ⑤ | 생명 존중 | 제정 분리 |

**04** 다음 일기에 이어질 내용으로 적절한 것은?

일어나자마자 철제 농기구로 열심히 땅을 갈았다. 오후에는 아빠와 함께 할아버지의 독무덤, 할머니의 널무덤에 인사를 드리고 왔다. ……

① 돌을 갈아서 돌도끼를 만들었다.
② 열매가 많은 곳에 막집을 지었다.
③ 청동기로 거친무늬 거울을 만들었다.
④ 빗살무늬 토기에 곡식을 담아 보았다.
⑤ 중국에서 들어온 오수전을 구경하였다.

**05** 다음 인터넷 검색에 대한 결과로 가장 적절한 것은?

지식IN | 철기 시대 여러 나라의 특징

① 고구려에서는 순장 풍습이 유행했어요.
② 삼한은 제사와 정치가 분리되어 있었어요.
③ 부여에는 서옥제라는 혼인 풍습이 있었어요.
④ 동예에는 민며느리제라는 혼인 풍습이 있었어요.
⑤ 옥저에는 다른 부족의 침입을 금지하는 책화라는 제도가 있었어요.

## 03 삼국의 성립과 발전

**06** 다음 가상 인터뷰에서 (가)~(다)에 들어갈 말을 옳게 짝지은 것은?

> 기자: 고국원왕이 백제와의 싸움에서 전사하는 위기 속에서 왕위에 올랐는데, 그동안 많은 일을 하셨습니다.
> 소수림왕: 그렇습니다. 즉위 후 (가) 를 받아들였습니다. 이는 백성들의 사상 통합 및 왕실의 권위를 높이고자 함이었습니다.
> 기자: (나) 을 설립한 것도 빼놓을 수 없는 업적이죠. 유교를 가르쳐 인재를 기르고자 하신 것이죠?
> 소수림왕: 맞습니다. 또한 (다) 을/를 반포하여 국가를 다스리고 사회 질서를 유지하기 위한 규범도 갖추었죠.

| | (가) | (나) | (다) |
|---|---|---|---|
| ① | 불교 | 태학 | 율령 |
| ② | 불교 | 태학 | 관등제 |
| ③ | 불교 | 국학 | 관등제 |
| ④ | 유교 | 국학 | 관등제 |
| ⑤ | 유교 | 태학 | 율령 |

**07** 신라의 발전 과정에서 있었던 (가)~(라)의 사실들을 일어난 순서대로 옳게 나열한 것은?

> (가) 병부를 설치하였다.
> (나) 우산국을 정벌하였다.
> (다) 화랑도를 정비하여 인재를 양성하였다.
> (라) 김씨가 단독으로 왕위를 세습하기 시작하였다.

① (가) → (나) → (다) → (라)
② (나) → (다) → (라) → (가)
③ (다) → (가) → (라) → (나)
④ (라) → (가) → (나) → (다)
⑤ (라) → (나) → (가) → (다)

**08** (가), (나) 시기와 관련된 사실로 옳지 않은 것은?

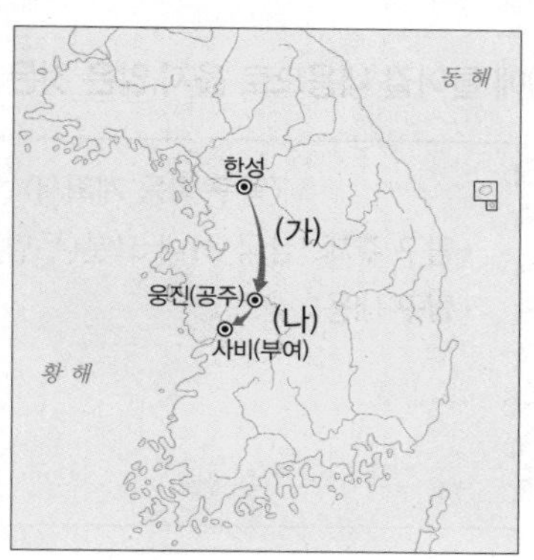


① (가) – 장수왕의 공격으로 수도를 옮겼다.
② (가) – 고구려와의 전쟁으로 개로왕이 전사하였다.
③ (나) – 나라 이름을 '남부여'로 고쳤다.
④ (나) – 근초고왕이 전성기를 맞이하였다.
⑤ (나) – 신라와 연합하여 한강 유역을 되찾았다.

**09** (가)~(다) 시기에 일어난 사실로 옳은 것은?

(가) (나) (다)

① (가) – 백제가 사비로 천도하였다.
② (가) – 고구려의 공격으로 금관가야가 쇠퇴하였다.
③ (나) – 고구려가 한강을 점령하고 비석을 세웠다.
④ (다) – 고구려가 백제와 손을 잡고 신라를 압박하였다.
⑤ 세 지도를 시간 순으로 배열하면 (가)–(다)–(나)이다.

## 04 삼국의 문화와 대외 교류

**10** (가)에 들어갈 내용으로 옳지 않은 것은?

〈탐구 활동 계획서〉
- 탐구 주제: 삼국 시대 고분(무덤)
- 탐구 내용:

(가)

① 중국의 영향을 받았어요, 벽돌무덤!
② 벽화가 그려져 있어요, 굴식 돌방무덤!
③ 도굴이 쉬워 유물이 없어요, 돌무지덧널무덤!
④ 돌로 벽을 쌓고 시신을 묻었어요, 돌덧널무덤!
⑤ 고구려와 백제 초기에 만들어졌어요, 돌무지무덤!

**11** 다음 주제에 대한 발표 자료로 가장 적절한 것은?

〈주제: 백제 불교 예술의 발전〉
- 장소: ○○○ 연구소
- 일시: △△△△년 ▲▲월 □□일

① 정릉사의 배치
② 익산 미륵사지 석탑의 특징
③ 황룡사 9층 목탑이 가지는 상징성
④ 금동 연가 7년명 여래 입상의 제작
⑤ 경주 분황사 모전 석탑에 얽힌 설화

**12** 삼국과 가야의 대외 교류 내용으로 옳은 것은?

① 신라가 서역의 여러 국가와 교류하였다.
② 백제 침류왕이 일본에 불교를 전파하였다.
③ 금관가야가 북방 유목 민족과 교류하였다.
④ 일본이 고구려의 철기와 토기를 받아들였다.
⑤ 백제가 일본에 종이와 먹을 만드는 기술을 전파하였다.

### 서술형

**13** ㉠, ㉡ 왕이 중앙 집권 체제를 강화하기 위해 공통적으로 시행한 정책을 두 가지 서술하시오.

- 고구려 ㉠소수림왕은 국가적 위기를 극복하고 사회를 안정시키기 위해 체제 정비에 힘을 쏟았다. 이러한 개혁으로 고구려는 새로운 국가 발전의 토대를 마련하였다.
- 신라 ㉡법흥왕은 병부를 설치하고, 골품제를 정비하였다. 법흥왕과 진흥왕 시기에 신라는 삼국 통일의 기초를 마련할 수 있었다.

**14** 삼국 시대에 (가) 지역이 중요했던 이유를 두 가지 서술하시오.

- 신라 진흥왕은 적극적으로 영토 확장에 나섰다. 진흥왕은 (가) 을/를 장악한 후 고령의 대가야를 정복하고, 고구려의 영토였던 함경도 해안 지방까지 진출하였다.
- 백제는 신라와 함을 합쳐 고구려에 빼앗겼던 (가) 을/를 되찾기도 하였다. 그러나 동맹을 깨뜨린 신라의 공격으로 (가) 을/를 다시 빼앗겼다.

**15** 다음 고분을 통해 알 수 있는 고구려와 백제의 관계를 서술하시오.

## 최고난도 문제

**01** (가)~(다) 시대에 대한 설명으로 옳지 않은 것은?

| (가) 구석기·신석기 시대 | ⋯→ | (나) 청동기 시대 | ⋯→ | (다) 철기 시대 |
|---|---|---|---|---|

① (가) – 찌르개에 슴베(자루)를 만들어 창과 같은 사냥 도구로 사용하였다.
② (가) – 조개와 흙 등을 이용하여 얼굴 모양을 새기거나 흙 인형을 만들어 농사의 풍요를 기원하였다.
③ (나) – 관개 시설을 이용한 벼농사가 이루어졌으며, 반달 돌칼로 곡물의 이삭을 잘랐다.
④ (나) – 비파형 동검이 세형 동검으로 발전하고, 거친무늬 거울은 잔무늬 거울로 바뀌었다.
⑤ (다) – ㄱ자형 온돌을 깔고, 독무덤, 널무덤 등을 만들었다.

**풀이 비법**
① (가) 구석기·신석기 시대 → (나) 청동기 시대 → (다) 철기 시대로 변화하는 과정에서 도구의 변화, 생활상의 발전 흐름을 파악한다.
② (가), (나), (다) 시대에 맞지 않은 설명을 고른다.

**02** (가)~(마)의 사실들을 일어난 순서대로 옳게 나열한 것은?

> (가) '신라'라는 국호를 정하고, 왕호를 마립간에서 '왕'으로 바꾸었다.
> (나) 백제는 수도를 사비(부여)로 옮기고, 국호를 남부여로 고쳐 새로운 발전을 꾀하였다.
> (다) 고구려가 남진 정책을 추진하여 백제의 수도 한성을 함락하고, 한강 이남까지 영토를 확장하였다.
> (라) 고구려의 5부를 행정 구역으로 편입하였으며, 을파소를 국상으로 임명하고 진대법을 시행하였다.
> (마) 해상 교역망을 둘러싸고 고구려와 백제가 대립하였고, 백제가 고구려의 평양성을 공격하여 대동강 이남의 땅을 차지하였다.

① (나) → (가) → (다) → (라) → (마)
② (다) → (가) → (나) → (마) → (라)
③ (다) → (마) → (라) → (나) → (가)
④ (라) → (다) → (나) → (가) → (마)
⑤ (라) → (마) → (다) → (가) → (나)

**풀이 비법**
① 고구려, 백제, 신라의 발전 과정을 시기 순으로 정리한다.
② (가)~(마)에 해당하는 왕이 누구인지 파악한다.
③ ①의 시간 순서에 맞게 (가)~(마)의 사실을 올바르게 배열한다.

# 남북국 시대의 전개

이 단원의 목차

▼ 경주 감은사지 동·서 삼층 석탑(경북 경주)

| 사진으로 맛보기 |

사진은 경상북도 경주시 감은사 터에 있는 통일 신라의 석탑입니다. 동·서의 쌍탑 형태로 조성되어 있으며, 이중 기단 위에 3층으로 쌓아 전형적인 통일 신라의 석탑 양식으로 만들어졌습니다. 국보 제112호로 지정되어 있으며, 경주 불국사 삼층 석탑, 경주 불국사 다보탑과 함께 통일 신라를 대표하는 석탑입니다.

| 단원 열기 |

이 단원에서는 고구려가 수와 당의 침략을 물리치는 과정을 살펴보고, 신라의 삼국 통일 과정과 그 의미, 통일 후 신라의 발전과 후삼국의 형성, 고구려를 계승한 발해의 건국과 발전을 알아봅니다. 더불어 남북국 시대의 문화와 대외 교류를 배웁니다.

Ⅱ. 남북국 시대의 전개

# 신라의 삼국 통일과 발해의 건국

교과서 44~51쪽

## 1 수와 당의 침략을 물리친 고구려

### 1. 수의 침략을 막아 낸 고구려

**(1) 6세기 말 동아시아 정세**

① 수: 중국 통일(589) → 세력 확장 및 고구려 압박

② 고구려: 돌궐과 연합 결성 (돌궐: 6세기부터 몽골고원과 알타이산맥을 중심으로 활약한 튀르크계 민족)

③ 신라: 고구려·백제의 공격에 맞서 수에 도움 요청

**(2) 수 문제의 침입**: 국서를 보내 고구려에 굴복 요구 → 고구려 영양왕의 요서 지방 선제 공격 → 수의 고구려 침략 → 자연재해 등으로 실패 (수의 고구려 침략: 30만 명의 군대를 동원함)

**(3) 수 양제의 침입**: 113만 명의 군대를 이끌고 고구려 침략 → 고구려의 요동성 방어 → 30만 명의 별동대 편성 후 평양성 직접 공격 → 고구려 을지문덕의 계책으로 살수(청천강)에서 수의 군대 격퇴(살수 대첩, 612) (별동대: 작전을 위해 본대에서 따로 떨어져 나와 독자적으로 행동하는 부대)

### 2. 당의 침략을 물리친 고구려

**(1) 배경**: 당 건국 초기 고구려와 우호적 관계 유지 → 당이 중국 중심의 국제 질서를 확립하고자 돌궐 제압 후 고구려 압박

**(2) 당의 침략과 고구려의 승리**

① 고구려의 상황: 국경 지역에 천리장성을 쌓아 침입에 대비, 연개소문의 정변 및 권력 장악, 보장왕 즉위 (천리장성: 고구려 말기 서부 국경을 방어하기 위해 축조한 성)

② 당의 침략: 연개소문의 징벌을 구실로 고구려 침략 → 요동성·백암성 함락 → 안시성 진격 → 안시성의 성주와 백성들이 단결하여 공격 방어 → 당군의 퇴각(안시성 전투, 645)

### 3. 고구려의 승리 요인과 의의

**(1) 승리 요인**: 성곽을 이용한 전술, 강력한 군사력 등

**(2) 의의**: 중국 중심의 국제 질서에 복속되지 않고 독자적인 국가의 지위 유지

## 2 백제·고구려의 멸망과 부흥 운동

### 1. 나당 동맹

**(1) 배경**

① 당: 고구려 정벌 실패

② 백제: 의자왕 때 신라의 대야성을 비롯한 40여 성을 빼앗음 → 신라의 위기

③ 신라: 고구려에 김춘추를 파견하여 군사 지원을 요청했으나 거절 → 이후에도 고구려, 백제의 신라 공격 지속 (거절: 고구려 보장왕이 빼앗겼던 한강 유역을 돌려줄 것을 요구함)

**(2) 나당 동맹 체결**: 신라가 당에 김춘추를 파견하여 도움 요청 → 당의 제안 수락 → 백제, 고구려 정벌을 위한 동맹 체결 (당의 제안 수락: 여러 차례 고구려 정벌에 실패한 후 신라와의 연합 작전이 필요해 수락함)

### 2. 백제의 멸망

**(1) 위기**: 의자왕의 독단적인 국정 운영 → 귀족 세력과 정치적 갈등 심화

**(2) 멸망**: 나당 연합군의 백제 공격 → 황산벌 전투에서 백제군 패배 → 사비성 함락 및 의자왕 항복 → 멸망(660) (황산벌 전투: 김유신이 이끄는 신라군이 계백이 이끄는 결사대를 물리침)

**보충** 수 문제가 고구려에 보낸 국서 중 일부

> 내가 천하를 다스리는데 너는 신하의 예를 다해 섬기지 않는구나. 내가 마음만 먹으면 너희 고구려는 쉽게 굴복시킬 수 있다. 너의 잘못을 뉘우칠 기회를 줄 테니 내가 군대를 보내는 일이 없도록 하라.

오랜 중국의 분열을 끝내고 통일 왕조를 세운 수는 동아시아 국제 질서를 재편하는 과정에서 고구려를 굴복시키려 하였다.

**보충** 합천 대야성

백제에서 신라로 가는 요충지에 위치한 성이다. 백제 의자왕의 침입으로 성주와 그의 처자식이 죽음을 맞으며 백제에 성을 빼앗겼다. 이때 목숨을 잃은 성주와 그의 부인은 신라 김춘추의 딸과 사위로, 김춘추가 적극적인 외교 노력을 하는 계기가 되었다.

**보충** 부여 정림사지 오층 석탑

탑의 1층 탑신에 당의 장수 소정방이 백제를 무너뜨린 공을 기리는 글이 새겨져 있다.

## 교과서 속 자료 & 개념

### 살수 대첩

교과서 44쪽

> 신비로운 계책은 하늘의 이치를 헤아리고
> 기묘한 꾀는 땅의 이치를 꿰뚫는구나.
> 싸움에 이긴 공이 이미 높으니
> 만족함을 알고 그만두기를 바라노라.
>
> – 김부식, 『삼국사기』

▲ 을지문덕의 오언시

◀ 살수 대첩(민족 기록화)

〔자료 해설〕

수 양제는 고구려의 강력한 저항으로 진격이 어려워지자 30만의 별동대를 따로 편성하여 평양성을 직접 공격하도록 하였다. 을지문덕은 별동대를 평양성 부근까지 유인하였고, 지치고 굶주린 상태였던 수의 장군 우중문에게 시를 보내 철수하도록 경고하였다. 이 시를 받은 우중문이 고구려 영토 깊숙이 들어왔다는 것을 깨닫고 군대를 돌려 후퇴하였으나, 고구려군은 살수(청천강)에서 수의 군대를 공격하여 대승을 거두었다.

### 고구려와 수·당의 전쟁

교과서 45쪽

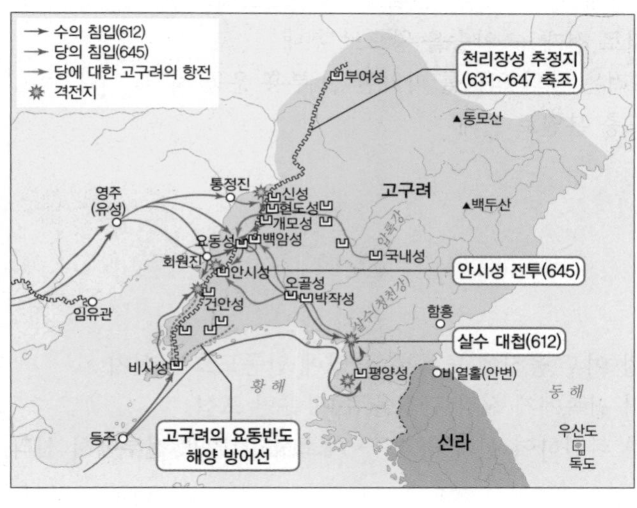


〔자료 해설〕

6세기 후반 수가 중국 지역을 통일하면서 동아시아의 국제 질서가 크게 변하였다. 수는 돌궐을 제압하고 고구려에 복종을 강요하였으나, 고구려는 이를 거부하였다. 결국 수는 고구려를 침략하였으나 모두 실패하였다. 이후 고구려는 당의 공격도 모두 막아 냈다.

고구려는 산의 험난한 지형을 이용하여 성을 쌓았고, 적이 이용할 수 있는 농작물과 우물을 없애 버리고 곡식과 무기를 갖춘 산성으로 들어가 장기간 항전하는 방법을 사용하였다. 또한 요동 지역의 철광 지대와 우수한 제철 기술을 바탕으로 강력한 철제 무기와 갑옷을 생산하여 전투에 활용하였다.

### 나당 동맹

교과서 46쪽

김춘추 보장왕

김춘추 당 태종

〔자료 해설〕

백제 의자왕은 신라와 당의 연결을 차단하고자 신라의 대야성을 비롯한 40여 성을 공격하여 신라의 수도 금성(경주)을 위협하였다. 위기를 느낀 신라의 김춘추는 고구려에 가 도움을 요청하였지만, 고구려 보장왕이 한강 유역을 돌려 달라며 이를 거절하였다. 이후 김춘추는 당으로 가 도움을 요청하였고, 당 태종은 신라와 연합하여 고구려를 정벌할 목적으로 김춘추의 제의를 받아들였다. 고구려와 백제의 공격에서 벗어나려는 신라와 고구려를 무너뜨려 동아시아를 장악하려 한 당의 이해관계가 맞아떨어진 것이다.

### 3. 고구려의 멸망

(1) **위기**: 수·당과의 전쟁으로 국력 약화, 연개소문 사후 아들들의 권력 다툼, 귀족 세력과 지방 세력의 분열

(2) **멸망**: 당군의 평양성 포위, 신라군의 공격 → 평양성 함락 → 멸망(668)

### 4. 백제 부흥 운동

(1) **전개**: 백제 멸망 이후 격렬하게 전개

① **흑치상지**: 임존성을 중심으로 부흥 운동 전개

② **복신, 도침**: 주류성을 중심으로 전개 → 왕자 부여풍을 왕으로 추대, 나당 연합군에게 타격을 입힐 정도로 세력 확장

백제 제31대 의자왕의 다섯째 아들

(2) **결과**: 백제 부흥군과 왜의 연합군이 백강에서 나당 연합군에 패배(백강 전투) → 백제 부흥 운동 실패

### 5. 고구려 부흥 운동

(1) **전개**

① **고연무**: 오골성을 중심으로 전개

② **검모잠**: 한성(재령)을 근거지로 전개 → 안승을 왕으로 추대

고구려 제28대 보장왕의 외손자

③ 신라: 한반도 전체를 차지하려는 당의 의도를 파악한 뒤 부흥 운동 지원

(2) **결과**: 당의 강력한 공세와 지도층 분열로 실패

**보충 고구려의 위기**

연개소문이 죽은 뒤 연개소문이 집권하는 동안 불만을 품었던 사람들이 그의 아들들 사이에서 이간질을 하였다. 결국 형제들 간에 싸움이 벌어졌고, 귀족 세력과 지방 세력도 분열하기 시작하였다.

**보충 백강 전투**

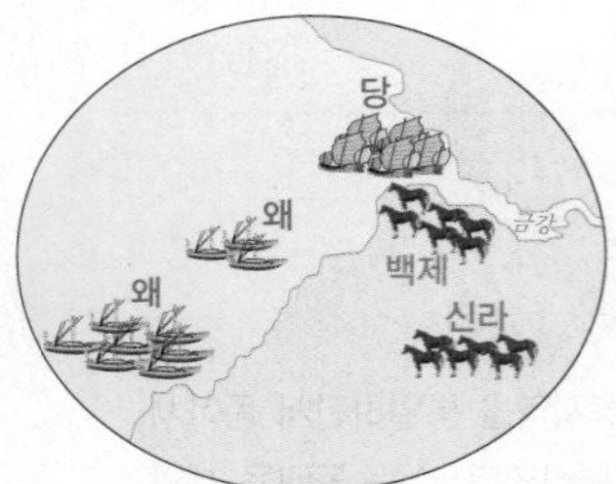


오늘날 금강 하구인 백강에서 나당 연합군과 백제·왜 연합군 사이에 일어난 해전이다. 오랫동안 백제와 우호 관계를 맺어 온 왜는 백제 부흥 운동 세력의 요청을 받아 총 4만 명의 병력을 파견하였다. 이 전투에서 왜는 함선 대부분이 불에 타는 등 큰 피해를 입고 패하였다.

## 3 남북국 시대의 성립

### 1. 신라의 삼국 통일

(1) **배경**

① 당의 야욕: 백제, 고구려 멸망 이후 웅진에 도독부, 평양에 안동도호부 설치

② 신라의 대응: 옛 백제, 고구려 귀족에게 신라 관직을 주며 유민 포섭

(2) **나당 전쟁**: 당이 대규모 군대를 파견하여 신라 공격 → 매소성·기벌포 전투에서 신라 승리 → 삼국 통일(676)

(3) **삼국 통일의 의의와 한계**

① 의의: 삼국의 문화 융합 → 민족 문화 발전의 토대 마련

② 한계: 외세인 당을 끌어들임, 대동강 이북의 고구려 영토 상실

### 2. 발해의 건국

말갈인, 거란인 등도 강제 이주되어 당의 통제를 받음

(1) **배경**: 고구려 멸망 이후 당이 고구려 유민을 영주 지방 등으로 강제 이주

(2) **과정**: 거란족의 반란 → 대조영이 고구려 유민과 말갈 집단을 이끌고 이동 → 당군 격파 → 동모산 기슭에 발해 건국(698)

(3) **발해의 고구려 계승 의식**

① 일본에 보낸 국서에 '고려(고구려) 국왕' 명칭 사용

② 일본이 발해에 보낸 사신에 '견고려사' 칭호 사용

(4) **남북국 시대**: 남쪽의 통일 신라와 북쪽의 발해가 공존

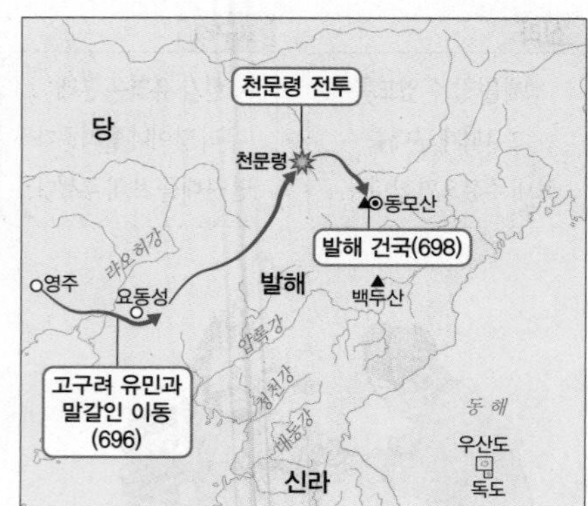


발해의 건국 과정

**보충 남북국 시대**

김씨가 남쪽을 차지하고, 대씨가 북쪽을 차지하여 발해라고 하였으니, 이를 남북국이라 한다. – 유득공, 『발해고』

조선 후기 유득공은 통일 신라와 발해가 공존한 시기를 남북국 시대로 보아야 한다고 주장하였다.

한반도 북부와 중국 동북부 지역에 살던 종족으로 나중에 그 후손들을 여진족이나 만주족으로 부름

**도독부와 도호부**

도독부는 당이 점령 지역을 지배하고자 설치한 통치 기관이고, 도호부는 도독부를 관할하는 기관이다.

## 교과서 속 자료 & 개념

### 백제와 고구려의 부흥 운동

교과서 48쪽

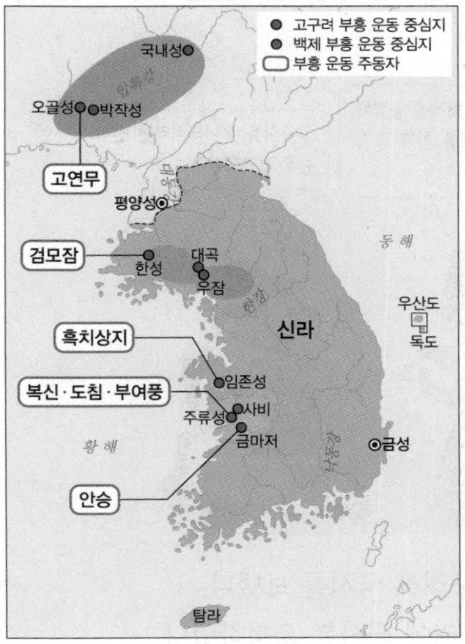

(자료 해설)

백제, 고구려가 나당 연합군에 의해 멸망하자 각지에서 유민들이 부흥 운동을 일으켰다. 검모잠은 한성에서 왕족인 안승을 왕으로 삼아 고구려 부흥 운동을 전개하였다. 이후 안승은 검모잠을 죽이고 신라에 투항하여 금마저(전북 익산)에 보덕국을 세우기도 하였다. 왕족 복신과 승려 도침은 일본에 있던 의자왕의 아들인 부여풍을 왕으로 추대하고 주류성을 근거지로 백제 부흥 운동을 전개하였으나 실패하였다. 신라는 한반도 전체를 지배하려는 당의 침입을 물리치고자 고구려 부흥 운동을 지원하기도 하였다.

### 신라의 삼국 통일에 대한 시각

교과서 49쪽

〈사료 1〉 무열왕(김춘추)께서 백성들의 참혹한 죽음을 불쌍히 여겨 임금의 귀중한 몸을 잊으시고 바다 건너 당에 가서 황제를 뵙고 친히 군사를 청하였다. 그 의도는 두 나라를 평정하여 전쟁을 영구히 없애고 여러 해 동안 깊이 맺혔던 원수를 갚고 백성들의 목숨을 보전하고자 함이다.

– 김부식, 『삼국사기』

〈사료 2〉 다른 민족을 불러들여 같은 민족을 멸망시키는 것은 도적을 끌어들여 형제를 죽이는 것과 다를 바 없다. …… 고구려가 멸망하여 발해가 되고, 백제가 망하여 신라에 병합되었으니 …… 이는 반 쪼가리 통일이지 전체적인 통일은 아니다.

– 신채호, 『독사신론』

(자료 해설)

신라의 삼국 통일에 관하여 다른 시각을 보여 주는 사료이다.

〈사료 1〉 고려의 김부식은 신라가 삼국을 통일하여 오랜 시간 이어진 전쟁이 멈추고 평화가 찾아왔다고 보았다.

〈사료 2〉 대한 제국, 일제 강점기의 역사가인 신채호는 외세인 당을 끌어들이고, 대동강 이북의 고구려 땅을 상실하였으므로 신라의 삼국 통일은 불완전한 통일이라고 보았다.

## 개념 꿀꺽

**1. 빈칸에 알맞은 말을 쓰시오.**

(1) (　　　)이/가 지휘한 고구려군은 수의 별동대를 살수에서 크게 물리쳤다.

(2) 계백이 이끄는 백제의 결사대는 (　　　) 전투에서 김유신이 이끄는 신라군에 패하였다.

(3) 신라가 (　　　)·기벌포 전투에서 당에 승리하면서 삼국 통일을 완성하였다.

(4) (　　　)은/는 고구려 유민과 말갈 집단을 이끌고 이동하여 발해를 세웠다.

**2. 다음 내용이 옳으면 ○표, 틀리면 ×표 하시오.**

(1) 고구려는 당의 침입을 막고자 국경 지역에 천리장성을 쌓았다. (　　　)

(2) 고구려의 백성과 안시성 성주가 단결하여 안시성에서 당에 승리를 거두었다. (　　　)

(3) 백제의 공격으로 위기에 빠진 신라는 고구려와 연합하는 데 성공하였다. (　　　)

(4) 발해는 백제 계승 의식을 내세웠다. (　　　)

정답
1. (1) 을지문덕 (2) 황산벌 (3) 매소성 (4) 대조영
2. (1) ○ (2) ○ (3) × (4) ×

# 기초 튼튼 | 기본문제

단답형

**01** **(가)에 들어갈 알맞은 왕을 쓰시오.**

> 수 (가) 은/는 직접 113만 명이 넘는 군대를 이끌고 고구려를 침략하였으나, 고구려의 저항으로 진격이 어려워지자 30만 명의 별동대를 따로 편성하여 평양성을 직접 공격하도록 하였다.

( )

**02** **(가)가 세워진 이유로 옳은 것은?**

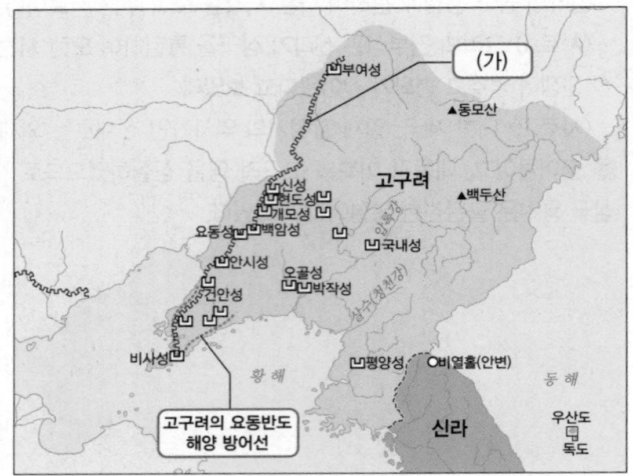


① 수 양제의 침입을 방어하고자 하였다.
② 영양왕이 요서 지방을 선제공격하였다.
③ 당이 돌궐 제압 후 고구려를 위협하였다.
④ 별동대를 유인하여 살수에서 크게 물리쳤다.
⑤ 안시성의 성주와 백성이 당의 군대를 막았다.

단답형

**03** **(가)에 들어갈 알맞은 말을 쓰시오.**

> 백제의 의자왕은 신라에 대한 공세를 강화하여 (가) 을/를 비롯한 40여 개의 성을 빼앗았다. 백제에서 신라로 가는 요충지에 위치한 (가) 은/는 백제군의 침입으로 성주와 그 가족이 죽임을 당하고 함락되었다.

( )

중요

**04** **다음 가상 대화와 관련된 동맹이 체결된 이후에 일어난 일로 옳은 것은?**

① 수 문제가 고구려에 국서를 보냈다.
② 김춘추가 고구려에 군사를 요청하였다.
③ 황산벌 전투에서 백제의 결사대가 신라군에 패하였다.
④ 고구려에서 연개소문이 정변을 일으켜 권력을 장악하였다.
⑤ 을지문덕이 지휘한 고구려군이 수의 군대를 크게 물리쳤다.

**05** **백제의 멸망과 관련된 사실만을 〈보기〉에서 고른 것은?**

> **보기**
> ㄱ. 황산벌 전투 ㄴ. 기벌포 전투
> ㄷ. 사비성 함락 ㄹ. 평양성 함락

① ㄱ, ㄴ ② ㄱ, ㄷ ③ ㄴ, ㄷ
④ ㄴ, ㄹ ⑤ ㄷ, ㄹ

**06** 다음 그림과 관련된 국가에 대한 설명으로 옳은 것은?

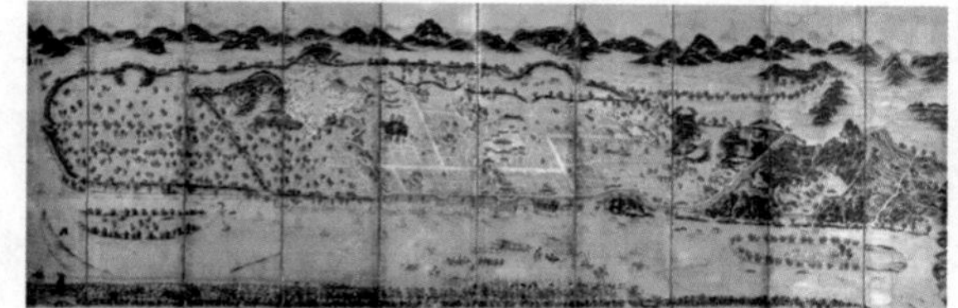
평양성 전경

① 대야성 등 신라의 40여 성을 빼앗았다.
② 신라와의 연합 작전을 위해 동맹을 맺었다.
③ 연개소문 사후 내부 분열로 국력이 약해졌다.
④ 6세기 말 중국을 통일하고 고구려를 위협하였다.
⑤ 금강 하구에 상륙한 당군과 함께 사비성으로 진격하였다.

중요
**07** 백제 부흥 운동에 대한 설명으로 옳지 않은 것은?

① 왜가 대규모 군사를 파견하였다.
② 복신과 도침 세력이 전개하였다.
③ 백강 전투에서 패하면서 실패로 끝났다.
④ 신라가 부흥 운동을 지원하기도 하였다.
⑤ 흑치상지 세력이 임존성을 근거지로 전개하였다.

**08** 고구려 부흥 운동과 관련된 인물만을 〈보기〉에서 고른 것은?

보기
ㄱ. 안승　　ㄴ. 고연무
ㄷ. 흑치상지　　ㄹ. 복신과 도침

① ㄱ, ㄴ　② ㄱ, ㄷ　③ ㄴ, ㄷ
④ ㄴ, ㄹ　⑤ ㄷ, ㄹ

단답형
**09** (가)에 들어갈 알맞은 말을 쓰시오.

당은 백제와 고구려가 멸망한 이후 당의 지배 기관을 설치하고, 신라마저 지배하려 하였다. 결국 당이 대규모 군대를 파견하여 신라를 공격하였으나, 신라는 매소성과 (가) 전투에서 크게 승리하여 당의 군대를 몰아내고 삼국 통일을 이루었다.

(　　　　　)

**10** (가) 국가에 대한 설명으로 옳지 않은 것은?

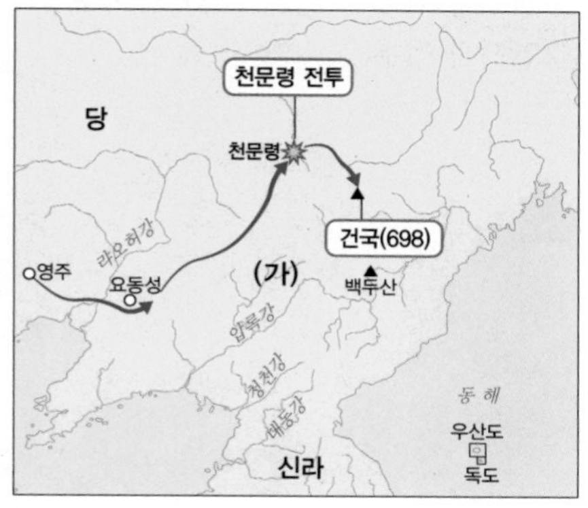


① 동모산 기슭에 건국되었다.
② 고구려 출신 대조영이 세웠다.
③ 고구려 계승 의식을 내세웠다.
④ 고구려 유민만 거주할 수 있었다.
⑤ 거란족의 반란을 틈타 탈출하여 세운 국가이다.

**11** 다음 사료에서 알 수 있는 시대의 명칭은?

김씨가 남쪽을 차지하고, 대씨가 그 북쪽을 차지하여 발해라고 하였으니, ……

– 유득공, 『발해고』

① 선사 시대　② 고려 시대
③ 삼국 시대　④ 남북국 시대
⑤ 통일 신라 시대

# 실력 쑥쑥 | 실전문제

**01** (가)에 들어갈 전투로 옳은 것은?

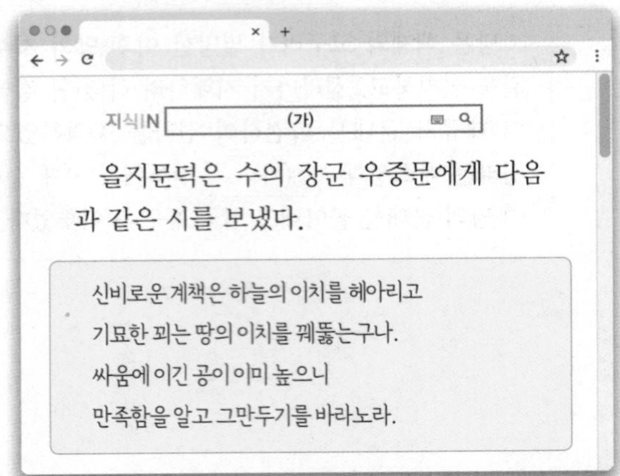


① 살수 대첩　② 귀주 대첩
③ 기벌포 전투　④ 매소성 전투
⑤ 안시성 전투

중요

**02** (가) 국가에 대한 설명으로 옳은 것은?

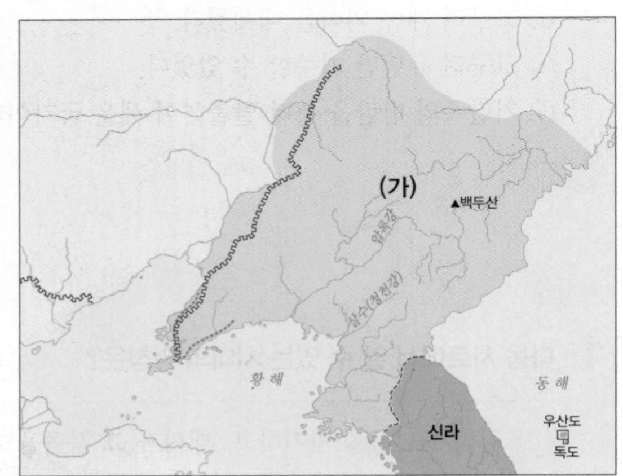


① 우리나라 역사상 최초의 국가이다.
② 22담로를 설치하여 지방 통제를 강화하였다.
③ 성곽을 이용한 전술로 수와 당의 공격을 막아 냈다.
④ 낙랑과 마한, 왜를 잇는 해상 교역으로 성장하였다.
⑤ 박, 석, 김 3성이 번갈아 가며 왕의 자리에 올랐다.

**03** 다음 가상 대화 이후에 일어난 일로 옳은 것은?

① 당과 신라가 동맹을 맺었다.
② 의자왕이 대야성을 공격하였다.
③ 진흥왕이 대가야를 정복하였다.
④ 장수왕이 충주 고구려비를 세웠다.
⑤ 안시성에서 성주와 백성들이 당의 공격을 막아 냈다.

고난도

**04** 삼국 통일 과정에서 있었던 (가)~(라)의 사건들을 일어난 순서대로 옳게 나열한 것은?

> (가) 사비성이 함락되어 백제가 멸망하였다.
> (나) 당 태종이 김춘추의 제안을 받아들였다.
> (다) 평양성이 함락되어 고구려가 멸망하였다.
> (라) 황산벌 전투에서 계백이 이끄는 결사대가 김유신이 이끄는 신라군에 패하였다.

① (가) – (나) – (다) – (라)
② (가) – (다) – (라) – (나)
③ (나) – (가) – (라) – (다)
④ (나) – (라) – (가) – (다)
⑤ (다) – (라) – (가) – (나)

**[05 ~ 06] 다음 지도를 보고 물음에 답하시오.**

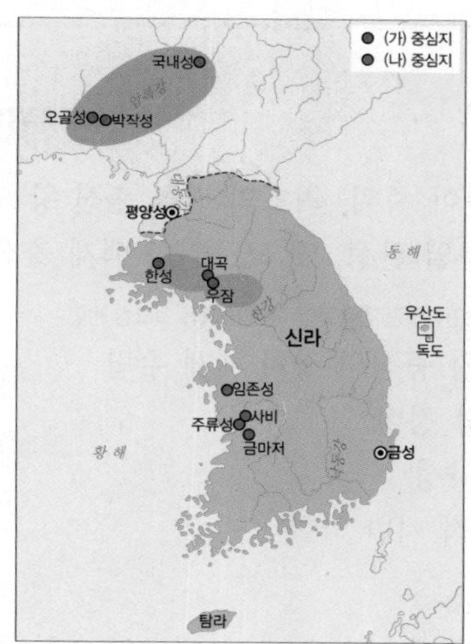


고난도

**05** (가)와 관련된 설명으로 옳은 것은?

① 백강 전투에서 패배하였다.
② 신라의 도움으로 성공하였다.
③ 흑치상지는 국내성을 근거지로 하였다.
④ 고연무가 오골성을 중심으로 일으켰다.
⑤ 왜에 가 있던 부여풍을 왕으로 추대하였다.

**06** (나)와 관련된 것만을 〈보기〉에서 고른 것은?

보기

| | |
|---|---|
| ㄱ. 도침 | ㄴ. 검모잠 |
| ㄷ. 백강 전투 | ㄹ. 평양성 전투 |

① ㄱ, ㄴ ② ㄱ, ㄷ ③ ㄴ, ㄷ
④ ㄴ, ㄹ ⑤ ㄷ, ㄹ

**07** (가)에 들어갈 전투로 옳은 것은?

> 백제와 고구려 멸망 후, 당은 한반도 전체를 차지하려는 야욕을 나타냈다. 이후 당이 군대를 파견하여 신라를 공격하였으나, (가) 에서 크게 승리하여 당의 군대를 몰아냈다.

① 살수 대첩 ② 귀주 대첩
③ 매소성 전투 ④ 처인성 전투
⑤ 안시성 전투

## 서술형

**08** 다음 자료를 참고하여 고구려가 수와 당의 침략을 물리칠 수 있었던 요인을 두 가지 서술하시오.

백암성 성벽

고구려 무사

**09** 다음 사료를 참고하여 신라 삼국 통일의 한계를 서술하시오.

> 다른 민족을 불러들여 같은 민족을 멸망시키는 것은 도적을 끌어들여 형제를 죽이는 것과 다를 바 없다. …… 고구려가 멸망하여 발해가 되고, 백제가 망하여 신라에 병합되었으니 …… 이는 반 쪼가리 통일이지 전체적인 통일은 아니다.
>
> – 신채호, 『독사신론』

**10** 발해가 고구려를 계승했다는 근거가 되는 사실을 두 가지 서술하시오.

# 남북국의 발전과 변화

교과서 52~59쪽

## 1 통일 신라의 발전

### 1. 국왕 중심의 정치 체제 수립

(1) **태종 무열왕(김춘추)**: 김유신의 지원을 받아 즉위, 최초의 진골 출신 왕 (삼국의 백성을 통합하고자 노력함)

(2) **문무왕**: 나당 전쟁에서 승리하여 삼국 통일 완성, 옛 고구려와 백제 출신 등용

(3) **신문왕**: 통일 신라의 전성기

① 김흠돌의 난 진압: 진골 귀족 숙청, 국왕 중심의 정치 체제 수립 (신문왕의 장인이었던 김흠돌이 중심이 되어 일으킨 반란)

② 통치 제도 개편: 9주 5소경 설치, 9서당 정비

③ 국학 설립: 유교적 소양을 갖춘 인재 양성

④ 녹읍 폐지, 관료전 지급: 귀족들의 경제적 기반 약화

### 2. 통치 제도 정비

(1) **중앙 행정 기구**: 집사부와 시중(중시)을 중심으로 운영, 상대등의 역할 축소 (집사부: 왕명을 받들어 행정을 총괄하는 기구 / 상대등: 귀족 세력을 대표하며 화백 회의를 이끌었던 관직)

(2) **지방 행정 제도**: 9주 5소경

① 9주: 삼국의 옛 땅에 각각 3개 설치, 주 아래 군·현을 두어 지방관 파견

② 5소경: 수도 금성(경주)이 동남쪽에 치우친 점을 보완, 지방 정치·문화의 중심지

③ 촌: 말단 행정 구역, 토착 세력인 촌주가 관리

(3) **군사 제도**: 9서당과 10정

| 명칭 | 수비 지역 | 특징 |
|---|---|---|
| 9서당 | 중앙군 | 고구려인, 백제인, 말갈인 등 포함 → 민족 통합 의지 |
| 10정 | 지방군 | 각 주마다 1개의 정, 한주(국경 지역)에만 2개의 정 배치 |

## 2 발해의 발전과 변화

### 1. 발해의 발전

(1) **무왕**: 북만주 일대 장악, 장문휴를 보내 당의 산둥 지방 공격 (당이 흑수 말갈과 신라를 이용해 발해를 압박하자 선제공격함)

(2) **문왕**: 당·신라와 친선 관계 유지, 당의 문물·제도 수용, 신라와의 상설 교통로 개설 및 사신 교환

(3) **선왕**: 말갈 세력 복속, 요동·연해주 지방 진출, 남쪽으로 세력 확장 → 해동성국

(4) **멸망**: 거란의 공격으로 멸망(926) → 일부 발해 유민이 고려로 망명

### 2. 통치 체제 정비

(1) **중앙 정치 조직**: 당의 3성 6부제 수용, 명칭과 운영은 독자성 유지

① 정당성: 국정 총괄 기구, 대내상(장관) 중심

② 6부: 행정 실무 담당 기구, 유교 덕목으로 명칭 변경

③ 주자감: 유학 교육 기관

(2) **지방 행정 구역**: 5경 15부 62주

① 5경: 군사·행정의 요충지

② 15부 62주: 15부(지방의 중심 도시)를 62주로 나누어 도독, 자사 파견

③ 촌락: 말단 행정 구역, 토착 세력인 수령이 지방 행정 담당 (수령: 발해의 지방 관직)

(3) **군사 조직**: 중앙군(10위), 지방군(주요 지역에 별도의 군 배치)

---

**보충 문무 대왕릉**

신라 문무왕의 수중릉으로 '대왕암'이라고도 불린다. 문무왕은 자신의 시신을 화장하여 유골을 동해에 묻어 달라는 유언을 남겼는데, 이는 죽어서도 용이 되어 신라를 지키겠다는 의지를 나타낸 것이다.

**녹읍과 관료전**

녹읍은 주민으로부터 세금을 걷을 수 있는 권한과 함께 노동력을 징발할 수 있는 권한까지 주어졌다. 반면에 관료전은 세금을 걷을 수 있는 권리만 주어졌다.

**보충 발해의 황제국 표방**

무왕 이후 발해의 왕들은 독자적인 연호를 사용하였으며, 정효 공주 묘의 묘지석에는 문왕을 현재 살아서 나라를 다스리고 있는 황제(皇帝)를 이르는 말인 '황상'으로 표현하였다. 이를 통해 발해가 황제국을 표방했음을 알 수 있다.

**해동성국(海東盛國)**

'바다 건너 동쪽의 번성한 나라'라는 의미로 발해가 크게 세력을 떨치자 당에서 발해를 가리켜 부른 말이다.

## 교과서 속 자료 & 개념

### 신라의 지방 행정 제도

교과서 53쪽

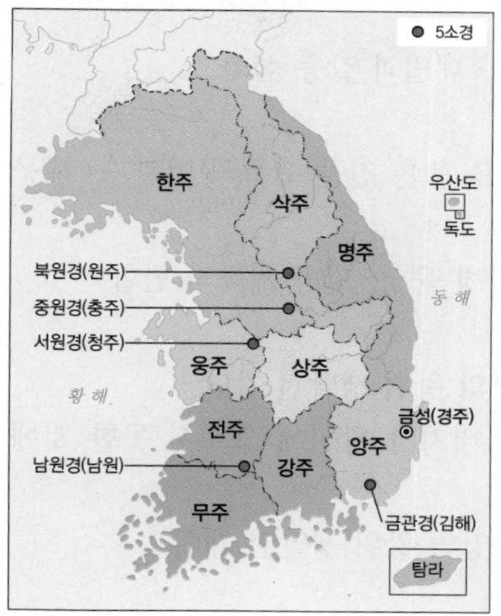


9주 5소경

(자료 해설)

신라는 삼국을 통일한 후 넓어진 영토와 늘어난 인구를 다스리고자 통치 제도를 정비하였다. 지방 행정은 옛 고구려, 백제, 신라 땅에 각각 3주씩 배치하여 민족 통합을 추구하였다. 주 밑에는 군과 현을 두어 지방관을 파견하고, 말단 행정 구역인 촌은 토착 세력인 촌주로 하여금 관리하게 하였다. 또한 군사·행정상의 요지에 5소경을 설치하여 수도가 동남쪽에 치우쳐 있는 취약성을 보완하였다. 또 외사정을 파견하여 지방관을 감찰하고 주의 촌주 1명을 수도 금성의 관청에서 일정 기간 근무하게 하여 지방 세력을 통제하였다.

### 발해의 행정 구역과 상경성

교과서 55쪽

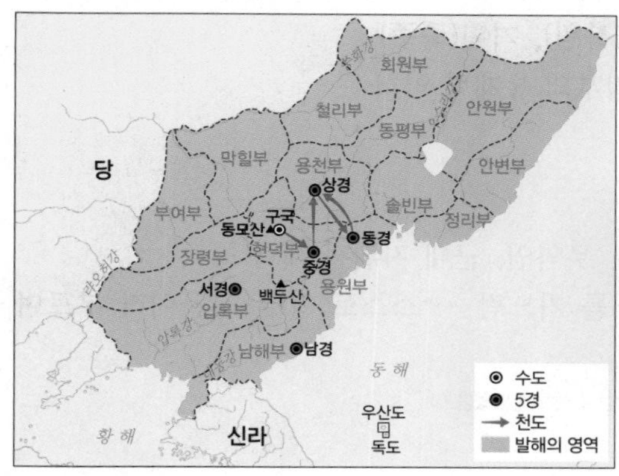


발해의 행정 구역

상경성에서 출토된 용머리

(자료 해설)

발해는 군사·행정의 중심지에 5경을 두었고 교통로와 군사적 요지에 15부와 62주를 두었으며 주 아래에는 현을 설치하였다. 15부 62주에는 지방관이 파견되어 주변의 말갈 촌락을 지배하였으며, 말갈 족장은 촌락을 직접 다스리면서 지방관의 행정을 보좌하였다.

발해는 수도를 여러 번 천도하였는데, 상경성은 가장 오랜 기간 동안 발해의 수도였던 곳이다. 상경성은 수도의 사방을 성곽으로 두르고, 성안에는 11개의 도로가 바둑판처럼 연결되어 있었다. 이 곳에서 궁궐 터, 절터 등의 유적과 여러 유물이 발견되어 발해의 옛 모습을 짐작할 수 있다.

### 발해의 중앙 통치 기구

교과서 55쪽

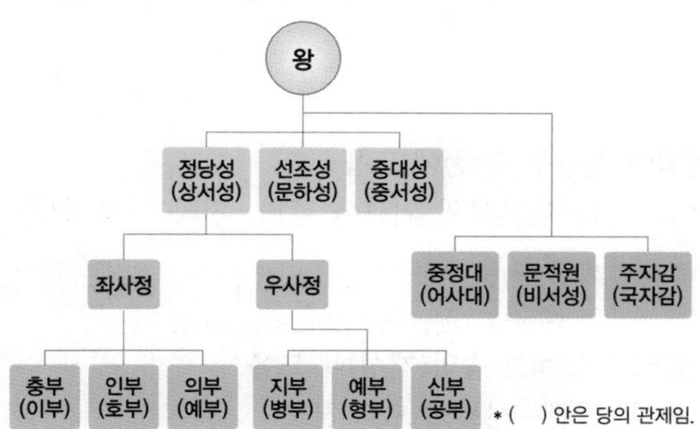


*( ) 안은 당의 관제임.

(자료 해설)

발해는 당의 3성 6부제를 받아들여 독자적으로 운영하였다. 정당성은 장관인 대내상을 중심으로 국정을 총괄하는 기구였고, 그 아래 6부는 정책의 내용에 따라 각각 다른 업무를 맡았다. 선조성은 충·인·의 3부를 감독하였으며, 중대성은 국가의 입법 사무와 정책 수립을 관장하였다. 중정대는 관리의 비리를 감찰하였고, 문적원은 서적·비문을 관리하는 기구였다. 주자감은 중앙의 최고 교육 기관으로 유학 교육을 담당하였다.

## 3 신라 말의 변화와 후삼국의 성립

### 1. 진골 귀족의 왕위 쟁탈전

(1) **배경**: 8세기 후반 소수의 진골 귀족에게 권력 집중 → 대립과 갈등 심화

(2) **중앙 정치의 동요**

① 혜공왕이 어린 나이에 즉위 → 정치 운영에 불만을 품은 진골 귀족의 반란 → 혜공왕 피살 → 진골 귀족들 간에 왕위 쟁탈전 격화

② 진골 귀족들이 왕위 계승 분쟁에서 승리하고자 사병 육성, 지방 세력과 연합

(3) **지방 세력의 반란**

① 배경: 중앙 정부의 지방 통제력 약화 → 지방 세력의 왕위 쟁탈전 가담

② 김헌창의 난: 웅주(공주) 도독 김헌창이 자신의 아버지가 왕위에 오르지 못한 것에 불만을 품고 일으킨 반란

③ 장보고: 청해진 설치, 동아시아 해상권 장악 → 중앙의 왕위 쟁탈전 개입

**김헌창의 난**

김헌창은 무열왕의 후손으로 아버지 김주원이 김경신(원성왕)에 밀려 왕위에 오르지 못하자 이에 불만을 품고 반란을 일으켰으나 실패하였다.

**보충 신라 말의 사회 혼란**

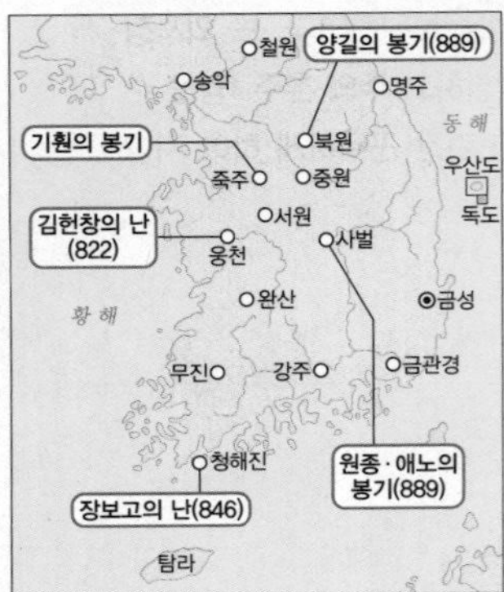


중앙 정부의 지방 통제력이 약해지면서 지방 세력이 왕위 쟁탈전에 가담하였다. 한편 귀족의 가혹한 수취와 무거운 세금을 견디지 못한 농민들이 노비나 초적으로 몰락하였고, 원종·애노의 난(889)을 비롯해 곳곳에서 봉기가 일어났다.

### 2. 농민 봉기

(1) **배경**

① 왕실의 사치와 향락, 귀족의 대토지 소유, 자연재해 → 농민의 생활 악화

② 진성 여왕 시기 국가 재정 악화 → 각 지방에 관리를 보내 세금 독촉

(2) **대표 농민 봉기**: 원종·애노(사벌주), 양길(북원), 기훤(죽주)

(3) **결과**: 농민 봉기의 전국적 확산 → 신라 정부의 통제력 약화

### 3. 새로운 세력의 성장과 새로운 사상의 유행

(1) **호족**: 견훤, 왕건 등

① 출신: 촌주(지방 토착 세력), 몰락 귀족, 무역인, 군대 지휘관 세력 등

② 특징: 자신의 근거지에 성을 쌓고 군대를 거느림 → 스스로 성주·장군이라 부르며 독자적 세력 확대

(2) **6두품**: 최치원 등

① 배경: 골품제로 인해 관직 승진에 제한 (골품제: 골품에 따라 관등 승진의 상한선이 정해져 있었음)

② 특징: 사회 개혁안 제시, 지방 호족과 함께 새로운 사회를 건설하고자 노력

(3) **선종**: 신라 말에 등장한 새로운 불교 종파

① 특징: 일상생활 속 실천과 수행 강조

② 확산: 호족과 백성을 중심으로 유행

(4) **풍수지리설**: 산과 땅, 물의 기운이 사람의 길흉화복에 영향을 준다는 사상 → 수도 금성(경주) 중심의 지리 인식 거부, 지방의 중요성 강조 → 호족의 환영

**보충 후삼국의 영역**

신라 말 지방에서 세력을 키운 견훤과 궁예가 독자적인 정권을 수립하면서 후백제, 후고구려, 신라가 공존하는 후삼국 시대가 전개되었다.

### 4. 후삼국 시대의 전개

(1) **후백제**

① 건국(900): 신라의 군인 출신인 견훤이 완산주(전주)에 도읍

② 성장: 6두품 세력 포섭, 후당·오월·거란·일본과의 외교에 주력, 전라도·충청도·경상도 서부 지역까지 장악 (후당·오월: 중국 5대 10국 시대의 국가)

(2) **후고구려**

① 건국(901): 신라의 왕족 출신으로 알려진 궁예가 송악(개성)에 도읍 (궁예: 양길의 부하였다가 자립하여 세력을 확대함)

② 변화: 국호를 마진에서 태봉으로 변경, 철원－태봉 순으로 천도

(3) **신라**: 국력 약화, 경상도 일대로 영토 축소

## 교과서 속 자료 & 개념

### 신라 말 농민 봉기의 발생

교과서 57쪽

〈사료 1〉 지은은 한기부 백성인 연권의 딸이었다. 어렸을 때 아버지를 여의고 혼자서 어머니를 봉양하였다. 나이 32세가 되도록 시집을 가지 않고 어머니를 보살피며 곁을 떠나지 않았다. 품팔이도 하고, 구걸도 하여 봉양을 오랫동안 하니 피곤함을 이길 수 없었다. 그리하여 부잣집에 자청하여 몸을 팔아 노비가 되고 쌀 10석을 받았다.

– 일연, 『삼국유사』

〈사료 2〉 진성 여왕 3년 여러 주와 군에서 공물과 조세를 바치지 않으니 창고가 비고 나라의 씀씀이가 궁핍해졌다. 왕이 관리를 보내어 독촉하자, 이로 인해 곳곳에서 도적이 벌 떼같이 일어났다. 그러자 원종, 애노 등이 사벌주(상주)를 근거로 반란을 일으키니 왕이 나마 벼슬의 영기에게 명하여 진압하게 하였다. 그러나 영기가 적진을 쳐다보고는 두려워하여 나아가지 못하였다.

– 일연, 『삼국유사』

〈사료 3〉 진성 여왕 10년 도적들이 나라의 서남쪽에서 일어났는데, 그들은 바지를 붉은색으로 하여 사람들은 그들을 '적고적'이라고 불렀다. 여러 주현을 공격하여 해를 끼치고, 수도 서부의 모량리까지 이르러 민가를 약탈하였다.

– 김부식, 『삼국사기』

자료 해설

신라 말 자연재해와 귀족들의 수탈로 농민들의 생활이 극도로 어려워졌다. 이러한 가운데 진성 여왕이 즉위할 무렵 중앙 정부에 세금이 들어오지 않아 정부의 재정이 어려워지자, 신라 정부는 각 지방에 관리를 보내 세금 납부를 독촉하였다. 정부와 귀족의 수탈로 어려움을 겪던 농민들은 결국 억눌렸던 분노를 표출하였고, 전국 각지에서 봉기를 일으켰다.

### 최치원과 합천 해인사 길상 탑

교과서 56, 58쪽

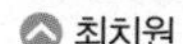
최치원

합천 해인사 길상 탑

자료 해설

6두품 출신 최치원은 12세에 당에 유학하여 빈공과에 합격하였고, 황소의 난을 토벌하는 데 일조하였다. 신라 사회가 극도로 혼란한 시기에 귀국한 그는 진성 여왕에게 사회 개혁안을 제출하여 문란한 정치를 바로잡으려고 노력하였으나 진골 귀족들의 반대로 개혁안은 받아들여지지 않았다. 이후 그는 관직을 버리고 전국을 돌다가 합천 해인사에서 일생을 마쳤다.

합천 해인사 길상 탑에서 나온 유물 중 탑에 대한 기록인 탑지는 최치원이 지은 것으로 유명하다. 탑지에는 전쟁과 흉년의 재앙으로 시체가 즐비한 신라 말의 모습이 나타나 있다.

## 개념 꿀꺽

**1. 관련 있는 내용을 옳게 연결해 보자.**

(1) 선왕 • 
(2) 궁예 • 
(3) 신문왕 • 

• ㉠ 해동성국
• ㉡ 후고구려 건국
• ㉢ 녹읍 폐지, 관료전 지급

**2. 다음 내용이 옳으면 ○표, 틀리면 ×표 하시오.**

(1) 신라의 중앙군인 9서당은 신라인으로만 구성되었다. (　　)
(2) 발해의 문왕은 장문휴를 보내 당의 산둥 지방을 공격하도록 하였다. (　　)
(3) 신라 말에 호족 세력은 스스로 성군·장군이라 부르며 독자적 세력으로 성장하였다. (　　)
(4) 6두품 세력은 지방 호족과 함께 새로운 사회를 건설하고자 하였다. (　　)

정답
1. (1) ㉠ (2) ㉡ (3) ㉢
2. (1) × (2) × (3) ○ (4) ○

## 기초 튼튼 | 기본문제

단답형

**01** (가)에 들어갈 알맞은 말을 쓰시오.

> 삼국 간의 항쟁이 한창이던 7세기 중반 외교 활동으로 공을 세운 김춘추는 김유신의 지원에 힘입어 왕이 되었다. 그가 진골 출신 중에서 처음으로 왕위에 오른 (가) 이다.

( )

**02** (가), (나)에 들어갈 말을 옳게 짝지은 것은?

> 신문왕은 통치 제도를 개편하고 유교적 소양을 갖춘 인재를 양성하고자 (가) 을/를 설립하였다. 또한 관리들에게 주던 (나) 을/를 폐지하여 귀족들의 경제적 기반을 약화시켰다.

| | (가) | (나) |
|---|---|---|
| ① | 태학 | 녹읍 |
| ② | 태학 | 관료전 |
| ③ | 국학 | 녹읍 |
| ④ | 국학 | 관료전 |
| ⑤ | 국자감 | 녹읍 |

**03** 신라의 중앙 행정 기구와 관련된 것만을 〈보기〉에서 고른 것은?

보기
ㄱ. 정당성　　　ㄴ. 집사부
ㄷ. 주자감　　　ㄹ. 시중(중시)

① ㄱ, ㄴ　② ㄱ, ㄷ　③ ㄴ, ㄷ
④ ㄴ, ㄹ　⑤ ㄷ, ㄹ

**04** 다음과 같은 지방 행정 조직을 갖추고 있었던 나라에 대한 설명으로 옳은 것은?

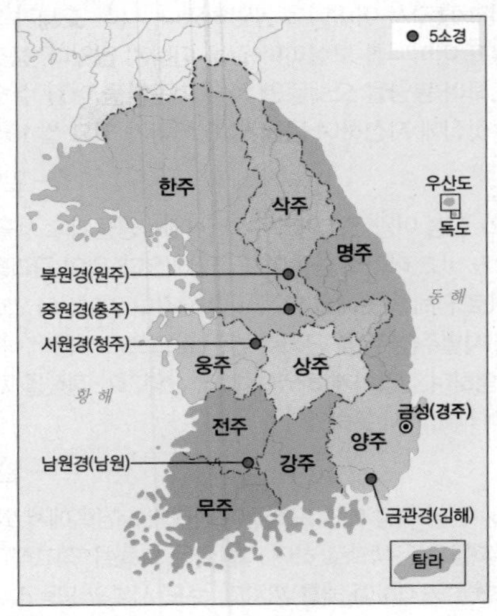


① 일본에 불교를 전파하였다.
② 수와 당의 공격을 막아 냈다.
③ 거란의 공격을 받아 멸망하였다.
④ 9서당 10정의 군사 조직을 설치하였다.
⑤ 주민은 고구려계와 말갈계로 구성되었다.

중요

**05** 다음 발해의 통치 제도에 대한 설명으로 옳은 것만을 〈보기〉에서 고른 것은?

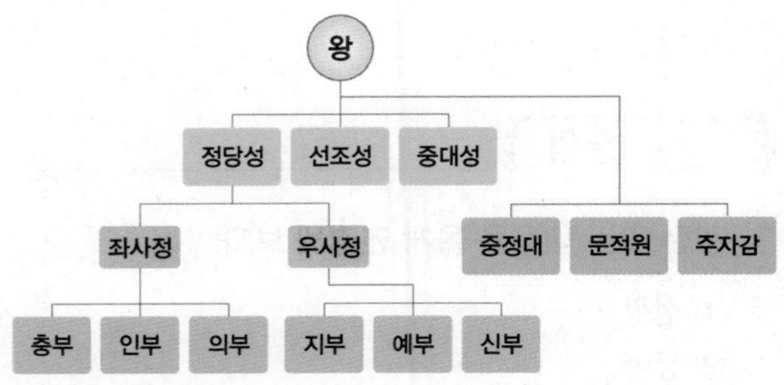


보기
ㄱ. 당의 3성 6부제를 수용하였다.
ㄴ. 정당성의 대내상이 국정을 총괄하였다.
ㄷ. 6부의 명칭을 당과 동일하게 사용하였다.
ㄹ. 주자감은 관리의 비리를 감찰하는 기구였다.

① ㄱ, ㄴ　② ㄱ, ㄷ　③ ㄴ, ㅁ
④ ㄷ, ㄹ　⑤ ㄹ, ㅁ

단답형

**06** (가)에 들어갈 알맞은 말을 쓰시오.

발해는 9세기 초 선왕 때에 전성기를 맞이하였다. 이때 말갈 세력을 대부분 복속시켰을 뿐 아니라, 요동과 연해주 지방으로 진출하고 남쪽으로는 신라와 국경을 맞대었다. 당은 전성기를 맞이한 발해를 가리켜 (가) (이)라 불렀다.

( )

중요

**07** 다음 지도에 나타난 사건들이 일어난 시기 신라의 사회 모습으로 옳지 않은 것은?

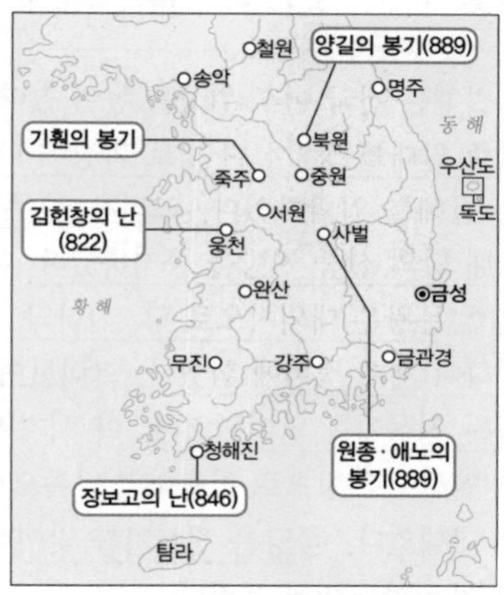


① 진골 귀족들이 대토지를 소유하였다.
② 신라 정부의 지방 통제력이 약화되었다.
③ 일부 농민은 토지를 잃고 노비가 되었다.
④ 관리들에게 지급했던 녹읍이 폐지되었다.
⑤ 성주, 장군이라 불리는 호족 세력이 성장하였다.

**08** 신라 말에 새롭게 유행한 사상으로 옳은 것만을 〈보기〉에서 고른 것은?

보기
ㄱ. 교종 ㄴ. 선종
ㄷ. 도교 ㄹ. 풍수지리설

① ㄱ, ㄴ ② ㄱ, ㄷ ③ ㄴ, ㄷ
④ ㄴ, ㄹ ⑤ ㄷ, ㄹ

**09** 밑줄 친 '이 인물'에 대한 설명으로 옳은 것은?

이 인물은 합천 해인사 길상 탑에서 나온 유물 중 하나인 탑지를 지은 것으로 유명하다. 탑지에는 전쟁과 흉년의 재앙으로 시체가 즐비한 신라 말의 모습이 나타나 있다.

합천 해인사 길상 탑

① 풍수지리설을 널리 보급하였다.
② 신라의 왕족 출신으로 알려졌다.
③ 최고 관직인 이벌찬까지 승진하였다.
④ 양길의 부하였다가 자립하여 세력을 넓혔다.
⑤ 사회 혼란을 바로잡기 위해 개혁안을 제시하였다.

**10** (가)에 해당하는 인물이 세운 국가와 관련된 설명으로 옳지 않은 것은?

서남 해안을 지키던 군인으로 무리를 모아 무진주(광주)를 점령하고 스스로 왕위에 오른 (가) 의 묘라고 전해지는 무덤이다.

① 백제의 부흥을 내세웠다.
② 6두품 세력을 포섭하였다.
③ 완산주(전주)에 도읍을 정하였다.
④ 후당, 오월, 거란, 일본과의 외교에 주력하였다.
⑤ 나라 이름을 마진으로 하였다가 태봉으로 다시 바꾸었다.

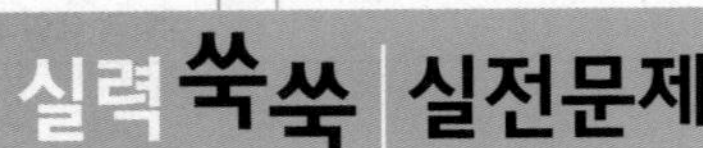

## 실력 쑥쑥 | 실전문제

**01** (가)~(다)에 들어갈 말을 옳게 짝지은 것은?

> (가) 은/는 외교 활동으로 공을 세웠으며, 김유신의 지원에 힘입어 (나) 출신 중 최초로 왕위에 올랐다. 무열왕의 아들인 (다) 은/는 나당 전쟁을 승리로 이끌고 삼국 통일을 완성하였다.

| | (가) | (나) | (다) |
|---|---|---|---|
| ① | 무열왕 | 진골 | 문무왕 |
| ② | 무열왕 | 진골 | 신문왕 |
| ③ | 문무왕 | 진골 | 무열왕 |
| ④ | 문무왕 | 성골 | 신문왕 |
| ⑤ | 신문왕 | 6두품 | 문무왕 |

중요

**02** 다음 사건과 관련이 있는 왕이 추진한 정책으로 옳지 않은 것은?

> 왕의 장인이었던 김흠돌이 중심이 되어 반란을 일으켰다.

① 녹읍 폐지　② 태학 설립
③ 9서당 정비　④ 관료전 지급
⑤ 9주 5소경 설치

**03** 다음 유적과 관련된 국가에 대한 설명으로 옳은 것은?

① 사출도를 독자적으로 다스렸다.
② 군사·행정 요충지에 5경을 설치하였다.
③ 빈민 구호 제도로서 진대법을 실시하였다.
④ 제가 회의를 열어 중대 사안을 합의하였다.
⑤ 집사부와 시중을 중심으로 정치를 운영하였다.

**04** (가)에 들어갈 답으로 옳은 것은?

① 10정　② 10위　③ 9서당
④ 별동대　⑤ 별무반

고난도

**05** 다음 글의 ㉠~㉤ 중 옳지 않은 것은?

> 발해는 건국 이후 위상을 높여 갔다. ㉠무왕은 북만주 일대를 장악하며 영토 확장에 나섰다. 이에 당은 발해를 압박하였다. 그러자 ㉡무왕은 장문휴를 보내 당의 산둥 지방을 공격하였다. 무왕의 뒤를 이은 ㉢문왕은 대외적으로 당, 신라와 친선 관계를 유지하며 체제 정비에 힘썼다. 그리하여 ㉣문왕 때 발해는 전성기를 맞이하였다. 이 시기에 발해는 요동과 연해주 지방으로 진출하고 남쪽으로 신라와 국경을 맞대었다. ㉤당은 전성기를 맞이한 발해를 가리켜 '해동성국'이라 불렀다.

① ㉠　② ㉡　③ ㉢　④ ㉣　⑤ ㉤

**06** (가)에 들어갈 용어로 옳은 것은?

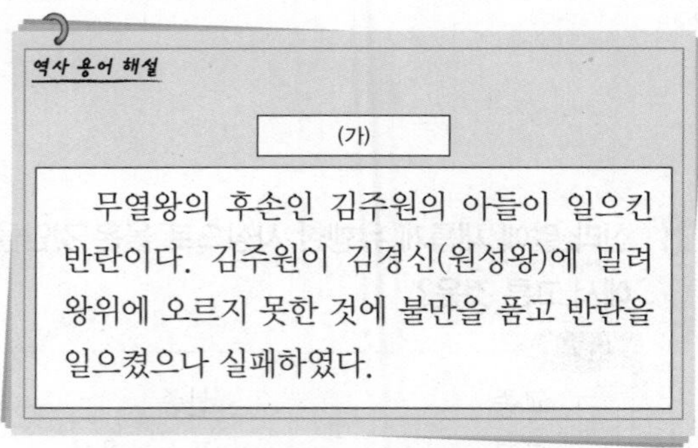
역사 용어 해설

(가)

무열왕의 후손인 김주원의 아들이 일으킨 반란이다. 김주원이 김경신(원성왕)에 밀려 왕위에 오르지 못한 것에 불만을 품고 반란을 일으켰으나 실패하였다.

① 만적의 난　② 묘청의 난
③ 김흠돌의 난　④ 김헌창의 난
⑤ 원종·애노의 난

**07** (가)에 들어갈 조사 내용으로 옳지 않은 것은?

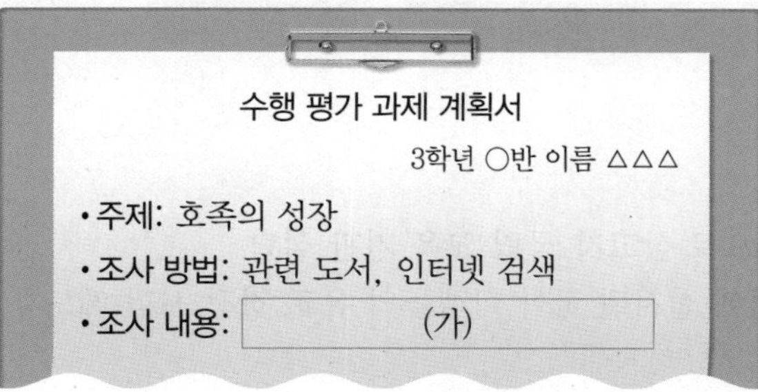
수행 평가 과제 계획서
3학년 ○반 이름 △△△
• 주제: 호족의 성장
• 조사 방법: 관련 도서, 인터넷 검색
• 조사 내용: (가)

① 견훤, 왕건 등이 대표적인 인물이다.
② 골품제로 인해 관직 승진에 제한을 받았다.
③ 촌주, 군대 지휘 세력 등 출신이 다양하였다.
④ 신라 말 지방 통제력이 약화되며 성장하였다.
⑤ 성주·장군이라 부르며 독자적 세력을 확대하였다.

고난도

**08** (가), (나) 국가에 대한 설명으로 옳은 것은?

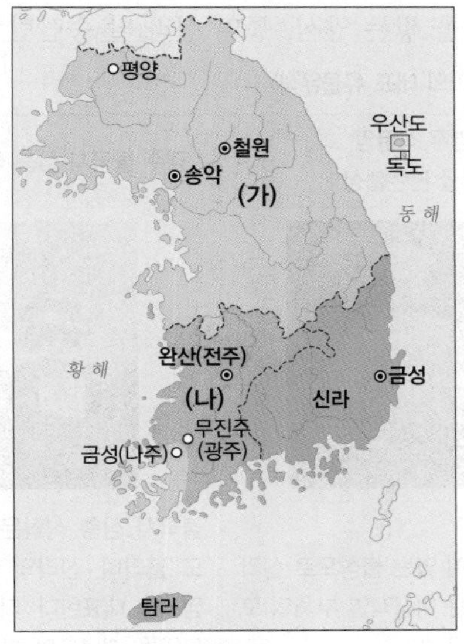


① (가) – 백제의 부흥을 내세웠다.
② (가) – 경상도 일대로 영토가 축소되었다.
③ (나) – 신라 왕족 출신 궁예가 세웠다.
④ (나) – 국호를 마진, 태봉으로 바꾸었다.
⑤ (나) – 후당, 오월 등과 외교에 주력하였다.

## 서술형

**09** 민족의 통합 의지를 보여 주는 통일 신라의 정책을 두 가지 서술하시오.

**10** 다음 도표를 통해 알 수 있는 발해의 중앙 정치 조직의 특징을 서술하시오.

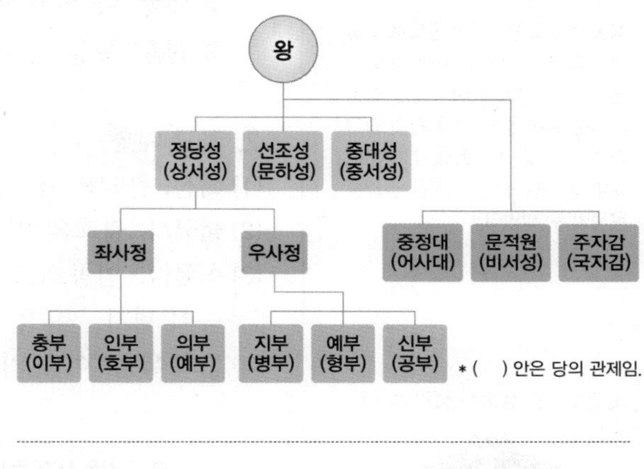

* ( ) 안은 당의 관제임.

**11** 다음에서 설명하는 사상의 명칭과 영향을 서술하시오.

> 신라 말 도선에 의해 널리 보급되었으며, 산과 땅, 물의 기운이 사람의 길흉화복에 영향을 준다는 사상이다. 주로 도읍, 집터 등을 정하는 데 이용되었다.

# 3 남북국의 문화와 대외 관계

교과서 60~69쪽

## 1 통일 신라의 문화

### 1. 유학과 불교의 발전

(1) 유학의 발달

① **국학 설립**: 유학을 정치 이념으로 삼고자 국립 교육 기관 설립

② **독서삼품과 실시**: 원성왕 시기에 실시된 국학 학생들의 유교 경전 시험 제도

③ 대표 유학자

| 강수 | 외교 문서에 능함 | 설총 | 이두를 활용하여 유교 경전 해설 |
|---|---|---|---|
| 김대문 | 전통문화 정리 | 최치원 | 우수한 문장가 |

(2) 불교의 발전

① **원효**: 종파 간의 대립 통합 노력, 아미타 신앙 전파

② **의상**: 당 유학 후 신라 화엄종 개창, 부석사 등 여러 사찰 건립, 관음 신앙 전파

③ **선종**: 통일 신라 말에 유행, 다수의 선종 사찰 건립

관음 신앙: 관음보살이 중생의 고난을 듣고 구제해 준다는 신앙

**보충 영주 부석사**

의상은 부석사를 창건하고 화엄종의 전국적인 보급에 힘썼다.

**보충 석굴암**

석굴암은 토함산에 인공으로 굴을 만들고 흙을 덮어 완성한 석굴 사원이다. 석굴암의 바닥에는 항상 차가운 물이 흘러 석굴 안의 습기가 땅속으로 스며들었기 때문에 내부 공기는 항상 건조한 상태를 유지할 수 있었다.

### 2. 불교 예술

(1) **특징**: 불교의 융성으로 사찰 건축, 공예 등 불교 예술 발달

(2) **불국사**: 불교의 이상 세계를 신라 땅에 재현한다는 취지에서 창건

(3) **석굴암**: 인공으로 만든 석굴 사원, 완벽한 수학적 비례와 불상 조각의 아름다움으로 높이 평가

(4) **탑의 유행**: 이중 기단 위 3층으로 탑신을 쌓는 양식, 통일 신라 말 승탑탑비 등 유행

승탑: 승려의 사리를 넣은 탑 / 탑비: 승려의 생애를 적은 비석

〈통일 신라의 대표 유물유적〉

| 경주 감은사지 동서 삼층 석탑 | 경주 석굴암 석굴 본존불상 | 경주 불국사 삼층 석탑과 다보탑 |
|---|---|---|
| 동서의 쌍탑이 같은 규모와 구조로 조성되어 있으며, 상하 이층으로 형성된 기단 위에 세워진 삼층 석탑이다. | 석굴암 중앙에 있는 불상으로 신라인이 생각하는 이상적인 부처의 모습으로 조각되었다. | 불국사 삼층 석탑은 석가탑이라고도 불리며, 신라의 전형적인 석탑 양식을 대표한다. 다보탑은 독특한 모양을 지녔으며 화려하고 정교한 특징이 있다. |

**보충 화순 쌍봉사 철감선사 탑**

통일 신라 말에 선종이 널리 퍼지면서 승탑과 탑비가 유행하였다. 대표적인 승탑인 화순 쌍봉사 철감선사 탑은 쌍봉사를 창건한 도윤의 승탑이다.

### 3. 귀족과 농민의 생활

(1) **귀족**: 호화로운 저택에서 생활, 희귀한 사치품(수입 양탄자, 유리그릇 등) 사용

(2) **농민**: 생산의 주축, 전세(곡물)+공물(삼베, 과실류)+노동 동원 등의 부담

(3) **신라 촌락 문서**: 촌락의 경제 상황을 기록한 문서로 세금 징수 시 이용

**보충 경주 동궁과 월지**

통일 신라 시대 별궁 터로, 태자가 머물던 곳이다.

## 교과서 속 자료 & 개념

### 원효와 의상

교과서 60쪽

아미타불은 서방 극락세계에 계신 부처님이오. 나무아미타불만 열심히 외면 극락에 가서 편안하게 살 수 있을 것이오.

관세음보살을 부르며 도움을 요청하면 관세음보살께서 나타나 구원해 줄 것이오.

원효

의상

**자료 해설**

원효는 누구나 부지런히 '나무아미타불'을 외우면 내세에는 극락세계인 서방 정토에 태어날 수 있다고 주장하여 불교의 대중화에 이바지하였다. 또 여러 스승들에게 가르침을 받고 다양한 종파를 섭렵하여 여러 불교 경전을 하나로 통합하고자 하였다.

진골 귀족 출신인 의상은 당에 유학을 다녀와 신라 화엄종을 개창하고 왕실의 지원을 받아 부석사를 창건하였다. 또 관세음보살을 믿어 현세의 고난을 구제받고자 하는 관음 신앙을 이끌었다.

### 청운교와 백운교

교과서 61쪽

**자료 해설**

청운교와 백운교는 경주 불국사 내에 있는 대웅전으로 들어가는 자하문과 연결된 돌계단 다리이다. 불경에 따르면 부처님이 사는 나라로 가기 위해서는 물을 건너고 또 구름 위로 가야 한다고 한다. 이러한 불경의 말씀을 현실에 구현한 것이 청운교와 백운교이다. 아름다운 조형미는 물론 석조 건축 기술의 우수성과 독창성을 보여 주고 있어 그 가치가 높다.

### 신라 촌락 문서

교과서 61쪽

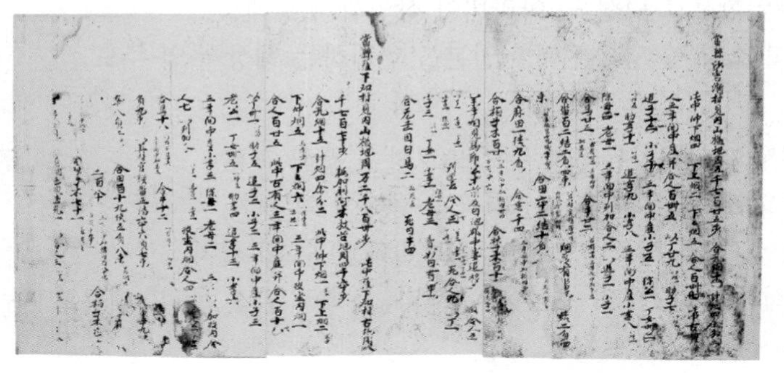

**자료 해설**

일본 도다이사 쇼소인에 소장되어 있는 통일 신라 시대의 문서이다. 서원경(청주 부근)의 4개 촌락에 관한 기록으로, 토지의 종류와 면적, 노비의 수, 3년간 인구 변동 내용, 소·말·뽕나무·잣나무·호두나무 등의 수가 기록되어 있다. 이는 촌락의 경제 상황을 상세히 기록한 것으로, 세금을 징수하는 기초 자료로 쓰였을 것이라 추측된다.

**보충** 고구려와 발해의 무덤 양식

고구려 안악 2호분의 천장

정혜 공주 무덤 실측도의 천장

발해의 정혜 공주 무덤과 고구려 안악 2호분에는 동일한 모줄임천장 구조가 나타난다. 모줄임천장 구조는 벽 위에 천장돌을 한두 단 내밀기 쌓기를 한 다음 한 벽에서 옆벽에 걸치도록 돌을 비스듬하게 놓아 귀를 줄이면서 천장을 좁혀 올라가는 방법이다.

**보충** 발해의 온돌

발해의 온돌 유적에서 'ㄱ'자, 'ㄷ'자, 'ㅡ'자 모양의 쪽구들이 발견되는데, 그 형태가 고구려의 온돌과 유사하다. 쪽구들은 아궁이에서의 취사와 구들을 통한 난방 기능을 겸하는 부분 난방 방식의 구조물이다.

「왕오천축국전」

혜초가 천축국(인도와 주변 지역)의 다섯 지역을 답사하고 쓴 여행기이다.

## 2 발해의 문화

### 1. 유학과 불교의 발달

**(1) 유학의 발달**

① 6부 명칭: 유교 덕목(충·인·의·예·지·신) 사용

② 주자감: 국립 교육 기관으로 유교 경전 교육 강화, 유학적 소양을 갖춘 인재 양성

③ 정혜·정효 공주 무덤의 묘지석: 유교 경전 내용 인용

**(2) 불교의 융성**

① 절터 유적에서 불상, 석등, 기와 등 출토 → 수준 높은 건축·조각 기술

② 문왕이 '금륜', '성법'이라는 불교식 명칭 사용, 각지에 많은 사찰 건립

금륜: 불교에서 말하는 전륜성왕의 하나인 금륜성왕의 줄임말

### 2. 국제적·독자적 문화 발전

(1) **특징**: 고구려 문화를 기반으로 당, 말갈 등의 문화 수용

(2) **정혜 공주 무덤**: 고구려의 굴식 돌방무덤 양식, 모줄임천장 구조

(3) **수도 상경성**: 당의 수도 장안성을 본떠 주작대로를 중심으로 도시 계획

(4) **정효 공주 무덤**: 당의 영향을 받은 벽돌무덤, 당 양식의 벽화 제작

(5) **말갈족의 전통문화 수용**: 말갈 양식의 흙무덤, 말갈식 토기·단지 등 제작

### 3. 발해의 생활

녹유: 토기에 사용하는 유약의 일종으로, 토기의 표면에 청색, 녹색 및 황갈색을 내기 위해 사용됨

(1) **주거**: 귀족들이 녹유·자색의 유약을 바른 기와와 치미 등을 얹은 집에 거주

(2) **온돌**: 쪽구들 형태의 온돌 설치 → 추운 겨울 난방 용도

(3) **일상생활**: 답추(춤), 타구·격구(페르시아에서 유래한 놀이) 유행

답추: 고구려 사람들이 즐겨 추던 민속 가무를 계승한 민속 무용

격구: 말을 타고 달리거나 뛰어다니며 막대기로 공을 쳐 승부를 내는 구기 경기

## 3 통일 신라와 발해의 대외 교류

### 1. 통일 신라의 대외 교류

(1) **당과의 교류**: 8세기 이후 친선 관계 회복, 활발한 교류

① 신라방(마을), 신라소(관청), 신라관(숙박 시설), 신라원(절) 등 설치

② 당의 빈공과 합격자 등장(최치원, 김운경, 최승우 등)

빈공과: 당에서 외국인에게 보게 하던 과거 시험

(2) **서역과의 교류**: 혜초가 인도~서역 지역을 순례한 후 『왕오천축국전』 저술

(3) **일본과의 교류**: 당~일본 사이에서 중계 무역으로 이익, 일본이 신라의 배를 이용하여 당에 왕래

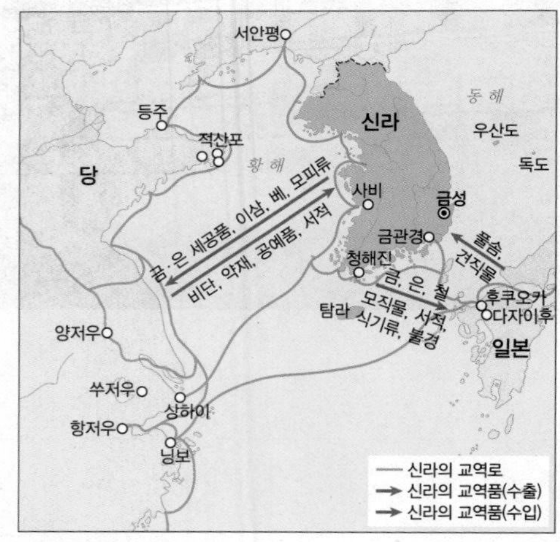

통일 신라의 대외 교류

(4) **당항성, 울산항**: 국제적 무역항으로 번성 → 아라비아 상인까지 왕래

(5) **장보고**: 청해진 설치, 해적 소탕 → 당~신라~일본을 연결하는 해상 무역 주도

### 2. 발해의 대외 교류

(1) **도로망 건설**: 수도 상경에서 뻗어나가는 5개 주요 도로망을 통해 교류

(2) **신라와의 교류**: 신라도 이용, 동경 용원부~신라 국경 사이에 역 설치

역: 말을 갈아탈 수 있는 곳

(3) **당과의 교류**: 유학생과 상인 왕래, 산둥반도에 발해관(발해인 숙소) 설치

(4) **일본과의 교류**: 초기 당·신라 견제 목적 → 후기 경제적·문화적 발전 목적, 대규모 사절단 파견

## 교과서 속 자료 & 개념

### 발해의 유물
교과서 64쪽

발해 석등 · 발해 치미 · 이불병좌상

**자료 해설**

발해의 수도였던 상경성과 중경성 일대의 절터 유적에서는 불상, 석등, 기와 등 많은 유물이 출토되었다. 발해의 석등은 상경성에 남아 있는 석등으로, 높이가 6.3 m에 이른다. 불을 밝히기 위해 만들어졌으며, 원래 세워졌던 자리에 그대로 남아 있다. 석등에 조각된 연꽃은 발해가 고구려 양식을 계승하였음을 보여 준다. 발해의 치미는 건축물의 지붕 중앙에 있는 주된 마루의 양 끝에 높게 부착하던 기와이다. 이불병좌상은 석가불과 다보불이 나란히 앉아 있는 발해의 대표적인 불상이다.

### 정효 공주 묘를 통해 본 발해 문화의 특징
교과서 65쪽

정효 공주 무덤 벽화

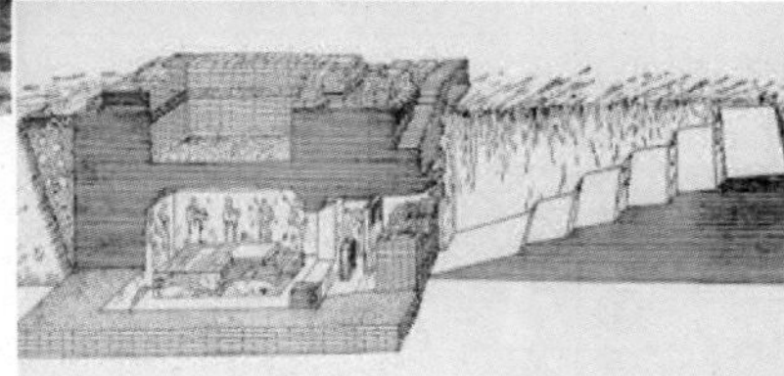
정효 공주 무덤 벽화 구조도

**자료 해설**

정효 공주는 문왕의 넷째 딸이다. 문왕 재위 후반에 조성된 정효 공주 무덤은 벽돌과 판돌로 쌓았으며, 경사진 무덤길을 따라 지하에 무덤방을 만들었다. 벽돌로 벽을 쌓는 당의 양식과 돌로 공간을 줄여 나가면서 천장을 쌓는 고구려 양식이 결합되어 있다. 널길의 동·서벽과 널방의 동·서, 북벽에 그려진 12명의 인물은 대체로 뺨이 둥글고 얼굴이 통통해 당의 화풍을 반영한 것이라 볼 수 있다.

## 개념 꿀꺽

**1. 빈칸에 알맞은 말을 쓰시오.**

(1) 신라 원성왕 때 국학 학생들의 유교 경전 이해 능력을 시험하는 (　　　)이/가 실시되었다.

(2) (　　　)은/는 인공으로 만든 석굴 사원으로 불상 조각의 아름다움으로 높이 평가받고 있다.

(3) 발해는 (　　　)을/를 설치하여 유교 경전에 관한 교육을 강화하였다.

(4) 장보고는 (　　　)을/를 설치하여 해적을 소탕하고 해상 무역을 주도하였다.

**2. 다음 내용이 옳으면 ○표, 틀리면 ×표 하시오.**

(1) 원효는 나무아미타불만 열심히 외면 극락에 갈 수 있다는 아미타 신앙을 전파하였다. (　　　)

(2) 통일 신라 시기에는 오층 석탑이 유행하였다. (　　　)

(3) 정혜 공주 무덤은 고구려의 모줄임천장 구조가 사용되었다. (　　　)

(4) 발해는 상경을 중심으로 5개의 주요 도로망을 설치하여 주변 나라와 교류하였다. (　　　)

정답
1. (1) 독서삼품과 (2) 석굴암 (3) 주자감 (4) 청해진
2. (1) ○ (2) × (3) ○ (4) ○

## 기초 튼튼 | 기본문제

**01** (가), (나)에 들어갈 말을 옳게 짝지은 것은?

> 통일 신라는 유학을 정치 이념으로 삼고자 국립 교육 기관인 (가) 을/를 설립하였고, 원성왕 때에는 이를 바탕으로 (나) 을/를 실시하였다.

| | (가) | (나) |
|---|---|---|
| ① | 국학 | 과거제 |
| ② | 국학 | 독서삼품과 |
| ③ | 태학 | 과거제 |
| ④ | 태학 | 독서삼품과 |
| ⑤ | 주자감 | 독서삼품과 |

중요

**02** 통일 신라 시기에 활약한 두 승려에 대한 설명으로 옳지 않은 것은?

① 의상 – 관음 신앙을 전파하였다.
② 의상 – 신라 화엄종을 개창하였다.
③ 원효 – 아미타 신앙을 전파하였다.
④ 원효 – 대규모 사찰인 부석사를 건립하였다.
⑤ 원효 – 종파 간의 대립을 통합하고자 하였다.

단답형

**03** (가)에 들어갈 알맞은 말을 쓰시오.

> 통일 후 신라에서는 사찰 건축과 공예 등 불교 예술이 크게 발달하였다. 그중 (가) 은/는 불교의 이상 세계를 신라 땅에 재현한다는 취지에서 창건된 절로, 석가탑과 다보탑 등이 남아 있다.

(        )

**04** 다음 유적과 관련된 설명으로 옳은 것은?

① 인공으로 만든 석굴 사원에 있다.
② 불상이 동·서 쌍으로 조성되어 있다.
③ 천문 현상의 관찰을 위해 만들어졌다.
④ 통일 신라 시대 태자가 머물던 곳이다.
⑤ 귀빈들을 접대하는 연회가 펼쳐졌던 곳이다.

**05** 통일 신라의 대표 유적으로 옳은 것만을 〈보기〉에서 고른 것은?

보기

ㄱ. 경주 감은사지 동·서 삼층 석탑
ㄴ. 익산 미륵사지 석탑
ㄷ. 동궁과 월지
ㄹ. 경주 분황사 모전 석탑

① ㄱ, ㄴ ② ㄱ, ㄷ ③ ㄴ, ㄷ
④ ㄴ, ㄹ ⑤ ㄷ, ㄹ

단답형

**06** (가)에 들어갈 알맞은 말을 쓰시오.

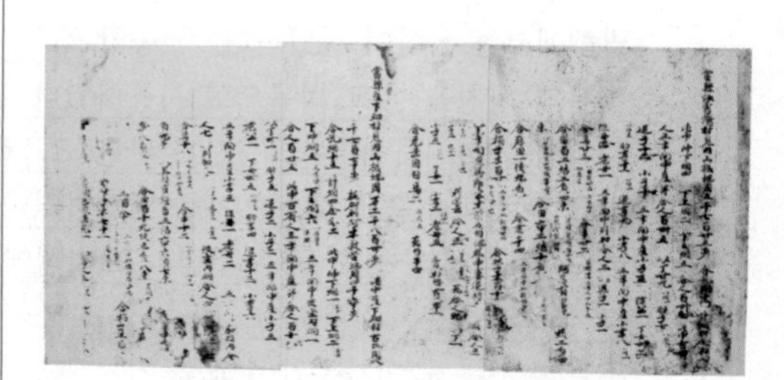

통일 신라에서는 세금을 징수할 때 촌락의 경제 상황을 기록한 신라 (가) 을/를 이용하였다.

(　　　　　)

**07** 발해의 유학에 대한 설명으로 옳은 것은?

① 국학을 설립하였다.
② 태학을 설치하였다.
③ 임신서기석을 세웠다.
④ 독서삼품과를 실시하였다.
⑤ 6부의 명칭을 유교 덕목으로 사용하였다.

중요

**08** 다음 자료를 통해 알 수 있는 발해의 문화적 특징으로 옳은 것은?

발해의 기와

정혜 공주 무덤 실측도의 천장

① 말갈족의 전통문화를 수용하였다.
② 고구려 문화를 토대로 발전하였다.
③ 당의 문화를 받아들여 수도를 정비하였다.
④ 승려의 사리를 넣은 승탑이 다수 제작되었다.
⑤ 이중 기단 위에 3층으로 탑신을 쌓는 석탑 양식이 유행하였다.

**09** 발해의 생활 모습으로 옳은 것만을 〈보기〉에서 고른 것은?

보기

ㄱ. 격구 유행　　ㄴ. 답추 유행
ㄷ. 녹읍 폐지　　ㄹ. 촌락 문서 작성

① ㄱ, ㄴ　② ㄱ, ㄷ　③ ㄴ, ㄷ
④ ㄴ, ㄹ　⑤ ㄷ, ㄹ

단답형

**10** (가)에 들어갈 알맞은 말을 쓰시오.

통일 신라와 당의 교류가 활발해지면서 유학생과 승려 등 많은 사람들이 왕래하였다. 그중 승려 혜초는 인도를 비롯한 서역 지역을 순례하고 (가) (이)라는 책을 남겼다.

(　　　　　)

**11** 발해의 대외 교류에 대한 설명으로 옳지 않은 것은?

① 문왕 이후 당과 교류를 시작하였다.
② 일본에 대규모 사절단을 파견하였다.
③ 당의 산둥반도에 발해관이 설치되었다.
④ 신라와 대립 관계를 유지하여 교류하지 않았다.
⑤ 상경에서 다른 국가로 가는 5개의 도로가 있었다.

## 실력 쑥쑥 | 실전문제

중요

**01** 통일 신라의 유학과 관련된 설명으로 옳지 않은 것은?

① 원성왕 때 독서삼품과를 실시하였다.
② 국립 교육 기관인 국학을 설립하였다.
③ 6부의 명칭을 유교 용어로 사용하였다.
④ 강수는 외교 문서에 능하여 이름을 떨쳤다.
⑤ 설총은 이두를 이용하여 유교 경전을 해설하였다.

**02** (가)에 들어갈 정답으로 옳은 것은?

① 의상 ② 원효 ③ 설총
④ 최치원 ⑤ 김대문

**03** 다음 중 발표 내용이 적절하지 않은 모둠은?

〈주제: 불교의 이상 세계, '불국사'〉
1모둠: 다보탑의 형식
2모둠: 백운교의 의미
3모둠: 청운교의 의미
4모둠: 석가탑과 관련된 설화
5모둠: 창고에서 발견된 촌락 문서

① 1모둠 ② 2모둠 ③ 3모둠
④ 4모둠 ⑤ 5모둠

고난도

**04** 다음 글의 ㉠~㉤ 중 옳지 않은 것은?

> 발해에서는 유학이 발달하여, ㉠중앙 정치 기구 중 6부의 명칭을 유교 덕목으로 사용하였다. 또한 ㉡주자감을 설치하여 유교 경전에 관한 교육을 강화하고 유학적 소양을 갖춘 인재를 양성하였다. ㉢정혜 공주 무덤과 정효 공주 무덤의 묘지석에서는 유교 경전의 내용이 인용되어 있다.
>
> 또한 발해는 ㉣이차돈의 순교를 거쳐 불교를 공인한 뒤 불교가 융성하였다. ㉤발해의 수도였던 상경성과 중경성 일대의 절터 유적에서는 불상, 석등, 기와 등 많은 유물이 출토되었다.

① ㉠ ② ㉡ ③ ㉢ ④ ㉣ ⑤ ㉤

중요

**05** 다음 유물을 제작한 국가의 유적·유물로 옳은 것은?

고난도

**06** 다음 지도에 나타난 교역과 관련 있는 것만을 〈보기〉에서 고른 것은?

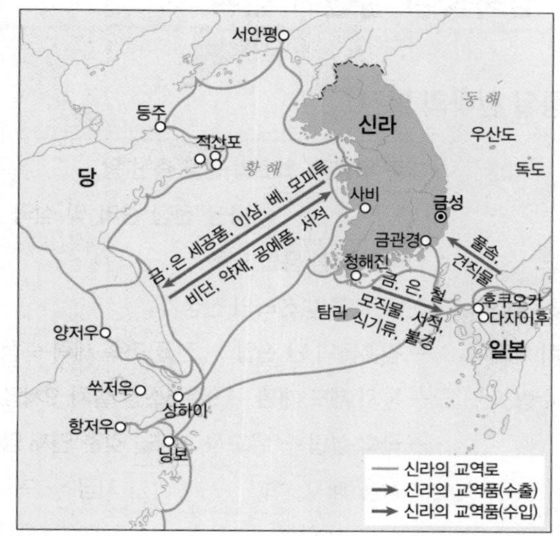


**보기**

ㄱ. 신라관　　ㄴ. 당항성
ㄷ. 발해관　　ㄹ. 영주도

① ㄱ, ㄴ　② ㄱ, ㄷ　③ ㄴ, ㄷ
④ ㄴ, ㄹ　⑤ ㄷ, ㄹ

**07** (가) 국가의 대외 교류에 대한 설명으로 옳은 것은?

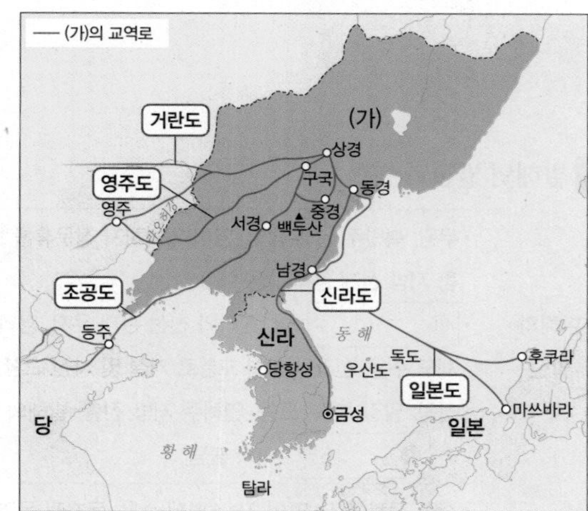


① 산둥반도에 발해관을 설치하였다.
② 신라에 대규모 사절단을 파견하였다.
③ 당의 국경까지 가는 길에 역이 설치되었다.
④ 신라와는 건국 초부터 활발하게 교류하였다.
⑤ 당에 비단과 공예품 등 사치품을 수출하였다.

## 서술형

**08** 다음과 같은 주장을 한 승려의 이름과 업적을 서술하시오.

**09** 다음을 통해 알 수 있는 발해 문화의 특징을 서술하시오.

정효 공주 무덤 벽화 구조도

정효 공주 무덤 벽화

**10** 다음 유물과 관련된 국가의 대외 교류에 관하여 서술하시오.

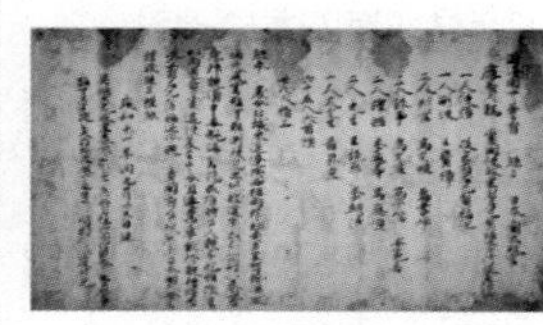

일본에 파견된 대사, 통역, 서기 등 100명이 넘는 사절단의 이름이 적혀 있다.

# | 대단원 | 정리하기

## 1 신라의 삼국 통일과 발해의 건국

### 1 수와 당의 침략을 물리친 고구려

| | |
|---|---|
| 수의 침략 | • 수의 중국 통일 이후 고구려 압박<br>• 수 문제의 침입 → 실패<br>• 수 양제의 침입 → 30만의 별동대를 편성하여 평양성 공격 → 을지문덕이 이끄는 고구려군이 수의 군대 격퇴 (① ) |
| 당의 침략 | • 천리장성을 축조하여 침입 대비<br>• 안시성에서 당의 공격 방어(안시성 싸움) |
| 의의 | 중국 중심의 국제 질서에 복속되지 않고 독자적 국가의 지위 유지 |

### 2 백제·고구려의 멸망과 부흥 운동

| | |
|---|---|
| ② 체결 | • 신라의 외교적 노력<br>• 당이 고구려 정벌에 실패한 후 신라와의 연합 작전 필요 |
| 백제 멸망 | • ③ 에서 신라군 승리<br>• 사비성 함락으로 멸망(660) |
| 고구려 멸망 | • 연개소문 사후 내부 분열<br>• 평양성 함락으로 멸망(668) |
| 백제 부흥 운동 | • 흑치상지(임존성), 복신·도침(주류성)<br>• ④ 에서 패배하면서 실패 |
| 고구려 부흥 운동 | • 고연무(오골성)·검모잠(한성), 신라의 지원<br>• 당의 공세 강화와 지도층의 분열로 실패 |

### 3 남북국 시대의 성립

| | |
|---|---|
| 신라의 삼국 통일 | • 당의 욕심: 웅진도독부, 안동도호부 설치<br>• 나당 전쟁: 매소성 전투, ⑤ 에서 신라가 승리하면서 삼국 통일 완수<br>• 의의: 삼국의 문화 융합, 민족 문화의 발전 토대<br>• 한계: 외세 이용, 대동강 이북 영토 상실 |
| 발해의 건국 | • 대조영이 고구려 유민과 말갈 집단을 이끌고 이동 → 발해 건국<br>• ⑥ 계승 의식 표방<br>• 남북국 시대 성립 |

## 2 남북국의 발전과 변화

### 1 통일 신라의 발전

| | |
|---|---|
| 국왕 중심의 정치 체제 수립 | • 태종 무열왕: 최초의 진골 출신 왕<br>• ⑦ : 나당 전쟁 승리 및 삼국 통일 완성, 삼국의 백성 통합 노력<br>• 신문왕: 통일 신라의 전성기<br>– 김흠돌의 난 진압 → 진골 귀족 세력 숙청<br>– 통치 제도 개편 → 9주 5소경 설치, 9서당 정비<br>– 국학 설립 → 유교적 소양을 갖춘 인재 양성<br>– 녹읍 폐지, ⑧ 지급 → 귀족들의 경제적 기반 약화 |
| 통치 제도 정비 | • 중앙 행정 제도: 집사부와 시중(중시)을 중심으로 운영<br>• 지방 행정 제도: 9주 5소경<br>– 9주: 고구려, 백제, 신라의 땅에 3주씩 설치<br>– ⑨ : 수도 금성(경주)이 동남쪽에 치우친 점을 보완, 지방의 정치·문화 중심지<br>• 군사 제도<br>– ⑩ (중앙군): 신라인, 고구려인, 백제인, 말갈인 등 포함<br>– 10정(지방군): 각 주에 1개의 정, 한주에는 2개의 정 배치 |

### 2 발해의 발전과 변화

| | |
|---|---|
| 발해의 발전 | • 무왕: 북만주 일대 장악, 당이 압박하자 장문휴를 보내 산둥 지방 선제 공격<br>• ⑪ : 당·신라와 친선 관계 유지, 당의 문물·제도 수용, 신라와 상설 교통로 개설 및 사신 교환<br>• 선왕: 말갈 복속, 요동·연해주 지방 진출, 발해의 전성기 → ⑫ 이라 불림 |
| 통치 체제 정비 | • 중앙 정치 조직: 당의 3성 6부제 수용, 독자적 운영<br>– ⑬ : 국정 총괄 기구<br>– 6부: 행정 실무 담당 기구, 유교 덕목을 이름으로 사용<br>– 주자감: 유학 교육 기관<br>• 지방 행정 구역: 5경 15부 62주, 촌락은 토착 세력이 관리<br>• 군사 조직: 10위(중앙군) |

정답과 해설 219쪽

### 3 신라 말의 변화와 후삼국의 성립

|  |  |
|---|---|
| 진골 귀족의 왕위 쟁탈전 | • 소수의 진골 귀족에게 권력 집중 → 혜공왕 피살 이후 왕위 쟁탈전 격화<br>• 김헌창의 반란, 장보고의 왕위 쟁탈전 개입 |
| 농민 봉기 | • 배경: 귀족의 사치, 대토지 소유, 자연재해, 조세 독촉<br>• 대표 봉기: ⑭ (사벌주), 양길(북원), 기훤(죽주)<br>• 결과: 신라 정부의 통제력 약화 |
| 새로운 세력의 성장 | • 호족<br>– 출신: 촌주, 몰락 귀족, 무역인, 군대 지휘관 출신 등<br>– 특징: 자신의 성에 성을 쌓고 군대를 거느리고 스스로 성주·장군이라 부르며 독자적 세력 확대<br>• ⑮ : 골품제로 인한 관직 승진 제한, 사회 개혁안 제시, 지방 호족과 함께 새로운 사회 건설 노력 |
| 새로운 사상의 유행 | • ⑯ : 일상생활 속 실천과 수행 강조 → 호족과 백성들에게 유행<br>• ⑰ : 산과 땅, 물의 기운이 사람의 길흉화복에 영향을 준다는 사상 → 지방의 중요성을 강조하여 호족의 환영을 받음 |
| 후삼국 시대 | • ⑱ : 견훤이 완산주(전주)를 도읍으로 건국 → 6두품 세력 포섭, 후당, 오월, 거란, 일본과의 외교에도 주력<br>• ⑲ : 궁예가 송악(개성)을 도읍으로 건국 → 국호를 '마진'에서 '태봉'으로 바꿈, 철원 천도<br>• 신라: 경상도 일대로 영토 축소 |

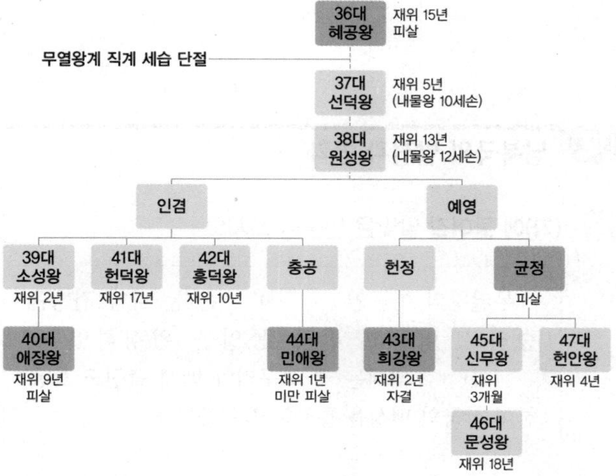


신라 말 왕위 계보의 일부

## 3 남북국의 문화와 대외 관계

### 1 통일 신라의 문화

|  |  |
|---|---|
| 사상과 종교의 발달 | • 유학의 발달: 국학 설립, ⑳ 실시<br>• 불교의 발전<br>– 원효: 종파 간 대립 통합 노력, 아미타 신앙 전파<br>– 의상: 신라 화엄종 개창, 부석사 건립, 관음 신앙 전파 |
| 불교 예술 | • ㉑ : 불교의 이상 세계 실현<br>• 석굴암: 인공 석굴 사원<br>• 석탑: 이중 기단+3층 탑신 양식 유행 |
| 귀족과 농민의 생활 | • 귀족: 호화로운 저택, 사치품 사용<br>• 농민: 생산의 주축, 세금 부담<br>• ㉒ : 세금 징수를 위해 촌락의 경제 상황을 기록한 문서 |

### 2 발해의 문화

|  |  |
|---|---|
| 유학의 발달 | • 6부: 명칭에 유교적 덕목 사용<br>• ㉓ : 국립 교육 기관 → 유학 교육 강화 |
| 불교의 융성 | • 불상, 석등, 기와 등 제작<br>• 문왕이 불교식 명칭 사용 |
| 문화적 특징 | • 고구려 문화를 기반으로 당, 말갈 등의 문화 수용<br>• 정혜 공주 무덤: 고구려 영향<br>• 정효 공주 무덤: 고구려+당 영향 |
| 일상생활 | • 귀족: 기와, 치미를 얹은 호화로운 집에 거주<br>• 온돌: 고구려 영향의 쪽구들 온돌 사용<br>• 답추(춤), 타구와 격구 유행 |

### 3 통일 신라와 발해의 대외 교류

|  |  |
|---|---|
| 통일 신라의 대외 교류 | • 당과의 교류: 신라방, 신라소, 신라관, 신라원 설치<br>• 서역과의 교류: ㉔ 의 『왕오천축국전』<br>• 당항성, 울산항: 국제적 무역항으로 번성<br>• 장보고: 청해진 설치, 해상 무역 주도 |
| 발해의 대외 교류 | • 신라와의 교류: 신라도 개설<br>• 당과의 교류: ㉕ 설치<br>• 일본과의 교류: 대규모 사절단 파견 |

# 자신만만 | 적중문제

## 01 신라의 삼국 통일과 발해의 건국

**01** (가), (나)에 들어갈 역사적 사건과 인물을 옳게 짝지은 것은?

> 6세기 후반 중국의 남북조 시대를 통일한 수 문제에 이어 수 양제가 적극적인 팽창 정책을 추진하여 100만 명이 넘는 대군을 이끌고 고구려를 침입하였다. 이에 (가) 이/가 지휘한 고구려군이 수의 대군을 크게 무찔렀는데, 이를 (나) (이)라고 한다.

| | (가) | (나) |
|---|---|---|
| ① | 우중문 | 살수 대첩 |
| ② | 연개소문 | 살수 대첩 |
| ③ | 연개소문 | 안시성 싸움 |
| ④ | 을지문덕 | 살수 대첩 |
| ⑤ | 을지문덕 | 안시성 싸움 |

**02** (가)에 들어갈 역사적 사실로 옳은 것은?

> 신라가 당과의 동맹을 추진하자, 당은 대동강 이북 지역의 땅을 넘겨 받는다는 조건으로 제안을 받아들여 나당 동맹이 결성되었다.

↓

> (가)

↓

> 나당 연합군의 공격으로 결국 백제의 수도 사비성이 함락되고 의자왕이 항복하여 백제가 멸망하였다.

① 수의 별동대가 고구려를 침공하였다.
② 고구려 유민들이 부흥 운동을 일으켰다.
③ 신라군이 황산벌에서 백제군을 물리쳤다.
④ 고구려의 평양성이 함락되어 멸망하였다.
⑤ 당이 백제 땅에 웅진도독부를 설치하였다.

**03** 선생님의 질문에 대한 학생의 답변으로 옳은 것은?

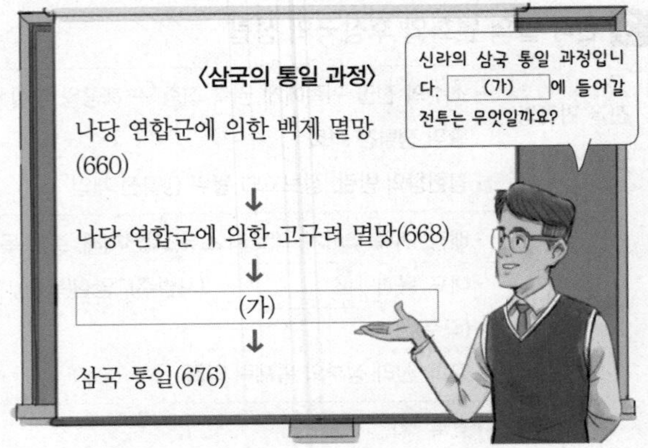


① 살수 대첩　② 황산벌 전투
③ 안시성 싸움　④ 매소성 전투
⑤ 관산성 전투

**04** (가)에 들어갈 국가로 옳은 것은?

> 안녕, ○○아! 나 △△야. 나는 오늘 (가) 이/가 세워졌던 지린성의 동모산을 답사하고, 저녁에 헤이룽장성 닝안현에 도착했어.
> 이곳은 (가) 의 수도였던 상경 용천부 유적이 남아 있는데, 고구려 양식의 온돌이 나왔대. 잘 보고 너에게 전달해 줄게. 잘 지내고 있어!

① 발해　② 부여　③ 백제
④ 가야　⑤ 고구려

## 02 남북국의 발전과 변화

**05** (가)에 들어갈 알맞은 인물을 쓰시오.

> 무열왕의 아들인 (가) 은/는 나당 전쟁을 승리로 이끌고 삼국 통일을 완성하였다. (가) 때에는 옛 고구려와 백제 출신도 등용하여 삼국의 백성을 통합하고자 하였다.

(　　　　　)

**06** (가)에 들어갈 내용으로 옳은 것을 〈보기〉에서 있는 대로 고른 것은?

> **역사 신문**
> 개혁 정책의 이모저모!
> 신문왕은 자신의 장인인 김흠돌이 일으켰던 반란을 진압하고 귀족 세력을 제압하였다. 또한 강력한 왕권을 확립하기 위해 (가) 와 같은 여러 개혁을 추진하겠다고 발표하였다.

**보기**
ㄱ. 군사 제도를 10위로 정비
ㄴ. 국학을 설립해 유학 보급
ㄷ. 관료전 지급 및 녹읍 폐지
ㄹ. 9주 5소경 설치 등 통치 체제 정비

① ㄱ, ㄴ ② ㄴ, ㄷ ③ ㄱ, ㄴ, ㄷ
④ ㄱ, ㄷ, ㄹ ⑤ ㄴ, ㄷ, ㄹ

**07** (가) 국가에 대한 설명으로 옳지 않은 것은?

> (가) 은/는 무왕 때 북만주 일대를 차지하고 세력을 확대하였다. 이에 당이 흑수 말갈, 신라와 손잡고 (가) 을/를 견제하자 무왕은 산둥 지방을 공격하였다. 그러나 무왕의 뒤를 이은 문왕은 당과 우호 관계를 형성하였다.

① 선왕 때 해동성국으로 불리었다.
② 거란의 공격을 받아 멸망하였다.
③ 대내적으로 황제국을 표방하였다.
④ 고구려 유민과 말갈인으로 구성되었다.
⑤ 화백 회의와 골품제라는 제도가 있었다.

**08** (가)에 들어갈 국가로 옳은 것은?

> 상주 출신의 견훤은 서남 해안의 군사력을 기반으로 완산주(전주)에 도읍하고 (가) 을/를 세웠다. (가) 은/는 한때 우세한 경제력과 군사력을 바탕으로 신라와 고려를 압박하였다. 하지만 견훤과 그 아들의 권력 다툼으로 힘이 약화되었다.

① 마진 ② 태봉 ③ 발해
④ 후백제 ⑤ 후고구려

**09** 다음 가상 인터뷰를 나누었을 당시 신라의 사회 상황으로 옳은 것만을 〈보기〉에서 고른 것은?

> 기 자: 6두품 세력의 입장에서 지금 신라 사회의 가장 큰 문제점이 무엇이라고 보십니까?
> 최치원: 지금 신라는 진골 귀족이 서로 왕이 되겠다고 치열한 다툼을 벌여 왕권이 약화되고 통치 질서가 무너졌습니다. 그리고 정부가 농민에게 세금을 과도하게 거두어 굶어서 죽고 싸우다 죽은 시체가 들판에 즐비합니다.

**보기**
ㄱ. 선종과 풍수지리설이 유행하였다.
ㄴ. 지방에서 세력을 키운 호족이 나타났다.
ㄷ. 화랑도가 국가적인 조직으로 개편되었다.
ㄹ. 연개소문이 정변을 일으켜 권력을 잡았다.

① ㄱ, ㄴ ② ㄱ, ㄷ ③ ㄴ, ㄷ
④ ㄴ, ㄹ ⑤ ㄷ, ㄹ

## 03 남북국의 문화와 대외 관계

**10** (가)에 들어갈 사진 자료로 옳지 않은 것은?

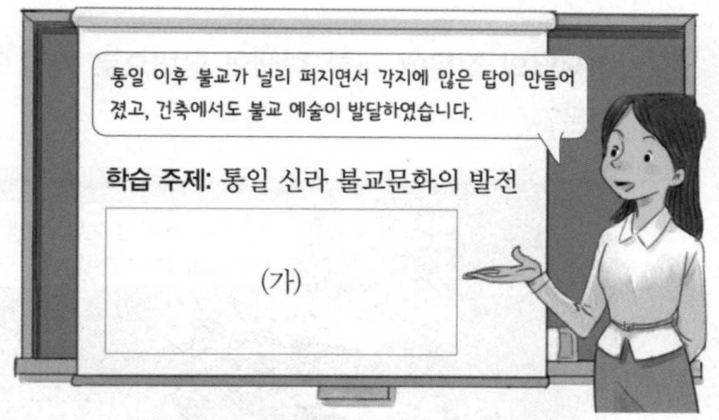


①

②

③

④

⑤

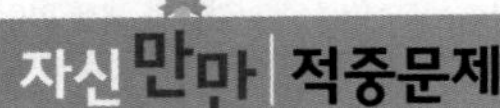

## 11 (가)~(다)에 들어갈 승려를 옳게 짝지은 것은?

(가): 누구나 '나무아미타불'만 열심히 외우면 극락에 갈 수 있소.
(나): 관세음보살을 부르며 도움을 요청하면 관세음 보살께서 구원해 주실 것입니다.
(다): 당에서 유학하다가 인도, 중앙아시아를 순례하고 돌아와 『왕오천축국전』을 저술하였지요.

| | (가) | (나) | (다) |
|---|---|---|---|
| ① | 원효 | 의상 | 혜초 |
| ② | 원효 | 혜초 | 의상 |
| ③ | 혜초 | 의상 | 원효 |
| ④ | 의상 | 원효 | 혜초 |
| ⑤ | 의상 | 혜초 | 원효 |

## 12 선생님의 질문에 대한 학생의 답변으로 가장 적절한 것은?

① 불교가 융성하였어요.
② 당의 문화를 받아들였어요.
③ 대규모 불교 건축물이 만들어졌어요.
④ 중앙아시아의 국가들과 교류하였어요.
⑤ 고구려 문화를 계승하여 발전하였어요.

### 서술형

## 13 (가), (나)에 들어갈 국가의 이름을 각각 쓰고, (나) 국가가 삼국을 통일한 의의를 서술하시오.

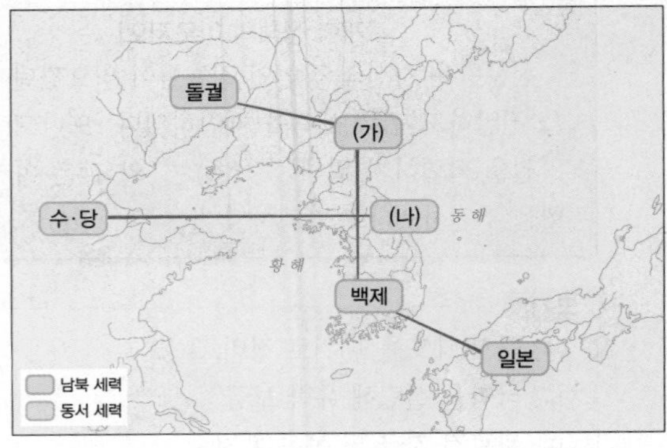


## 14 (가)의 명칭과 설치 목적을 서술하시오.

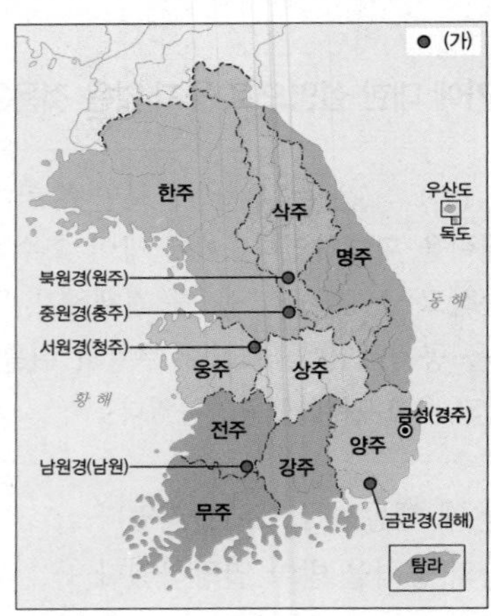


## 15 다음 글에서 알 수 있는 신라 말 농민 봉기의 원인과 대표적인 농민 봉기를 서술하시오.

진성 여왕 3년 여러 주와 군에서 공물과 조세를 바치지 않으니 창고가 비고 나라의 씀씀이가 궁핍해졌다. 왕이 관리를 보내어 독촉하자, 이로 인해 곳곳에서 도적이 벌 떼같이 일어났다. -『삼국유사』

## 최고난도 문제

**01** (가)~(마)의 사실들을 일어난 순서대로 옳게 나열한 것은?

(가) 신문왕의 장인이었던 김흠돌이 중심이 되어 반란을 일으켰다.
(나) 상주 출신의 견훤이 백제의 부흥을 내세우며 완산주(전주)에 도읍을 정하고 후백제를 세웠다.
(다) 백제 부흥군과 왜의 연합군이 백강에서 네 차례에 걸쳐 나당 연합군과 전투를 벌였으나 패배하였다.
(라) 정부와 귀족의 수탈로 어려움을 겪던 원종과 애노가 사벌주(상주)에서 농민들을 이끌고 봉기를 일으켰다.
(마) 수 문제가 고구려에 국서를 보내 굴복을 요구하자 고구려의 영양왕은 이를 거절하고 요서 지방을 선제공격하였다.

① (다) → (라) → (나) → (마) → (가)
② (라) → (마) → (다) → (나) → (가)
③ (라) → (나) → (마) → (가) → (다)
④ (마) → (나) → (라) → (다) → (가)
⑤ (마) → (다) → (가) → (라) → (나)

**풀이 비법**
① 삼국 시대, 남북국 시대, 후삼국 시대로 이어지는 역사적 흐름을 파악한다.
② ①의 시간 순서에 맞게 (가)~(마)의 사실을 올바르게 배열한다.

**02** (가), (나)에 대한 설명으로 옳은 것만을 <보기>에서 고른 것은?

(가)

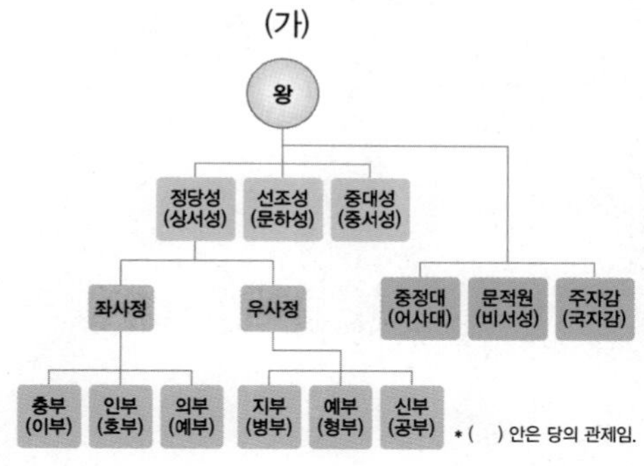


(나)

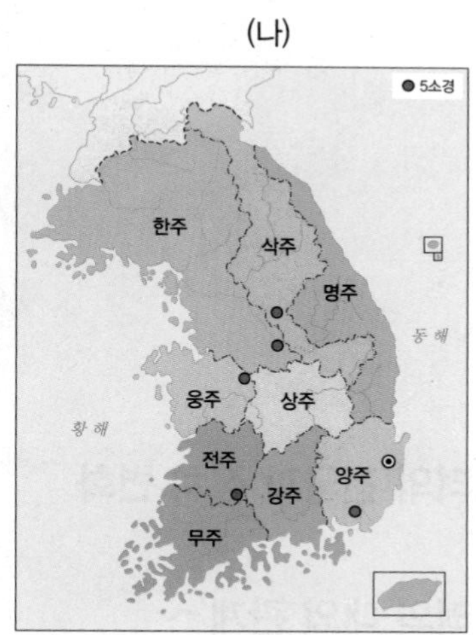


**보기**

ㄱ. (가) – 중앙 행정은 행정을 총괄하는 집사부와 그 장관인 시중(중시)을 중심으로 운영되었다.
ㄴ. (가) – 중앙 정치 조직은 당의 3성 6부제를 수용하여 운영하였으나, 명칭과 운영은 독자성을 유지하였다.
ㄷ. (나) – 지방의 중심 도시에 15부를 두고 62주로 나누어 관리하도록 하였다.
ㄹ. (나) – 9주 아래 군·현을 두어 지방관을 보내 다스렸고, 말단 행정 구역인 촌은 토착 세력인 촌주가 관리하도록 하였다.

① ㄱ, ㄴ ② ㄱ, ㄷ ③ ㄴ, ㄷ ④ ㄴ, ㄹ ⑤ ㄷ, ㄹ

**풀이 비법**
① (가) 발해의 중앙 정치 제도, (나) 통일 신라의 9주 5소경임을 파악한다.
② (가), (나)의 특징에 맞게 ㄱ~ㄹ의 사실을 짝짓는다.

# 고려의 성립과 변천

이 단원의 목차

▼ 송악산과 만월대(개성)

| 사진으로 맛보기 |

사진은 고려의 수도였던 개성의 송악산과 만월대입니다. 만월대는 고려의 궁궐터로 고려를 세운 태조 왕건이 919년에 궁궐을 창건한 때부터 1361년(공민왕 10년) 홍건적의 침입으로 소실될 때까지 고려의 왕이 주로 거주하였던 곳입니다. 2018년에는 남북이 공동으로 일대를 발굴 조사하고 고려 궁성의 배치를 확인하는 성과를 거두기도 하였습니다.

| 단원 열기 |

이 단원에서는 고려의 성립과 발전을 동아시아 국제 질서와 연관하여 다룹니다. 거란(요), 금(여진), 몽골(원) 등 북방 민족의 성장과 고려의 정치 변화를 관련지어 이해하는 한편, 대몽 항쟁 이후 사회 · 문화의 변화 모습을 파악합니다. 아울러 지배 세력의 성격 변화를 중심으로 고려 사회의 변화와 사회상을 살펴봅니다.

# 1 고려의 건국과 정치 변화

교과서 74~83쪽

## 1 고려의 건국과 후삼국 통일

### 1. 고려의 건국

**(1) 배경**

① 왕건: 송악(개성) 출신 호족, 궁예의 신하가 되어 금성(나주) 점령

② 궁예: 미륵불을 자칭하며 신하들 다수 숙청, 신라 왕실에 강한 적대감 표시

**(2) 건국 과정**: 신하들이 궁예 축출, 왕건 추대(918) → 국호를 고려(고구려 계승 의미), 연호를 천수로 정하고 철원에서 송악(개성)으로 천도

### 2. 고려의 후삼국 통일

**(1) 과정**: 신라와 친선 관계 유지 → 고창(안동) 전투에서 후백제군 격파 → 견훤의 귀순 → 신라 멸망(935) → 일리천(구미) 전투에서 후백제군 격파 → 후삼국 통일(936)

- 신라의 경순왕이 스스로 고려에 항복함
- 아들 신검에게 왕위를 빼앗긴 후 고려에 귀순함

**(2) 의의**: 외세의 도움 없는 자주적 통일, 지배층 확대, 후삼국 통일과 발해 유민의 흡수로 진전된 민족 통합 달성, 고유의 민족 문화 형성 계기

- 신라의 진골 귀족과 6두품 출신도 중앙 관리로 등용함

### 3. 태조(왕건)의 정책

취민유도(백성에게 걷는 세금에는 한도가 있어야 한다)를 내세움

| | |
|---|---|
| 민생 안정 정책 | 백성의 세금 감면 |
| 호족 포섭 정책 | • 호족 우대: 관직 하사, 왕실과 혼인 관계 맺음, 왕씨 성 하사<br>• 호족 견제: 사심관 제도, 기인 제도 실시 |
| 고구려 계승 | 서경(평양) 중시, 북진 정책을 추진하여 북방 영토 확장(청천강~영흥만) |
| 통치 규범 제시 | 훈요 10조 → 후대 왕들이 지켜야 할 교훈으로 삼도록 함 |

- 옛 고구려의 수도 (서경)

### 4. 광종의 정책

국왕 중심의 국정 운영 체제를 강화하고자 자신에게 협조하지 않는 공신과 호족을 대거 숙청하기도 함

**(1) 칭제건원**: '광덕' 연호, 황제 칭호 사용

**(2) 노비안검법 실시**: 호족이 불법으로 차지한 노비 해방 → 양민 증가, 호족의 기반 약화

**(3) 과거제 시행**: 능력에 따라 관리 선발

## 2 통치 체제의 정비

### 1. 성종의 정책

**(1) 최승로의 시무 28조 수용**: 유교 사상을 바탕으로 체제 정비

**(2) 제도 정비**: 2성 6부제 정비, 지방에 12목을 설치하고 지방관 파견

### 2. 고려의 중앙 행정 조직

**(1) 2성 6부**: 중서문하성(최고 관서)과 상서성(정책 집행), 중추원, 어사대, 삼사

- 당의 3성 6부 제도를 고려 실정에 맞게 고침

**(2) 독자적 회의 기구**: 도병마사(국방·외교), 식목도감(법제·격식)

- 중서문하성과 중추원의 재상들이 모여 국가의 중대 사안을 논의함

### 3. 고려의 지방 행정 구역

**(1) 일반 행정 구역**: 경기(개경 주변), 5도 양계로 구분

① 5도 양계: 5도(일반 행정)와 양계(군사 행정) → 5도와 양계 아래에 주현과 속현 설치, 향리가 주현과 속현의 실무 행정 담당

- 지방관이 파견되는 주현과 파견되지 않은 속현으로 구분함

② 3경: 개경, 서경(평양), 동경(경주)

- 고려 중기에 남경(서울)이 동경을 대신함

**(2) 특수 행정 구역**: 향, 부곡, 소

---

**사심관 제도**

공신을 출신 지역의 사심관으로 임명하여 각 지방의 토착 세력을 통제하도록 한 제도이다.

**기인 제도**

호족 세력을 견제하기 위해 지방 호족의 자제를 개경에 머무르게 한 제도이다.

**보충 고려의 행정 구역(12세기)**

**보충 향리**

중앙에 진출하지 않고 지방에 남은 호족 세력들이 주로 향리가 되었다. 향리는 자신의 직책을 자손에게 물려줄 수 있었으며 과거제를 통해 중앙 정계에 진출하기도 하였다.

**향, 부곡, 소**

향·부곡의 주민들은 주로 농업에 종사하였고, 소의 주민들은 주로 수공업에 종사하면서 국가에 필요한 물품을 생산하였다. 향, 부곡, 소의 주민들은 신분상 평민이었지만 일반 백성들보다 더 많은 세금을 부담하였고 거주지도 마음대로 옮길 수 없었다.

## 교과서 속 자료 & 개념

### 훈요 10조의 주요 내용

교과서 76쪽

**제1조** 불교의 도움으로 나라를 세웠으니, 불도를 성실히 닦을 것
**제4조** 중국의 풍속만을 무조건 따르지 말고, 거란을 경계할 것
**제5조** 서경을 중요시할 것
**제6조** 연등회와 팔관회를 성실하게 열 것
**제7조** 신하의 충고를 따르고 농업을 장려하되, 세금을 가볍게 하여 백성들의 신망을 얻을 것
**제9조** 신하들의 녹봉을 함부로 늘리거나 줄이지 말고, 평화로울 때도 군사력을 잘 유지할 것

– 「고려사」

**자료 해설**

훈요 10조는 고려 태조 왕건이 후삼국 통일을 완수한 지 7년 후인 943년에 왕실의 자손들을 훈계하기 위해 남긴 것이다. 태조 왕건은 훈요 10조에서 고려 건국과 후삼국 통일의 의미를 전하고, 후계자들에게 나라를 올바르게 다스리기 위한 방법을 전달하고자 하였다. 훈요 10조에는 불교 숭상(1조, 6조), 주체적인 문화 수용(4조), 북진 정책(4조, 5조) 등 태조 왕건의 정치 이념이 반영되어 있다.

### 시무 28조의 주요 내용

교과서 77쪽

**4조** 군주는 선한 행동은 권하고 악한 행동은 벌해야 합니다.
**7조** 각 지방에 관리를 보내 백성들을 직접 다스리게 해야 합니다.
**11조** 중국의 제도보다 고려 고유의 풍속을 존중해야 합니다.
**14조** 임금은 겸손해야 하고 신하들을 공평하게 대해야 합니다.
**20조** 나라를 다스리는 이념은 불교가 아니라 유교가 되어야 합니다.

– 「고려사」

**자료 해설**

신라 6두품 출신의 유학자인 최승로(927~989)는 새로 즉위한 고려 성종에게 시급한 개혁 과제들을 정리하여 시무 28조를 올렸다. 최승로는 지방관 파견(7조), 유교 사상을 바탕으로 한 통치(20조) 등을 건의하였으며 성종은 이를 적극적으로 받아들여 통치 체제와 제도 정비에 나섰다. 특히 최승로는 광종이 호족과 공신을 억압하고 지나치게 강압적인 정치를 펼쳤다고 지적하면서 임금과 신하가 서로 존중하며 나라를 다스리는 유교적 정치 이념이 필요하다고 강조하였다.

### 고려의 중앙 행정 조직

교과서 77쪽

**자료 해설**

고려의 중앙 행정 조직은 당의 3성 6부제와 송의 제도를 나라의 실정에 맞게 고쳐 2성 6부로 운영되었다. 최고 관서인 중서문하성은 국정을 총괄하였으며, 상서성은 아래에 6부를 두고 주요 정책을 집행하였다. 중추원은 왕명을 전달하고 군사 기밀을 다루었으며 어사대는 관리의 감찰을, 삼사는 회계를 담당하였다.

중서문하성과 중추원은 고려의 가장 핵심적인 중앙 관서로, 이곳에 소속된 고위 관료(재상)들은 도병마사나 식목도감과 같은 회의 기구에서 국가의 중대사를 결정하였다. 도병마사에서는 외교와 국방 문제 등을 논의하였고, 식목도감에서는 법제와 시행 규칙 등을 제정하였다.

#### 4. 관리 선발 제도

(1) **과거제**: 시험을 통해 관리 선발, 문과·잡과·승과로 구분 (과거에서 가장 중시됨)
  ① 문과: 제술과(문학적 재능 평가), 명경과(유교 경전 이해력 평가)
  ② 잡과: 법률·회계·지리 등 실용 기술 시험
  ③ 승과: 승려 대상 시험

(2) **음서**: 5품 이상 관리의 자손이 시험을 치르지 않고 관리가 되는 특권 제도, 과거 급제가 능력을 더 인정받음 → 고위 관리가 될 수 있는 범위 확대

(3) **교육 기관**: 국자감(개경에 설치된 최고 국립 교육 기관), 사학 12도(사립 교육 기관), 향교(지방 공립 학교)
- 국자감: 유교 사상과 기술 학문을 가르침
- 12도: 최충이 세운 문헌공도가 대표적임

#### 5. 전시과의 시행

(1) **전시과**: 관리, 직업 군인 등에게 토지의 수조권 지급
(2) **녹봉**: 봉급의 명목으로 직접 관리들에게 지급한 곡식 등의 물품
- 수조권: 곡식을 경작하는 토지로부터 조세를 거둘 수 있는 권리

### 3 무신 정권의 수립

#### 1. 이자겸의 난(1126)

(1) **배경**: 대표적인 문벌 가문인 경원 이씨 출신 이자겸의 권력 독점
(2) **전개**: 이자겸이 반란을 일으켜 왕위에 오르려다가 제거됨

#### 2. 묘청의 서경 천도 운동(1135)

(1) **배경**: 이자겸의 난 이후 인종의 개혁 → 묘청, 정지상 등 서경 출신 인물 등용 → 서경 세력이 황제국 칭호 및 독자 연호 사용, 서경 천도, 금 정벌 주장
- 풍수지리설에 근거하여 개경 땅의 기운이 약해졌다고 주장함

(2) **전개**: 김부식 등의 반대로 서경 천도 무산 위기 → 묘청이 서경에서 반란 → 김부식이 이끄는 토벌군의 진압
(3) **결과**: 서경 세력 몰락, 김부식 등 문벌 출신 관리들이 정치 주도

#### 3. 무신 정변(1170)

(1) **배경**: 문신 위주의 정치 운영, 무신을 차별하고 무시하는 풍조 만연
- 무신은 문신보다 지위가 낮았고 승진에서도 차별을 받았으며, 과거에서 무과는 거의 실시되지 않음

(2) **전개**: 무신들이 정변을 일으켜 권력 차지 → 의종 폐위, 문신 살해 → 무신 정권 수립 → 이의방, 정중부 등이 차례로 권력 획득
(3) **특징**: 중방 중심의 정치 운영, 무신들 간의 권력 다툼으로 정치 불안

#### 4. 최씨 무신 정권의 수립

- 4대에 이어 60여 년간 지속됨

(1) **최충헌**: 이의민을 제거하고 권력 차지, 교정도감 설치, 도방(군사 조직) 운영
(2) **최우**: 정방 설치(관리의 인사권 독점), 몽골의 침입에 맞서 강화도로 천도, 삼별초(군사 기반) 조직

#### 5. 농민과 천민의 저항

(1) **배경**: 무신 집권자들의 가혹한 수탈, 신분 상승에 대한 기대감
- 천민 출신인 이의민이 최고 권력자가 되면서 신분 상승에 대한 기대감이 높아짐

(2) **전개**
  ① 하층민의 봉기: 망이·망소이의 난(공주 명학소), 김사미와 효심의 난(경상도 일대)
  ② 신분 해방 운동: 만적(개경) 등
  ③ 삼국 부흥 운동: 신라, 고구려, 백제의 부흥을 외치며 고려 왕조 부정
- 소: 특수 행정 구역으로 무거운 조세 부담과 부역에 시달리고 있었음

(3) **결과**: 항쟁 모두 실패, 하층민의 요구 반영 노력 미비

**전시과**
관리를 18등급으로 나누어 전지(농토)와 시지(임야)를 지급한 제도로서 관직에서 물러나면 국가에 반납해야 하였다.

**문벌**
과거제 및 음서를 통해 고위 관리를 독점적으로 배출한 가문을 뜻한다.

**보충 김부식(1075~1151)**
고려 중기 문벌 출신의 문신이자 유학자이다. 묘청의 서경 천도 운동을 진압한 이후 현재 전하는 가장 오래된 역사서인 『삼국사기』를 편찬하였다.

**교정도감**
최씨 무신 정권의 최고 권력 기구로 국정 전반에 걸쳐 광범위한 권한을 행사하였다.

**삼별초**
최우가 도적을 잡기 위해 설치했던 야별초를 좌별초와 우별초로 분리하고, 여기에 몽골군의 포로였던 군사들로 조직된 신의군을 합쳐 조직하였다.

**보충 만적**
개경에 거주하던 사노비로 다른 노비들과 함께 자기들의 주인과 최충헌을 죽이고 노비 문서를 불태우기로 약속하였다. 그러나 계획이 발각되어 죽임을 당하였다.

## 교과서 속 자료 & 개념

### 경원 이씨와 왕실의 혼인 관계도

교과서 79쪽

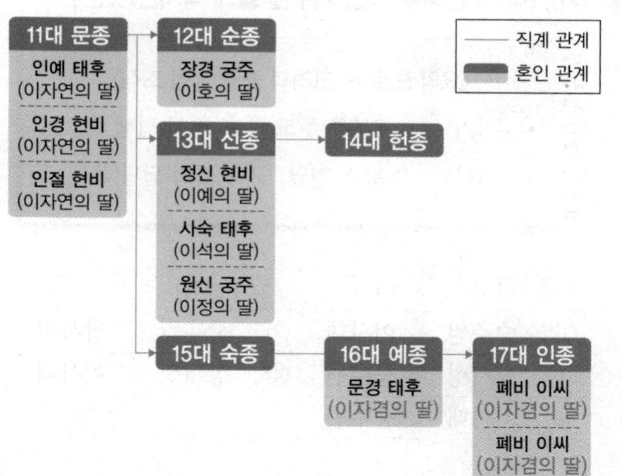


자료 해설

이자연(1003~1061)의 세 딸이 문종과 결혼한 이후 경원 이씨는 왕실과 지속적으로 혼인 관계를 맺으면서 대표적인 문벌로 성장하였다. 특히 예종, 인종에게 자신의 딸을 시집보낸 이자겸은 왕실의 외척으로서 막강한 권력을 행사하였고, 위협을 느낀 인종이 이자겸을 제거하려고 하자 척준경 등과 함께 반란을 일으켰다. 인종은 척준경을 이용하여 이자겸을 제거하고 가까스로 반란을 진압하였으나 이 사건을 계기로 국왕의 권위가 크게 약화되었다.

### 무신 정권의 집권자와 지배 기구

교과서 80쪽

1170 1174 1179 1183 1196 1219 1249 1257 1258 1268 1270 1270

이의방 정중부 경대승 이의민 최충헌 최우 최항 최의 김준 임연 임유무

중방 / 교정도감 / 교정도감·정방

자료 해설

중방은 고려 초기에 만들어진 무신들의 회의 기구로 무신 정변 이후 최고 권력 기구가 되었다. 최충헌이 집권한 이후에는 교정도감이 중방을 대신하여 국정 전반에 걸친 최고 권력 기구의 역할을 하였다. 최충헌의 아들인 최우는 자신의 집에 정방을 설치하고 관리들의 인사 행정을 처리함으로써 권력을 더욱 강화시켰다. 무신 집권기에는 권력 다툼으로 지배자가 수시로 교체되는 등 혼란이 이어졌으나, 최씨 무신 정권은 집권 기구들을 장악하고 60여 년간 비교적 안정적으로 권력을 유지하였다.

## 개념 꿀꺽

**1. 빈칸에 알맞은 말을 쓰시오.**

(1) 송악 출신 호족인 (　　　)은/는 궁예의 신하가 되어 금성(나주)을 점령하는 공을 세웠다.
(2) 중서문하성과 중추원의 재상들은 (　　　)와/과 식목도감에서 나라의 중대사를 논의하였다.
(3) 묘청은 인종에게 풍수지리설에 따라 (　　　)(으)로 천도할 것을 주장하였다.
(4) 개경에 거주하던 사노비 (　　　)은/는 신분 해방 운동을 모의하였으나 실패하였다.

**2. 다음 내용이 옳으면 ○표, 틀리면 ×표 하시오.**

(1) 광종은 노비안검법을 실시하여 호족의 경제적·군사적 기반을 약화시켰다. (　　　)
(2) 고려 시대에는 일반 행정 구역인 양계와 군사 행정 구역인 5도가 설치되었다. (　　　)
(3) 묘청이 주도한 반란은 이자겸이 이끄는 토벌군에 의해 진압되었다. (　　　)
(4) 최충헌이 설치한 교정도감은 최씨 무신 정권의 최고 권력 기구 역할을 하였다. (　　　)

정답
1. (1) 왕건 (2) 도병마사 (3) 서경(평양) (4) 만적
2. (1) ○ (2) × (3) × (4) ○

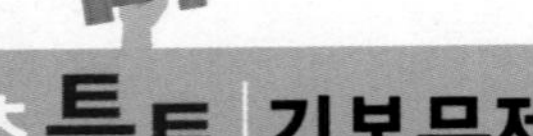

## 기초 튼튼 | 기본문제

**01** 후삼국의 통일 과정에서 일어난 역사적 사실로 옳지 않은 것은?

① 궁예는 스스로 미륵불을 자처하였다.
② 고려가 신라와 친선 관계를 유지하였다.
③ 왕건은 수도를 철원에서 송악으로 옮겼다.
④ 호족 출신 왕건이 금성(나주)을 점령하였다.
⑤ 후백제의 신검이 스스로 고려에 나라를 넘겼다.

**02** 다음 글을 남긴 왕의 업적으로 옳은 것은?

> 제4조 중국의 풍속만을 무조건 따르지 말고, 거란을 경계할 것
> 제5조 서경을 중요시할 것
> 제6조 연등회와 팔관회를 성실하게 열 것
> -「고려사」

① 과거제를 도입하였다.
② 기인 제도를 실시하였다.
③ 나라 이름을 태봉으로 고쳤다.
④ 광덕이라는 연호를 사용하였다.
⑤ 2성 6부의 중앙 행정 조직을 마련하였다.

단답형
**03** (가)에 들어갈 알맞은 말을 쓰시오.

> 고려 성종은 최승로가 건의한 (가) 을/를 받아들여 지방관을 파견하고 유교 중심의 통치 체제를 정비하였다.

( )

중요
**04** (가), (나)에 들어갈 행정 기구를 옳게 짝지은 것은?

> 〈요약 노트 - 고려의 중앙 행정 조직〉
> • (가) : 6부를 두고 주요 정책 집행
> • (나) : 왕명 전달, 군사 기밀 담당

| | (가) | (나) | | (가) | (나) |
|---|---|---|---|---|---|
| ① | 중추원 | 어사대 | ② | 중추원 | 상서성 |
| ③ | 상서성 | 중추원 | ④ | 상서성 | 어사대 |
| ⑤ | 어사대 | 중추원 | | | |

중요
**05** 다음은 고려의 지방 행정 구역을 나타낸 지도이다. 빗금 친 지역에 대한 설명으로 옳은 것은?

① 도호부가 설치되지 않았다.
② 수도인 개경이 위치한 곳이다.
③ 5도로 편성된 일반 행정 구역이다.
④ 군사 행정 구역으로 양계라고 불리었다.
⑤ 향, 소, 부곡이라는 특수 행정 구역이다.

**06** 고려의 과거제에 대한 설명으로 옳지 않은 것은?

① 무과는 거의 실시되지 않았다.
② 제술과는 문학적 재능을 평가하였다.
③ 승려를 대상으로 하는 승과가 있었다.
④ 잡과는 기술관을 선발하는 시험이었다.
⑤ 유교 경전에 대한 이해를 평가하는 명경과가 중시되었다.

**07** (가)에 들어갈 교육 기관으로 옳은 것은?

교사: (가) 에 대해 아는 대로 말해 볼까요?
학생 1: 유교 사상과 기술 학문을 가르쳤어요.
학생 2: 최고 국립 교육 기관이었어요.
학생 3: 수도인 개경에 설치되었어요.

① 국학 ② 태학 ③ 향교
④ 국자감 ⑤ 문헌공도

**08** 다음에서 설명하는 제도로 옳은 것은?

고려의 관리와 직업 군인 등에게 관직을 수행하는 대가로 토지의 수조권을 지급하는 제도이다.

① 녹봉 ② 녹읍 ③ 음서
④ 관료전 ⑤ 전시과

단답형
**09** 다음에서 설명하는 인물을 쓰시오.

자신의 딸을 예종과 인종에게 시집보내면서 왕실의 외척이 되어 막강한 권력을 차지하였다. 자신의 외손자이자 사위인 인종을 몰아내고 왕이 되려고 하다가 제거되었다.

( )

**10** 다음과 같이 주장한 인물들로 옳은 것은?

- 풍수지리설에 따라 서경으로 천도해야 한다.
- 금을 정벌해야 한다.

① 묘청, 이자겸 ② 묘청, 김부식
③ 묘청, 정지상 ④ 김부식, 정지상
⑤ 김부식, 이자겸

중요
**11** 다음 자료를 활용한 탐구 주제로 가장 적절한 것은?

인종 22년(1144년) 김돈중이 촛불로 정중부의 수염을 태우니 정중부가 그를 때리고 모욕을 주었다. 김돈중의 아버지 김부식이 노하여 정중부에게 곤장을 치고자 하니 왕이 허락하였다.

① 무신 정변의 배경
② 경원 이씨 가문의 성장
③ 최씨 무신 정권의 성립
④ 만적의 신분 해방 운동
⑤ 묘청의 반란과 진압 과정

**12** (가) 인물에 대한 설명으로 옳은 것만을 〈보기〉에서 고른 것은?

(가) 은/는 이의민을 제거하고 권력을 잡은 후 최씨 무신 정권을 수립하였다.

보기
ㄱ. 정방을 설치하였다.
ㄴ. 수도를 강화도로 옮겼다.
ㄷ. 교정도감을 최고 권력 기구로 활용하였다.
ㄹ. 자신의 신변 보호를 위해 도방을 운영하였다.

① ㄱ, ㄴ ② ㄱ, ㄷ ③ ㄴ, ㄷ
④ ㄴ, ㄹ ⑤ ㄷ, ㄹ

중요
**13** 다음 중 고려의 무신 정권기에 일어난 봉기에 대한 설명으로 옳지 <u>않은</u> 것은?

① 묘청이 서경에서 반란을 일으켰다.
② 만적이 신분 해방 운동을 모의하였다.
③ 이연년 형제가 백제 부흥 운동을 벌였다.
④ 김사미가 경상도에서 농민 봉기를 일으켰다.
⑤ 망이·망소이가 공주 명학소에서 항쟁하였다.

## 실력 쑥쑥 | 실전문제

**01** 고려의 후삼국 통일 과정에서 일어난 (가)~(라)의 사건들을 일어난 순서대로 옳게 나열한 것은?

(가) 신라의 경순왕이 고려에 항복하였다.
(나) 왕건이 송악(개성)을 새로운 수도로 삼았다.
(다) 일리천 전투에서 패배한 후백제가 멸망하였다.
(라) 고려군이 고창 전투에서 후백제군에 승리하였다.

① (가) - (나) - (라) - (다)
② (가) - (라) - (나) - (다)
③ (나) - (가) - (다) - (라)
④ (나) - (라) - (가) - (다)
⑤ (다) - (나) - (가) - (라)

**02** 밑줄 친 부분에 해당하는 사례로 가장 적절한 것은?

고려 태조(왕건)는 후삼국 통일에 공을 세운 호족 세력을 우대하는 정책을 취하였다. 그러나 호족 세력이 지나치게 강력해질 것을 우려하여 <u>호족 세력을 통제</u>하기도 하였다.

① 발해 유민을 포용하였다.
② 훈요 10조를 작성하였다.
③ 사심관 제도를 실시하였다.
④ 고구려 계승 의식을 강조하였다.
⑤ 왕실과 호족이 혼인 관계를 맺도록 하였다.

중요

**03** 다음 글에서 주장하는 바로 가장 적절한 것은?

불교를 믿는 것은 자신을 다스리는 근본이며, 유교를 행하는 것은 나라를 다스리는 근원을 구하는 것입니다. 자신을 다스리는 것은 내세에 복을 구하는 일이며, 나라를 다스리는 것은 오늘의 급한 일입니다.
– 최승로의 시무 28조

① 과거제를 실시해야 한다.
② 군주의 칭호를 황제로 높여야 한다.
③ 공신과 호족 세력을 숙청해야 한다.
④ 팔관회와 연등회를 성실하게 개최해야 한다.
⑤ 유교 이념을 바탕으로 국가를 통치해야 한다.

고난도

**04** (가)~(라)에 대한 설명으로 옳은 것은?

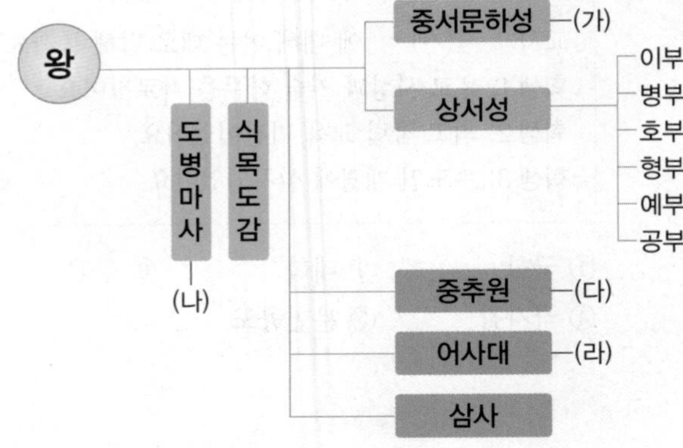


고려의 중앙 행정 조직

① (가)는 왕명을 전달하고 군사 기밀을 다루었다.
② (나)는 법제와 격식을 논의하는 회의 기구였다.
③ (다)는 관리에 대한 감찰을 담당하였다.
④ (라)의 장관은 문하시중이라고 불리었다.
⑤ (가)와 (다)의 재상들은 도병마사와 식목도감에서 중대 사안을 논의하였다.

**05** 다음과 같은 상황이 일어나게 된 원인으로 옳은 것만을 〈보기〉에서 고른 것은?

이자겸은 자신의 친척을 중요한 관직에 배치하고 매관매직을 일삼으며 자기의 세력을 심었다. 스스로 국공이 되어 왕태자와 같은 대우를 받았으며 자기 생일을 인수절이라고 부르게 하였다. …… 이자겸과 척준경의 위세는 더욱 강해져서 그가 하는 일은 아무도 감히 간섭하지 못하였다.
–「고려사」

보기

ㄱ. 문벌 가문의 권력이 강화되었다.
ㄴ. 묘청의 서경 천도 운동이 진압되었다.
ㄷ. 경원 이씨가 왕실과 혼인 관계를 맺었다.
ㄹ. 무신들이 정변을 일으켜 권력을 독점하였다.

① ㄱ, ㄴ ② ㄱ, ㄷ ③ ㄴ, ㄷ
④ ㄴ, ㄹ ⑤ ㄷ, ㄹ

중요

**06** **다음과 같이 주장한 세력에 대한 설명으로 옳은 것만을 〈보기〉에서 고른 것은?**

서경 임원역의 땅은 음양가가 말하는 큰 명당이라서 궁궐을 짓고 여기로 옮겨 지내면 천하를 병합할 수 있을 것입니다.

보기

ㄱ. 김부식을 중심으로 활동하였다.
ㄴ. 금을 정벌해야 한다고 주장하였다.
ㄷ. 독자 연호를 사용할 것을 건의하였다.
ㄹ. 삼별초를 군사적 기반으로 활용하였다.

① ㄱ, ㄴ ② ㄱ, ㄷ ③ ㄴ, ㄷ
④ ㄴ, ㄹ ⑤ ㄷ, ㄹ

**07** **무신 정변에 대한 설명으로 옳은 것은?**

① 이의방과 정중부가 주도하였다.
② 김부식의 토벌군에게 진압되었다.
③ 강화도 천도를 주장하면서 일어났다.
④ 정변 직후 최씨 무신 정권이 수립되었다.
⑤ 인종을 몰아내고 왕위를 찬탈하려 하였다.

고난도

**08** **(가)~(다)에 들어갈 기구를 옳게 짝지은 것은?**

무신 정권 초기에는 합의 기구인 (가) 을 통해 정치가 운영되었으나, 최충헌이 권력을 잡은 이후에는 (나) 이 최고 권력 기구가 되었다. 최충헌의 뒤를 이은 최우는 (다) 을 설치하여 인사권을 독점하였다.

| | (가) | (나) | (다) |
|---|---|---|---|
| ① | 중방 | 정방 | 교정도감 |
| ② | 중방 | 교정도감 | 정방 |
| ③ | 정방 | 중방 | 교정도감 |
| ④ | 정방 | 교정도감 | 중방 |
| ⑤ | 교정도감 | 중방 | 정방 |

## 서술형

**09** **다음을 보고 물음에 답하시오.**

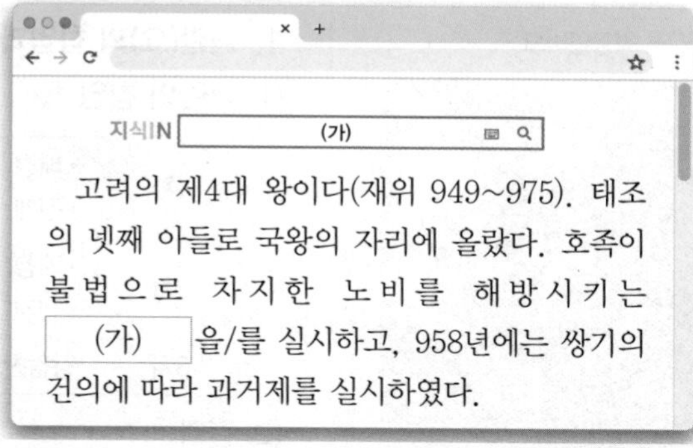

고려의 제4대 왕이다(재위 949~975). 태조의 넷째 아들로 국왕의 자리에 올랐다. 호족이 불법으로 차지한 노비를 해방시키는 (가) 을/를 실시하고, 958년에는 쌍기의 건의에 따라 과거제를 실시하였다.

(1) (가)에 들어갈 알맞은 말을 쓰시오.

(2) (가)의 실시로 일어난 변화를 두 가지 서술하시오.

**10** **다음 자료를 통해 알 수 있는 고려 시대 관리 선발 제도의 특징을 서술하시오.**

김순(1258~1321)은 15세의 나이에 음서로 이미 벼슬길에 올랐다. 부친인 김방경은 최고의 관직인 장상에 올랐으나 자신이 과거에 합격하지 못한 것을 한스럽게 여겨, 아들이 과거에 급제하기를 열망하였다. 김순은 힘써 공부하여 충렬왕 5년(1279) 과거에 응시하여 합격하였다. – 김순, 「묘지명」

**11** **무신 정권기에 하층민의 봉기가 계속된 원인을 두 가지 서술하시오.**

Ⅲ. 고려의 성립과 변천

# 2/3 고려의 대외 관계 ~ 몽골의 간섭과 고려의 개혁

교과서 84~95쪽

## 1 고려 전기의 대외 항쟁과 교류

### 1. 거란(요)의 침입과 격퇴

(1) 거란의 침입

| | |
|---|---|
| 1차 | • 배경: 고려가 송과 친선 관계 유지, 거란(요) 견제<br>• 전개: 거란의 침략(993) → 서희의 외교 담판 → 거란의 강동 6주 반환 |
| 2차 | • 배경: 고려와 송의 외교 관계 지속<br>• 전개: 개경이 함락되는 등 큰 피해, 양규 등의 활약으로 격퇴 |
| 3차 | 강감찬이 이끄는 고려군이 귀주에서 거란 격퇴(귀주 대첩, 1019) |

강동 6주: 흥화진, 용주, 통주, 철주, 귀주, 곽주 지역으로 현재의 평안도 일대

(2) 결과

① 송과 외교 단절 후 거란과 외교 관계 수립, 송과는 민간 교류 유지

② 나성(개경), 천리장성(압록강 하구~동해안 도련포) 축조 → 외적 침입에 대비

### 2. 금(여진)과의 외교 관계

(1) **여진의 성장**: 12세기 초 완옌부가 부족을 통합하고 고려 위협

(2) **고려의 여진 정벌**: 별무반 조직 → 윤관이 별무반을 이끌고 여진 정벌 → 동북 9성 축조(1107~1108) → 여진의 간청, 방어의 어려움으로 1년여 만에 반환

별무반: 여진을 정벌하고자 신기군(기병 부대), 신보군(보병 부대), 항마군(승려 부대) 등으로 구성한 군대

(3) **사대 관계의 형성**: 여진이 금 건국(1115), 거란 멸망(1125) 후 고려에 사대 관계 요구 → 고려 정부의 수용(1126) → 다원적 국제 질서 유지

고려 정부의 수용: 관료들의 반대에도 당시 집권자였던 이자겸이 사대 요구를 수용함

### 3. 고려의 개방적인 대외 교류

(1) **송과의 교류**: 가장 활발하게 교류하면서 다양한 선진 문물 수용 → 종이·먹·인삼 등 수출, 서적·약재·비단 등 수입

송과의 교류: 송은 정치적·군사적 관계(요와 금 견제), 고려는 경제적·문화적 관계를 중시함

(2) **거란·여진과의 교류**: 농기구와 곡식 등을 수출, 모피와 말 등 수입

(3) **일본과의 교류**: 인삼과 곡식 등 수출, 수은과 유황 등 수입

(4) **벽란도**: 송, 일본, 동남아시아, 아라비아 상인들과도 교류 → 국제 무역항으로 번성, 서방 세계에 고려가 '코리아'라는 이름으로 알려짐

## 2 대몽 항쟁의 전개

### 1. 몽골의 침입

(1) **고려와 몽골의 관계**: 13세기 초 몽골이 막강한 군사력을 바탕으로 성장 → 몽골의 만주 진출 이후 화친 체결 → 몽골이 고려에 무리한 공물을 요구하는 등 압박

(2) **몽골의 1차 침입과 강화도 천도**: 몽골 사신(저고여)이 귀국 도중에 피살 → 몽골군의 침입(1231) → 몽골군이 화친을 맺고 철수 → 최우가 다루가치를 모두 죽이고 강화도로 천도 → 긴 항쟁 시작

다루가치: 몽골(원)이 고려의 내정을 간섭하고자 고려에 파견한 관리

### 2. 대몽 항쟁의 전개

(1) **주요 승전**: 박서(귀주성)·김윤후(처인성, 충주성)의 활약, 죽주성과 자주성 등

(2) **팔만대장경 제작**: 강화도에서 최씨 무신 정권이 주도 → 정권의 안정 추구, 불교에 의지하여 몽골의 침입을 막아 내려는 목적

(3) **몽골 침입의 피해**: 수많은 백성 희생, 국토의 황폐화, 문화재 피해

문화재 피해: 초조대장경 판목(현종 때 거란의 침략을 물리치기 위해 제작), 황룡사 9층 목탑 등이 불에 탐

**보충** 척경입비도

윤관이 9성을 개척하고 고려의 영토라고 새긴 비석을 세우는 모습을 그린 것이다.

**보충** 고려와 금의 관계 변화

12세기 이전에는 많은 여진 부족이 고려를 부모의 나라로 섬기면서 토산물을 바쳤다. 그러나 금을 건국한 뒤 고려에 형제 관계를 요구하였고, 고려는 이를 거절하였다. 이후 금은 거란을 멸망시키고 사대 관계를 요구하며 고려를 압박하였다. 금과의 충돌을 원치 않았던 고려 정부는 결국 이자겸의 주도로 사대 요구를 받아들였다.

**보충** 강화도 천도

강화도는 농토가 많고 육지와 가까웠으며, 주변의 물살이 강해 해전에 약한 몽골군을 방어하기에 유리하였다. 최우는 강화도로 수도를 옮기고 백성들을 산성과 섬으로 도피하게 하여 몽골과의 장기전을 대비하였다.

## 교과서 속 자료 & 개념

### 거란의 침입과 격퇴

교과서 84쪽

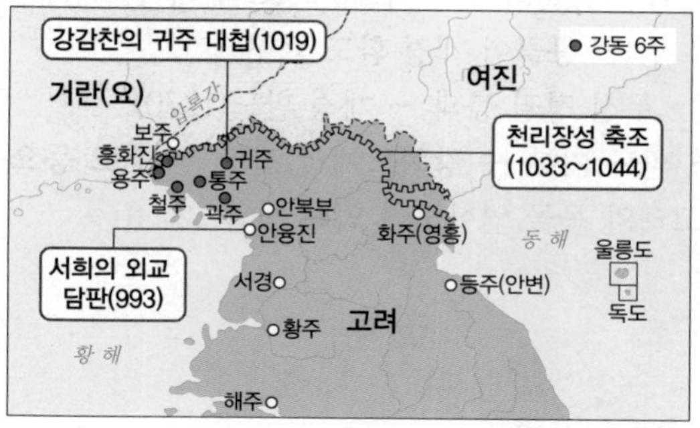


(자료 해설)

거란이 송과 전쟁하기에 앞서 고려에 쳐들어오자 서희는 거란의 장수 소손녕을 찾아가 외교 담판을 벌여 거란과 국교를 맺고 강동 6주를 돌려받았다. 이후 고려가 송과의 관계를 유지하자 거란이 다시 고려를 침입하여 개경이 함락되기도 하였으나 양규 등이 큰 활약을 펼쳤다. 거란이 세 번째로 침입하였을 때는 강감찬이 이끄는 고려군이 귀주에서 거란군을 상대로 크게 승리하였다.

### 고려 전기의 대외 교류

교과서 86쪽

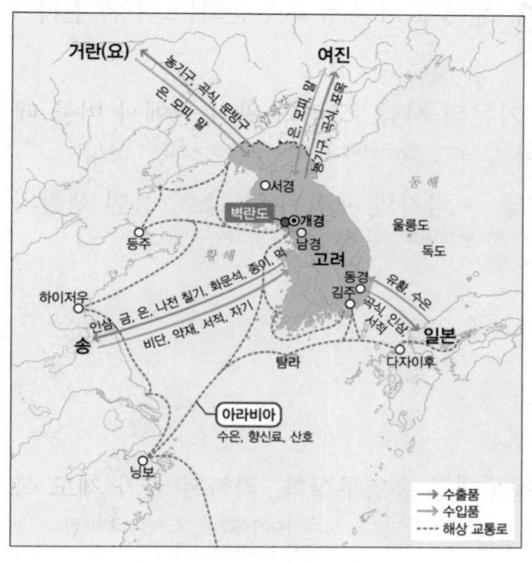


(자료 해설)

북방 민족이 성장하는 가운데 고려는 다원적인 국제 질서를 바탕으로 송과 북방 민족 사이에서 탄력적인 대외 관계를 유지하였다. 고려는 송에 사신·학자·승려를 파견하여 선진 문물을 수용하고 각종 제도를 정비하였다. 한편 북방 민족의 침입을 경계하면서도 교류를 유지하여 송과 북방 민족 사이에서 중계 무역을 하기도 하였다.

예성강 하구에 있는 벽란도는 송의 상인을 비롯하여 일본, 아라비아 상인들도 드나들면서 국제 무역항으로 번성하였다. 일본과는 금주(김해)와 규슈 사이의 민간 교류가 대부분이었고, 아라비아 상인들은 계절풍을 이용하여 고려에 도달하였다.

### 고려의 대몽 항쟁

교과서 88쪽

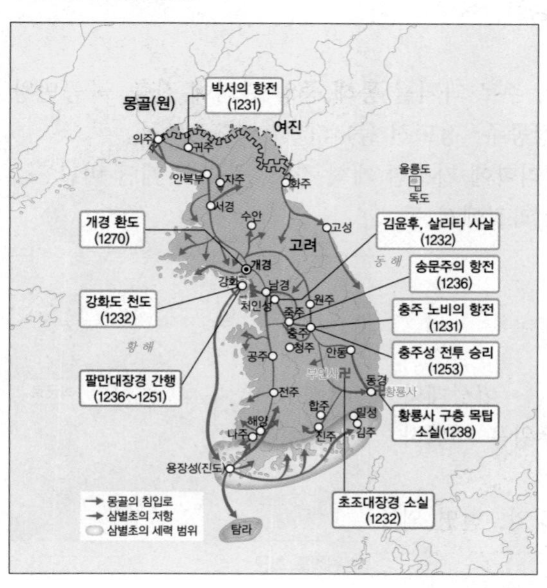


(자료 해설)

고려는 약 40년에 걸쳐 몽골의 침입에 맞서 싸웠다. 몽골의 1차 침입 때는 귀주성에서 박서, 충주성에서 관노비들이 크게 활약하였다. 강화도 천도 이후 몽골이 2차로 침입해 오자, 처인성에서 승려 김윤후와 처인 부곡민들이 적장 살리타를 죽이고 몽골군을 크게 물리쳤다. 1253년에는 김윤후가 노비들을 독려하여 충주성을 끝까지 지켜냈다.

이처럼 고려의 백성들은 몽골의 침입에 끈질기게 항전하였으며 사회적으로 천대받던 부곡·소의 주민들과 노비들이 크게 활약하였다. 반면에 강화도로 옮겨 간 지배층들은 이 와중에도 화려한 생활을 누리면서 백성들의 고통을 해결하는 데는 노력을 기울이지 않았다.

**정동행성**

원이 일본 정벌을 위해 고려에 세운 관청으로, 일본 원정 실패 후에도 폐지되지 않고 고려의 내정을 간섭하는 데 활용되었다.

**보충 왕실·관직 용어의 격하**

원 간섭기에 고려의 왕은 '충(忠)' 자가 붙은 시호를 사용해야 했으며 폐하는 '전하'로, 태자는 '세자'로 호칭이 격하되었다. 중서문하성과 상서성은 첨의부로 합쳐졌고, 중추원은 밀직사, 6부는 4사로 불리게 되었다.

**보충 몽골식 풍습(몽골풍)**

소줏고리

족두리, 연지, 곤지는 대표적인 몽골풍이다. 고려에서 몽골 병사들이 마시던 것에서 소주가 전해졌고, 관리들 사이에서 몽골 복식이 유행하기도 하였다. 이밖에도 마마(궁중 어른을 부르는 말), 수라(왕의 음식), 무수리(궁중에서 일하는 궁녀를 일컫는 말) 같은 몽골어가 궁중에서 사용되었다.

**사대부**

사대부는 사(士, 학자)와 대부(大夫, 관료)를 합친 말로, 학문적 능력을 갖춘 관료를 의미한다.

### 3. 몽골과의 강화

(1) **화친의 성립**: 최씨 무신 정권 붕괴(1258) 이후 몽골과 강화 추진 → 고려 태자(원종)가 쿠빌라이 칸과 강화 체결(고려의 독립 유지) → 몽골이 개경 환도 요구

환도: 이전의 수도로 다시 돌아옴

(2) **개경 환도**: 무신 정권의 환도 요구 거부 → 무신 정권 붕괴 → 개경 환도(1270)

(3) **삼별초의 항쟁**: 국왕의 해산 명령과 개경 환도 거부 → 강화도에서 진도, 제주도 등으로 근거지를 옮겨 가며 몽골에 저항 → 고려와 몽골 연합군에 의해 진압(1273)

삼별초: 최씨 무신 정권의 군사적 기반

## 3 몽골의 간섭과 권문세족의 등장

### 1. 몽골(원)의 간섭

(1) **내정 간섭**: 고려 세자와 원 공주의 혼인, 정동행성 설치, 왕실 호칭과 관직 명칭의 격하, 과도한 조공 요구(공물, 환관, 공녀 등)

공녀: 원 간섭기에 원에 끌려간 고려의 처녀들

(2) **영토 상실**: 쌍성총관부·동녕부(북방 지역), 탐라총관부(제주도) 설치

(3) **문물 교류**: 고려에 몽골식 풍습(몽골풍) 소개, 원에 고려의 풍속과 문화(고려양) 전파

### 2. 권문세족의 등장

(1) **출신**: 기존 지배층, 원의 지배층과 혼인한 가문의 사람, 고려의 왕이 원에서 머물 때 보좌했던 관리, 몽골어 통역관, 응방의 관리 등

응방: 몽골(원)에 공물로 바칠 매를 사육하던 관서

(2) **특징**: 친원적 성향, 대토지 보유와 농장 경영 → 국가의 재정 수입 감소, 농민 생활의 궁핍화

농장 경영: 가난한 백성을 노비로 삼고 농장을 경영하는 등의 횡포를 부림

## 4 개혁의 추진과 신진 사대부의 성장

### 1. 공민왕의 개혁 정치

(1) **배경**: 14세기 중엽 원의 쇠퇴

(2) **반원 자주 개혁**: 기철 등 친원 세력 제거, 정동행성 유명무실화, 격하된 국가 제도 복구, 쌍성총관부를 공격하여 철령 이북 영토 회복

기철: 원에 공녀로 끌려갔다가 황후가 된 기황후의 오빠

(3) **왕권 강화 정책**: 신돈 등용, 전민변정도감 설치, 성균관 개편

성균관: 국자감의 명칭을 성균관으로 바꾸고 규모를 크게 확충하여 개혁을 뒷받침할 신진 세력을 키우고자 함

(4) **결과**: 홍건적과 왜구의 침입, 친원 세력의 반발, 신돈 숙청, 공민왕 암살 → 개혁 좌절

홍건적: 원 말기의 한족 농민 반란군으로, 머리에 붉은 수건을 둘러 홍건적이라고 불림

### 2. 신진 사대부의 성장과 신흥 무신 세력의 등장

(1) **신진 사대부**

성리학: 남송의 주희가 집대성한 철학적 성격이 강한 유학

① 특징: 성리학을 학문적 기반으로 함, 주로 과거를 통해 중앙 관직에 진출 → 공민왕의 개혁에 참여하면서 성장(이색, 정몽주, 정도전 등)

② 성격: 친명 정책, 권문세족 비판, 성리학에 기초한 개혁 강조, 불교의 폐단 비판

(2) **신흥 무신 세력**: 홍건적과 왜구의 토벌 과정에서 등장(최영, 이성계 등)

### 3. 위화도 회군

회군: 군사를 되돌림

(1) **배경**: 명의 철령위 설치 통보

철령위: 철령 이북 지역을 직접 지배하려고 함

(2) **전개**: 우왕과 최영의 요동 정벌 단행 → 이성계와 요동 정벌군이 위화도에서 회군 → 우왕을 폐위하고 최영 제거(1388)

(3) **결과**: 이성계와 신진 사대부의 권력 장악, 친명 외교 정책 확고화, 개혁 기반 마련

위화도 회군

## 교과서 속 자료 & 개념

### 공민왕의 개혁

교과서 92쪽

공민왕 때의 북방 영토 확장

> 어머니가 노비 출신이었던 신돈은 원래 승려였으나 공민왕에게 발탁되어 정계에 진출하였다. 이후 신돈은 전민변정도감의 책임자가 되어 권세 있는 자들이 빼앗은 토지와 노비를 원래 주인에게 돌려주니, 많은 백성이 기뻐하고 성인이 나왔다고 말하는 자도 있었다.
>
> –「고려사」

신돈과 전민변정도감

**자료 해설**

공민왕은 쌍성총관부를 공격하여 철령 이북의 영토를 되찾고 북쪽으로 영토를 더욱 확장하였다. 또한 전민변정도감을 설치하고 신돈을 그 책임자로 임명하여 권문세족이 불법적으로 빼앗은 토지를 원래의 주인에게 돌려주고, 억울하게 노비가 된 사람들을 풀어 주었다.

### 홍건적과 왜구의 침입

교과서 93쪽

**자료 해설**

고려 말 홍건적과 왜구의 침략은 고려에 큰 피해를 주었다. 홍건적의 침입으로 한때 수도 개경이 함락되었으며 공민왕이 안동까지 피란하기도 하였다. 또한 왜구가 내륙까지 진출하면서 조세 운송이 어려워져 고려의 재정이 궁핍해졌다. 혼란한 상황에서 최영, 이성계 등이 홍건적과 왜구 토벌에 큰 공을 세우면서 신흥 무신 세력으로 성장하였다.

## 개념 꿀꺽

**1. 다음 괄호 안의 내용 중 옳은 것을 골라 ○표 하시오.**

(1) 12세기 초반 여진족이 고려를 위협하자, 고려는 ( 별무반, 삼별초 )을/를 조직하여 정벌에 나섰다.

(2) 몽골(원)은 일본 정벌을 위해 세운 관청인 ( 상서성, 정동행성 )을 통해 고려의 내정에 간섭하였다.

(3) 주로 과거 시험을 통해 중앙 관직에 진출한 ( 권문세족, 신진 사대부 )은/는 공민왕의 개혁에 참여하였다.

(4) 이성계와 요동 정벌군은 ( 강화도, 위화도 )에서 군대를 되돌려 우왕을 폐위하고 최영을 제거하였다.

**2. 다음 내용이 옳으면 ○표, 틀리면 ×표 하시오.**

(1) 거란의 1차 침입 때 서희의 활약으로 동북 9성 지역을 개척하였다. (　　)

(2) 최씨 무신 정권은 몽골과의 전쟁이 불리해지자 개경 환도를 추진하였다. (　　)

(3) 공민왕은 쌍성총관부를 공격하여 철령 이북의 땅을 되찾았다. (　　)

(4) 이색, 정도전, 정몽주 등의 신진 사대부는 친명 정책을 지지하였다. (　　)

정답
1. (1) 별무반 (2) 정동행성 (3) 신진 사대부 (4) 위화도
2. (1) × (2) × (3) ○ (4) ○

## 기초 튼튼 | 기본문제

**[01 ~ 02] 다음은 고려와 거란의 외교 담판에서 나눈 대화이다. 읽고 물음에 답하시오.**

> 소손녕: 고려는 옛 신라에서 일어났고, 고구려 땅은 우리 것인데 왜 넘보는가?
> (가) : 아니다. 우리나라는 옛 고구려를 계승하여 나라의 이름도 고려라 정한 것이다.

**01** (가)에 들어갈 인물로 옳은 것은?

① 양규 ② 박서 ③ 서희
④ 강감찬 ⑤ 이자겸

중요

**02** 위의 외교 담판과 관련하여 고려가 획득한 영토를 지도에서 고른 것은?

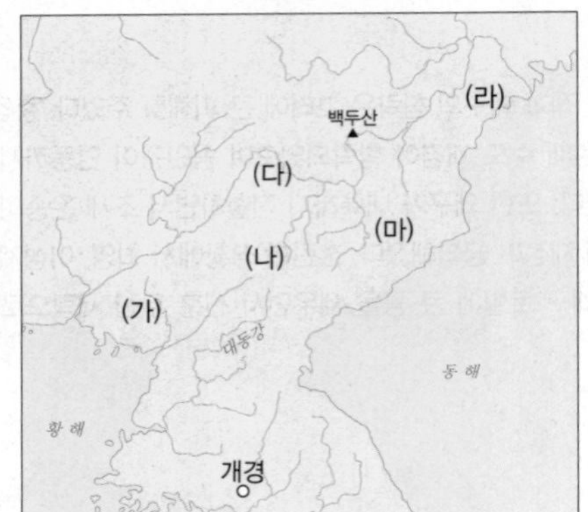


① (가)
② (나)
③ (다)
④ (라)
⑤ (마)

**03** (가), (나)에 들어갈 말을 옳게 짝지은 것은?

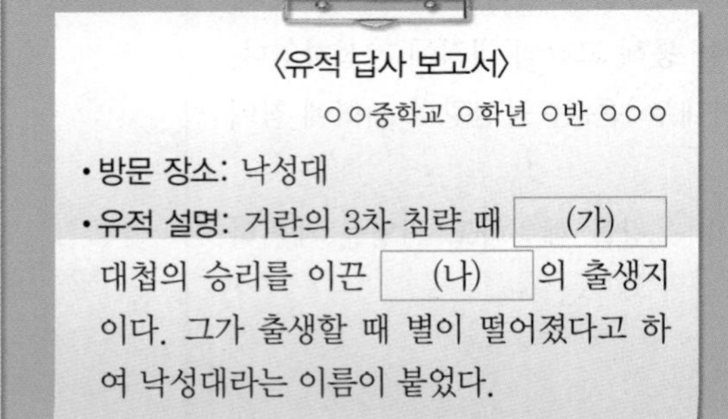

〈유적 답사 보고서〉

○○중학교 ○학년 ○반 ○○○

- 방문 장소: 낙성대
- 유적 설명: 거란의 3차 침략 때 (가) 대첩의 승리를 이끈 (나) 의 출생지이다. 그가 출생할 때 별이 떨어졌다고 하여 낙성대라는 이름이 붙었다.

| | (가) | (나) | | (가) | (나) |
|---|---|---|---|---|---|
| ① | 귀주 | 양규 | ② | 귀주 | 강감찬 |
| ③ | 충주 | 강감찬 | ④ | 충주 | 김윤후 |
| ⑤ | 진주 | 김윤후 | | | |

단답형

**04** 다음에서 설명하는 군사 조직을 쓰시오.

> 고려에서 여진을 정벌하고자 1104년에 신기군(기병 부대), 신보군(보병 부대), 항마군(승려 부대) 등으로 구성한 군대이다.

(　　　　　　　)

**05** (가)에 들어갈 내용으로 옳은 것은?

> 이 그림은 「척경입비도」이다. 윤관이 여진족을 정벌하고 (가) 지역을 개척한 후 '고려지경(高麗之境)', 즉 고려의 영토라고 새긴 비석을 세우는 모습을 그린 것이다.

① 동녕부 ② 강동 6주
③ 동북 9성 ④ 탐라총관부
⑤ 쌍성총관부

**06** 다음 필기 노트의 ㉠~㉤ 중 옳지 않은 것은?

> [고려의 대외 교류]
> 1. 송과의 교류: ㉠가장 활발하게 교류하며 선진 문물 수용, ㉡서적·약재·비단 등을 수입
> 2. 거란·여진과의 교류: ㉢주로 농기구나 곡식 등 수출, 모피나 말 등 수입
> 3. 일본과의 교류: ㉣인삼이나 곡식 등 수출, 수은과 유황 등 수입
> 4. ㉤국제 무역항: 당항성에 동남아시아, 아라비아 상인 등이 방문함

① ㉠ ② ㉡ ③ ㉢ ④ ㉣ ⑤ ㉤

## 07 고려의 대몽 항쟁에 대한 설명으로 옳지 않은 것은?

① 충주성에서 노비들이 몽골에 항전하였다.
② 최씨 무신 정권이 수도를 강화도로 옮겼다.
③ 죽주성과 자주성에서 몽골군을 격퇴하였다.
④ 처인성에서 부곡민들이 몽골군에 맞서 싸웠다.
⑤ 초조대장경을 간행하여 불교의 힘으로 몽골의 침입을 막아 내고자 하였다.

중요
## 08 (가)에 들어갈 인물로 옳은 것은?

> (가) 은/는 고종 때 사람이다. 일찍이 승려가 되어 백현원이라는 곳에 살았는데, 몽골의 군대가 침입해 오자 처인성으로 피신하였다. 몽골군의 대장 살리타가 처인성을 공격하자 (가) 이/가 살리타를 활로 쏴 죽였다. -「고려사」

① 최우 ② 최충헌 ③ 강감찬
④ 김윤후 ⑤ 이성계

## 09 밑줄 친 '이 왕'에 해당하는 인물로 옳은 것은?

① 우왕 ② 원종 ③ 공민왕
④ 충렬왕 ⑤ 충목왕

## 10 (가)에 들어갈 내용으로 옳은 것은?

① 도방 ② 응방 ③ 삼별초
④ 별무반 ⑤ 다루가치

단답형
## 11 다음에서 설명하는 관청의 이름을 쓰시오.

> 원이 제2차 일본 정벌을 위해 고려에 세운 관청으로, 일본 원정 실패 후에도 폐지되지 않고 고려의 내정을 간섭하는 데 활용되었다.

( )

중요
## 12 밑줄 친 '이 시기'에 대한 설명으로 옳지 않은 것은?

> 이 시기에는 고려 왕실의 호칭뿐 아니라 관제 용어도 격하되었다. 중서문하성과 상서성을 합하여 첨의부라 하였으며 6부는 4사로 축소되었다.

① 고려에서 몽골풍이 금지되었다.
② 고려의 세자가 원의 공주와 혼인하였다.
③ 고려는 금, 은, 인삼, 매 등을 원에 공물로 바쳤다.
④ 원이 쌍성총관부를 설치하고 일부 영토를 직접 지배하였다.
⑤ 고려의 백성들이 환관과 공녀로 선발되어 원으로 보내졌다.

**[13 ~ 14] 다음을 읽고 물음에 답하시오.**

> 원 간섭기에는 (가) (이)라고 불리는 사람들이 지배 세력으로 등장하였다. 이들은 대부분 예전부터 세력을 유지해 온 가문 출신들이었지만 원의 권력자와 혼인 관계를 맺은 사람, 고려의 왕이 원에서 머물 때 보좌하던 관리, 몽골어 통역관 등이 새롭게 성장한 경우도 있었다.

**13** (가)에 들어갈 지배 세력으로 옳은 것은?

① 호족 ② 문벌
③ 권문세족 ④ 신진 사대부
⑤ 신흥 무신 세력

**14** (가) 세력에 대한 설명으로 옳은 것만을 〈보기〉에서 고른 것은?

보기
ㄱ. 공민왕의 개혁에 참여하였다.
ㄴ. 대부분 친원적인 성향을 지녔다.
ㄷ. 이색, 정몽주, 정도전이 대표적인 인물이다.
ㄹ. 대토지를 소유하고 농장을 경영하기도 하였다.

① ㄱ, ㄴ ② ㄱ, ㄷ ③ ㄴ, ㄷ
④ ㄴ, ㄹ ⑤ ㄷ, ㄹ

단답형
**15** (가)에 들어갈 알맞은 인물을 쓰시오.

> 신돈은 원래 승려였으나 (가) 에게 발탁되어 정계에 진출하였다. 이후 신돈이 전민변정도감의 책임자가 되어 권세 있는 자들이 빼앗은 토지와 노비를 원래 주인에게 돌려주니, 많은 백성이 기뻐하고 성인이 나왔다고 말하는 자도 있었다.
>
> – 『고려사』

( )

**16** (가)에 들어갈 지배 세력에 대한 설명으로 옳은 것만을 〈보기〉에서 고른 것은?

> (가) 은/는 원 간섭기부터 성리학을 공부하고 중앙 관직에 진출하였다. 이들은 공민왕 시기 개혁에 참여하면서 새로운 정치 세력으로 성장하였으며 친명 정책을 지지하였다.

보기
ㄱ. 기철 일파가 대표적이다.
ㄴ. 불교의 폐단을 비판하기도 하였다.
ㄷ. 주로 과거 시험을 통해 관직에 진출하였다.
ㄹ. 왕실과의 혼인 관계를 바탕으로 성장하였다.

① ㄱ, ㄴ ② ㄱ, ㄷ ③ ㄴ, ㄷ
④ ㄴ, ㄹ ⑤ ㄷ, ㄹ

**17** 고려 말 홍건적과 왜구의 침입에 대한 설명으로 옳지 않은 것은?

① 최무선이 진포에서 왜구를 격퇴하였다.
② 홍건적에 의해 개경이 함락되기도 하였다.
③ 신흥 무신 세력이 성장하는 계기가 되었다.
④ 왜구의 내륙 진출로 조세 운송이 어려워졌다.
⑤ 최영이 왜구의 근거지인 쓰시마 섬을 토벌하였다.

**18** (가)~(라)를 일어난 순서대로 옳게 나열한 것은?

> (가) 고려 우왕이 폐위되었다.
> (나) 최영이 요동 정벌을 단행하였다.
> (다) 이성계가 위화도에서 회군하였다.
> (라) 명이 고려에 철령위 설치를 통보하였다.

① (가) – (라) – (다) – (나)
② (나) – (가) – (다) – (라)
③ (나) – (라) – (가) – (다)
④ (라) – (나) – (다) – (가)
⑤ (라) – (다) – (나) – (가)

# 실력 쑥쑥 | 실전문제

중요

**01** 다음 상황이 발생한 시기를 연표에서 옳게 고른 것은?

> 거란의 병사가 귀주를 지나자 강감찬 등이 동교에서 맞아 싸웠는데 양쪽의 군대가 서로 비슷하여 승패가 결정되지 않았다. 그런데 김종현이 군사를 끌고 달려오자 갑자기 비바람이 남쪽으로부터 불어와 군대의 깃발이 북쪽을 가리켰다. 아군이 기세를 타고 용기백배하여 격렬하게 공격하자 거란의 병사들이 패하여 달아났다. -『고려사』

| | (가) | | (나) | | (다) | | (라) | | (마) | |
|---|---|---|---|---|---|---|---|---|---|---|
| 고려 건국 | | 서희의 외교 담판 | | 천리장성 건설 시작 | | 몽골의 1차 침입 | | 개경 환도 | | 위화도 회군 |

① (가) ② (나) ③ (다) ④ (라) ⑤ (마)

**02** (가)에 들어갈 내용으로 옳은 것만을 〈보기〉에서 고른 것은?

> 고려는 거란의 3차 침략을 물리친 이후 외적의 침입에 대비하여 [ (가) ]

보기
ㄱ. 개경에 나성을 쌓았다.
ㄴ. 강동 6주를 개척하였다.
ㄷ. 북쪽 국경에 천리장성을 건설하였다.
ㄹ. 송과의 민간 교류를 완전히 차단하였다.

① ㄱ, ㄴ ② ㄱ, ㄷ ③ ㄴ, ㄷ
④ ㄴ, ㄹ ⑤ ㄷ, ㄹ

**03** 고려와 여진의 관계에 대한 설명 중 옳지 않은 것은?

① 윤관이 동북 지역에 9성을 개척하였다.
② 고려는 여진 정벌을 위해 별무반을 편성하였다.
③ 여진족의 간청으로 고려는 9성에서 철수하였다.
④ 완옌부가 여진 부족들을 통합한 이후 고려를 위협하였다.
⑤ 여진은 고려에 사대 관계를 요구한 이후 금을 건국하고 세력을 더욱 확대하였다.

**04** 고려와 (가)~(마) 국가와의 대외 교류에 대한 내용으로 옳은 것은?

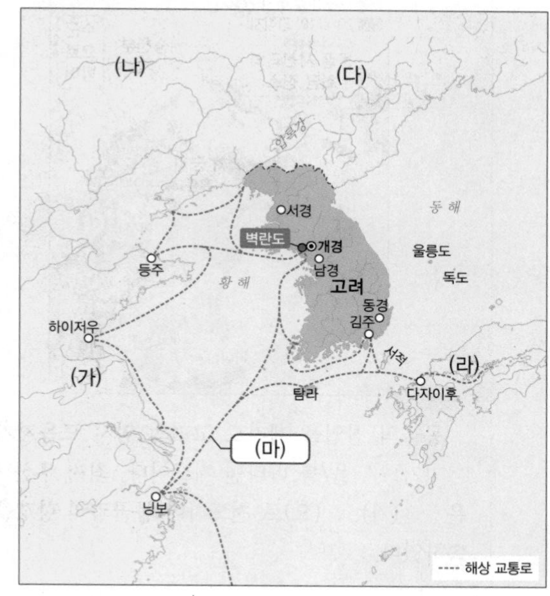


① (가) – 주로 식량이나 농기구를 수출하였다.
② (나) – 말이나 모피 등을 수입하였다.
③ (다) – 초조대장경 간행과 청자 발전에 영향을 받았다.
④ (라) – 수은과 유황 등을 수출하였다.
⑤ (마) – 잦은 침입으로 교류가 단절되었다.

고난도

**05** (가)~(라)를 일어난 순서대로 옳게 나열한 것은?

> (가) 고려에서 팔만대장경을 간행하였다.
> (나) 최씨 무신 정권이 수도를 강화도로 옮겼다.
> (다) 몽골 사신 저고여가 귀국 도중에 피살되었다.
> (라) 삼별초가 고려와 몽골 연합군에 의해 진압되었다.

① (가) – (라) – (다) – (나)
② (나) – (가) – (다) – (라)
③ (나) – (다) – (라) – (가)
④ (다) – (나) – (가) – (라)
⑤ (라) – (다) – (가) – (나)

## 실력 쑥쑥 실전문제

**06** (가) 지역에 대한 설명으로 옳지 않은 것은?

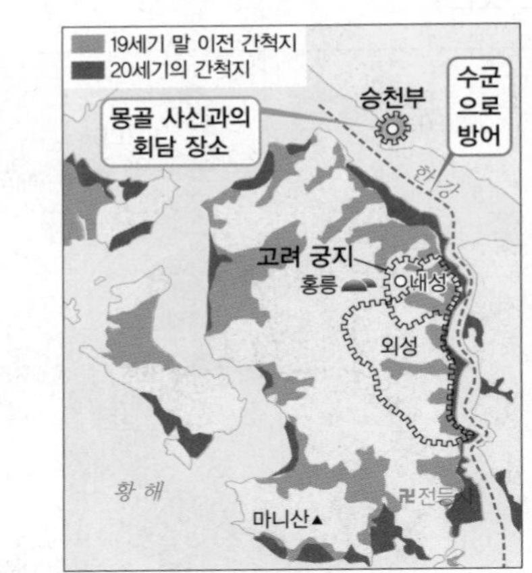


몽골의 침입을 계기로 고려의 임시 도읍지가 된 (가) 을/를 나타낸 지도이다. 최씨 무신 정권은 (가) (으)로 천도하여 몽골과의 항쟁을 계속하였다.

① 팔만대장경이 제작된 곳이다.
② 농토가 많아 식량을 보급하기에 유리하였다.
③ 해전에 약한 몽골군을 방어하기에 적합하였다.
④ 육지와 가깝고 주변의 물살이 강하다는 특징이 있다.
⑤ 삼별초의 대몽 항쟁을 보여 주는 항파두리 유적이 있다.

**07** 다음 신문 기사의 제목으로 가장 적절한 것은?

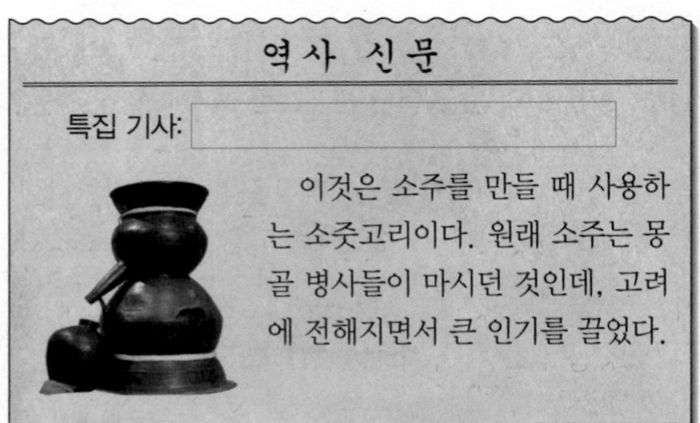

역사 신문

특집 기사:

이것은 소주를 만들 때 사용하는 소줏고리이다. 원래 소주는 몽골 병사들이 마시던 것인데, 고려에 전해지면서 큰 인기를 끌었다.

① 응방이 설치되다
② 고려양이 전해지다
③ 몽골풍이 유행하다
④ 원의 내정 간섭이 시작되다
⑤ 벽란도를 통해 문화 교류가 이루어지다

고난도

**08** (가) 지역의 영토를 수복한 왕에 대한 설명으로 옳은 것만을 〈보기〉에서 고른 것은?

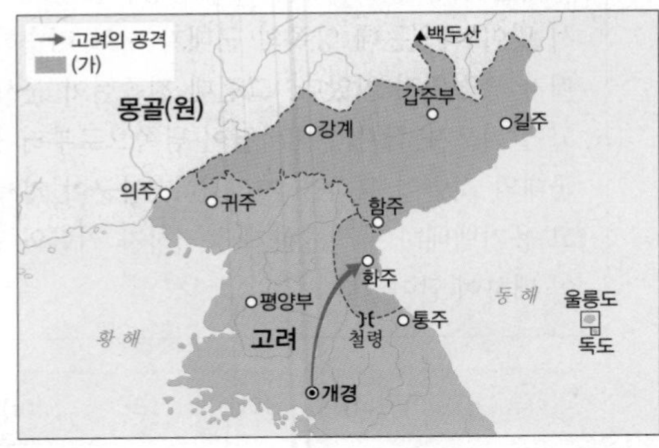


보기
ㄱ. 성균관을 개편하였다.
ㄴ. 정동행성을 유명무실하게 만들었다.
ㄷ. 최영과 함께 요동 정벌을 단행하였다.
ㄹ. 정치도감을 설치하고 내정 개혁을 시도하였다.

① ㄱ, ㄴ ② ㄱ, ㄷ ③ ㄴ, ㄷ
④ ㄴ, ㄹ ⑤ ㄷ, ㄹ

중요

**09** (가), (나)에 해당하는 지배 세력에 대한 설명으로 옳지 않은 것은?

(가) 원 간섭기에 원의 영향력을 배경으로 성장하였으며, 대농장을 경영하는 등 횡포를 부렸다.
(나) 성리학을 공부하고 주로 과거를 통해 중앙 정계에 진출하였다.

① (가)는 공민왕의 개혁에 참여하였다.
② (가)의 대표적인 인물로 기철 등이 있다.
③ (나)는 불교의 폐단을 비판하기도 하였다.
④ (나)에는 (가) 출신도 다수 포함되어 있었다.
⑤ (나)는 명이 건국된 이후 주로 친명 정책을 지지하였다.

**10** 다음 지도에 나타난 상황이 고려에 끼친 영향으로 옳은 것은?

① 정동행성이 설치되었다.
② 최씨 무신 정권이 붕괴되었다.
③ 신흥 무신 세력이 성장하였다.
④ 몽골이 다루가치를 파견하였다.
⑤ 고려 정부가 금과 사대 외교를 맺었다.

중요

**11** 다음 지도에 나타난 사건의 결과로 옳은 것만을 〈보기〉에서 고른 것은?

**보기**

ㄱ. 쌍성총관부가 설치되었다.
ㄴ. 친명 외교 정책이 확고해졌다.
ㄷ. 최영의 주도로 요동 정벌이 단행되었다.
ㄹ. 이성계와 신진 사대부가 권력을 장악하였다.

① ㄱ, ㄴ ② ㄱ, ㄷ ③ ㄴ, ㄷ
④ ㄴ, ㄹ ⑤ ㄷ, ㄹ

## 서술형

**12** 다음 외교 담판의 결과를 두 가지 서술하시오.

**13** (가)에 들어갈 지배 세력을 쓰고, 출신과 특징을 서술하시오.

〈고려 지배 세력의 변천〉

문벌 → 무신 → (가) → 신진 사대부

**14** (가)에 들어갈 개혁 기구를 쓰고, (가)에서 추진한 개혁의 내용을 서술하시오.

> 신돈이 (가) 을/를 두기를 청하고, 전국에 방을 붙여 알리기를 "백성이 농사를 지어 온 땅을 권세가들에게 거의 다 빼앗겼다. …… 이제 도감을 두어 고치려고 하니, 잘못을 알고 스스로 고치는 자는 죄를 묻지 않겠다. 기한이 지나서 일이 발각된 자는 엄히 다스릴 것이다." -『고려사』

# 4 고려의 생활과 문화

교과서 96~103쪽

## 1 신분 제도와 가족 제도

### 1. 고려의 신분 제도

(1) **특징**: 법적으로 양인과 천인으로 구별, 신라의 골품제보다 개방적

(2) **구성**: 관료 지배층(왕족, 문벌, 문무 관료), 중류층(서리, 향리, 남반, 군반 등), 일반 양민(농민, 상인, 수공업자, 향·소·부곡민), 천인(공노비, 사노비)

- 문벌: 과거제나 음서를 통해 대대로 높은 관직을 가지고 정치를 주도함
- 일반 양민: 국가에 조세, 공납, 역을 부담하였으며, '백정(白丁)'이라고도 불림
- 향·소·부곡민: 신분상 양민이었으나, 일반 행정 구역에 거주하는 백성들보다 과중한 세금과 노역에 시달렸으며 거주 이전을 제한받았음

### 2. 가족 내의 여성과 남성의 지위

(1) **남녀의 동등한 권리와 의무**: 남녀 균등 상속, 남녀 구분 없이 태어난 순서대로 호적 기재, 제사 비용 균등 부담, 아들이 없으면 딸이나 외손자가 제사를 지냄

(2) **여성의 지위 존중**: 남자가 주로 여자의 집에 가서 혼인, 일부일처제, 재혼 가능

- 여성의 지위 존중: 관직에 진출할 수 없었고 사회적 활동에 제약이 있었으나, 가정 내에서는 주체적인 역할을 담당함

**보충 고려의 중류층**

고려의 중류층에는 중앙 관청의 실무를 담당하는 서리, 지방 행정을 담당하는 향리, 궁중 실무를 맡은 남반, 하급 장교인 군반 등이 있었다.

**성리학**

인간의 심성과 우주의 이치를 탐구하는 철학적인 성격의 학문으로, 남송의 주희가 집대성하였다.

## 2 다양한 문화와 사상

### 1. 유교의 발전

(1) **특징**: 정치 운영의 기본 이념으로 채택 → 고려 초부터 과거제 시행

(2) **유학 교육**: 개경에 국자감(국립) 설치, 사학 12도(사립) 설립

- 사학 12도: 최충이 세운 문헌공도 등 개인이 설립한 12개의 교육 기관

(3) **성리학**: 안향이 고려에 소개 → 이제현 등이 만권당에서 원의 학자들과 교류 → 신진 사대부들이 성리학에 기초를 둔 개혁을 주장하며 권문세족의 횡포와 불교의 폐단 비판

- 만권당: 충선왕이 원의 수도인 연경(베이징)에 세운 독서당

### 2. 불교의 발전

(1) **불교 숭상**: 팔관회와 연등회 등을 성대하게 개최, 승과 제도 시행

(2) **의천**: 고려 전기에 천태종 창시(교종의 입장에서 선종 흡수·통합)

(3) **지눌**: 무신 정변 이후 선종 성장, 불교의 세속화 → 수선사(송광사)를 근거지로 불교 개혁 운동 전개, 선종(조계종)의 관점에서 교종을 포용하는 이론 체계 수립

### 3. 불교문화의 발달

|  |  |
|---|---|
| 불상 | • 통일 신라의 양식을 계승한 대형 철불(하남 하사창동 철조 석가여래 좌상)<br>• 지방색이 강한 거대 석불(논산 관촉사 석조 미륵보살 입상, 파주 용미리 마애이불 입상) |
| 석탑 | • 통일 신라의 양식 계승(불일사 오층 탑)<br>• 다각 다층탑(평창 월정사 팔각 구층 석탑, 개성 경천사지 십층 석탑)<br>• 선종의 유행으로 승탑 건립(원주 법천사지 지광 국사 탑) |
| 건축 | 배흘림기둥·주심포 양식(안동 봉정사 극락전, 영주 부석사 무량수전) → 뛰어난 안정감 |
| 불화 | 「수월관음도」 제작 |

- 개성 경천사지 십층 석탑: 원 간섭기에 제작되었으며 원의 영향을 받아 대리석으로 제작됨
- 안동 봉정사 극락전: 우리나라에서 가장 오래된 목조 건축물

### 4. 인쇄술의 발달

(1) **목판 인쇄술**: 초조대장경(거란 침입), 팔만대장경(몽골 침입) 제작 → 불교의 힘으로 외적 방어, 국론 통일 목적

(2) **금속 활자 인쇄술**: 『상정고금예문』(1234), 『직지』(1377)

- 『직지』: 현재 전해지는 세계에서 가장 오래된 금속 활자본

### 5. 공예 기술의 발전과 화약 무기의 사용

(1) **고려청자**: 순청자(고려 전기) → 상감 청자(최씨 무신 정권 시기)

(2) **화약 제조 기술**: 최무선의 건의로 화통도감 설치 → 진포 해전 등에서 왜구 격파

**보충 합천 해인사 대장경판(팔만대장경)**

팔만대장경판

초조대장경이 1232년 몽골군의 침입으로 불에 타 버리자 불교의 힘으로 몽골의 침입을 막아 내고자 제작한 것이다. 경판의 숫자가 8만 여개에 달하여 팔만대장경이라고 불리며, 강화도에 있다가 조선이 세워진 후에 합천 해인사로 옮겨졌다. 2007년에 유네스코 세계 기록 유산으로 지정되었다.

**상감 청자**

청자 상감 운학문 매병

자기의 표면을 파고 그 자리에 다른 색깔의 흙을 메워 무늬를 만드는 상감 기법을 적용하여 화려한 무늬를 갖춘 상감 청자가 제작되기 시작하였다.

## 교과서 속 자료 & 개념

### 고려 불교문화의 발달

교과서 99, 102, 103쪽

논산 관촉사 석조 미륵보살 입상

하남 하사창동 철조 석가여래 좌상

평창 월정사 팔각 구층 석탑

자료 해설

고려 시대에는 특색 있는 석불과 철불이 제작되었다. 고려 시대의 불상은 통일 신라의 불상보다 섬세함과 정교함은 떨어지지만, 논산 관촉사 석조 미륵보살 입상처럼 지방색이 강한 대형 작품들이 많다. 또한 고려에서는 통일 신라의 양식을 계승하면서도 독자적인 특색을 살린 다각 다층탑이 건립되었다. 평창 월정사 팔각 구층 석탑은 고려 전기를 대표하는 석탑이며 화강암으로 제작되었다.

### 고려의 목조 건축물

교과서 103쪽

영주 부석사 무량수전

배흘림기둥

자료 해설

안동 봉정사 극락전, 예산 수덕사 대웅전, 영주 부석사 무량수전은 대표적인 고려 시대의 목조 건축물이다. 주심포 양식(건물의 기둥 위에 '공포'를 만들어 지붕의 무게가 기둥에 모이도록 하는 건축 양식)과 배흘림기둥 양식(건축물 기둥의 중간을 굵게 하고, 위와 아래로 가면서 기둥의 굵기를 점점 가늘게 하는 건축 기법)이 적용되어 안정감을 준다.

## 개념 꿀꺽

**1. 다음 내용이 옳으면 ○표, 틀리면 ×표 하시오.**

(1) 고려 시대에는 남성만 호적에 올리고 여성은 올리지 않았다. (　　)
(2) 영주 부석사 무량수전은 주심포 양식의 대표적인 건축물이다. (　　)
(3) 『상정고금예문』은 현재 전해지는 금속 활자본 중 세계에서 가장 오래된 것이다. (　　)
(4) 맑고 투명한 비취색의 순청자는 최씨 무신 정권 시기에 가장 발달하였다. (　　)

**2. 다음 설명에 해당하는 인물을 〈보기〉에서 고르시오.**

보기
㉠ 지눌　㉡ 안향　㉢ 의천　㉣ 최무선

(1) 고려에 성리학을 처음으로 소개하였다. (　　)
(2) 수선사(송광사)를 중심으로 불교 개혁 운동을 전개하였다. (　　)
(3) 천태종을 세워 교종의 입장에서 선종을 흡수·통합하고자 하였다. (　　)
(4) 화약 제조법을 습득하고 화약 무기를 만들기 위한 화통도감을 설치할 것을 건의하였다. (　　)

정답
1. (1) × (2) ○ (3) × (4) ×
2. (1) ㉡ (2) ㉠ (3) ㉢ (4) ㉣

## 기초 튼튼 | 기본문제

**01** 다음 중 고려 시대의 중류층에 해당하지 않는 것은?

① 서리 ② 향리
③ 남반 ④ 군반
⑤ 향·소·부곡민

**02** 고려 시대의 가족 관계에 대한 설명으로 옳은 것은?

① 일부다처제가 일반적이었다.
② 남성과 여성 모두 재혼이 금지되었다.
③ 딸이 태어났을 경우 호적에 올리지 않았다.
④ 부모의 재산을 딸과 아들이 균등하게 상속받았다.
⑤ 아들이 없으면 제사를 잇기 위해 양자를 들이는 관습이 있었다.

단답형

**03** 다음에서 설명하는 교육 기관을 쓰시오.

> 고려 시대에 수도 개경에 세워진 최고 국립 교육 기관이다. 유능한 관리를 양성하기 위한 목적으로 설립되었으며 유학 교육을 가장 중요시하였다.

( )

**04** 밑줄 친 '나'에 해당하는 인물로 옳은 것은?

① 안향 ② 최충 ③ 이색
④ 이제현 ⑤ 정몽주

**05** (가)~(다)에 들어갈 말을 옳게 짝지은 것은?

> (가) 은/는 충선왕이 원의 연경(베이징)에 세운 독서당으로, (나) 이/가 이곳에서 원의 학자들과 교류하면서 성리학을 이해하기도 하였다. 고려 말에는 성리학자들이 본격적으로 정치에 참여하면서 (다) (이)라고 불리는 세력을 형성하였다.

| | (가) | (나) | (다) |
|---|---|---|---|
| ① | 만권당 | 이제현 | 문벌 |
| ② | 만권당 | 이제현 | 신진 사대부 |
| ③ | 만권당 | 정몽주 | 신진 사대부 |
| ④ | 사학 12도 | 정몽주 | 문벌 |
| ⑤ | 사학 12도 | 이제현 | 신진 사대부 |

중요

**06** (가)에 들어갈 인물로 옳은 것은?

① 원효 ② 의상 ③ 의천
④ 지눌 ⑤ 혜초

**07** 고려의 불교에 대한 설명으로 옳지 않은 것은?

① 무신 정변 이후 선종이 쇠퇴하였다.
② 왕실에서부터 평민까지 널리 믿었다.
③ 승려들의 과거 시험인 승과 제도가 있었다.
④ 연등회와 같은 불교 행사가 성대하게 치러졌다.
⑤ 지눌은 선종의 관점에서 교종을 포용하려 하였다.

**08** 다음에서 설명하는 문화유산으로 옳은 것은?

- 통일 신라의 양식 계승
- 고려의 독자성을 보여 주는 대형 불상

**09** 다음에서 설명하는 문화유산으로 옳은 것은?

고려의 목조 건축 기술을 잘 보여 주는 곳이다. 13세기에 건립된 것으로 추정되며 우리나라에서 가장 오래된 목조 건축물이다.

① 안동 봉정사 극락전
② 예산 수덕사 대웅전
③ 황주 성불사 응진전
④ 영주 부석사 무량수전
⑤ 합천 해인사 장경판전

단답형

**10** (가)에 들어갈 알맞은 말을 쓰시오.

고려 중기에는 자기의 표면을 파고 그 자리에 다른 색깔의 흙을 메워 무늬를 만드는 (가) 이/가 적용된 청자가 제작되기 시작하였다.

(　　　　　)

중요

**11** 다음에서 설명하는 문화유산으로 옳은 것은?

1377년 청주 흥덕사에서 인쇄하였으며 현재 전해지는 세계에서 가장 오래된 금속 활자본이다.

① 직지　② 삼국사기
③ 팔만대장경　④ 초조대장경
⑤ 상정고금예문

**12** (가), (나)에 들어갈 건축물을 옳게 짝지은 것은?

고려 시대에는 불교의 발달로 석탑이 많이 만들어졌다. 고려 전기를 대표하는 (가) 은/는 화강암으로 제작된 다각 다층탑이다. 고려 후기를 대표하는 (나) 은/는 원의 영향을 받아 대리석으로 제작되었다.

| | (가) | (나) |
|---|---|---|
| ① | 경천사지 십층 석탑 | 법천사지 지광 국사 탑 |
| ② | 경천사지 십층 석탑 | 월정사 팔각 구층 석탑 |
| ③ | 법천사지 지광 국사 탑 | 월정사 팔각 구층 석탑 |
| ④ | 월정사 팔각 구층 석탑 | 경천사지 십층 석탑 |
| ⑤ | 월정사 팔각 구층 석탑 | 법천사지 지광 국사 탑 |

**13** (가)에 들어갈 내용으로 적절한 것은?

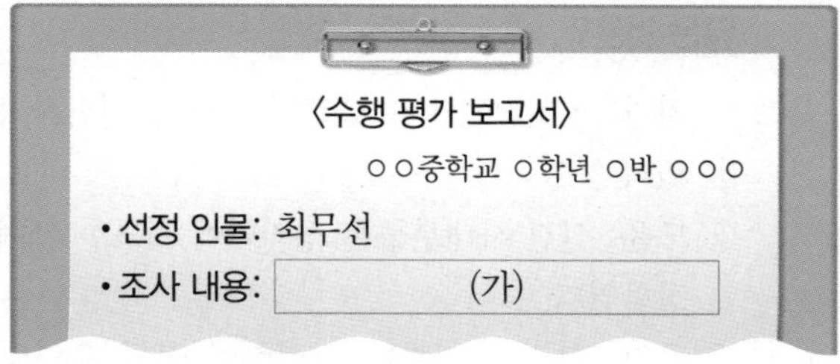


① 화약 제조법을 습득하였다.
② 아미타 신앙을 전파하였다.
③ 부석사 등 여러 사찰을 건립하였다.
④ 청해진을 설치하고 해적을 소탕하였다.
⑤ 성리학을 기반으로 개혁을 추진하였다.

# 실력 쑥쑥 | 실전문제

**01** 고려 시대의 일반 양민층에 대한 설명으로 옳은 것만을 〈보기〉에서 고른 것은?

보기
ㄱ. 법적으로 천인에 해당하였다.
ㄴ. 서리, 향리, 남반 등이 속하였다.
ㄷ. 국가에 조세, 공납, 역을 부담하였다.
ㄹ. 대부분이 농민이었으며 백정이라고도 하였다.

① ㄱ, ㄴ ② ㄱ, ㄷ ③ ㄴ, ㄷ
④ ㄴ, ㄹ ⑤ ㄷ, ㄹ

중요
**02** 다음 글의 ㉠~㉤ 중 옳지 않은 것은?

고려 시대에 ㉠여자는 주로 남자의 집에 가서 혼인하였으며, ㉡결혼한 부부가 부인의 노부모를 모시고 사는 경우도 많았다. ㉢고려 시대에는 일부일처제가 유지되었으며, ㉣여성과 남성 모두 배우자와 사별하더라도 원하면 재혼할 수 있었다. ㉤여성은 관직에 진출할 수 없었고 사회적 활동을 하는 데에도 제약을 받았지만, 가정 내에서는 주체적인 역할을 맡았다.

① ㉠ ② ㉡ ③ ㉢ ④ ㉣ ⑤ ㉤

**03** 고려 시대의 성리학에 대해 학생들이 나눈 대화 중 옳지 않은 것은?

① 지민: 성리학자들은 불교의 폐단을 비판하기도 하였어.
② 도윤: 신진 사대부들은 성리학에 기초한 개혁을 주장하였지.
③ 윤지: 고려 초기부터 성리학이 정치 운영의 기본 이념으로 채택되었어.
④ 가인: 성리학은 인간의 심성과 우주의 이치를 탐구하는 철학적인 성격의 학문이야.
⑤ 서완: 충선왕이 세운 만권당에서는 이제현이 원의 성리학자들과 교류하기도 하였어.

고난도
**04** (가) 인물에 대한 설명으로 옳은 것만을 〈보기〉에서 고른 것은?

한국사 인물 카드

(가) 은/는 고려 시대의 승려이다. 그는 불교의 세속화를 비판하며 수선사(송광사)를 중심으로 불교 개혁 운동을 펼쳤다.

보기
ㄱ. 관음 신앙을 전파하였다.
ㄴ. 무신 정권기에 활약하였다.
ㄷ. 선종의 관점에서 교종을 포용하였다.
ㄹ. 서역 지역을 순례하고 왕오천축국전을 남겼다.

① ㄱ, ㄴ ② ㄱ, ㄷ ③ ㄴ, ㄷ
④ ㄴ, ㄹ ⑤ ㄷ, ㄹ

**05** 다음 문화유산에 대한 설명으로 옳은 것은?

① 원의 영향을 받았다.
② 고승의 사리를 모신 승탑이다.
③ 고려 후기를 대표하는 석탑이다.
④ 화강암으로 제작된 다각 다층탑이다.
⑤ 통일 신라 양식에서 벗어나 6각의 형태로 제작되었다.

고난도
**06** 고려청자에 대한 설명으로 옳은 것만을 〈보기〉에서 고른 것은?

보기
ㄱ. 고려 전기에는 순청자가 발달하였다.
ㄴ. 상감 청자는 원 간섭기에 가장 발달하였다.
ㄷ. 아름다운 비취색으로 중국에 널리 알려졌다.
ㄹ. 무신 정변으로 청자 제작 기술이 쇠퇴하였다.

① ㄱ, ㄴ ② ㄱ, ㄷ ③ ㄴ, ㄷ
④ ㄴ, ㄹ ⑤ ㄷ, ㄹ

**07** 다음 가상 편지의 빈칸에 들어갈 내용으로 적절한 것만을 〈보기〉에서 고른 것은?

○○야 안녕?

나는 지금 경상북도 영주시를 대표하는 부석사에 와 있어. 이곳을 대표하는 건축물은 무량수전인데, 고려 시대의 목조 건축 기술인 (가) 이 적용되어 뛰어난 균형미와 안정감을 자랑하고 있어. 다음에는 꼭 같이 보러 오면 좋겠다. 또 연락할게.

**보기**

ㄱ. 다포 양식　　ㄴ. 주심포 양식

ㄷ. 배흘림기둥 양식　　ㄹ. 모줄임천장 양식

① ㄱ, ㄴ　② ㄱ, ㄷ　③ ㄴ, ㄷ

④ ㄴ, ㄹ　⑤ ㄷ, ㄹ

중요

**08** (가)에 들어갈 말로 적절하지 않은 것은?

① 합천 해인사 대장경판이라고도 불립니다.

② 고려 금속 활자의 높은 수준을 보여 줍니다.

③ 유네스코 세계 기록 유산으로 지정되었습니다.

④ 당시까지 존재하던 불경의 내용을 모아 새긴 것입니다.

⑤ 불교의 힘으로 몽골의 침략을 막아 내기 위해 제작되었습니다.

## 서술형

**09** 다음 자료를 통해 알 수 있는 고려 시대 가족 내 여성의 지위를 서술하시오.

| 자료 1 | 자료 2 |
|---|---|
| 이겸이 죽은 뒤 아들이 아닌 부인 최씨가 호주가 되었음을 알 수 있다. | 순비 허씨는 일찍이 왕족인 평양공 왕현과 결혼하여 3남 4녀를 낳았으나, 왕현이 죽은 후에 충선왕과 재혼하였다.<br>-『고려사』 |

**10** 고려 전기의 승려 의천이 천태종을 창시한 목적을 서술하시오.

**11** 다음 문화유산에 공통적으로 나타난 고려 전기 불상의 특징을 서술하시오.

파주 용미리 마애이불 입상

관촉사 석조 미륵보살 입상

# | 대단원 | 정리하기

## 1 고려의 건국과 정치 변화

### 1 고려의 건국과 후삼국 통일

| | |
|---|---|
| 고려의 후삼국 통일 | 고려 건국(918) → 고창(안동) 전투에서 후백제군 격파 → 견훤의 귀순 → 신라가 스스로 고려에 항복(935) → 후백제 멸망, 후삼국 통일(936) |
| 태조의 정책 | • 민생 안정: 세금 감면<br>• 호족 포섭 정책: 호족 가문과 혼인, 왕씨 성 하사, 사심관 제도와 기인 제도 시행<br>• 고구려 계승: 서경(평양) 중시, 북진 정책 추진<br>• ① ______: 통치 규범으로 제시 |
| 광종의 정책 | • ② ______ 시행 → 공신·호족 견제<br>• 과거제 도입 → 능력에 따라 관리 선발 |

### 2 통치 체제의 정비

| | |
|---|---|
| 성종의 정책 | • 최승로의 시무 28조 수용<br>• ③ ______ 정치 이념 확립<br>• 12목 설치, 지방관 파견<br>• 2성 6부의 중앙 행정 조직 마련 |
| 중앙 행정 제도 | • 2성(중서문하성·상서성) 6부, 중추원, 어사대, 삼사<br>• 도병마사, ④ ______ → 독자적 회의 기구 |
| 지방 행정 제도 | • 일반 행정 구역: 경기, 5도 양계 → 그 아래 주현과 속현 설치<br>• 특수 행정 구역: 향·부곡·소 |
| 관리 선발 제도 | • 과거제: 문과(제술과, 명경과), 잡과, 승과<br>• ⑤ ______: 5품 이상 관리의 자손이 시험을 치르지 않고 관리가 되는 특권 제도 |
| 교육 | 국자감·향교 설치, 사학 12도 설립 |
| 경제 | 관리에게 전시과, 녹봉 지급 |

### 3 무신 정권의 수립

| | |
|---|---|
| 이자겸의 난 | 문벌 가문 출신의 이자겸이 인종을 몰아내고 왕위에 오르려다가 제거됨(1126) |
| 묘청의 서경 천도 운동 | 묘청 등 서경 세력이 서경 천도 주장 → 개경 세력의 반대 → 묘청이 서경에서 반란(1135) → ⑥ ______ 이 이끄는 토벌군에 의해 진압 |
| 무신 정변 | 문신 위주의 정치, 무신에 대한 차별 → 무신들이 정변을 일으켜 권력 차지(1170) |
| 무신 정권의 수립 | • 이의방, 정중부 등이 차례로 집권<br>• ⑦ ______ 중심의 정치 운영<br>• 무신들의 권력 다툼으로 정치 불안 |
| 최씨 무신 정권 | • 최충헌 이후 4대 60여 년간 지속<br>• 최충헌: ⑧ ______ 설치, 도방 운영<br>• 최우: 정방 설치, 삼별초 조직 |
| 농민과 천민의 봉기 | • 배경: 무신 정권의 수탈, 신분 질서의 동요<br>• 대표 봉기: 망이·망소이의 난, 김사미·효심의 난, ⑨ ______ 의 신분 해방 운동 등 |

## 2 고려의 대외 관계

### 1 고려 전기의 대외 항쟁과 교류

| | |
|---|---|
| 거란 | • 1차 침입: 서희의 담판으로 ⑩ ______ 개척<br>• 2차 침입: 양규 등의 활약<br>• 3차 침입: 강감찬의 귀주 대첩(1019) |
| 여진 | 완옌부가 부족을 통합하고 고려 위협 → 윤관이 ⑪ ______ 을 이끌고 여진 정벌 → 동북 9성 축조 → 1년여 만에 반환 → 여진이 금 건국 후 고려에 사대 관계 요구 → 고려 정부의 수용 |
| 대외 교류 | • 송과 가장 활발하게 교류, 거란(요), 금(여진), 일본, 동남아시아, 아라비아 상인들과도 교류<br>• ⑫ ______ 가 국제 무역항으로 번성 |

### 2 대몽 항쟁의 전개

| | |
|---|---|
| 몽골의 침입 | 몽골 사신 피살 사건을 구실로 침략(1231) → 몽골군이 화친을 맺고 철수 → 강화도 천도 → 몽골군 재침략 |
| 대몽 항쟁 | • 박서(귀주성), 김윤후(처인성, 충주성)의 활약<br>• 죽주성과 자주성 등에서 몽골군 격퇴 |
| 몽골과의 강화 | • 최씨 무신 정권 붕괴(1258) → 고려 태자가 쿠빌라이와 강화 체결 → 무신 정권 붕괴 → 개경 환도(1270)<br>• ⑬ ______ 의 항쟁: 강화도에서 진도, 제주도로 이동하며 저항 → 고려와 몽골 연합군에 의해 진압 |

# 3 몽골의 간섭과 고려의 개혁

## 1 몽골의 간섭과 권문세족의 등장

| | |
|---|---|
| 몽골(원)의 내정 간섭 | • 고려 세자와 원 공주의 혼인<br>• 일본 정벌을 위해 설치했던 ⑭ ____ 을 통한 내정 간섭<br>• 왕실 호칭과 관직 명칭의 격하<br>• 쌍성총관부, 동녕부, 탐라총관부 설치 → 일부 영토 상실<br>• 과도한 조공 요구 → 공물, 환관, 공녀 등을 보냄<br>• 고려에 몽골식 풍습(몽골풍) 소개, 원에 고려의 풍속과 문화(고려양) 전파 |
| ⑮ ____ | • 원의 영향력을 배경으로 성장하여 지배 세력이 됨<br>• 기존 지배층, 원의 황실이나 권력자와 혼인 관계를 맺은 가문의 사람, 고려 왕이 원에 머물 때 보좌하던 관리, 응방의 관리 등<br>• 친원적 성향, 대농장 경영 |

## 2 개혁의 추진과 신진 사대부의 성장

| | |
|---|---|
| 공민왕의 개혁 | • 반원 자주 개혁: 기철 등 친원 세력 제거, 정동행성 유명무실화, 격하된 제도 복구, ⑯ ____ 를 공격하여 철령 이북의 영토 회복<br>• 왕권 강화: ⑰ ____ 설치(신돈 등용), 성균관 개편<br>• 결과: 친원 세력의 반발, 홍건적과 왜구의 침입, 신돈의 숙청, 공민왕 살해로 개혁 좌절 |
| 신진 사대부 | • ⑱ ____ 을 학문적 기반으로 함, 주로 과거 시험을 통해 관직 진출<br>• 공민왕의 개혁 정치에 참여하면서 성장<br>• 권문세족의 횡포 비판, 친명 정책 지지<br>• 이색, 정몽주, 정도전 등 |
| 신흥 무신 세력 | • 홍건적과 ⑲ ____ 의 침략을 토벌하는 과정에서 공을 세우면서 성장<br>• 최영, 이성계 등 |
| 위화도 회군 | 명의 철령위 설치 통보 → 최영의 요동 정벌 단행 → ⑳ ____ 와 요동 정벌군이 위화도에서 회군 → 우왕 폐위, 최영 제거(1388) → 개혁의 기반 마련 |

# 4 고려의 생활과 문화

## 1 신분 제도와 가족 제도

| | |
|---|---|
| 고려의 신분 제도 | • 특징: 신라의 골품제보다 개방적<br>• 법적 구분: 양인, 천인<br>• 신분 구성<br>– 지배층: 왕족, 문벌, 문무 관료<br>– ㉑ ____ : 서리, 향리, 남반, 군반 등<br>– 양민: 농민, 상인, 수공업자, 향·소·부곡민<br>– 천인: 공노비, 사노비 |
| 가족 내 여성의 지위 | • 남녀 균등 상속, 남녀 구분 없이 태어난 순서대로 호적 기재, 제사 비용 균등 부담<br>• 일부일처제, 재혼 가능<br>• 가정 내에서 주체적인 역할 담당 |

## 2 다양한 문화와 사상

| | |
|---|---|
| 유교 | • 정치 운영의 기본 이념으로 채택<br>• 개경의 국자감(국립)과 사학 12도(사립), 지방의 향교 → 유학 교육 중시<br>• 성리학의 수용: ㉒ ____ 이 고려에 처음 소개, 충선왕이 만권당 설립, 신진 사대부의 성장 |
| 불교 | • 불교 숭상: 연등회·팔관회 개최, 승과 실시<br>• 의천: ㉓ ____ 창시(교종 입장에서 선종 통합)<br>• ㉔ ____ : 불교 개혁 운동(수선사 중심) 전개, 선종(조계종) 관점에서 교종 포용 |
| 불교문화 | • 불상: 대형 철불, 지방색이 강한 거대 석불 제작<br>• 석탑: 통일 신라 양식 계승, 다각 다층탑 유행<br>• 건축: 배흘림기둥·주심포 양식 적용 |
| 인쇄술 | • 목판 인쇄술: 초조대장경(거란 침입 시기), ㉕ ____ (몽골 침입 시기)<br>• 금속 활자 인쇄술: 『상정고금예문』(1234), 『직지』(1377) |
| 공예 기술과 화약 무기 | • 고려청자: 순청자 → ㉖ ____<br>• 화약 제조 기술: 최무선의 건의로 화통도감 설치 → 진포 해전 등에서 왜구 격파 |

# 자신만만 | 적중문제

## 01 고려의 건국과 정치 변화

**01** 다음 중 후삼국 통일의 의의로 적절하지 않은 것은?

① 외세의 도움 없는 자주적 통일이었다.
② 성리학이 새로운 통치 이념으로 확립되었다.
③ 고유의 민족 문화가 형성되는 계기가 되었다.
④ 지배층의 확대로 골품제의 폐쇄성을 극복하였다.
⑤ 후삼국의 통일과 발해 유민의 흡수로 진전된 민족 통합을 달성하였다.

**02** (가) 인물에 대한 설명으로 옳은 것만을 〈보기〉에서 고른 것은?

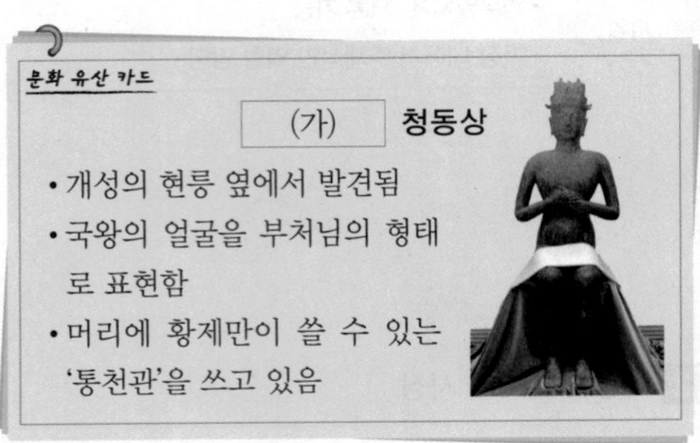

문화 유산 카드

(가) 청동상

- 개성의 현릉 옆에서 발견됨
- 국왕의 얼굴을 부처님의 형태로 표현함
- 머리에 황제만이 쓸 수 있는 '통천관'을 쓰고 있음

**보기**

ㄱ. 과거제를 도입하였다.
ㄴ. 12목을 설치하고 지방관을 파견하였다.
ㄷ. 서경을 중시하고 북진 정책을 추진하였다.
ㄹ. 취민유도를 내세워 백성의 세금을 감면하였다.

① ㄱ, ㄴ ② ㄱ, ㄷ ③ ㄴ, ㄷ
④ ㄴ, ㄹ ⑤ ㄷ, ㄹ

**03** 고려의 중앙 행정 기구와 그 기능을 옳게 짝지은 것은?

① 삼사 – 관리 감찰
② 어사대 – 회계 담당
③ 상서성 – 문하시중이 국정 총괄
④ 중추원 – 왕명 전달과 군사 기밀 취급
⑤ 식목도감 – 국방과 외교 등 중대 사안 논의

**04** (가), (나) 인물에 대한 설명으로 옳은 것은?

- 이의민을 죽이고 권력을 잡은 (가) 은/는 청탁과 뇌물에 따라 관직을 주었으며, 법을 어기고 국정을 제멋대로 처리하였다.
- (나) 이/가 자신의 집에 정방을 두고 백관의 인사를 다루었다.

① (가)는 수도를 강화도로 옮겼다.
② (가)는 (나)의 뒤를 이어 집권하였다.
③ (가)는 최고 통치 기구인 중방을 설치하였다.
④ (나)는 교정도감을 설치하였다.
⑤ (나)는 군사 조직인 삼별초를 조직하였다.

**05** 다음 상황이 전개된 시기를 연표에서 옳게 고른 것은?

개경에 사는 노비 만적이 동료들을 모아 놓고 말하였다. "장군과 재상이 본래 씨가 따로 있겠는가? …… 각자 자신의 주인을 죽이고 노비 문서를 불태우자."

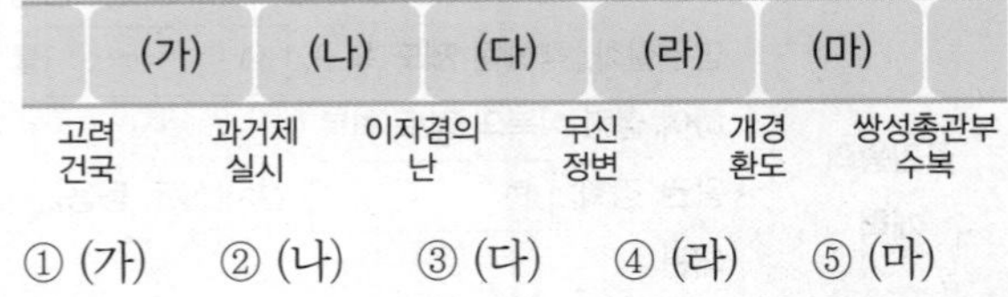


① (가) ② (나) ③ (다) ④ (라) ⑤ (마)

## 02 고려의 대외 관계

**06** 거란(요)에 대한 설명으로 옳은 것은?

① 고려를 부마국으로 삼았다.
② 금의 침입으로 멸망하였다.
③ 윤관이 이끄는 별무반에 패배하였다.
④ 고려에 서적과 비단을 주로 수출하였다.
⑤ 일본 정벌을 위해 정동행성을 설치하였다.

**07** **다음 연표의 (가)~(마) 시기에 대한 설명으로 옳은 것은?**

| | (가) | | (나) | | (다) | | (라) | | (마) | |
|---|---|---|---|---|---|---|---|---|---|---|
| 고려 건국 | | 귀주 대첩 | | 무신 정변 | | 개경 환도 | | 공민왕 즉위 | | 위화도 회군 |

① (가) – 별무반이 편성되었다.
② (나) – 윤관이 동북 지역에 9성을 개척하였다.
③ (다) – 홍건적이 개경에 침입하였다.
④ (라) – 최씨 무신 정권이 붕괴되었다.
⑤ (마) – 김윤후가 처인성에서 몽골군에 승리하였다.

**08** **다음 상황이 전개된 시기를 연표에서 옳게 고른 것은?**

> 왕이 삼별초를 해산하고 명부를 거두어오게 하니, 이 부대의 군인들은 명부가 몽골에 알려질까 염려하여 반란할 마음을 품었다. 그리하여 배중손 등이 난을 일으키고 사람을 시켜 온 나라에 외치기를, "몽골군이 대거 쳐들어와서 인민을 마구 죽이니, 무릇 나라를 도우려는 사람들은 모두 모여라!"라고 하였다.

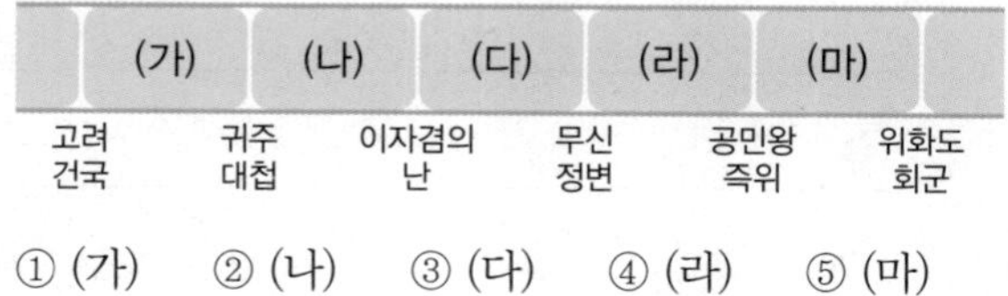


① (가) ② (나) ③ (다) ④ (라) ⑤ (마)

## 03 몽골의 간섭과 고려의 개혁

**09** **(가) 세력에 대한 설명으로 옳은 것은?**

〈고려 지배 세력의 변천〉

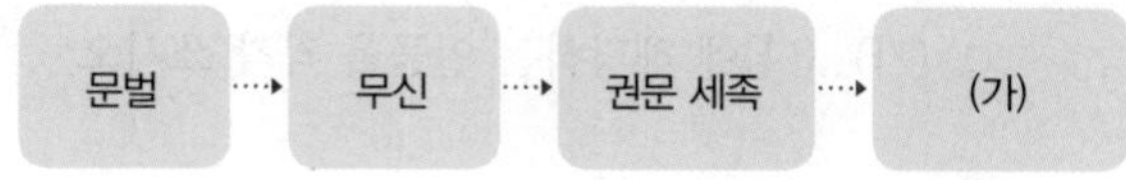


① 이의방, 정중부 등이 대표적이다.
② 왕실과의 혼인 관계를 통해 성장하였다.
③ 주로 음서를 통해 중앙 관직에 진출하였다.
④ 원의 영향력을 배경으로 지배 세력이 되었다.
⑤ 성리학에 기초한 개혁의 필요성을 주장하였다.

**10** **다음 가상 대화에 등장하는 왕에 대한 설명으로 옳은 것만을 〈보기〉에서 고른 것은?**

**보기**
ㄱ. 개경 환도를 거부하였다.
ㄴ. 최승로의 시무 28조를 수용하였다.
ㄷ. 원에 의해 격하된 국가 제도를 복구하였다.
ㄹ. 신진 세력을 키우기 위해 성균관을 개편하였다.

① ㄱ, ㄴ ② ㄱ, ㄷ ③ ㄴ, ㄷ
④ ㄴ, ㄹ ⑤ ㄷ, ㄹ

**11** **다음과 같이 주장한 인물에 대한 설명으로 옳은 것만을 〈보기〉에서 고른 것은?**

> 1. 작은 나라가 큰 나라를 공격하는 것은 불가하다.
> 2. 여름에 군사 원정은 적당하지 않다.
> 3. 요동 정벌을 틈타 왜구가 공격할 위험이 있다.
> 4. 장마철이어서 활의 아교가 느슨해지고, 병사들에게 전염병이 돌 것이다.

**보기**
ㄱ. 고려 우왕을 폐위시켰다.
ㄴ. 위화도 회군을 단행하였다.
ㄷ. 친원 외교 정책을 추진하였다.
ㄹ. 홍산 대첩에서 왜구를 격퇴하였다.

① ㄱ, ㄴ ② ㄱ, ㄷ ③ ㄴ, ㄷ
④ ㄴ, ㄹ ⑤ ㄷ, ㄹ

## 04 고려의 생활과 문화

**12** 다음 자료와 관련된 왕조 시기의 사회 모습으로 옳은 것은?

> • 박유는 국왕에게 일부다처제를 실시할 것을 건의하였다가 거리에서 여성들에게 손가락질을 당하였다.
> • 경상도의 지방관 손변은 남매가 서로 균등하게 재산을 나누도록 판결하였다.

① 여성은 호주가 될 수 없었다.
② 여성은 관직 진출에 차별을 받지 않았다.
③ 남녀 모두 재혼은 원칙적으로 금지되었다.
④ 주로 여자가 남자의 집에 가서 혼인하였다.
⑤ 남녀 구분 없이 태어난 순서대로 호적을 기재하였다.

**13** 밑줄 친 '이 탑'이 제작된 시기에 고려에서 볼 수 있었던 모습으로 가장 적절한 것은?

> 이 탑은 고려 후기를 대표하는 탑으로 원의 정치적 영향력이 강해진 시기에 제작되었다. 대리석으로 제작되었으며 원의 영향을 받아 독특한 형태이다.

① 매를 사육하는 응방의 관리
② 팔만대장경을 목판에 새기는 기술자
③ 강화도 천도를 준비하는 무신 권력자
④ 개경에 침입한 홍건적과 싸우는 병사
⑤ 금과의 사대 외교에 반대하는 조정 대신

**14** 고려 시대의 문화에 대한 설명 중 옳지 않은 것은?

① 독자적인 화풍의 수월관음도가 그려졌다.
② 지방색이 강한 석불과 철불이 제작되었다.
③ 청자와 나전 칠기 제작 기술이 발달하였다.
④ 최무선의 건의로 화약 무기를 만들기 위한 화통도감이 설치되었다.
⑤ 현재 전하는 금속 활자본 중 세계에서 가장 오래된 상정고금예문이 인쇄되었다.

### 서술형

**15** 밑줄 친 '이 사건'을 주도한 세력이 주장한 내용을 세 가지 서술하시오.

> 역사학자 신채호는 이 사건에 대하여 다음과 같이 평가하였다. "이 싸움에서 묘청 등이 패하고 김부식이 승리하였으므로 조선 역사가 사대적, 보수적, 속박적인 유교 사상에 정복되고 말았다. 이를 어찌 일천년래 제일 대사건이라 하지 아니하랴."

**16** ㉠에 해당하는 사례를 서술하시오.

> 고려는 몽골(원)과의 오랜 전쟁 후 강화를 맺고 독립국의 지위를 유지하였다. 그러나 원은 고려의 내정을 간섭하고 자주성에 손상을 입혔으며, ㉠고려 영토의 일부에 지배 기구를 설치하고 직접 지배하였다.

**17** 다음을 읽고 물음에 답하시오.

> (가) 문종의 넷째 아들로 출가하여 승려가 되었으며 천태종을 창시하였다.
> (나) 무신 정권기에 활약한 승려로 수선사(송광사)를 근거지로 불교 개혁 운동을 펼쳤다.

(1) (가), (나)에 해당하는 인물을 각각 쓰시오.

(2) (가), (나) 인물이 교종과 선종의 통합을 시도하는 과정에서 보인 차이점을 서술하시오.

## 최고난도 문제

**01** **(가)~(마) 인물에 대한 설명으로 옳지 <u>않은</u> 것은?**

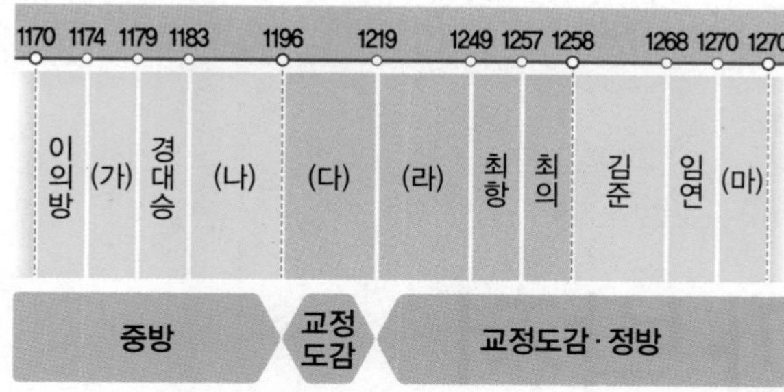

고려 시대의 무신 집권자와 집권 기구

① (가) – 무신 정변을 주도하였다.
② (나) – 천민 출신으로 최고 권력자의 자리에 올랐다.
③ (다) – 이의민을 죽이고 권력을 차지하였다.
④ (라) – 강화도로 수도를 옮기고 몽골에 저항하였다.
⑤ (마) – 원의 요구에 굴복하여 개경 환도를 추진하였다.

**풀이 비법**

① 주어진 자료에 들어갈 (가)~(마) 인물이 누구인지 파악한다.
② 각 인물에 대한 설명 중 옳지 않은 것을 고른다.

**02** **(가), (나) 시기 사이에 일어난 사실로 옳은 것은?**

> (가) 금에서 보낸 국서에, '형인 금 황제는 아우인 고려 국왕에게 문서를 보낸다. …… 고려는 우리와 형제의 관계를 맺어야 한다.'라고 하였다. 고려에서는 이를 받아들이지 않았다.
> (나) 인종이 관료들을 모아 금에 사대할 것을 물으니 모두가 거부하였으나, 이자겸과 척준경이 "금은 날로 강대해지고 있으며, 우리와 국경을 맞대고 있습니다. 소국이 대국을 섬겨야 할 것입니다."라고 찬성하자, 그대로 따랐다.

① 금(여진)이 거란을 멸망시켰다.
② 고려 정부가 개경으로 환도하였다.
③ 양규가 거란과의 전투에서 활약하였다.
④ 윤관이 이끄는 별무반이 여진을 정벌하였다.
⑤ 몽골 사신 저고여가 압록강 근처에서 살해되었다.

**풀이 비법**

① (가) 사료에 나타난 상황은 금이 고려에 형제 관계를 요구한 것이고, (나) 사료에 나타난 상황은 고려와 금이 사대 관계를 맺는 상황임을 파악한다.
② (가)와 (나) 시기 사이에 일어난 역사적 사실을 고른다.

# IV
# 조선의 성립과 발전

이 단원의 **목차**

▼ 종묘(서울 종로)

| 사진으로 맛보기 |

사진은 서울 종로에 위치한 종묘입니다. 종묘는 조선 시대 역대 왕과 왕비의 신위를 모셔 놓은 사당으로, 이곳에서는 왕실의 조상에게 제사를 올리는 제례 의식이 성대하게 치러졌습니다. 이를 통해 왕권의 존엄성을 과시하고 유교 윤리와 성리학적 사회 질서를 보급하고자 하였습니다.

| 단원 열기 |

이 단원에서는 조선의 성립 이후 양 난까지 정치와 문화의 발전 과정을 배웁니다. 통치 체제 정비와 대외 관계의 변화, 사림의 등장과 성리학적 사회 질서의 정착, 유교 문화 보급, 민족 문화의 발달 과정을 배웁니다. 또한 왜란과 호란의 과정을 살펴보고 전쟁이 미친 영향을 알아봅니다.

Ⅳ. 조선의 성립과 발전

# 1 통치 체제와 대외 관계

교과서 108~115쪽

## 1 조선의 건국

### 1. 조선의 건국 과정

(1) **위화도 회군(1388)**: 이성계와 신진 사대부의 권력 장악 → 개혁 추진
(권문세족의 횡포와 불교의 폐단 비판, 성리학을 바탕으로 추진)

(2) **신진 사대부의 개혁 추진**

① 이성계와 함께 정도전, 조준 등이 과전법 시행(1391)

② 이색, 정몽주 등은 고려 왕조의 유지 아래 개혁 추진 주장

(3) **조선 건국(1392)**: 이성계 일파와 정도전, 조준 등이 정몽주 등 새 왕조 개창에 반대하는 신진 사대부 제거 → 이성계를 왕으로 추대

### 2. 태조(이성계) 시기의 정치

(1) **건국**: 국호 '조선' 제정, 성리학을 통치 이념으로 수용, 한양 천도(1394)
(경복궁과 종묘, 사직, 관아 등의 주요 건물을 유교 사상에 따라 배치하고, 건물의 이름도 유교 경전에서 따옴)

(2) **정치 운영**: 정도전, 조준 등이 건국 초기의 정치 주도 → 성리학을 바탕으로 새로운 문물제도 정비, 재상 중심의 정치 강조
(현명한 재상이 정치를 이끌어야 한다는 주장)

(3) **제1차 왕자의 난**: 정도전 중심의 정국 운영에 대한 불만 → 이방원이 정도전과 세자 제거 후 권력 장악(1398)
(건국 과정에서 큰 역할을 한 이성계의 다섯째 아들)

**보충 신진 사대부의 분화**

고려 말 신진 사대부는 개혁을 추진하는 과정에서 새 왕조를 건설하는 문제를 두고 급진파와 온건파로 나뉘었다. 정도전, 조준 등 급진파는 개혁을 하기 위해서는 새 왕조를 세워야 한다고 주장한 반면 이색, 정몽주 등은 고려 왕조를 유지하면서 개혁을 추진하자는 입장을 고수하였다.

**과전법**

고려 말 공양왕 때 정도전, 조준 등이 중심이 되어 마련한 토지 제도이다. 권문세족이 권력을 이용하여 불법적으로 차지한 토지를 몰수하고 이를 새롭게 관리가 된 신진 사대부에게 나누어 주었다. 이를 통해 권문세족의 경제적 기반을 약화하고 신진 사대부의 경제적 기반을 마련하였으며, 국가 재정 기반을 확충할 수 있었다.

## 2 통치 체제의 정비

### 1. 유교적 집권 체제의 마련

(1) **태종(이방원)**
(두 차례에 걸친 왕자의 난을 통해 공신 세력을 제거하고 왕위에 올랐으며 국왕 중심으로 정치를 운영)

① **국왕 중심의 정치 운영**: 사병 혁파, 의정부의 권한 약화(재상의 비중 약화), 6조 중심의 정치 제도 마련, 사간원 독립
(6조에서 의정부를 거치지 않고 국왕에게 직접 업무 보고)

② 국가 재정 확보: 호패법 시행, 양전 사업 실시
(16세 이상 모든 남자는 일종의 신분증인 호패를 차고 다니도록 함)

(2) **세종**: 집현전을 정책 연구 기관으로 확대·개편, 경연 활성화, 재상의 역할 강화, 국왕이 직접 인사·군사 업무 처리 → 왕권과 신권의 조화 추구
(경연: 왕과 신하가 모여 유교 경전을 공부하고, 정치 문제에 관해 토의하는 제도)

(3) **세조**: 집현전과 경연 폐지, 의정부의 권한 축소
(세종의 둘째 아들(수양 대군), 정변을 일으켜 어린 조카 단종을 몰아내고 왕위에 오름)

(4) **성종**: 홍문관 설치, 경연 부활, 『경국대전』 완성 → 유교적 통치 체제 마련
(홍문관: 집현전을 계승함)

### 2. 중앙 정치 제도 정비

(1) **정치 운영**: 의정부와 6조를 중심으로 운영

① 의정부: 최고 통치 기구, 3정승(영의정, 좌의정, 우의정)의 합의로 중요한 정책 결정

② 6조: 이·호·예·병·형·공조 → 행정 사무 분담

(2) **3사 운영**: 사헌부(관리 감찰), 사간원(왕의 잘못 비판, 간언), 홍문관(왕의 정치 자문, 중요 문서 작성) → 언론 기능 담당, 권력 독점과 부정 방지의 역할
(간언: 임금에게 옳지 못하거나 잘못된 일을 고치도록 하는 말)

### 3. 지방 행정 제도 정비

(1) **행정 구역**: 전국을 8도로 구분(관찰사 파견), 도 아래 부·목·군·현 설치
(관찰사: '감사'라고도 불리는 각 도의 행정과 재판을 총괄, 수령을 지휘·감독하는 사람)
(부·목·군·현: 고을의 크기에 따라 구분)

(2) **운영**: 대부분의 군현에 지방관(수령) 파견 → 중앙 집권 강화

① **수령**: 지방의 행정, 사법, 군사권 장악 → 농업 발전, 교육 진흥, 조세 징수 등의 업무

② 향리: 6방 구성, 수령 보좌 및 행정 실무 담당, 고려 시대보다 지위 하락
(6방: 중앙의 6조 체제와 같이 구분 → 이·호·예·병·형·공방)
(고려 시대에는 지방 세력가로 영향력이 컸지만, 조선 시대에는 지방 관청 하급 관리의 지위를 가짐)

**보충 조선의 수도 한양**

풍수지리설에 따라 명당으로 꼽히던 한양은 나라의 중앙에 위치하였으며 한강이 흐르고 있어 교통이 편리하였다. 또 주변이 산으로 둘러싸여 방어에도 유리하였다.

**『경국대전』**

세조 때 편찬 작업이 시작되어 성종 때 완성된 조선의 기본 법전이다. 중앙 정치 조직인 6조 체제에 맞추어 이·호·예·병·형·공전의 6전으로 구성되었다. 통치의 기본 원리와 각종 행정 법규를 담고 있으며 유교적 기본 질서인 효와 충을 강조하였다.

## 교과서 속 자료 & 개념

### 조선의 중앙 정치

교과서 112쪽

- 왕
  - 의정부 — 6조
    - 이조: 문관 인사
    - 호조: 조세·재정·호구
    - 예조: 교육·외교·의례
    - 병조: 군사, 무관 인사
    - 형조: 형률
    - 공조: 토목
  - 승정원: 왕명 출납
  - 의금부: 특별 사법
  - 3사
    - 사헌부: 감찰 기관
    - 사간원: 간쟁 기관
    - 홍문관: 문필 기관
  - 춘추관: 역사 편찬
  - 성균관: 교육 기관
  - 한성부: 한성의 행정과 치안 담당

중앙 정치 조직

(자료 해설)

조선의 중앙 정치 조직은 3정승이 모여 정책을 합의하는 의정부와 정책을 집행하는 6조를 중심으로 운영되었다. 그리고 승정원과 의금부는 왕권을 뒷받침하는 역할을 하였다. 승정원은 왕의 비서 기관으로 왕의 명령을 발표하거나 상소문을 처리하는 등의 업무를 맡았고, 의금부는 왕의 명령을 받아 반역죄와 같은 큰 죄를 다스렸다.

언론 기능을 담당하는 3사(사헌부, 사간원, 홍문관)는 왕과 대신들의 국정 운영을 비판하고 관리의 잘못을 감찰하면서 권력의 독점과 부정을 방지하는 역할을 하였다.

### 조선의 지방 행정 제도

교과서 112쪽

조선 전기의 행정 구역

(자료 해설)

조선은 효율적인 지방 통치를 위해 전국을 8도로 나누고, 도에는 고을의 크기에 따라 부·목·군·현을 설치하였다. 또한 특수 행정 구역이었던 향·부곡·소를 일반 군현으로 승격시켰으며, 고려 시대의 속현을 없애고 대부분의 군현에 지방관(수령)을 파견하여 중앙 집권을 강화하였다.

각 도에는 관찰사(감사)를 파견하여 자신이 관할하는 지역의 수령을 지휘하고 감독하게 하였다.

### 수령이 힘써야 할 일곱 가지 일('수령 7사')

교과서 112쪽

1. 농업을 발전시킬 것
2. 백성의 호구를 늘릴 것
3. 학교 교육을 진흥할 것
4. 군사 훈련을 실시하고 군기를 엄정히 할 것
5. 부역을 공평하고 균등하게 부과할 것
6. 소송의 다툼을 적게 할 것
7. 간사하고 교활한 무리를 제거할 것

－「성종실록」

(자료 해설)

수령은 군수와 현령의 줄임말로 '사또', '원님'이라고도 불렸다. 조선 시대의 수령은 고려 시대보다 지위가 강화되어 지방의 행정, 사법, 군사권을 장악하였다. 수령은 자신이 다스리는 군현에서 농업을 장려하고, 세금 징수와 군사 지휘 및 각종 소송 처리 등의 일곱 가지 임무를 수행하는데, 이를 '수령 7사'라고도 한다.

수령의 권한이 강화되면서 고려 시대에 지방의 세력가로 영향력을 행사하였던 향리는 수령의 행정 실무를 보좌하는 하급 관리의 역할을 담당하였다.

**보충 문과 운영**

과거 중 가장 중시된 문과(대과)는 유교 경전에 대한 지식이나 논술 능력을 시험하였다. 초시 합격자가 복시를 통과하여 최종 선발된 33명의 합격자가 되면 임금 앞에서 전시를 치렀으며, 그 결과에 따라 등수와 벼슬이 결정되었다.

**기술관**

국가 경영에 필요한 외국어, 법률, 의학, 천문학 등의 기술학을 담당하는 관리로 역관, 율관, 의관, 천문관 등이 있었다.

**조공과 책봉**

조공은 중국 황제에게 사신을 파견하여 공물을 바치는 일을 말한다. 조선은 조공 사절을 보내 말, 인삼 등의 토산품을 조공품으로 보내고, 명은 약재, 서적 등의 답례품을 보냈다. 조선은 이를 통해 명의 새로운 문물을 받아들였다. 책봉은 중국의 황제가 주변국의 왕에게 사신을 보내 칭호와 임명장, 인장을 수여함으로써 정통성을 인정하는 일을 말한다.

**보충 조선과 명의 사신 파견**

조선은 1년에 세 차례씩 명에 정기적으로 사신을 파견하였으나, 특별한 일이 있을 때는 비정기적으로 여러 가지 명목의 사신을 보냈다. 명도 국왕 책봉이나 물품 교역 등 다양한 목적으로 조선에 사신을 파견하였다.

**보충 3포 개항**

부산포(부산 동래), 제포(창원 진해), 염포(울산)를 말한다. 조선은 일본이 무역을 요청하자 3포를 개항하고 합법적인 교역을 통해 왜구의 약탈을 줄이고자 하였다.

### 4. 교육과 관리 선발

(1) **성균관**: 최고 교육 기관

① 역할: 유교 성현의 제사(석전제), 수준 높은 유학 교육 → 유교적 관리 양성이 목적

② 입학 자격: 원칙적으로 생원·진사과(소과) 합격자

(생원과는 유교 경전에 관한 지식을, 진사과는 시와 문장 등의 능력을 시험)

(2) **관리 등용 제도**

① 과거: 관리 선발의 주요 방식 → 정기 시험과 특별 시험 시행, 양인 이상 응시

(양인: 천인(노비) 신분을 제외한 모든 사람)

| 구분 | 내용 | 절차 |
|---|---|---|
| 문과 | • 문관 선발, 대부분 양반 자제들이 합격<br>• 원칙적으로 생원·진사과 합격자가 응시 | 초시 – 복시 – 전시의 3단계 시험 절차 진행 |
| 무과 | • 무관 선발, 조선 시대에 본격적으로 시행<br>• 양반 자제들이 응시, 향리나 상민의 자제들도 응시 | |
| 잡과 | • 기술관 선발, 해당 관청에서 잡학을 공부한 생도가 응시 (생도: 주로 기술관이나 향리의 자제들)<br>• 역과, 율과, 의과, 음양과로 구분 | |

② 음서, 천거: 고려 시대에 비해 음서 비중 축소, 천거로 관리 임용의 경우가 많지 않음

(천거: 고위 관료의 추천을 받아 간단한 시험을 치른 후 관직에 등용하는 제도)

## 3 조선 전기의 대외 관계

### 1. 외교 형성

(1) **기본 원칙**: 유교적 통치 이념에 따른 사대교린

(2) **사대 정책**: 명과의 외교, 친선 관계 유지 → 정치적 안정과 경제적·문화적 실리 추구

(사대: '작은 나라가 큰 나라를 섬긴다'는 의미)

(3) **교린 정책**: 여진 및 일본과의 외교, 회유책과 강경책 병행 → 국경 지역 안정과 평화 유지의 의도

(교린: '이웃 나라와 교류한다'는 의미)

(강경책: 국경 침범과 약탈 등의 문제에 군사적으로 대응함)

### 2. 명과의 외교

(1) **조공과 책봉 형성**: 명의 권위를 인정하는 형식적인 외교 관계 → 사신 왕래를 통해 경제적인 교역과 함께 새로운 문물 수용

(형식적인 외교 관계: 조선은 내정이나 외교에서 명의 간섭을 받지 않았음)

(2) **명과의 관계 변화**

① 태조: 정도전을 중심으로 요동 정벌 계획 → 양국 사이에 갈등 형성

② 태종 이후: 안정적인 친선 관계 유지

### 3. 여진과 일본과의 외교

(1) **여진과의 외교**

① 회유책: 국경 지역에 무역소 설치·교역 허용, 조선에 협력하거나 귀화인에게 관직, 토지 등 하사

② 강경책: 세종 때 압록강과 두만강 유역의 여진족 토벌 → 4군(최윤덕), 6진(김종서) 설치 → 개척한 영토에 삼남 지방 주민을 이주시킴(사민 정책)

(삼남 지방: 충청도, 전라도, 경상도)

(2) **일본과의 외교**

① 회유책: 3포 개항(제한적인 교역 허용), 조선에 협력하거나 귀화인에게 관직, 토지 등 하사

② 강경책: 세종 때 왜구의 근거지인 쓰시마섬 토벌(이종무)

### 4. 그 외의 외교: 류큐(오키나와), 자와(인도네시아), 시암(타이) 등과 교류 → 주로 토산품을 가져와 옷감, 문방구 등과 교역

(류큐: 류큐 왕국이라는 독립국으로 조선과 특히 활발하게 교역함. 19세기 후반 일본에 합쳐져 현재는 오키나와로 불림)

## 교과서 속 자료 & 개념

### 조선의 과거제 운영

교과서 113쪽

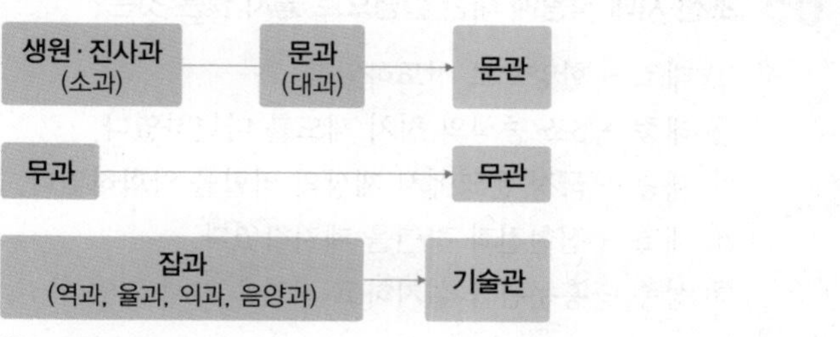


조선의 과거제

(자료 해설)

조선 시대에는 주로 과거를 통해 관리를 등용하였으며, 문과와 함께 무과가 본격적으로 시행되어 양반 관료 체제를 뒷받침하였다.

과거 시험에는 3년마다 시행하는 정기 시험인 식년시와 나라에 경사가 있거나 특별한 일이 있을 때 수시로 치르는 특별 시험인 별시가 있었다. 문과(대과)의 경우 원칙적으로 예비 시험으로 치러지는 생원·진사과(소과, 초시–복시 2단계 시험)에 합격한 사람들만 응시할 수 있었다. 문과와 무과는 초시–복시–전시의 3단계 시험 절차로 진행되었으며, 최종적으로 문과는 33명, 무과는 28명의 합격자가 선발되었다.

### 4군과 6진의 개척

교과서 115쪽

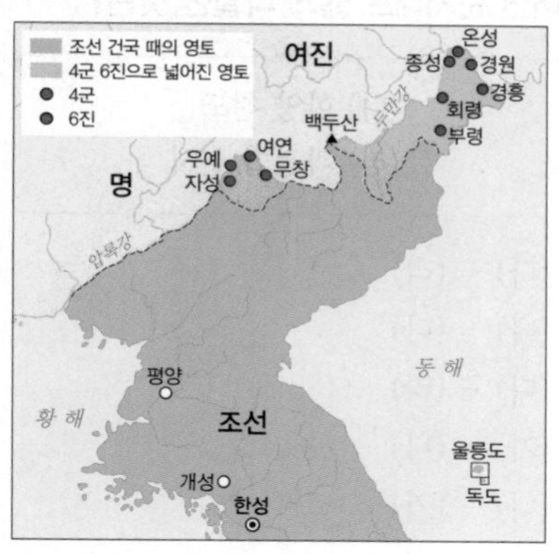


(자료 해설)

세종은 여진이 국경을 침범하자 최윤덕을 압록강 유역에 파견하여 4군을 개척하고 김종서를 두만강 유역으로 파견하여 6진을 개척하였다. 이로써 압록강~두만강을 연결하는 오늘날의 국경선이 형성되었다. 또한 세종은 새로 개척한 영토를 개발하고 안정적으로 방어하기 위해 삼남 지방의 주민을 이주시키는 사민 정책을 실시하였다. 이주한 백성에게는 특수 관직을 주거나 역을 면제해 주기도 하 였다.

## 개념 꿀꺽

**1. 빈칸에 알맞은 말을 쓰시오.**

(1) 이성계와 정도전, 조준 등 신진 사대부는 (　　　)을/를 실시하여 문란해진 토지 제도를 바로잡고자 하였다.

(2) 조선의 최고 통치 기구인 (　　　)은/는 3정승의 합의로 나라의 중요한 정책을 결정하였다.

(3) 조선 시대에는 전국을 8도로 나누고 각 도의 행정을 총괄하는 (　　　)을/를 파견하였다.

(4) 조선은 (　　　) 정책으로 명과의 친선 관계를 유지하고 경제적·문화적 실리를 추구하였다.

(5) 세종 때 압록강과 두만강 유역에 최윤덕과 김종서를 보내 (　　　)을/를 몰아내고 4군과 6진을 설치하였다.

**2. 다음 왕의 업적을 옳게 연결하시오.**

(1) 태종 •　　　　• ㉠ 호패법 실시

(2) 세종 •　　　　• ㉡ 경국대전 완성

(3) 성종 •　　　　• ㉢ 집현전 확대·개편

정답
1. (1) 과전법 (2) 의정부 (3) 관찰사(감사) (4) 사대 (5) 여진(족)
2. (1) ㉠ (2) ㉢ (3) ㉡

## 기초 튼튼 | 기본문제

**01** 다음 사건들을 일어난 순서대로 옳게 나열한 것은?

| | |
|---|---|
| (가) 조선 건국 | (나) 한양 천도 |
| (다) 위화도 회군 | (라) 과전법 실시 |

① (가) – (나) – (다) – (라)
② (가) – (라) – (나) – (다)
③ (나) – (가) – (다) – (라)
④ (다) – (라) – (가) – (나)
⑤ (라) – (다) – (나) – (가)

**02** 다음에서 설명하는 인물은?

> 조선 건국 초기의 정치를 주도하여 재상 중심의 정치를 강조하였으며, 유교 이념을 바탕으로 경복궁의 주요 건물 이름을 짓는 등 새로운 문물제도를 정비하는 데 앞장섰다.

① 이색 ② 조준 ③ 정도전
④ 정몽주 ⑤ 이방원

**03** (가)에 들어갈 내용으로 옳은 것은?

> 한양 도성의 4대문은 (가) 이념에 따라 흥인지문(동), 돈의문(서), 숭례문(남), 숙정문(북)이라는 이름이 붙여졌다.

① 유교 ② 불교 ③ 도교
④ 미륵 신앙 ⑤ 풍수지리설

**04** 다음에서 설명하는 인물이 펼친 정책으로 옳은 것만을 <보기>에서 고른 것은?

> 이성계의 다섯째 아들로 조선 건국에 크게 기여하였다. 제1차 왕자의 난을 일으켜 정도전 등을 제거하고 권력을 장악한 이후 왕위에 올랐다.

**보기**

| | |
|---|---|
| ㄱ. 사병 혁파 | ㄴ. 집현전 폐지 |
| ㄷ. 호패법 실시 | ㄹ. 홍문관 설치 |

① ㄱ, ㄴ ② ㄱ, ㄷ ③ ㄴ, ㄷ
④ ㄴ, ㄹ ⑤ ㄷ, ㄹ

중요
**05** 조선 시대 국왕에 대한 설명으로 옳지 않은 것은?

① 태조 – 한양으로 천도하였다.
② 태종 – 6조 중심의 정치 제도를 마련하였다.
③ 세종 – 국정 운영에서 재상의 역할을 약화하였다.
④ 세조 – 집현전과 경연을 폐지하였다.
⑤ 성종 – 홍문관을 설치하고 경연을 다시 열었다.

**06** (가)에 들어갈 내용으로 옳은 것은?

① 사간원 ② 홍문관 ③ 집현전
④ 한성부 ⑤ 성균관

단답형
**07** 다음에서 설명하는 법전을 쓰시오.

> 세조 때 편찬 작업이 시작되어 성종 때 완성된 조선의 기본 법전이며, 이·호·예·병·형·공전의 6전으로 구성되었다.

( )

**08** (가)에 들어갈 내용으로 옳은 것은?

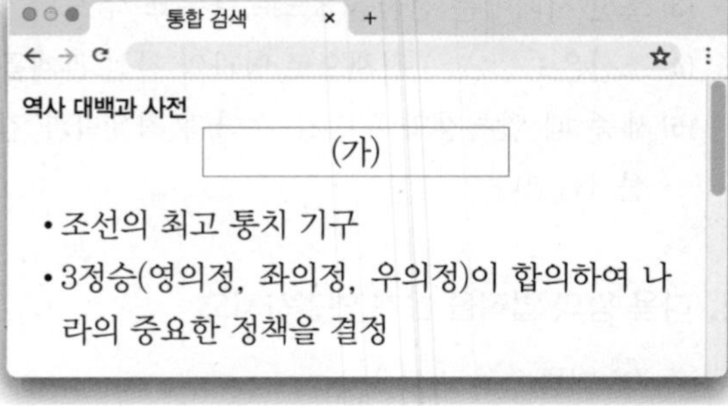


① 6조 ② 의정부 ③ 춘추관
④ 의금부 ⑤ 사헌부

중요
## 09 (가)~(다)에 들어갈 통치 기구를 옳게 짝지은 것은?

〈조선의 3사와 그 역할〉
- (가) : 왕이 올바르게 정치하도록 일깨움
- (나) : 관리의 잘못을 감찰
- (다) : 왕의 정치 자문, 중요 문서 작성

| | (가) | (나) | (다) |
|---|---|---|---|
| ① | 사간원 | 사헌부 | 홍문관 |
| ② | 사간원 | 홍문관 | 사헌부 |
| ③ | 사헌부 | 사간원 | 홍문관 |
| ④ | 사헌부 | 홍문관 | 사간원 |
| ⑤ | 홍문관 | 사헌부 | 사간원 |

중요
## 10 선생님의 질문에 대한 학생의 답변으로 옳지 않은 것은?

① 각 도에는 관찰사가 파견되었어요.
② 전국을 8도로 나누어 통치하였어요.
③ 도 아래에 부·목·군·현을 두었어요.
④ 대부분의 군현에 수령을 파견하였어요.
⑤ 고려 시대보다 지위가 높아진 향리가 지방 행정의 실무를 담당하였어요.

## 11 조선 시대 관리 등용에 대한 설명으로 옳은 것은?

① 무과가 시행되지 않았다.
② 매년 정기적으로 과거 시험을 시행하였다.
③ 주로 음서와 천거를 통해 관리를 선발하였다.
④ 신분과 관계없이 누구나 과거 응시가 가능하였다.
⑤ 잡과에는 주로 기술관과 향리의 자제들이 응시하였다.

단답형
## 12 (가)에 들어갈 알맞은 말을 쓰시오.

조선은 (가) 을/를 외교의 기본 원칙으로 삼았다. 명과는 친선 관계를 유지하면서 실리를 추구하였고, 여진 및 일본에게는 회유책과 강경책을 함께 사용하였다.

(　　　　　)

## 13 밑줄 친 ㉠~㉤의 내용 중 옳지 않은 것은?

〈조선 전기의 대외 관계〉
1. 명과의 관계: ㉠조공과 책봉 관계를 수립하면서 내정 간섭을 받음
2. 여진과의 관계: ㉡세종 때에 4군과 6진을 개척, ㉢무역소를 두고 교역함
3. 일본과의 관계: 세종 때에 ㉣이종무가 왜구의 근거지인 쓰시마섬을 토벌, ㉤3포를 개항하여 제한적인 무역을 허용함

① ㉠　② ㉡　③ ㉢　④ ㉣　⑤ ㉤

## 실력 쑥쑥 | 실전문제

**01** 조선이 수도를 한양으로 정한 이유로 적절하지 않은 것은?

① 나라의 중앙에 위치하였다.
② 북진 정책 추진에 이점이 컸다.
③ 풍수지리설에 따라 명당으로 꼽혔다.
④ 한강이 흐르고 있어 교통이 편리하였다.
⑤ 주변이 산으로 둘러싸여 방어에 유리하였다.

**02** (가)에 들어갈 내용으로 가장 적절한 것은?

역사 동아리 활동 보고서 발표회

주제: 한양 정비와 (가)

1. 한양으로 천도하고 궁궐, 종묘, 사직을 배치하다
2. 한양 도성 사대문의 이름에 뜻을 담다
3. 정도전, 경복궁의 주요 건물에 이름을 붙이다

① 권문세족의 몰락 ② 불교문화의 발전
③ 고조선 계승 의식 ④ 유교적 통치 이념의 확립
⑤ 6조 중심의 정치 제도 형성

고난도

**03** 밑줄 친 '나'에 대한 설명으로 옳은 것만을 〈보기〉에서 고른 것은?

상왕(단종)께서 나이가 어려 모든 조치를 의정부 대신에게 맡겨 의논해서 시행하셨다. 나는 몇 명의 재상들이 자기 멋대로 이끌어 가는 정국을 더는 견딜 수 없었다. 나는 정변을 일으켜 역적들을 몰아내고 옛 제도를 회복하였다.

보기

ㄱ. 경연을 활성화하였다.
ㄴ. 집현전을 폐지하였다.
ㄷ. 의정부의 권한을 확대하였다.
ㄹ. 경국대전 편찬을 시작하였다.

① ㄱ, ㄴ ② ㄱ, ㄷ ③ ㄴ, ㄷ
④ ㄴ, ㄹ ⑤ ㄷ, ㄹ

**04** 다음 설명에 해당하는 조선의 중앙 정치 기구로 옳은 것은?

- 언론 기관인 3사 중 하나이다.
- 성종 때 집현전을 계승하여 설치되었다.
- 왕의 정치 자문과 중요 문서 작성을 담당하였다.

① 사간원 ② 사헌부 ③ 홍문관
④ 의정부 ⑤ 승정원

중요

**05** 조선 시대 중앙 정치 기구의 역할에 대한 설명으로 옳지 않은 것은?

① 성균관 – 최고 교육 기관이었다.
② 승정원 – 왕명의 출납을 담당하였다.
③ 춘추관 – 역사서의 편찬을 담당하였다.
④ 6조 – 나라의 행정 실무를 나누어 맡았다.
⑤ 의금부 – 수도의 행정과 치안을 관리하였다.

중요

**06** (가)에 대한 설명으로 옳은 것만을 〈보기〉에서 고른 것은?

조선 시대 (가) 이/가 힘써야 할 일곱 가지

1. 농업을 발전시킬 것
2. 백성의 호구를 늘릴 것
3. 학교 교육을 진흥할 것
4. 군사 훈련을 실시하고 군기를 엄정히 할 것
5. 부역을 공평하고 균등하게 부과할 것
6. 소송의 다툼을 적게 할 것
7. 간사하고 교활한 무리를 제거할 것

–「성종실록」

보기

ㄱ. 전국 대부분의 군현에 파견되었다.
ㄴ. 지방의 행정, 사법, 군사권을 장악하였다.
ㄷ. 각 도에 파견되었으며 관찰사라고 불렸다.
ㄹ. 6방으로 구성되어 행정 실무를 처리하였다.

① ㄱ, ㄴ ② ㄱ, ㄷ ③ ㄴ, ㄷ
④ ㄴ, ㄹ ⑤ ㄷ, ㄹ

고난도+

**07** (가)~(라)에 대한 설명으로 옳지 않은 것은?

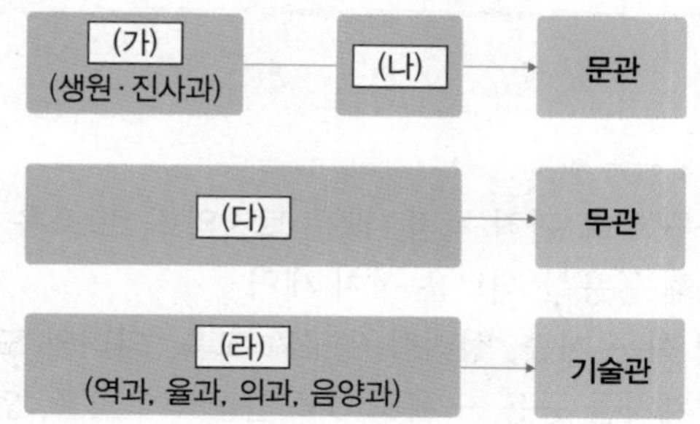


조선의 과거 제도

① (가)는 초시－복시－전시의 절차를 통해 치러졌다.
② (나)에 응시하기 위해서는 원칙적으로 (가)에 합격해야 하였다.
③ (다)에는 향리나 상민의 자제가 응시하기도 하였다.
④ (라)에 응시한 사람은 대체로 해당 관청에서 잡학을 공부한 생도였다.
⑤ 법적으로 양인 이상이면 (가)~(라)에 모두 응시할 수 있었다.

**08** 조선 전기의 대외 관계에 대한 설명으로 옳은 것만을 〈보기〉에서 고른 것은?

**보기**

ㄱ. 여진에 3포를 개항하였다.
ㄴ. 류큐, 자와, 시암과도 교류하였다.
ㄷ. 명과의 외교는 조공과 책봉의 형태로 이루어졌다.
ㄹ. 김종서가 왜구의 근거지인 쓰시마섬을 토벌하였다.
ㅁ. 세종 때에는 요동 정벌 및 여진 문제로 명과 갈등을 빚었다.
ㅂ. 4군과 6진 지역을 개척하여 삼남 지방의 주민을 이주시키는 사민 정책을 실시하였다.

① ㄱ, ㄴ, ㄷ ② ㄱ, ㄷ, ㄹ ③ ㄴ, ㄷ, ㅂ
④ ㄴ, ㄹ, ㅁ ⑤ ㄷ, ㅁ, ㅂ

## 서술형

**09** 고려 말 정도전 등이 과전법을 실시한 목적을 세 가지 서술하시오.

**10** (가)에 들어갈 내용을 서술하시오.

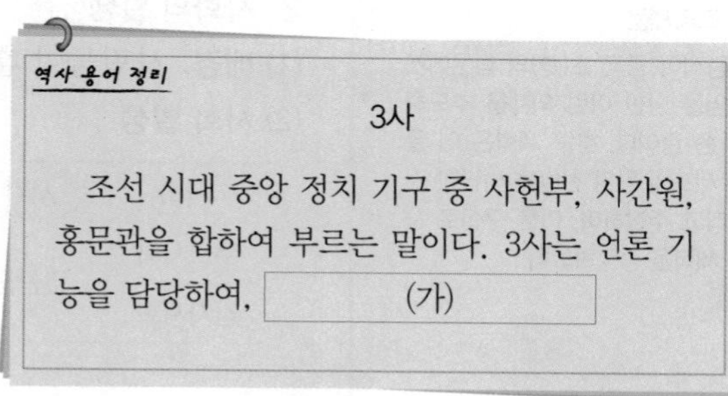

역사 용어 정리

3사

조선 시대 중앙 정치 기구 중 사헌부, 사간원, 홍문관을 합하여 부르는 말이다. 3사는 언론 기능을 담당하여, (가)

**11** 다음 지도를 보고 물음에 답하시오.

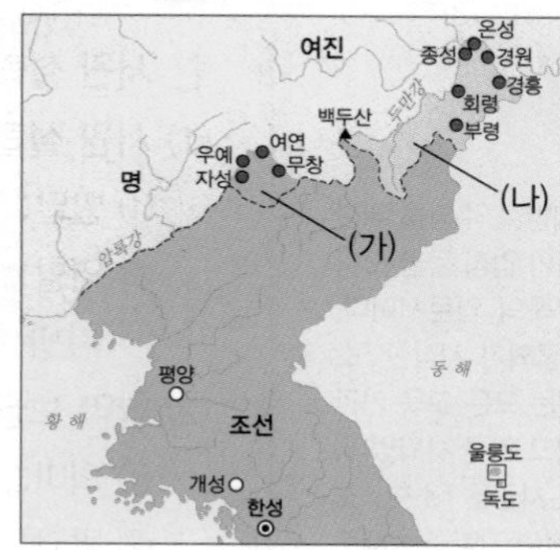


(1) 세종 때 (가), (나) 지역의 개척을 주도한 인물을 각각 쓰시오.

(2) 오늘날 (가), (나) 지역의 개척이 가지는 역사적 의의를 서술하시오.

# 사림 세력과 정치 변화 ~ 문화의 발달과 사회 변화

교과서 116~131쪽

## 1 사림 세력의 등장

### 1. 훈구와 사림

(1) **훈구**: 계유정난을 도운 공신 세력 → 주요 관직 독점, 많은 토지와 노비 소유 (공신 세력: 대표적 인물로 한명회, 신숙주, 정인지 등이 있음)

(2) **사림**: 성종이 훈구 세력 견제를 위해 등용한 새로운 정치 세력

① 특징: 정몽주, 길재 등 유학자의 학통 계승, 성리학 연구와 교육, 의리와 도덕 중시

② 정계 진출: 성종 때 김종직과 그 제자들 등용 → 주로 3사 언관직에 임용, 언론 활동, 훈구 세력의 잘못 비판, 정치 개혁 주장 (김종직과 그 제자들: 주로 영남 지방 출신의 인재)

### 2. 사화의 발생

(1) **배경**: 사림들이 훈구 세력 비판 → 두 세력 간 정치적 대립 격화

(2) **사화 발생**

| 사화 | 시기 | 내용 |
|---|---|---|
| 무오사화 | 연산군 | 훈구 세력이 조의제문을 문제 삼아 사림 세력 공격 |
| 갑자사화 | 연산군 | 연산군이 친어머니 폐위 사건의 관련자를 탄압 |
| 기묘사화 | 중종 | 중종반정의 공신 세력 견제 목적으로 조광조 등 사림 등용 → 조광조의 개혁(3사의 언론 활동 활성화, 현량과 실시, 『소학』과 향약 보급, 일부 반정 공신의 공훈 삭제 주장) → 훈구 세력의 반발 → 조광조를 비롯한 사림을 제거·축출 |
| 을사사화 | 명종 | 외척 세력 간 권력 다툼으로 사림이 큰 피해를 입음 |

- 중종반정: 연산군을 내쫓고 중종을 왕으로 세운 사건
- 조의제문을 문제 삼아: 『성종실록』 편찬 과정에서 김종직의 제자이자 사관인 김일손이 조의제문을 사초에 넣은 사실을 문제 삼음
- 갑자사화: 연산군이 친모 윤씨의 폐위 사건과 관련 있는 사람들을 무자비하게 처벌하면서 사림뿐만 아니라 훈구도 큰 피해를 입음
- 일부 반정 공신의 공훈 삭제 주장: 중종반정의 공신 중 일부는 위훈(거짓 공훈)으로 공신의 칭호를 받았기 때문에 이를 삭제해야 한다고 주장

## 2 사림의 집권과 붕당의 형성

### 1. 서원 설립과 향약 보급

(서원: 지방에 설립된 사립 교육 기관)

(1) **서원 설립**: 중종 때 풍기 군수 주세붕의 백운동 서원 건립이 시초

① 발달: 백운동 서원이 최초의 사액 서원이 됨 → 이후 사림이 전국 각지에 서원 건립 (사액 서원: 국왕에게서 서원의 이름이 적힌 현판을 받은 서원)

② 역할: 덕망 높은 유학자 제사, 지방 양반의 자제 교육, 공론 결집 → 성리학 확산과 지방 문화 발달에 기여, 사림의 결속 강화 (공론: 사림들이 당연하다고 생각하는 여론 / 사림의 결속 강화: 학파와 붕당의 근거지가 됨)

(2) **향약 보급**

① 의미: 마을 공동체의 전통에 유교 윤리 결합, 향촌의 자치 규약

② 발달: 조광조 등이 보급 시작 → 16세기 후반 이황, 이이 등 사림의 노력으로 확산

③ 영향: 사림이 조직과 운영 주도, 향촌 사회의 풍속 교화와 질서 유지에 기여

### 2. 사림의 집권과 붕당 형성

(1) **사림의 집권**: 서원, 향약을 기반으로 향촌에서 꾸준히 성장 → 선조 때부터 정국 장악

(2) **붕당의 형성**: 외척 정치 처리와 이조 전랑 임명을 둘러싸고 사림 내 갈등으로 분화 (선조 때 김효원과 심의겸이 이조 전랑 임명 문제로 갈등을 벌이면서 동인과 서인이 형성됨)

① 동인: 외척 정치 청산에 적극적, 선조 때 정계에 진출하기 시작한 사림 중심, 주로 이황과 조식의 제자로 영남 출신 사림들

② 서인: 외척 정치 청산에 소극적, 명종 때부터 정치에 참여한 사림 중심, 주로 이이와 성혼의 학문을 따른 기호 지방의 사림들

---

**보충 계유정난**

1453년(단종 1) 수양 대군이 왕이 되고자 김종서 등의 반대파를 제거하고 정권을 장악한 사건이다. 이후 수양 대군은 어린 조카 단종을 폐위하고 왕위에 올랐다.

**조의제문**

김종직이 중국 초(楚)의 항우에게 죽임을 당한 어린 의제를 추모하여 쓴 글이다. 훈구 세력은 이 글이 세조의 왕위 찬탈을 비난한 것이라고 주장하며, 이를 구실로 사림 세력을 공격하였다.

**보충 현량과 시행**

현량과는 중종 때 조광조의 건의에 따라 시행된 관리 선발 제도이다. 학문과 덕행이 뛰어난 인재를 추천 받아 과거를 치르지 않고 궁궐에서 당시 정치에 관한 정책 등을 논하는 시험을 보아 관리로 선발하였다. 이를 통해 많은 사림이 정계에 진출하였다.

**보충 『소학』**

일상생활의 예의범절, 수양을 위한 격언, 충신·효자의 업적 등을 모아 편찬한 유학 교육의 입문서이다. 고려 말부터 보급되기 시작한 『소학』은 조선 초에는 모든 교육 기관에서 필수 과목으로 중시되었다. 이후 조광조 등 사림은 『소학』 교육을 통해 성리학이 지향하는 새로운 질서를 실현할 수 있다고 여겨 널리 보급하는 데 힘썼다.

**이조 전랑**

이조의 정랑과 좌랑을 합하여 부르는 말이다. 후임 전랑을 추천하고 3사 관리의 임명에 영향력을 행사하는 등 특권을 가졌다.

교과서 속 **자료 & 개념**

## 사림의 성장

교과서 117쪽

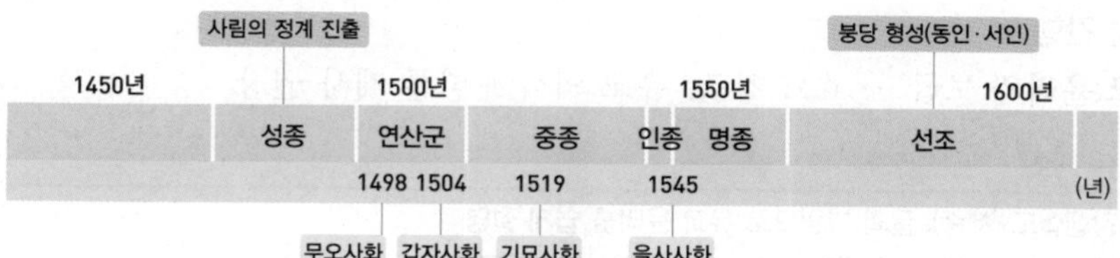


사림의 성장과 붕당의 형성

**자료 해설**

성종 때 중앙 정계에 진출하여 성장하던 사림은 연산군 때부터 명종 때까지 네 차례의 사화를 겪으면서 큰 피해를 입었지만, 지방에서 서원과 향약을 기반으로 세력을 꾸준히 확대하였다. 그리고 선조 때 다시 중앙 정계에 진출하여 정치 주도권을 잡았다. 그런데 정국을 주도한 사림 내부에서는 명종 때 정치에 참여한 외척의 처리 문제를 두고 갈등이 나타났고, 공론 형성에 중요한 역할을 하는 이조 전랑의 임명 문제까지 더해져 갈등은 심화되었다. 결국 사림 세력은 새로 정계에 나온 신진 사림 중심의 동인과 명종 때부터 정치에 참여하고 있던 기성 사림 중심의 서인으로 나뉘어 붕당을 형성하였다.

## 향약의 보급

교과서 120쪽

남송의 주희가 첨삭한 『여씨향약』을 해석하여 간행한 『주자증손여씨향약』

**〈향약의 4대 덕목〉**

- 덕업상권: 좋은 일은 서로 권한다.
- 예속상교: 예의 바른 풍속으로 서로 교제한다.
- 과실상규: 잘못된 것은 서로 규제한다.
- 환난상휼: 어려운 일은 서로 돕는다.

**자료 해설**

향약은 예로부터 내려온 마을 공동체의 상부상조 전통에 유교 윤리가 결합하여 만들어졌다. 중종 때 조광조 등이 중국에서 만들어진 향약을 보급하기 시작하였고, 16세기 후반 이황과 이이 등 사림의 노력으로 널리 확산되면서 점차 지역별로 우리나라의 실정에 맞는 향약이 만들어졌다. 사림은 향촌 사회에서 향약의 4대 덕목을 강조하고 유교 윤리를 보급하였으며, 규정을 어긴 사람에게 벌을 주는 등 향약의 운영을 주도하면서 영향력을 확대하였다.

## 영주 소수서원

교과서 122쪽

영주 소수서원과 현판

**자료 해설**

소수서원은 성리학을 처음 들여온 고려 말의 유학자 안향을 추모하고 후학을 양성하기 위해 설립된 우리나라 최초의 서원이다. 중종 때 풍기 군수 주세붕이 세웠으며, 본래 이름은 백운동 서원이었으나 명종 때 이황의 건의로 '소수서원' 이라는 현판을 받아 최초의 사액 서원이 되었다.

이후 전국 각지에서 서원 설립이 활발해지고 그 수가 늘어났다. 국가에서는 주요 서원을 사액 서원으로 지정하여 서적, 토지, 노비 등을 하사하고 세금을 면제하기도 하였다.

## 3 유교 윤리의 보급

### 1. 윤리서와 의례서 간행

(1) **편찬 목적**: 유교 윤리의 보급 → 효도 강조, 유교 의식에 따른 제사 권장

(2) **편찬 작업**

| | |
|---|---|
| 윤리서 | •『삼강행실도』(세종): 글과 그림으로 유교 윤리를 쉽게 설명<br>•『이륜행실도』(16세기): 연장자와 연소자, 친구 사이의 윤리 설명 |
| 의례서 | •『국조오례의』(성종): 국가와 왕실의 의례 정리 (길례, 가례, 빈례, 군례, 흉례에 대한 의식과 예법을 정리)<br>•『악학궤범』(성종): 궁중 의식에 사용되는 음악, 악기, 무용 등 정리<br>• 16세기 『주자가례』가 양반층을 중심으로 보급됨 |

### 2. 성리학적 사회 질서의 보급

(1) **삼강오륜 보급**: 국가의 윤리서 간행, 충신·효자·열녀 표창, 사림의 『소학』 보급

(2) **의례와 가족 제도 변화**: 양반들이 『주자가례』에 따른 관혼상제 시행, 족보 중시

족보: 가족과 친족의 혈통 관계를 밝혀 주는 기록으로 종족 내부의 결속 강화, 양반 가문의 신분적 우위 강조

## 4 민족 문화의 발달

### 1. 훈민정음의 창제

(1) **창제와 반포**: 한자 교육의 어려움과 사용 불편 → 훈민정음 반포(세종, 1446)

훈민정음: '백성을 가르치는 바른 소리'의 의미, 28자의 소리글자로 만들어짐

(2) **특징**: 우리말을 소리 나는 대로 표현(과학적, 독창적) → 누구나 쉽게 배울 수 있음

(3) **적용**: 『용비어천가』 편찬, 불경·농서 등을 번역, 하급 관리 선발에 활용

하급 관리 선발에 활용: 서리(중앙 관청의 하급 관리) 선발 시험에 훈민정음을 과목으로 추가

### 2. 역사서와 지리서의 편찬

| | |
|---|---|
| 역사서 | 조선 건국의 정당성 강조, 정통성 확립 → 『고려사』, 『고려사절요』, 『동국통감』(고조선~고려 말의 역사 정리), 『조선왕조실록』 |
| 지리서, 지도 | • 지방 통치에 필요한 자료 확보, 국방 강화에 활용 → 『팔도지리지』, 『동국여지승람』(지방의 역사, 인물, 풍속 등 수록) 편찬<br>•「혼일강리역대국도지도」(조선 왕조의 개창을 알리려는 의도가 반영됨) 제작 |

### 3. 양반의 예술 활동

| | |
|---|---|
| 그림 | • 15세기: 안견의 「몽유도원도」(안평 대군이 꿈속에서 보았다는 무릉도원을 표현), 강희안의 「고사관수도」<br>• 16세기: 사군자(매화, 난초, 국화, 대나무)를 그린 문인화 유행 |
| 자기 공예 | 분청사기(15세기)(그릇 표면에 백토를 발라 여러 가지 방법으로 장식한 도자기) → 백자 유행(16세기, 성리학 중심의 가치관 보급 반영) |

## 5 과학 기술의 발달

### 1. 실용적인 과학 기술 발달

실용적인 과학 기술 발달: 유교적 민본 사상에 따라 민생을 안정시키고 부국강병을 이루기 위한 과학 기술의 중요성 인식, 조선 초기부터 국가가 적극적으로 지원

(1) **천문학**: 국왕의 권위 유지, 농경에 필요한 정보 획득에 활용

① 태조 때 「천상열차분야지도」 제작

② 세종 때 발달 → 간의·혼천의(천체 관측), 자격루·앙부일구(시간 측정), 측우기(강수량 측정) 제작, 역법서인 『칠정산』 편찬

칠정산: 중국과 아라비아 역법을 참고하고 한양을 기준으로 천체 운동을 관측하여 간행

(2) **무기술**: 화포 개량, 화차와 신기전 등 제작 → 여진, 왜에 비해 군사적 우위 차지

신기전: 세종 때 제작된 로켓형 화기로 여진족을 토벌할 때 큰 역할을 함

### 2. 인쇄술과 의학 발달

(1) **인쇄술**: 주자소 설치, 계미자(태종)와 갑인자(세종) 제작, 조지서 설치(종이 생산)

(2) **의학**: 『향약집성방』(우리나라 약재를 활용한 치료법 정리), 『의방유취』(의학 백과사전)

주자소: 조선 시대에 활자의 주조를 담당하던 관청

의방유취: 중국, 조선 등 한방 의서들을 종류별로 모아 집대성

---

**보충 「삼강행실도」**

임금과 신하, 부모와 자식, 부부 사이의 윤리를 실천한 인물들을 글과 그림으로 소개한 책이다. 훈민정음으로 설명을 달아 백성이 쉽게 이해할 수 있도록 하였다.

**보충 『주자가례』의 보급**

『주자가례』는 남송의 주희가 관례(성인식), 혼례(결혼), 상례(장례), 제례(제사)의 예법을 정리한 책이다. 양반들은 이에 따라 관례와 친영이 포함된 혼례를 치렀다. 또 유교식으로 장례를 치르고, 집 안에 가묘(사당)를 세워 제사를 지내면서 장자 및 친가 중심의 가족 질서를 이루었다.

**삼강오륜**

'삼강'은 임금과 신하, 부모와 자식, 부부 사이에 지켜야 할 도리이고, '오륜'은 임금과 신하, 부모와 자식, 부부, 연장자와 연소자, 친구 사이에 지켜야 할 인륜을 말한다.

**『용비어천가』**

세종 때 훈민정음으로 편찬한 최초의 문학 작품이다. 왕실 선조들의 행적을 찬양하고, 왕조 창업의 위대함을 밝혔다.

**보충 『조선왕조실록』**

태조~철종까지 25대 472년간의 사실들을 기록한 역사서이다. 국왕이 죽으면 춘추관에 실록청을 설치하고, 실록청에서는 사관이 기록한 사초와 각종 행정 기록, 개인의 저술 등을 모아 내용을 정리하고 다듬는 작업을 거쳐 실록을 편찬하였다. 『조선왕조실록』은 방대한 규모와 내용의 정확성을 인정받아 유네스코 세계 기록 유산으로 등재되었다.

**보충 「천상열차분야지도」**

하늘의 모습인 '천상'을 '차'와 '분야'에 따라 벌려 놓은 지도라는 뜻이다. 돌에 새긴 천문도로 고구려 고분에 새겨진 별자리를 참조하였다.

## 교과서 속 자료 & 개념

### 「혼일강리역대국도지도」

교과서 127쪽

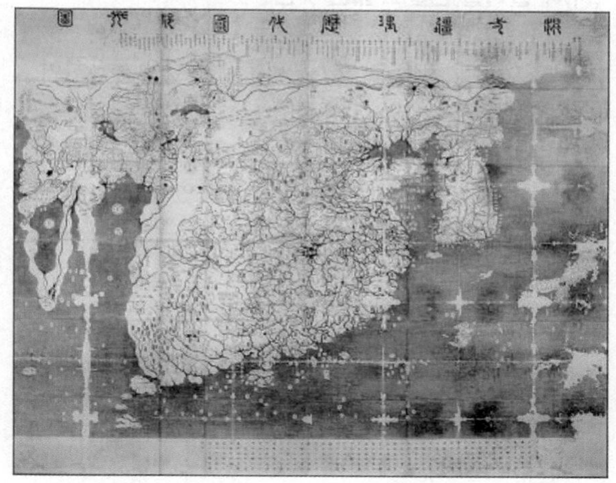

(자료 해설)

태종 때 만들어졌으며, 동양에 남아 있는 세계 지도 중 가장 오래된 것이다. 중국에서 만들어진 「성교광피도」와 「혼일강리도」를 참고하여 만든 지도이며, 한반도가 실제보다 크게 그려져 있어 당시 조선 사대부들의 인식을 엿볼 수 있다. 또한 이슬람 지리학의 영향을 받아 서남아시아, 아프리카, 유럽까지 그려져 있다.

현재 원도는 전하지 않고 4종의 사본만 일본에 남아 있다.

### 과학 기술의 발달

교과서 128, 130쪽

앙부일구

간의

자격루

(자료 해설)

천문학은 국왕의 권위를 유지하고 농경에 필요한 정보를 얻기 위한 목적에서 중요시되었다. 특히 농업을 중시한 조선은 천문 관측을 통해 농사에 필요한 정보를 파악하고 이를 백성에게 전달하고자 하였다.

세종 때는 국가의 적극적인 지원을 받아 과학 기술이 발달하였는데, 정인지와 정초 등 문인 관료들이 천문학의 이론적 연구를 진행하고, 무관 이천과 기술자 장영실 등이 간의·혼천의 등의 천문 관측 기구를 제작하면서 많은 성과를 거두었다. 또한 물의 흐름을 이용해 자동으로 시간을 알려 주는 자격루, 해와 그림자를 이용하여 시간을 나타내는 앙부일구 등이 만들어졌다.

## 개념 꿀꺽

**1. 다음 괄호 안의 내용 중 옳은 것에 ○표 하시오.**

(1) 세조 즉위에 공을 세운 이들이 ( 훈구, 사림 ) 세력을 형성하여 관직을 독점하고 정국을 주도하였다.

(2) ( 동인, 서인 )은 주로 이이와 성혼의 학문을 따르는 기호 지방의 사림이었다.

(3) 성리학 중심의 가치관이 널리 보급되면서 선비들의 취향과 잘 어울리는 ( 백자, 분청사기 )가 유행하였다.

(4) ( 칠정산, 동국여지승람 )은 한양을 기준으로 천체 운동을 관측하여 편찬한 역법서이다.

**2. 다음 내용이 옳으면 ○표, 틀리면 ×표 하시오.**

(1) 갑자사화는 훈구 세력이 김종직의 조의제문을 문제 삼아 일으킨 사건이다. (      )

(2) 사림은 서원을 세우고 향약을 보급하면서 향촌 사회에서 세력을 확대하였다. (      )

(3) 국조오례의는 국가와 왕실의 행사에 필요한 의례를 정리한 책이다. (      )

(4) 조선은 동국통감을 편찬하여 지방 통치에 필요한 자료를 확보하였다. (      )

정답
1. (1) 훈구 (2) 서인 (3) 백자 (4) 칠정산
2. (1) × (2) ○ (3) ○ (4) ×

# 기초 튼튼 | 기본문제

**[01 ~ 02] 다음 글을 읽고 물음에 답하시오.**

> 이들은 정몽주, 길재 등 유학자의 학통을 이어받아 학문과 교육에 힘쓴 사람들로, 성종 때 중앙 정치 무대에 진출하였다.

**01** 밑줄 친 '이들'에 속한 인물은?

① 한명회　② 신숙주　③ 정인지
④ 김종직　⑤ 유자광

중요
**02** 밑줄 친 '이들'에 대한 설명으로 옳은 것만을 〈보기〉에서 고른 것은?

보기
ㄱ. 훈구 세력이라고 불렸다.
ㄴ. 의리와 도덕을 중요시하였다.
ㄷ. 주로 3사의 언관직에 임명되었다.
ㄹ. 계유정난 때 세조를 도와 공신이 되었다.

① ㄱ, ㄴ　② ㄱ, ㄷ　③ ㄴ, ㄷ
④ ㄴ, ㄹ　⑤ ㄷ, ㄹ

**03** 다음에서 설명하는 사건으로 옳은 것은?

> 훈구 세력이 김종직이 쓴 조의제문을 문제 삼아 일으킨 사건이며, 이로 인해 많은 사림이 관직에서 쫓겨나거나 죽임을 당하였다.

① 무오사화　② 갑자사화　③ 을사사화
④ 기묘사화　⑤ 중종반정

**04** 연산군의 재위 시기에 일어난 사건만을 〈보기〉에서 고른 것은?

보기
ㄱ. 무오사화　ㄴ. 갑자사화
ㄷ. 기묘사화　ㄹ. 을사사화

① ㄱ, ㄴ　② ㄱ, ㄷ　③ ㄴ, ㄷ
④ ㄴ, ㄹ　⑤ ㄷ, ㄹ

**05** (가)에 들어갈 인물로 옳은 것은?

> 중종은 (가) 을/를 비롯한 사림을 등용하여 훈구 세력을 견제하고자 하였다. (가) 은/는 현량과를 시행하였으며, 부당하게 공신이 된 자의 거짓 공훈을 삭제해야 한다고 주장하였다.

① 이이　② 이황　③ 조광조
④ 김종직　⑤ 유자광

**06** 기묘사화에 대한 설명으로 옳은 것은?

① 중종반정으로 이어졌다.
② 동인과 서인이 형성되는 계기가 되었다.
③ 조광조의 개혁에 대한 반발에서 비롯되었다.
④ 외척 세력 사이의 권력 다툼으로 시작되었다.
⑤ 한명회, 신숙주 등 훈구 세력이 관직을 독점하고 정국을 주도하는 배경이 되었다.

중요
**07** 서원에 대한 설명으로 옳지 않은 것은?

① 덕망 높은 유학자의 제사를 지냈다.
② 사림의 공론을 모으는 역할을 하였다.
③ 관리를 양성하는 국립 교육 기관이었다.
④ 지방 양반 자제들의 교육을 담당하였다.
⑤ 성리학 확산과 지방 문화 발달에 이바지하였다.

단답형
**08** (가)에 들어갈 알맞은 말을 쓰시오.

> 우리나라 최초의 서원은 중종 때 풍기 군수 주세붕이 세운 (가) 이다.

(　　　　　　)

**09** (가)에 대한 설명으로 옳지 않은 것은?

> 향촌의 자치 규약인 (가) 은/는 중종 때 조광조 등이 보급하기 시작하여 16세기 후반 이황과 이이 등의 노력으로 향촌 사회에 널리 퍼졌다.

① 향촌 사회의 풍속 교화에 많은 역할을 하였다.
② 마을 공동체 전통에 유교 윤리를 더하여 만들어졌다.
③ 군현이나 마을 단위로 시행되어 지역별 특색이 있었다.
④ 훈구 세력이 향촌에서 세력을 키우는 데 배경이 되었다.
⑤ 덕업상권, 예속상교, 과실상규, 환난상휼의 실천을 강조하였다.

중요

**10** 붕당 형성의 배경으로 옳은 것만을 〈보기〉에서 고른 것은?

보기
ㄱ. 훈구 세력과 사림 간의 대립
ㄴ. 향약 보급을 둘러싼 의견 대립
ㄷ. 외척 정치의 청산을 둘러싼 갈등
ㄹ. 이조 전랑 임명 문제를 둘러싼 다툼

① ㄱ, ㄴ ② ㄱ, ㄷ ③ ㄴ, ㄷ
④ ㄴ, ㄹ ⑤ ㄷ, ㄹ

**11** (가), (나)에 들어갈 붕당을 옳게 짝지은 것은?

| 붕당 | 특징 |
|---|---|
| (가) | 명종 때부터 정치에 참여하였으며, 주로 이이와 성혼의 학문을 계승한 사림 세력이 형성 |
| (나) | 대부분 선조 때 정계에 진출하였으며, 주로 이황과 조식의 학문을 계승한 사림 세력이 형성 |

| | (가) | (나) | | (가) | (나) |
|---|---|---|---|---|---|
| ① | 남인 | 북인 | ② | 동인 | 북인 |
| ③ | 동인 | 서인 | ④ | 서인 | 남인 |
| ⑤ | 서인 | 동인 | | | |

**12** (가)에 들어갈 책으로 옳은 것은?

> 세종 때는 군신 간, 부자간, 부부간에 유교 윤리를 실천한 인물들의 행적을 글과 그림으로 설명한 (가) 을/를 편찬하였다.

① 악학궤범 ② 용비어천가
③ 향약집성방 ④ 이륜행실도
⑤ 삼강행실도

**13** 조선 사회에 성리학적 사회 질서가 보급되면서 나타난 변화로 옳지 않은 것은?

① 유교식으로 장례를 치르고 제사를 지냈다.
② 삼강오륜을 강조하는 윤리서가 간행되었다.
③ 양반들은 친영 절차를 생략한 혼례를 치렀다.
④ 친족의 혈통 관계를 밝혀 주는 족보가 중시되었다.
⑤ 국가에서 충신, 효자, 열녀를 찾아내어 상을 주기도 하였다.

단답형

**14** 다음에서 설명하는 책을 쓰시오.

> 일상생활의 예의범절, 수양을 위한 격언, 충신과 효자의 업적 등을 모아 편찬한 책으로 유학 교육의 입문서 역할을 하였다. 사림은 이 책의 보급에 힘써 백성들이 성리학적 생활 규범을 익히도록 하였다.

( )

**15** 훈민정음을 보급하기 위한 노력으로 옳은 것만을 〈보기〉에서 고른 것은?

보기
ㄱ. 조선왕조실록을 편찬하였다.
ㄴ. 서리, 향리에게 훈민정음을 배우게 하였다.
ㄷ. 불경과 농서 등을 훈민정음으로 번역하였다.
ㄹ. 소과 시험을 훈민정음으로 치르도록 하였다.

① ㄱ, ㄴ ② ㄱ, ㄷ ③ ㄴ, ㄷ
④ ㄴ, ㄹ ⑤ ㄷ, ㄹ

**16** 다음 설명에 해당하는 책으로 옳지 않은 것은?

조선은 건국 초기부터 개국의 정당성을 밝히고 정통성을 확립하기 위해 역사서를 편찬하였다.

① 고려사 ② 동국통감
③ 고려사절요 ④ 동국여지승람
⑤ 조선왕조실록

단답형
**17** 다음에서 설명하는 지도의 명칭을 쓰시오.

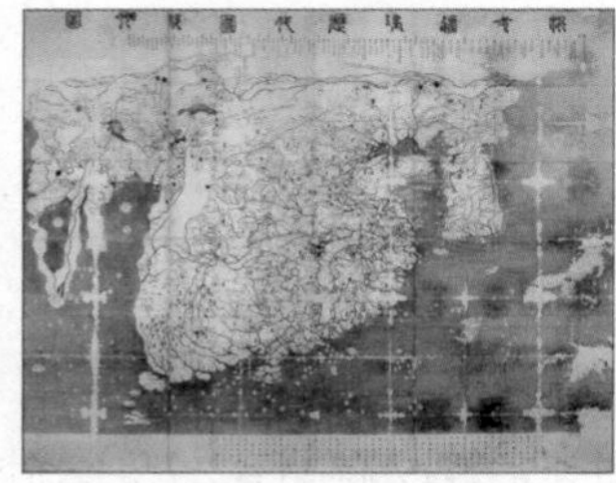

태종 때 만들어진 세계 지도이며 한반도가 실제보다 크게 그려져 있어 당시 조선 사대부들의 세계관을 엿볼 수 있다.

( )

**18** 밑줄 친 '새로운 예술 경향'에 해당하는 사례로 옳은 것만을 〈보기〉에서 고른 것은?

16세기에는 사림이 중앙 정계에 진출하여 성리학 중심의 가치관이 널리 보급되면서 새로운 예술 경향이 나타났다.

보기
ㄱ. 안견이 몽유도원도를 그렸다.
ㄴ. 깨끗함을 강조한 백자가 유행하였다.
ㄷ. 사군자를 소재로 한 문인화가 많이 그려졌다.
ㄹ. 표면에 백토를 발라 장식한 분청사기가 유행하였다.

① ㄱ, ㄴ ② ㄱ, ㄷ ③ ㄴ, ㄷ
④ ㄴ, ㄹ ⑤ ㄷ, ㄹ

중요
**19** 학생이 설명과 함께 제시할 사진 자료로 적절하지 않은 것은?

①

②

③
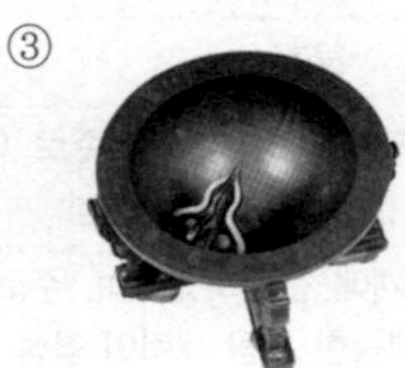

④

⑤

## 실력 쑥쑥 | 실전문제

정답과 해설 229쪽

고난도

**01** (가) 세력에 대한 설명으로 옳은 것은?

① 정몽주와 길재의 학통을 계승하였다.
② 주로 지방에서 학문과 교육에 힘썼다.
③ 계유정난 때 세조를 도와 공신이 되었다.
④ 성종 때 본격적으로 중앙 정치에 진출하였다.
⑤ 의리와 도덕을 중시하였으며 소학 보급을 주도하였다.

중요

**02** (가)~(라)의 사실들을 일어난 순서대로 옳게 나열한 것은?

(가) 훈구 세력의 반발로 조광조를 비롯한 사림이 처형되거나 쫓겨났다.
(나) 김종직이 쓴 조의제문을 문제 삼아 훈구 세력이 사림을 공격하였다.
(다) 명종이 즉위하면서 외척 세력 사이에 권력 다툼이 일어나 사림이 큰 피해를 보았다.
(라) 연산군의 친어머니 폐위 사건에 관련된 사람들을 처벌하는 과정에서 사림이 피해를 보았다.

① (가) - (나) - (다) - (라)
② (가) - (다) - (나) - (라)
③ (나) - (라) - (가) - (다)
④ (나) - (다) - (가) - (라)
⑤ (다) - (라) - (가) - (나)

**03** (가)에 들어갈 내용으로 적절한 것만을 〈보기〉에서 고른 것은?

〈모둠 활동 계획서〉
- 활동 목표: 사림이 향촌 사회에서 꾸준히 세력을 확대할 수 있었던 기반을 알아본다.
- 조사할 내용: (가)

**보기**
ㄱ. 중종반정의 배경
ㄴ. 의금부, 승정원의 업무
ㄷ. 향약의 조직과 운영 방식
ㄹ. 서원의 설립 배경과 역할

① ㄱ, ㄴ ② ㄱ, ㄷ ③ ㄴ, ㄷ
④ ㄴ, ㄹ ⑤ ㄷ, ㄹ

**04** 밑줄 친 ㉠~㉤의 서술 내용이 옳지 않은 것은?

〈유적 답사 보고서〉

- 답사 장소: 영주 소수서원
- 답사를 통해 알게 된 내용

소수서원은 ㉠안향을 추모하고 후학을 양성하기 위해 건립되었다. ㉡중종 때 주세붕에 의해 백운동 서원이라는 이름으로 세워졌으며, ㉢우리나라 최초의 서원이다. ㉣선조 때 나라에서 '소수서원'이라는 현판을 하사받아 ㉤최초의 사액 서원이 되었다.

① ㉠ ② ㉡ ③ ㉢ ④ ㉣ ⑤ ㉤

**[05 ~ 06] 다음 대화를 보고 물음에 답하시오.**

(가) (나)

**05** (가), (나) 붕당을 옳게 짝지은 것은?

| | (가) | (나) | | (가) | (나) |
|---|---|---|---|---|---|
| ① | 북인 | 남인 | ② | 서인 | 남인 |
| ③ | 서인 | 남인 | ④ | 동인 | 북인 |
| ⑤ | 동인 | 서인 | | | |

중요

**06** (가), (나) 붕당에 대한 설명으로 옳지 않은 것은?

① (가) – 대부분 선조 때 정계에 진출하였다.
② (가) – 영남 지방의 사림들이 중심이었다.
③ (나) – 외척 정치의 청산에 소극적이었다.
④ (나) – 주로 이황과 조식의 학문을 계승하였다.
⑤ (가), (나) – 선조 때 형성되었다.

**07** 밑줄 친 ㉠의 사례로 옳은 것만을 〈보기〉에서 고른 것은?

16세기에 『주자가례』가 보급되면서 ㉠ 의례와 가족 제도에 변화가 나타났다.

보기

ㄱ. 불교식 장례가 치러졌다.
ㄴ. 족보의 중요성이 낮아졌다.
ㄷ. 집 안에 가묘를 세워 제사를 지냈다.
ㄹ. 양반들이 관례와 친영이 포함된 혼례를 치렀다.

① ㄱ, ㄴ ② ㄱ, ㄷ ③ ㄴ, ㄷ
④ ㄴ, ㄹ ⑤ ㄷ, ㄹ

**08** (가), (나) 문화유산에 대한 설명으로 옳지 않은 것은?

(가)

(나)

① (가) – 강희안이 그린 그림이다.
② (가) – 안평 대군의 꿈을 소재로 하였다.
③ (나) – 분청사기라고 불린다.
④ (나) – 그릇 표면에 백토를 발라 무늬를 나타냈다.
⑤ (가), (나) – 조선 전기의 작품이다.

고난도

**09** (가)에 들어갈 문화유산으로 적절하지 않은 것은?

한국사 모둠별 수행 평가 안내

• 주제: 세종 재위 시기 민족 문화의 발달
• 수행 과제: 세종 때 제작된 문화유산을 소개하는 역사 신문 만들기

(가)

① 측우기 ② 혼천의 ③ 갑인자
④ 칠정산 ⑤ 천상열차분야지도

**10** (가)에 들어갈 제목으로 가장 적절한 것은?

문화유산으로 보는 조선 전기

(가)

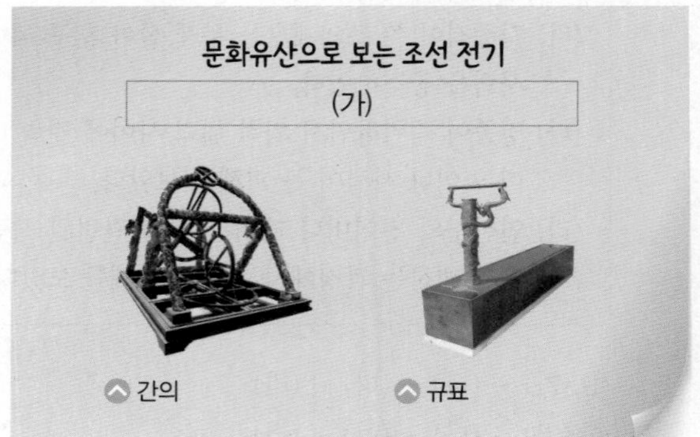


① 천문학의 발달 ② 의학의 발달
③ 인쇄술의 발달 ④ 화약 무기의 발달
⑤ 성리학의 발달

**11** (가), (나)에 들어갈 서적을 옳게 짝지은 것은?

> (가) 은/는 우리나라에서 나는 약재를 활용하는 치료법을 정리한 의학서이고, (나) 은/는 한방 의서들을 종류별로 모아 집대성한 의학 백과사전이었다.

| | (가) | (나) |
|---|---|---|
| ① | 의방유취 | 향약집성방 |
| ② | 의방유취 | 동국여지승람 |
| ③ | 향약집성방 | 의방유취 |
| ④ | 향약집성방 | 동국여지승람 |
| ⑤ | 동국여지승람 | 향약집성방 |

## 서술형

**12** 다음 자료를 읽고 물음에 답하시오.

> 김종직은 학문이 뛰어나고 문장을 잘 지으며 가르치기를 즐겼다. 그에게 배워 과거에 급제한 사람이 많았다. …… 조정에 새로이 진출한 관리들 중에는 ㉠ 김종직과 뜻을 같이하는 사람들이 많았다.
>
> -「성종실록」

(1) 밑줄 친 ㉠이 의미하는 정치 세력을 쓰시오.

(2) 성종이 ㉠의 정치 세력을 등용한 이유를 서술하시오.

**13** 다음 자료를 읽고 물음에 답하시오.

> (가) 의 4대 덕목
> - 덕업상권: 좋은 일은 서로 권한다.
> - 과실상규: 잘못된 것은 서로 규제한다.
> - 예속상교: 예의 바른 풍속으로 서로 교제한다.
> - 환난상휼: 어려운 일은 서로 돕는다.

(1) (가)에 들어갈 말을 쓰시오.

(2) (가)의 보급이 조선 사회에 끼친 영향을 두 가지 서술하시오.

**14** 다음 자료를 참고하여 훈민정음 창제의 역사적 의미를 서술하시오.

> 우리나라 말이 중국과 달라 문자가 통하지 않는다. 이런 이유로 백성들이 말하고 싶은 것이 있어도 제 뜻을 펴지 못하는 사람이 많다. 내가 이것을 가엾게 여겨 새로 스물여덟 글자를 만드니 모든 사람이 쉽게 익혀 날마다 쓰기에 편하게 하고자 한다.
>
> -「훈민정음 해례본」

**15** 다음 제시어를 모두 활용하여 「칠정산」의 특징을 서술하시오.

> • 제시어: 중국, 아라비아, 한양, 역법

# 4 왜란·호란의 발발과 영향

교과서 132~137쪽

## 1 왜란과 그 영향

### 1. 전쟁 발발의 배경

왜구의 근거지 쓰시마섬에 이종무를 보내 토벌

| | |
|---|---|
| 조선 | • 세종 때 쓰시마섬 토벌 이후 오랫동안 평화 유지 → 왜구에 대한 대비 소홀<br>• 3포 개항 후 일본인의 왕래와 무역을 제한적으로 허용 → 무역량 제한에 대한 일본인들의 불만으로 삼포 왜란, 을묘왜변 발생 → 조선과 일본 간 갈등 심화 |
| 일본 | • 16세기 말 도요토미 히데요시가 전국 시대의 혼란 수습<br>• 도요토미 히데요시가 일본 내 불만 세력의 관심 전환과 대륙 진출의 야욕을 실현하기 위한 방안으로 조선 침략 계획 |

### 2. 임진왜란의 전개

(1) **초기 전황**

① 발발(1592): '명을 정벌하러 가는 길을 빌려 달라'는 구실로 일본이 조선 침략

② 전개: 일본군 부산 상륙 → 부산진과 동래성 함락 → 충주 방어선 붕괴 → 일본군의 북상 중 선조의 의주 피란과 명에 지원군 요청 → 한양 함락

일본군은 전국 시대의 혼란 속에서 수십 년간 전투력을 단련시켰고, 신무기인 조총으로 무장 → 20여 일 만에 한양 함락

(2) **전세 변화**

① 의병의 활약: 의령의 곽재우 등 여러 지역에서 의병 봉기 → 적은 수의 병력으로 일본군에 타격을 줌

스스로를 '홍의장군(붉은 옷의 장군)'이라고 칭함

익숙한 자기 고장의 지형을 활용하는 전술을 폄

② 수군의 활약: 이순신의 수군이 옥포 해전 승리, 한산도 대첩 → 조선 수군이 남해의 제해권 장악, 일본군의 보급 작전 좌절

바다를 통해 무기와 식량을 보급하려던 일본군의 작전

(3) **조선의 반격**: 명의 지원군 도착, 조선 관군의 전열 정비 → 김시민의 진주 대첩, 조·명 연합군의 평양성 탈환, 권율의 행주 대첩

조선이 무너지면 일본군이 중국 대륙까지 침략할 것을 우려하여 참전

(4) **휴전**: 일본군이 남쪽 해안 지방으로 퇴각, 3년에 걸쳐 휴전 협상 진행, 훈련도감 설치 등 조선군 재정비

(5) **정유재란**

'정유년에 일본군이 다시 일으킨 난리'라는 의미로 일본군의 2차 침입을 가리킴

① 발발: 휴전 협상 실패 → 일본군이 다시 공격 시작(1597)

② 전개: 조선군의 연승, 이순신의 명량 대첩 → 도요토미 히데요시 사망, 일본군의 철수 시작 → 이순신의 노량 해전 승리 → 전쟁 종결(1598)

퇴각하는 일본군을 크게 격파하고 이순신이 전사함

### 3. 임진왜란의 영향

(1) **특징**: 조선, 명, 일본이 참전한 국제전 → 삼국의 내정과 국제 질서에 영향

(2) **각국에 끼친 영향**

7년간의 전쟁 동안 많은 사람이 일본에 포로로 끌려가거나 사망

| | |
|---|---|
| 조선 | • 인구 감소, 국토 황폐화 → 백성의 생활 곤궁, 국가 재정 악화<br>• 불국사와 실록을 보관한 사고 등 소실, 일본의 약탈로 문화재 손실 |
| 일본 | • 도요토미 정권 붕괴 → 도쿠가와 이에야스의 에도 막부 수립<br>• 약탈품(활자, 서적), 포로로 끌고 간 도자기·인쇄 기술자 등에 의해 도자기·인쇄 문화 발달<br>• 강항 등 유학자들을 통해 조선의 성리학이 일본에 전래 |
| 명 | • 재정난 속에서 조선에 지원군 파견 → 국력 약화<br>• 누르하치가 명의 국력 쇠퇴를 틈타 만주 일대의 여진족 통일 → 후금 건국(1616) |

**전국 시대**
지방 영주(다이묘)들이 독자적인 세력을 유지하면서 경쟁하던 혼란기였다. 15세기 후반부터 16세기 후반까지 100여 년간 이어졌다.

**보충 삼포 왜란과 을묘왜변**
삼포 왜란(1510)은 삼포에 거주하던 일본인들이 무역 통제에 반발하며 일으킨 폭동이다. 조선 정부가 폭동의 책임을 물어 무역을 더욱 엄격하게 제한하자 불만을 품은 일본인들이 전라도 연안을 침략하는 을묘왜변(1555)을 일으켰다.

**보충 조선 수군의 활약**
조선 수군은 판옥선, 거북선 등의 우수한 전함과 한산도 대첩에서 사용한 학익진 전법과 같은 뛰어난 전술로 일본 수군을 무찔렀다. 학익진 전법은 상대방이 공격해 오면 중앙의 함대가 후퇴하고, 옆의 함대가 앞으로 나가 학이 날개를 편 모습과 같이 상대방을 포위하여 공격하는 전술이다.

**훈련도감**
일정한 급료를 받는 직업 군인으로 구성되었으며, 명의 군대를 모방하여 대포·총통·조총 등을 사용하는 포수, 창과 칼을 주로 사용하는 살수, 활을 주로 사용하는 사수의 삼수병으로 구성되었다.

**명량 대첩**
정유재란 때 이순신이 이끄는 수군이 명량(울돌목)에서 일본 수군에 승리한 전투이다. 십여 척의 배로 좁은 물길과 거센 물살을 이용하여 열 배가 넘는 적을 무찔렀다.

**보충 강항의 성리학 전래**
조선 중기의 학자이자 의병장이었던 강항은 정유재란 때 포로가 되어 일본에 끌려갔다. 교토에서 학식이 높은 일본의 승려들과 교류하면서 성리학을 가르쳐 일본 성리학의 아버지로 불린다.

## 교과서 속 자료 & 개념

### 임진왜란의 발발

교과서 132쪽

부산진에서 벌어진 전투 장면을 그린 「부산진 순절도」

(자료 해설)

「부산진 순절도」는 임진왜란의 첫 번째 전투였던 부산진 전투의 상황을 묘사한 그림이다.

고니시 유키나가 휘하의 일본군은 1592년 4월 14일 새벽 부산진으로 접근하여 명을 정벌하러 가는 길을 빌려 달라는 내용의 서신을 보냈다. 당시 부산진의 방어를 담당한 첨사 정발이 요구를 단호하게 거절하자 일본군은 성을 포위하고 일제히 공격해 왔다. 결국 조총을 앞세운 일본군에게 부산진성은 함락되었으며, 조선의 관군과 백성들은 끝까지 적에 맞서 싸우다가 대부분 전사하였다.

### 임진왜란의 전개

교과서 133쪽

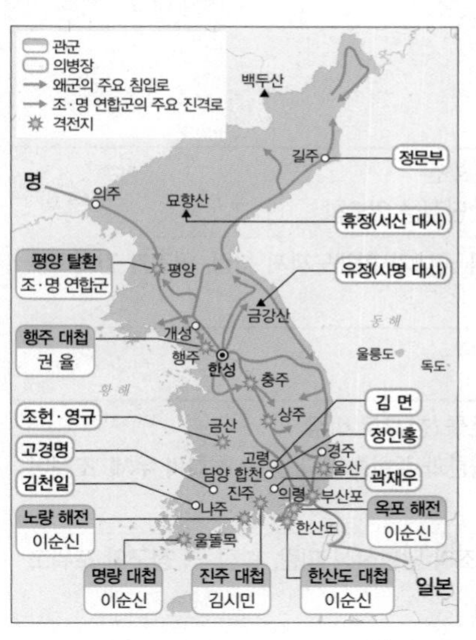


관군과 의병의 활동

복원된 거북선 모형

(자료 해설)

일본군은 전쟁 개시 20여 일 만에 조선의 수도 한양을 점령하고 기세를 몰아 평양성까지 점령하였다. 이러한 가운데 전세를 바꾼 것은 의병과 조선 수군의 활약이었다.

유생과 곽재우 등 전직 관리 등이 여러 지역에서 의병을 결성하여 일본군을 공격하였고, 유정과 휴정 등 승려도 승군을 모아 활동하였다. 그리고 옥포에서 첫 승리를 거둔 이순신의 수군은 한산도 앞바다에서 학익진 전법 등을 활용하여 일본 수군을 크게 무찔러 남해의 제해권을 장악하였다.

### 도자기 문화의 발달

교과서 134쪽

수출용 청화 백자 접시(중국)

백자 청화 매죽문 항아리(조선)

수출용 청화 백자 봉황문 팔각대호(일본)

(자료 해설)

중국 자기는 16세기 유라시아 각국에서 큰 인기를 끌었지만, 공급량에 한계가 있었다. 당시 자기를 직접 만들 수 있는 나라는 중국과 조선밖에 없었고, 조선의 도자기 제작 기술은 매우 뛰어났다.

임진왜란 때 일본에 잡혀간 조선인 포로 중에는 도자기 기술자들이 다수 포함되어 있었다. 이들이 규슈 지역에 정착하여 도자기의 원료인 고령토를 발견하고 백자를 생산하면서 일본의 도자기 문화가 크게 발전하였고, 17세기 이후 일본은 최대 자기 생산지로서 수출을 주도하게 되었다.

## 2 호란과 북벌 운동

선조의 서자로, 임진왜란이 끝나고 선조의 뒤를 이어 왕위에 오름

### 1. 광해군 시기의 정치

(1) 전후 복구 노력

① 토지 개간, 토지 대장과 호적 정리 등으로 국가 재정 확충

② 군사 훈련을 통해 국방력 강화

③ 『동의보감』 간행

(2) 중립 외교 — 성장하고 있는 후금과 국력이 약해지는 명 사이에서 조선의 안정을 위해 적절히 대처하여 실리를 추구한 외교 방식

| | |
|---|---|
| 배경 | 만주 지역에서 후금의 성장 → 후금과 명의 대립 |
| 전개 | 명이 후금 공격을 위해 조선에 원군 요청 → 광해군이 강홍립 부대를 파견, 상황에 따라 신중한 대처를 지시 → 후금의 침략을 피함 |

### 2. 인조반정

(1) 배경: 광해군의 중립 외교 → 명에 대한 배신으로 인식한 서인 세력(명에 대한 의리와 명분을 중시함)의 반발

(2) 전개: 서인 세력이 폐모살제를 구실로 정변을 일으킴 → 광해군 축출, 새로운 왕으로 인조 추대(1623)

### 3. 정묘호란과 병자호란

(1) 정묘호란(1627)

| | |
|---|---|
| 배경 | • 인조반정으로 정권을 잡은 서인 세력의 친명 정책 추진<br>• 후금이 명과의 전쟁에 대비하여 조선과 명의 관계 단절을 의도함 |
| 전개 | 후금이 광해군의 복수를 내세워 조선 침략 → 후금 군대가 황해도까지 침입, 인조가 강화도로 피란 → 후금이 조선과 형제 관계를 맺고 철수 |

당시 후금은 명과의 전쟁으로 인해 조선과 오래 싸울 수 없는 상황이었기 때문

(2) 병자호란(1636)

| | |
|---|---|
| 배경 | • 명과의 전투에서 승리한 후금의 국력 강화 → 국호를 '청'으로 바꿈<br>• 청이 조선에 군신 관계 요구 → 조선 조정 내 척화론과 주화론의 대립 → 척화파 우세, 조선이 청의 요구 거절 |
| 전개 | 청 태종이 명을 도왔다는 구실로 조선 침략 → 인조의 남한산성 피란, 항전 → 청군의 포위로 남한산성 고립 → 인조의 굴욕적인 항복 |
| 결과 | 소현 세자와 봉림 대군, 척화파 관리, 많은 백성이 청에 끌려감 |

봉림 대군: 형인 소현 세자가 갑자기 세상을 떠나자 인조의 뒤를 이어 왕위에 오름(효종)

### 4. 북벌 추진

| | |
|---|---|
| 배경 | 병자호란 패배의 충격, 청과의 군신 관계를 치욕으로 인식 → 지배층 내에서 청에 대한 수치를 씻고 원수를 갚자는 북벌론 제기 |
| 전개 | 효종 때 적극 추진 → 성곽과 무기 정비, 군대 양성 등으로 북벌 준비 |
| 결과 | 거듭된 흉년과 재해로 백성의 생활 곤란, 청의 국력 신장으로 현실적으로 공격 불가능 → 효종 사망 후 북벌 추진이 사실상 중단됨 |

### 5. 청과의 문물 교류

(1) 사절단 파견: 청과 사대 관계 체결 이후 매년 사신(연행사) 파견 → 사신들을 통해 청 문물과 서학이 조선에 전래

서학: 중국에서 들어온 서양의 학문, 서적, 과학 기술 등을 의미함

(2) 소현 세자의 서양 문물 도입: 청의 발달한 과학·문화 경험, 아담 샬을 통해 서양 문물에 대해 이해 → 서학 관련 서적, 자명종, 망원경 등을 가지고 귀국

**『동의보감』**
임진왜란 중에 허준이 편찬을 시작하여 광해군 때 완성한 의학 서적이다. 우리나라와 중국의 의서들을 집대성하고, 실제 체험을 통한 치료 방법을 모아 놓은 한의학 백과사전이다.

**강홍립**
명이 후금을 공격하기 위해 조선에 지원군을 요청하자 조선 지원군의 총대장으로 임명되어 명에 파견되었다. 후금과의 전투에 나섰지만 강홍립은 광해군의 중립 외교에 따라 조선군의 파병이 부득이한 사정 때문이라는 것을 후금에 알린 후 군사를 이끌고 후금에 항복하였다.

**보충 폐모살제(廢母殺弟)**
'어머니의 존호를 폐하고(폐모), 형제를 죽였다(살제)'는 뜻이다. 선조의 후궁 소생으로 둘째 아들이었지만 왕위에 오른 광해군은 왕권 안정에 위협이 되는 선조의 계비(인목 대비) 소생인 적자 영창 대군을 죽이고, 그의 친모인 인목 대비를 폐위하였다. 이에 서인 세력은 유교 윤리를 어겼다고 비판하면서 정변을 일으켰다.

**보충 삼전도의 굴욕**
병자호란 때 인조는 삼전도(서울 송파)에서 청 태종에게 굴욕적인 항복의 예를 올렸다. 조선은 청과 군신 관계를 맺었으며 명과의 외교 관계를 단절하겠다고 약속하였다.

**아담 샬**
독일 출신의 예수회 선교사로 중국에 건너와 명·청 시대에 활약하였다. 서양의 천문학과 역법을 동아시아에 알리는 데 공헌하였으며, 조선의 소현 세자와 친분을 쌓고 교류하기도 하였다.

## 교과서 속 자료 & 개념

### 정묘호란과 병자호란의 전개
교과서 136쪽

자료 해설

명과 대립하고 있던 후금은 조선과 명의 관계를 끊기 위해 인조와 서인 정권의 친명 정책을 구실로 삼아 조선을 침략하였다(정묘호란, 1627). 인조는 강화도로 피란하는 한편 장만을 도원수로 임명하여 후금 군대를 막도록 하였으며, 정봉수와 이립 등은 의병을 일으켜 후금 군대에 맞서 싸웠다. 후금은 명과의 전쟁 때문에 오래 싸울 수 없어 조선과 형제 관계를 맺고 철수하였다.

이후 후금은 국호를 청으로 바꾸고 조선에 군신 관계를 요구하였으나 거절당하자 조선이 명을 도와줬다는 구실로 다시 침략하였다(병자호란, 1636). 인조는 남한산성에서 항전하였으나 결국 청에 굴복하였다.

### 척화론과 주전론
교과서 136쪽

**윤집의 척화론**

…… 중국은 우리나라에 있어서 곧 부모요, 오랑캐는 우리나라에 있어서 곧 부모의 원수입니다. 신하된 자로서 부모의 원수와 형제가 되어서 부모를 저버리겠습니까. …… 차라리 나라가 없어질지라도 의리는 저버릴 수 없습니다.

– 「인조실록」

**최명길의 주화론**

…… 자기의 힘을 헤아리지 않고 경망하게 큰소리를 쳐서 오랑캐들의 노여움을 도발하여, 마침내 백성이 도탄에 빠지고 종묘와 사직에 제사를 지내지 못하게 된다면 그 허물이 이보다 클 수 있겠습니까?

– 최명길, 「지천집」

자료 해설

청이 군신 관계를 요구하자 조선의 조정은 김상헌, 윤집 등의 척화파와 최명길 등의 주화파로 나뉘었다. 척화파는 명에 대한 의리를 지켜 청의 군신 관계 요구를 거절하고 전쟁을 벌이자는 주장을 내세웠고, 주화파는 청의 국력을 인정하고 화의를 맺어 전쟁을 피하자고 주장하였다.

척화파의 우세로 청의 요구를 거절하고 전쟁 상황을 맞은 인조는 남한산성으로 피신하여 청군에 항전하였다. 하지만 상황이 어려워지자 주화론에 따라 청에 항복하고 청과 군신 관계를 맺었다.

## 개념 꿀꺽

**1. 빈칸에 알맞은 말을 쓰시오.**

(1) (　　　)이/가 이끄는 조선 수군은 옥포와 한산도 등지에서 일본군을 무찔렀다.

(2) 후금과 명이 대립하자 광해군은 두 나라 사이에서 (　　　) 외교를 추진하였다.

(3) 병자호란 이후 조선에서는 청에 대한 수치를 씻고 원수를 갚자는 (　　　)이/가 제기되었다.

**2. 다음에서 설명하는 사건을 〈보기〉에서 고르시오.**

보기
㉠ 임진왜란　　㉡ 정묘호란　　㉢ 병자호란

(1) 후금이 광해군의 복수를 내세워 조선을 침략하였다. (　　　)

(2) 조선, 명, 일본이 참전한 국제전의 양상으로 전개되었다. (　　　)

(3) 청의 군신 관계 요구를 조선이 거부하자 청이 조선을 침략하였다. (　　　)

정답
1. (1) 이순신 (2) 중립 (3) 북벌론
2. (1) ㉡ (2) ㉠ (3) ㉢

# 기초 튼튼 | 기본문제

중요

**01** (가)에 들어갈 사건으로 옳은 것은?

> 16세기 말 일본에서는 도요토미 히데요시가 전국 시대의 혼란을 수습하였다. 그는 일본 내 불만 세력의 관심을 밖으로 돌리고, 자신의 대륙 진출 야욕을 실현하고자 (가) 을/를 일으켰다.

① 을묘왜변 ② 임진왜란 ③ 병자호란
④ 정묘호란 ⑤ 삼포 왜란

중요

**02** 밑줄 친 '전쟁'의 영향으로 옳은 것은?

> 삼가 여러 도의 수령 및 사민(士民), 군인 등에게 고하노라. 국운이 막혀 섬 오랑캐가 침략해 왔다. …… 전쟁으로 인해 국가가 위급한 처지에 있으니 감히 미천한 몸을 아끼겠는가? 아! 우리 여러 고을 수령과 각 지방 사민들이여! 충성하는 자가 어찌 임금을 잊으랴.
> – 전라도 의병장 고경명

① 팔만대장경이 제작되었다.
② 일본의 성리학이 쇠퇴하였다.
③ 청의 국력이 크게 약화되었다.
④ 소현 세자가 청에 인질로 끌려갔다.
⑤ 여진족이 성장하여 후금을 건국하였다.

**03** 다음 자료에 나타난 전투의 결과로 옳은 것은?

> 아군이 진격하기도 하고 퇴각하기도 하면서 그들을 유인하니, 왜적들이 총출동하여 추격하기에 한산 앞바다로 끌어냈다. 아군이 학익진을 치고는 깃발을 휘두르고 북을 치며 일시에 나란히 진격하였다.

① 삼포 왜란이 일어났다.
② 임진왜란이 발발하였다.
③ 선조가 의주로 피란하였다.
④ 조선 수군이 남해의 제해권을 장악하였다.
⑤ 부산진과 동래성이 일본군에게 함락되었다.

단답형

**04** 다음에서 설명하는 군사 조직을 쓰시오.

> 임진왜란 때 활동한 부대이다. 일정한 급료를 받는 직업 군인으로 구성되었으며 포수, 살수, 사수의 삼수병으로 구성되었다.

( )

**[05 ~ 06]** 다음 자료를 보고 물음에 답하시오.

> 책으로 살펴보는 우리 역사
>
> (가)
>
> 허준 등이 편찬한 의학 서적으로 (나) 의 재위 시기에 완성되었다. 우리나라와 중국의 의서들을 집대성하고, 실제 체험을 통한 치료 방법을 모아 놓은 한의학 백과사전이다.

**05** (가)에 들어갈 책으로 옳은 것은?

① 동의보감 ② 동국통감
③ 의방유취 ④ 향약집성방
⑤ 용비어천가

**06** (나)에 대한 설명으로 옳은 것만을 〈보기〉에서 고른 것은?

> 보기
>
> ㄱ. 청에 굴욕적으로 항복하였다.
> ㄴ. 중종반정으로 왕위에서 쫓겨났다.
> ㄷ. 명과 후금 사이에서 중립 외교를 폈다.
> ㄹ. 영창 대군을 죽이고 인목 대비를 폐위하였다.

① ㄱ, ㄴ ② ㄱ, ㄷ ③ ㄴ, ㄷ
④ ㄴ, ㄹ ⑤ ㄷ, ㄹ

**07** 임진왜란 중에 있었던 (가)~(라)의 사실들을 일어난 순서대로 옳게 나열한 것은?

(가) 도요토미 히데요시가 사망하였다.
(나) 조선과 명의 연합군이 평양성을 되찾았다.
(다) 이순신이 한산도 대첩에서 왜군을 무찔렀다.
(라) 휴전 협상이 결렬되어 정유재란이 발발하였다.

① (가) - (나) - (다) - (라)
② (나) - (가) - (라) - (다)
③ (나) - (다) - (라) - (가)
④ (다) - (가) - (라) - (나)
⑤ (다) - (나) - (라) - (가)

**08** 다음 수행 평가의 보고서 제목으로 가장 적절한 것은?

〈수행 평가〉

• 과제: 호란 당시 관군과 의병의 활약상을 주제로 탐구 보고서를 작성한다.

① 김시민, 진주 대첩의 승리를 이끌다
② 정봉수, 의병을 이끌고 맞서 싸우다
③ 권율, 행주산성에서 적군을 물리치다
④ 휴정과 유정, 승군을 조직하여 대항하다
⑤ 곽재우, 홍의장군이라는 이름으로 활약하다

단답형

**09** 밑줄 친 ㉠, ㉡에 해당하는 국가를 쓰시오.

화친을 맺어 국가를 보존하는 것보다 차라리 ㉠중국에 의리를 지키고 망하는 것이 옳다고 하였으나 이것은 신하가 절개를 지키는 데 쓰는 말입니다. …… 자기의 힘을 헤아리지 않고 경망하게 큰 소리를 쳐서 ㉡오랑캐들의 노여움을 도발하여, 마침내 백성이 도탄에 빠지고 종묘와 사직에 제사를 지내지 못하게 된다면 그 허물이 이보다 클 수 있겠습니까?

– 최명길, 『지천집』

㉠: (　　　　), ㉡: (　　　　)

**10** 다음 자료와 관련된 전쟁으로 옳은 것은?

1. 조선은 청에게 군신의 예를 지킬 것
2. 명의 연호를 폐지하고 관계를 끊을 것
3. 왕자와 대신의 자제를 인질로 보낼 것
9. 청에 황금을 비롯한 20여 물품을 매년 바칠 것

① 임진왜란　② 병자호란　③ 정유재란
④ 을묘왜변　⑤ 삼포 왜란

**11** (가)~(라)의 사실들을 일어난 순서대로 옳게 나열한 것은?

(가) 인조반정이 일어났다.
(나) 강홍립 부대가 명에 파견되었다.
(다) 소현 세자가 청에 인질로 끌려갔다.
(라) 후금과 조선이 형제 관계를 맺었다.

① (가) - (나) - (라) - (다)
② (가) - (다) - (라) - (나)
③ (나) - (가) - (라) - (다)
④ (나) - (다) - (라) - (가)
⑤ (다) - (나) - (라) - (가)

중요

**12** 병자호란 이후 일어난 사실로 옳은 것만을 〈보기〉에서 고른 것은?

보기

ㄱ. 후금이 건국되었다.
ㄴ. 연행사가 청에 파견되었다.
ㄷ. 윤집 등이 척화론을 주장하였다.
ㄹ. 조선 내에서 북벌론이 제기되었다.

① ㄱ, ㄴ　② ㄱ, ㄷ　③ ㄴ, ㄷ
④ ㄴ, ㄹ　⑤ ㄷ, ㄹ

## 실력 쑥쑥 | 실전문제

**[01 ~ 02] 다음 지도를 보고 물음에 답하시오.**

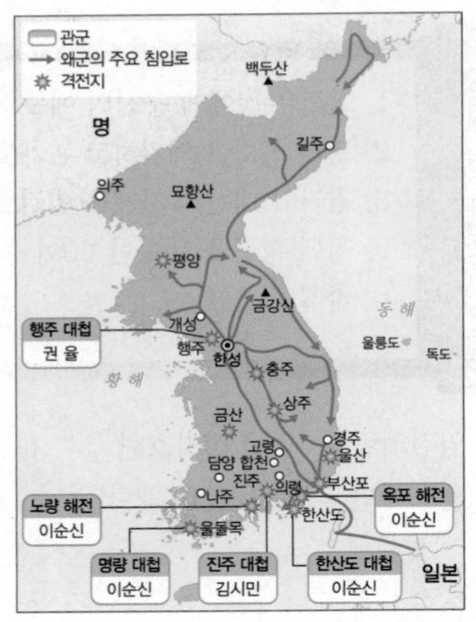


**01** 지도에 나타난 전쟁 중에 일어난 사실로 옳은 것만을 〈보기〉에서 고른 것은?

보기
ㄱ. 조선에서 북벌론이 제기되었다.
ㄴ. 도요토미 히데요시가 사망하였다.
ㄷ. 후금이 조선과 형제 관계를 맺었다.
ㄹ. 선조가 외국에 지원군을 요청하였다.

① ㄱ, ㄴ ② ㄱ, ㄷ ③ ㄴ, ㄷ
④ ㄴ, ㄹ ⑤ ㄷ, ㄹ

**02** 지도의 전쟁이 끼친 영향으로 옳지 않은 것은?

① 명이 쇠퇴하고 여진족이 성장하였다.
② 일본의 도자기 제작 기술이 쇠퇴하였다.
③ 조선의 국토가 황폐해지고 인구가 감소하였다.
④ 일본에서 도쿠가와 이에야스가 정권을 잡았다.
⑤ 불국사, 조선왕조실록 등 문화재가 소실되었다.

고난도

**03** (가), (나) 사이 시기에 일어난 사실로 옳은 것만을 〈보기〉에서 고른 것은?

(가) 부산 첨사 정발이 …… 성문을 지키며 항전하니 왜적의 무리도 화살에 맞아 죽은 자가 많았다. 정발은 적탄에 맞아 전사하였고 끝내 성은 함락되었다.

(나) 명의 제독 이여송이 평양성의 칠성문을 공격하여 대포로 문을 부수고 군사를 정돈하여 들어갔다. 그리하여 1천 2백 80여 명을 죽였다.

보기
ㄱ. 정유재란이 발발하였다.
ㄴ. 선조가 의주로 피란하였다.
ㄷ. 조선 수군이 한산도에서 크게 승리하였다.
ㄹ. 이순신이 명량(울돌목)에서 일본군을 무찔렀다.

① ㄱ, ㄴ ② ㄱ, ㄷ ③ ㄴ, ㄷ
④ ㄴ, ㄹ ⑤ ㄷ, ㄹ

**04** (가) 사건 이후 일어난 사실로 옳은 것은?

서울시 종로구에 있는 세검정이다. 서인 세력이 이곳에서 (가) 을/를 의논하고 칼을 씻었다고 한데서 '세검(洗劍)'이라는 이름이 유래하였다.

① 친명 정책이 추진되었다.
② 동의보감이 간행되었다.
③ 강홍립의 부대가 명에 파견되었다.
④ 영창 대군이 죽고 인목 대비가 폐위되었다.
⑤ 삼수병으로 구성된 훈련도감이 설치되었다.

**05** (가), (나) 전쟁에 대한 설명으로 옳은 것만을 〈보기〉에서 고른 것은?

> (가) 후금이 광해군의 복수를 내세우며 조선을 침략하였다.
> (나) 조선이 청의 군신 관계 요구를 거절하자 청 태종(홍타이지)이 조선을 침략하였다.

**보기**

ㄱ. (가) – 인조가 삼전도에서 항복하였다.
ㄴ. (가) – 후금이 조선과 명의 관계를 단절하고자 일으켰다.
ㄷ. (나) – 효종 때 북벌 추진의 원인이었다.
ㄹ. (나) – 곽재우, 고경명 등 의병이 각지에서 일어나 적과 싸웠다.

① ㄱ, ㄴ ② ㄱ, ㄷ ③ ㄴ, ㄷ
④ ㄴ, ㄹ ⑤ ㄷ, ㄹ

중요

**06** 다음 자료의 주장에 대한 설명으로 옳은 것만을 〈보기〉에서 고른 것은?

> 중국은 우리나라에 있어서 곧 부모요, 오랑캐는 우리나라에 있어서 곧 부모의 원수입니다. 신하된 자로서 부모의 원수와 형제가 되어서 부모를 저버리겠습니까. …… 차라리 나라가 없어질지라도 의리는 저버릴 수 없습니다. –『인조실록』

**보기**

ㄱ. 척화론이라고 불린다.
ㄴ. 정묘호란의 원인이 되었다.
ㄷ. 윤집과 김상헌 등이 주장하였다.
ㄹ. 청과 군신 관계를 맺자는 입장이었다.

① ㄱ, ㄴ ② ㄱ, ㄷ ③ ㄴ, ㄷ
④ ㄴ, ㄹ ⑤ ㄷ, ㄹ

## 서술형

**07** 임진왜란 발발의 배경을 두 가지 서술하시오.

**08** 다음 자료에 나타난 광해군의 외교 정책에 대해 서술하시오.

> 임금께서 도원수 강홍립에게 타일러 명령을 내리기를 "애초 요동으로 건너간 군사 1만 명은 정예병이니 …… 명나라 장수의 말을 그대로 따르지만 말고 오직 패하지 않을 방도를 마련하는 데에 힘을 쓰라."라고 하셨다. –『광해군일기』

**09** 다음 자료에 나타난 정책을 실현하지 못한 이유 두 가지를 근거를 들어 서술하시오.

> 임금(효종)께서 이르시기를 "오랑캐(청)의 사정은 익히 알고 있소. …… 포병 10만을 길러 모두 용감한 병사로 만든 다음에 기회를 봐서 저들(청)이 예기치 못했을 때 곧장 쳐들어갈 계획이오. 그렇게 한다면 중국의 뜻있는 선비와 호걸 중에 어찌 호응하는 자가 없겠소?"라고 하였다. – 송시열, 『송서습유』

| 대단원 |
정리하기

## 1 통치 체제와 대외 관계

### 1 조선의 건국

| | |
|---|---|
| 건국 과정 | • 건국 세력: 이성계와 정도전, 조준 등 신진 사대부<br>• 위화도 회군(1388) → 과전법 시행(1391) → 정몽주 등 새 왕조 개창에 반대하는 신진 사대부 제거 → 건국(1392) |
| 건국 초기 정치 | • 태조: 국호 '조선' 제정, ① ____ 천도(1394)<br>• 정도전, 조준 등이 재상 중심 정치 주장, 문물제도 정비 주도 |

### 2 통치 체제의 정비

| | |
|---|---|
| 유교적 집권 체제 정비 | • 태종: 사병 혁파, 6조 중심의 정치 제도 마련, 호패법 시행<br>• ② ____: 집현전 확대·개편, 경연 활성화, 재상의 역할 강화 → 왕권과 신권의 조화 추구<br>• 세조: 집현전과 경연 폐지<br>• 성종: 홍문관 설치, 기본 법전인 「③ ____」 완성 |
| 중앙 정치 | • 의정부: 최고 통치 기구, 3정승의 합의로 중요 정책 결정<br>• 6조: 행정 사무 분담<br>• 3사: 사헌부, 사간원, 홍문관 → 언론 기능 담당<br>• 승정원(왕명 출납), 의금부(특별 사법 기구) → 왕권 뒷받침 |
| 지방 행정 | • 각 도에 ④ ____ 파견<br>• 대부분의 군현에 수령 파견 |
| 관리 등용 | • 과거제: 문과, 무과, 잡과 실시<br>• 음서와 천거: 고려 시대보다 비중 축소 |

### 3 조선 전기의 대외 관계

| | |
|---|---|
| 명과의 관계 | • ⑤ ____ 정책 → 정치적 안정과 경제적·문화적 실리 추구, 조공과 책봉의 외교 형식<br>• 태종 이후 친선 관계 유지 |
| 여진·일본과의 관계 | • 교린 정책 → 강경책, 회유책 병행<br>• 여진: ⑥ ____ 개척, 무역소 설치<br>• 일본: 쓰시마섬 토벌, 3포 개항 |

## 2 사림 세력과 정치 변화

### 1 사림 세력의 등장

| | |
|---|---|
| 훈구 | 세조의 즉위를 도운 공신 세력 → 주요 관직 독점, 대토지와 노비 소유 |
| 사림 | • 정몽주, 길재의 학통을 계승한 지방 세력, 성리학 연구와 교육, 의리와 도덕 중시<br>• 성종 때 훈구 세력을 견제할 목적으로 대거 등용 |
| 사화 발생 | • 무오사화: 김종직의 ⑦ ____ 이 발단<br>• 갑자사화: 연산군의 친어머니 윤씨 폐위 사건이 발단<br>• ⑧ ____: 조광조의 급진적인 개혁, 일부 훈구 세력에 대한 거짓 공훈 삭제 주장이 발단<br>• 을사사화: 왕실 외척 간의 권력 다툼이 발단 |

### 2 사림의 집권과 붕당의 형성

| | |
|---|---|
| 서원 | • 지방의 사립 교육 기관 → 유교 성현의 제사, 지방 양반 자제의 교육 담당<br>• 주세붕이 ⑨ ____ 건립(최초 서원) → 명종 때 이황의 건의로 '소수서원' 현판을 받아 사액 서원이 됨<br>• 사림 세력이 전국 각지에 서원 건립 |
| 향약 | • 향촌의 자치 규약<br>• 조광조 등이 보급 시작 → 16세기 후반 이황과 이이 등 사림의 노력으로 널리 확산<br>• 4대 덕목의 실천 강조 → 향촌 사회의 풍속 교화와 질서 유지에 기여<br>• 사림의 향촌 지배력 강화를 가져옴 |
| 사림의 집권 | 서원과 향약을 기반으로 향촌 사회에서 사림 세력의 확대 → 16세기 후반 선조 때 다시 중앙 진출, 정국 주도 |
| 붕당의 형성 | • 명종 때의 외척 정치 청산과 ⑩ ____ 임명 문제로 사림 세력 내 갈등 → 신진 사림과 기성 사림이 분열<br>• 동인: 외척 정치 청산에 적극적, 선조 때 새로 정치에 참여한 사림 중심, 주로 이황·조식의 제자들<br>• 서인: 외척 정치 청산에 소극적, 명종 때부터 정치에 참여한 사림 중심, 주로 이이·성혼의 학문을 따름 |

## 3 문화의 발달과 사회 변화

### 1 유교 윤리의 보급

| | |
|---|---|
| 서적 편찬 | • 윤리서: 『삼강행실도』, 『이륜행실도』 등<br>• 의례서: 『국조오례의』, 『악학궤범』 등 |
| 성리학적 질서 보급 | • 삼강오륜과 『소학』 보급 노력<br>• 양반들이 『주자가례』에 따라 관혼상제 실천, 족보 중시 |

### 2 민족 문화의 발달

| | |
|---|---|
| 훈민정음 창제 | • 세종이 훈민정음 창제·반포<br>• 『용비어천가』 편찬, 불경·농서 등 번역, 하급 관리 선발에 활용 |
| 편찬 사업 | • 역사서: 『고려사』, 『동국통감』, 『조선왕조실록』 등<br>• 지리서: 『팔도지리지』, 『동국여지승람』 등<br>• 지도: 세계 지도인 「혼일강리역대국도지도」 제작 |
| 양반의 예술 활동 | • 15세기 회화: 안견의 「몽유도원도」, 강희안의 「고사관수도」<br>• 16세기 회화: 사군자를 그린 문인화 유행<br>• 공예: ⑪ ______ 널리 사용(15세기) → 선비의 취향과 어울리는 백자 유행(16세기) |

### 3 과학 기술의 발달

| | |
|---|---|
| 천문학 | • 「천상열차분야지도」 제작<br>• 천체 관측: 간의, 혼천의 등 제작<br>• 시각 측정: ⑫ ______(물시계), 앙부일구(해시계) 제작<br>• 강수량 측정: 측우기 제작<br>• 역법서: 한양을 기준으로 천체 관측 → 『⑬ ______』 편찬 |
| 인쇄술 | • 주자소와 조지서 설치(태종)<br>• 계미자(태종), 갑인자(세종) 제작 |
| 의학 | 『향약집성방』, 『의방유취』 편찬 |
| 무기 | 화포 개량, 화차와 신기전 등 제작 |

## 4 왜란·호란의 발발과 영향

### 1 왜란과 그 영향

| | |
|---|---|
| 배경 | • 조선: 쓰시마섬 토벌 이후 오랜 평화 유지로 왜구에 대한 대비 소홀<br>• 일본: 도요토미 히데요시의 전국 시대 통일 → 국내 불만 세력의 관심 전환, 대륙 진출 야욕<br>• 조선과 일본의 갈등: 무역량 제한에 대한 일본인들의 불만 → 삼포 왜란(1510), 을묘왜변(1555) 발생 |
| 전개 | • 초기: 일본군의 부산 상륙(1592) → 충주 방어선 붕괴 → 선조의 의주 피란, 명에 원군 요청 → 한양 함락<br>• 전세 변화: ⑭ ______의 수군 승리(옥포 해전, 한산도 대첩), 의병 활약, 명의 지원군 파견 → 전세 역전<br>• 조선군 승리: 조·명 연합군의 반격 → 휴전 협상(결렬) → 정유재란 발발(1597) → 명량 대첩 → 도요토미 히데요시 사망 → 노량 해전 → 전쟁 종결(1598) |
| 영향 | • 조선: 인구 감소, 국토 황폐화, 문화재 소실과 유출<br>• 일본: 에도 막부 수립, 도자기·인쇄 문화 발전, 조선의 성리학 전래<br>• 중국: 명의 국력 약화, 여진의 성장 → 후금 건국, 명과 후금의 대립 |

### 2 호란과 북벌 운동

| | |
|---|---|
| 광해군의 정치 | • 국가 재정 확충, 국방력 강화, 『동의보감』 편찬 등<br>• 명과 후금 사이에서 중립 외교<br>• 서인 주도의 ⑮ ______으로 몰락 |
| 호란 발생 | • 정묘호란(1627): 인조와 서인 세력의 친명 정책 → 후금 침략 → 후금과 형제 관계 수립<br>• ⑯ ______(1636): 청의 군신 관계 요구 거절 → 청의 침략 → 인조의 남한산성 항전 → 청과 군신 관계 체결 |
| 북벌 추진 | 병자호란의 치욕을 씻고 원수를 갚자는 주장(북벌론) → 효종 때 적극적으로 북벌 준비, 실행하지 못함 |
| 청과의 교류 | • 매년 청에 연행사 파견<br>• 소현 세자가 청에서 서양 문물 도입 |

# 자신만만 | 적중문제

## 01 통치 체제와 대외 관계

**01** 밑줄 친 ㉠~㉤에 대한 설명으로 옳지 않은 것은?

> ㉠이성계는 개성을 점령하고 최영을 제거한 후, 신진 사대부와 개혁을 추진하였다. 그 과정에서 개혁의 방향과 새로운 국가 건설에 대한 의견 차이로 신진 사대부가 ㉡급진파와 ㉢온건파로 나뉘었다. 이성계는 새 나라를 세워 국호를 ㉣'조선'이라 정하고, 수도를 ㉤한양으로 옮겼다.

① ㉠ – 고려 말 홍건적과 왜구를 토벌하는 과정에서 성장하였다.
② ㉡ – 조선 건국을 주도하였으며 건국 이후 정치를 주도하였다.
③ ㉢ – 정도전, 조준 등이 대표적 인물이다.
④ ㉣ – 고조선 계승 의식이 반영되었다.
⑤ ㉤ – 한강이 흐르고 있어 교통이 편리하였다.

**02** (가), (나) 인물에 대한 설명으로 옳은 것은?

① (가) – 경국대전 편찬을 시작하였다.
② (가) – 집현전을 정책 연구 기관으로 확대·개편하였다.
③ (나) – 사간원을 독립시켰다.
④ (나) – 호패법을 처음으로 시행하였다.
⑤ (가), (나) – 의정부의 권한을 약화하였다.

**03** (가)~(다)에 들어갈 중앙 정치 기구를 옳게 짝지은 것은?

> (가), 사간원, 홍문관으로 이루어진 3사는 언론 기능을 담당하여 권력의 독점과 관리의 부정을 방지하였다. (나) 은/는 반역 등 국가의 큰 죄인을 다스렸고, (다) 은/는 역사서를 편찬하고 보관하는 업무를 담당하였다.

| | (가) | (나) | (다) |
|---|---|---|---|
| ① | 집현전 | 의금부 | 춘추관 |
| ② | 집현전 | 승정원 | 의금부 |
| ③ | 사헌부 | 의금부 | 춘추관 |
| ④ | 사헌부 | 승정원 | 의금부 |
| ⑤ | 의정부 | 의금부 | 승정원 |

**04** 밑줄 친 ㉠에 해당하는 정책으로 옳은 것만을 〈보기〉에서 고른 것은?

> 조선은 여진에 대해 교린 정책을 펼쳤다. 국경을 침범하고 약탈할 경우 군사력을 동원하여 강경하게 대응하였으나, 때로는 ㉠여진인을 회유하여 평화를 유지하는 정책을 폈다.

**보기**
ㄱ. 3포를 개항하였다.
ㄴ. 무역소를 설치하여 교역하였다.
ㄷ. 매년 세 차례씩 정기적으로 사신을 파견하였다.
ㄹ. 조선에 귀화한 경우 관직과 토지를 하사하였다.

① ㄱ, ㄴ ② ㄱ, ㄷ ③ ㄴ, ㄷ
④ ㄴ, ㄹ ⑤ ㄷ, ㄹ

## 02 사림 세력과 정치 변화

**05** 사림 세력에 대한 설명으로 옳지 않은 것은?

① 향약 보급에 노력하였다.
② 3사의 언론 활동을 중시하였다.
③ 계유정난에 적극적으로 참여하였다.
④ 이조 전랑 임명 문제로 내부 갈등을 겪었다.
⑤ 전국 각지에 서원을 세우고 학문 연구에 힘썼다.

**[06 ~ 07]** 다음 연표를 보고 물음에 답하시오.

| | (가) | (나) | (다) | (라) | (마) | |
|---|---|---|---|---|---|---|
| 성종 즉위 | | 연산군 즉위 | 중종 반정 | 기묘 사화 | 명종 즉위 | 선조 즉위 |

**06** 다음 사건이 일어난 시기를 위 연표에서 옳게 고른 것은?

> 훈구 세력이 김종직의 조의제문이 세조의 왕위 찬탈을 비난한 것이라고 주장하며 이를 문제 삼아 관련 있는 많은 사림이 관직에서 쫓겨나거나 죽임을 당하였다.

① (가) ② (나) ③ (다) ④ (라) ⑤ (마)

**07** (가)~(마) 시기에 일어난 사실로 옳지 않은 것은?

① (가) – 김종직이 중앙 정치 무대에 진출하였다.
② (나) – 갑자사화가 발생하였다.
③ (다) – 조광조가 현량과를 시행하였다.
④ (라) – 사림이 동인과 서인으로 분열되었다.
⑤ (마) – 왕실 외척 간의 권력 다툼으로 사화가 일어났다.

## 03 문화의 발달과 사회 변화

**08** 다음 각 서적에 대한 설명으로 옳지 않은 것은?

① 경국대전 – 국가를 통치하는 기본 법전이며 6전으로 구성되었다.
② 동국통감 – 우리나라에서 나는 약재와 이를 이용하는 치료법을 소개하였다.
③ 국조오례의 – 국가 행사에 필요한 의례를 정리하였다.
④ 동국여지승람 – 각 지방의 연혁, 인물, 풍속, 산물 등을 수록하였다.
⑤ 이륜행실도 – 연장자와 연소자, 친구 사이의 윤리를 내용으로 담았다.

**09** (가)에 대한 설명으로 옳은 것은?

> (가) 은/는 조선의 국왕이 사망한 후 사관이 작성한 사초를 기반으로 편찬되었다. 임진왜란 이전까지 춘추관과 충주, 전주, 성주의 사고에 보관되었다.

① 훈민정음으로 편찬되었다.
② 유네스코 세계 기록 유산으로 등록되었다.
③ 왕실의 행사에 필요한 의례를 정리하였다.
④ 성종 때 완성되어 통치 규범의 역할을 하였다.
⑤ 관혼상제의 예법을 보급하기 위해 편찬되었다.

## 04 왜란·호란의 발발과 영향

**10** 밑줄 친 '이 전쟁'에 대한 설명으로 옳은 것은?

> 16세기 말에 일어난 이 전쟁은 중국에서는 '항왜원조(일본에 맞서 조선을 도운 전쟁)', 일본에서는 '분로쿠·게이초 연간의 전쟁'이라고 불린다.

① 서인의 친명 정책이 배경이 되었다.
② 일본의 에도 막부 수립에 영향을 주었다.
③ 조선 국왕이 강화도로 피란하는 원인이 되었다.
④ 후금이 광해군의 원수를 갚는다는 구실로 일으켰다.
⑤ 삼포에 거주하던 일본인이 무역량 제한에 반대하여 일으켰다.

**[11 ~ 13] 다음 연표를 보고 물음에 답하시오.**

| | (가) | | (나) | | (다) | | (라) | | (마) | |
|---|---|---|---|---|---|---|---|---|---|---|
| 임진왜란 발발 | | 정유재란 발발 | | 광해군 즉위 | | 인조 반정 | | 병자호란 발발 | | 효종 즉위 |

**11** (가)~(마) 시기에 일어난 사실로 옳지 <u>않은</u> 것은?

① (가) – 이순신이 한산도 대첩에서 승리하였다.
② (나) – 조선과 명의 연합군이 평양성을 되찾았다.
③ (다) – 강홍립이 이끄는 부대가 명에 파견되었다.
④ (라) – 정묘호란이 발발하였다.
⑤ (마) – 소현 세자가 독일인 신부 아담 샬을 만나 교류하였다.

**12** (다) 시기를 배경으로 역사 드라마를 제작할 때 넣을 장면으로 적절한 것만을 〈보기〉에서 고른 것은?

보기
ㄱ. 동의보감을 편찬하는 허준
ㄴ. 노량 해전에서 전사하는 이순신
ㄷ. 폐위되어 서궁으로 쫓겨나는 인목 대비
ㄹ. 청의 군신 관계 요구에 척화와 주화를 외치며 대립하는 관리들

① ㄱ, ㄴ ② ㄱ, ㄷ ③ ㄴ, ㄷ
④ ㄴ, ㄹ ⑤ ㄷ, ㄹ

**13** (가) 인물에 대한 설명으로 옳은 것은?

척화를 주장하던 신하들과 함께 청으로 끌려가 고통을 겪은 (가) 은/는 귀국하여 인조의 뒤를 이어 왕위에 올랐다.

① 삼포 왜란과 을묘왜변을 진압하였다.
② 군대 양성에 힘을 기울여 북벌을 준비하였다.
③ 토지 대장과 호적을 정리하여 재정을 늘렸다.
④ 중립 외교를 추진하여 후금과의 전쟁을 피하였다.
⑤ 청에서 아담 샬과 교류하고 자명종, 망원경 등의 문물을 조선에 들여왔다.

## 서술형

**14** (가) 왕의 업적을 <u>세 가지</u> 서술하시오.

15세기 후반 왕위에 오른 (가) 은/는 훈구 세력을 견제하기 위해 사림 세력을 등용하였다. 이 때에 중앙 정치 무대에 진출한 사림은 주로 영남 출신의 김종직과 그의 제자들이었다.

**15** 다음 글을 읽고 물음에 답하시오.

<u>이 책</u>은 세종 때 편찬된 것으로 군신 간, 부자간, 부부간에 유교 윤리를 실천한 인물들의 행적을 글과 그림으로 설명하였다. 성종 때는 한글 번역을 붙여서 다시 간행되기도 하였다.

(1) 밑줄 친 '이 책'이 무엇인지 쓰시오.

(2) 밑줄 친 '이 책'을 편찬한 목적을 서술하시오.

**16** 밑줄 친 '정변'으로 조선의 외교 정책이 어떻게 변화하였는지 서술하시오.

서인 세력은 광해군이 명에 대한 은혜를 배신하고, 폐모살제(廢母殺弟)로 유교 윤리를 어겼다고 비판하면서 <u>정변</u>을 일으켰다.

## 최고난도 **문제**

**01** (가), (나) 시대 지방 행정 제도에 대한 설명으로 옳은 것은?

〈 (가) 〉 시대의 행정 구역

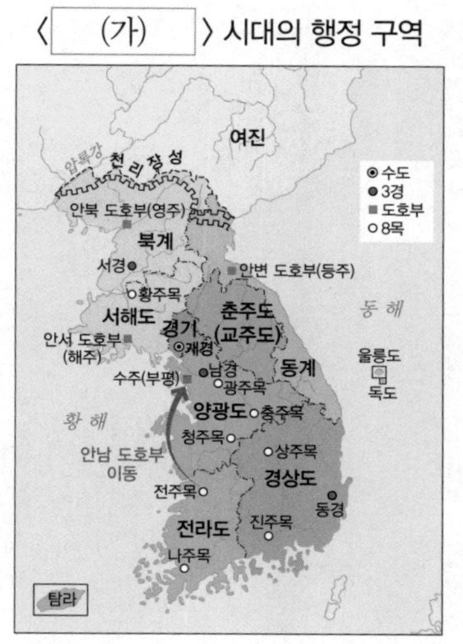


〈 (나) 〉 시대의 행정 구역

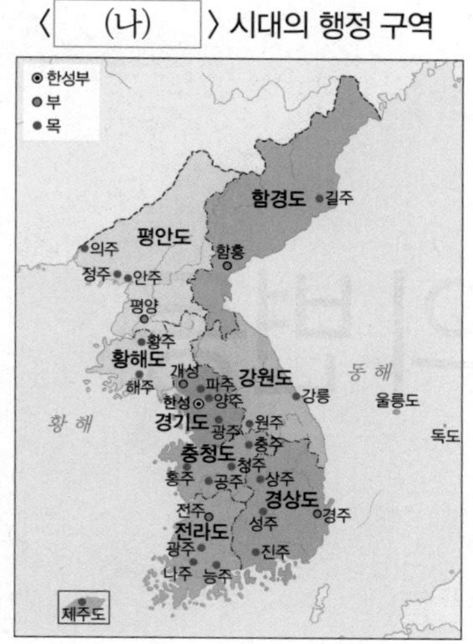


① (가) – 대부분의 군현에 수령이 파견되었다.
② (가) – 관찰사가 지방의 행정 실무를 담당하였다.
③ (나) – 향·부곡·소를 일반 군현으로 승격하였다.
④ (나) – 일반 행정 구역과 군사 행정 구역을 분리하였다.
⑤ (가), (나) – 향리는 6방으로 구성되었고 수령을 보좌하였다.

**풀이 비법**

① 왼쪽 지도는 전국이 5도 양계로 구분, 오른쪽 지도는 전국이 8도로 구분된 것을 보고 (가), (나) 시대를 파악한다.
② 고려 시대와 조선 시대 지방 행정 제도의 특징을 구분하여 옳은 설명을 고른다.

**02** (가)~(다) 국가 사이에 일어난 사실로 옳지 않은 것은?

임진왜란은 동아시아 삼국이 참여한 국제전으로 각국의 내정과 국제 질서에 큰 영향을 미쳤다. (가) 은/는 전국이 전쟁터가 되면서 인명 피해뿐만 아니라 국토의 대부분이 황폐해지고 국가 재정은 어려워지는 피해를 입었다. (나) 에서는 새로운 막부가 탄생하고 도자기 문화와 인쇄 문화가 크게 발전하였다. (다) 은/는 전쟁에 참여하면서 국력이 약화되었고, 만주에서 여진족이 성장하는 것을 막아 내지 못하였다.

① (가)는 건국 초기에 3포를 개항하여 (나)에게 제한적인 교역을 허용하였다.
② (가)는 (다)와 연합하여 (나)의 침략에 맞서 싸웠다.
③ (나)는 (다)의 무역량 제한에 반발하여 을묘왜변을 일으켰다.
④ (나)는 (다)를 정벌하는 길을 빌려 달라는 구실로 (가)를 침략하였다.
⑤ (다)는 후금과 전쟁이 일어나자 (가)에 원군을 요청하였다.

**풀이 비법**

① (가)~(다)가 동아시아 삼국이라는 점을 파악하고, 제시문에 나타난 임진왜란이 각국에 끼친 영향을 토대로 (가)~(다)에 해당하는 국가를 구분한다.
② (가)~(다) 국가 간 관계를 잘못 설명한 내용을 고른다.

# 조선 사회의 변동

이 단원의 **목차**

▼ 수원 화성(경기도 수원시)

| 사진으로 맛보기 |

사진은 경기도 수원의 화성입니다. 정조는 아버지 사도 세자의 묘를 수원으로 옮긴 뒤 이곳에 화성을 건설하였습니다. 화성 건설에는 정약용의 설계를 바탕으로 전통적인 축성 기법과 거중기, 녹로 등 과학적 기술이 활용되었고, 성내 모든 시설물은 주변 지형에 맞추어 자연스러운 형태로 지어졌습니다.

| 단원 열기 |

이 단원에서는 양 난 이후 조선의 정치, 사회, 문화의 변동을 배웁니다. 먼저 조선 후기 정치 체제의 변화를 살펴보고, 이어 사회와 경제의 발전 모습과 그 과정에서 사람들의 생활과 문화는 어떻게 변화하였는지 배웁니다.

# 조선 후기의 정치 변동

교과서 142~149쪽

**보충 비변사의 기능 강화**

비변사는 '국경(邊 변방 변)의 방비(備 대비할 비)를 담당하는 곳(司 맡을 사)'이라는 뜻이다. 임진왜란이 일어나고 국가의 모든 행정이 전쟁 수행과 연결되면서 비변사 회의에 3정승을 비롯한 고위 관료들이 모여 국가의 주요 정책을 논의하고 결정하였다. 이에 따라 비변사의 기능은 강화되었고 의정부와 6조의 기능은 크게 약화되었다.

**보충 정여립 사건**

동인인 정여립이 반역을 도모하였다는 이유로 희생된 사건이다. 당시 서인을 이끌던 정철이 정여립 사건의 조사를 맡았고, 이로 인해 많은 동인이 대거 쫓겨났다. 이후 왕세자 책봉을 건의하는 과정에서 정철이 선조의 미움을 사 파직되었고, 이 사건의 처리를 맡은 동인은 정철에 대한 강경한 처벌을 주장한 북인과 온건한 처벌을 주장하는 남인으로 나뉘었다.

**산림**

학식과 덕망을 갖추었으나 벼슬을 하지 않고 향촌에서 은거 생활을 하는 유학자를 말한다. 이들은 지방 사림의 존경을 받으며 향촌 사회의 여론을 주도하였다.

**보충 노론과 소론**

서인은 남인에 대한 처벌 문제를 두고 노론과 소론으로 갈라졌다. 송시열을 중심으로 한 노론은 남인에 대해 강경한 처벌을 주장하였고, 윤증을 중심으로 뭉친 소론은 온건한 처벌을 주장하였다.

## 1 붕당 정치

### 1. 비변사의 기능 강화

(1) **설치**: 외적 침입에 대비하여 설치한 임시 군사 회의 기구 (명종 때 상설 기구가 됨)

(2) **변화**: 임진왜란, 병자호란 과정에서 정치 기구의 중심 역할 → 국정 전반을 총괄하는 최고 기구로 발전 (국방뿐만 아니라 내정·인사·재정·외교 등 모든 분야 관여)

(3) **영향**: 의정부와 6조의 기능 크게 약화, 비변사의 요직을 장악한 집권 붕당이 모든 정책에 관여하는 폐단 발생

### 2. 붕당 정치의 전개

| | |
|---|---|
| 선조 시기 | • 사림이 동인과 서인으로 분당 → 동인이 정국 운영, 서인이 함께 참여<br>• 정여립 사건 등을 계기로 동인이 남인과 북인으로 분화 |
| 광해군 시기 | 북인이 정국 독점 → 서인 주도의 인조반정으로 몰락 |
| 인조~현종 시기 | • 서인과 남인이 상호 견제 인정, 정치적 논의 활발 → 붕당 간 상호 공존과 비판 인정<br>• 각 붕당이 서원, 향약을 통해 지방 사림의 여론을 중앙 정치에 반영 → 향촌에서의 산림 역할 중요<br>• 중앙 정치에서 3사의 역할 강조 (언론 기능을 담당하고, 공론을 주도함) |

### 3. 예송의 발생

(1) **예송**: 현종 때 왕실의 의례를 둘러싸고 서인과 남인이 벌인 논쟁

(2) **예송의 전개**

① 쟁점: 효종과 효종 비가 죽은 후 자의 대비의 상복 입는 기간

| | |
|---|---|
| 서인 | 효종이 인조의 차남이므로 『주자가례』에 따라 사대부와 같은 예법 적용 주장 → 1년 상복 |
| 남인 | 『주례』, 『예기』에 근거하여 왕은 최고의 예우로 대우해야 함을 주장 → 3년 상복 |

② 결과: 1차 예송에서 서인 주장 채택, 2차 예송에서 남인의 주장 수용 → 서인과 남인의 갈등 심화

(3) **예송의 성격**: 단순한 의례 문제가 아닌 국왕과 사대부의 관계에 대한 붕당 간 정치적·학문적 입장 차이를 반영

### 4. 붕당 정치의 변질

(1) **숙종의 정국 운영**

| | |
|---|---|
| 특징 | 붕당 간 갈등 격화 → 의도적으로 집권 붕당을 급격하게 교체(환국) |
| 환국 전개 | • 남인의 정국 주도, 군사적 기반 강화 → 남인 축출, 서인 대거 등용<br>• 남인의 후원을 받는 희빈 장씨의 아들을 원자로 책봉하는 데 서인이 반대 → 송시열 등 서인 축출, 남인 집권<br>• 남인 정권 붕괴 → 서인에서 나뉜 노론과 소론의 정국 주도 |

(2) **환국의 영향**: 붕당 간 건전한 비판과 견제 소멸, 상대 붕당을 철저히 배제·탄압, 국왕의 영향력 확대

(3) **숙종 시기 탕평론 제기**

① 배경: 붕당 정치의 변질, 국정 운영의 중심이 붕당에서 국왕으로 이동

② 탕평론: 국왕이 정치의 정면에 나서 붕당 세력을 적극적으로 조정해야 함을 주장

## 교과서 속 자료 & 개념

### 비변사의 권한 강화

교과서 142쪽

> 요즘 큰일이건 작은 일이건 모두 비변사에서 처리합니다. 의정부는 이름밖에 없고 6조는 할 일을 모두 빼앗겼습니다. 이름은 '국경의 방비를 담당하는 곳'이라고 하면서 과거나 비빈 간택까지 모두 여기에서 합니다.
>
> -『효종실록』

비변사의 업무 내용을 기록한 『비변사등록』

**자료 해설**

비변사는 중종 때 삼포 왜란을 계기로 설치되었다. 초기에는 임시 회의 기구였지만, 명종 때 을묘왜변을 통해 상설 기구로 발전하였다. 임진왜란 때 모든 행정이 전쟁 수행과 연결되면서 그 기능이 대폭 확대되었다. 이에 따라 기존 최고 권력 기관이었던 의정부가 담당하였던 국정 현안에 대한 논의가 비변사 회의에서 이루어졌고, 점차 내정·인사·재정·외교 등 국정을 총괄하는 최고 기구로 발전하였다.

### 붕당 정치의 전개

교과서 143쪽

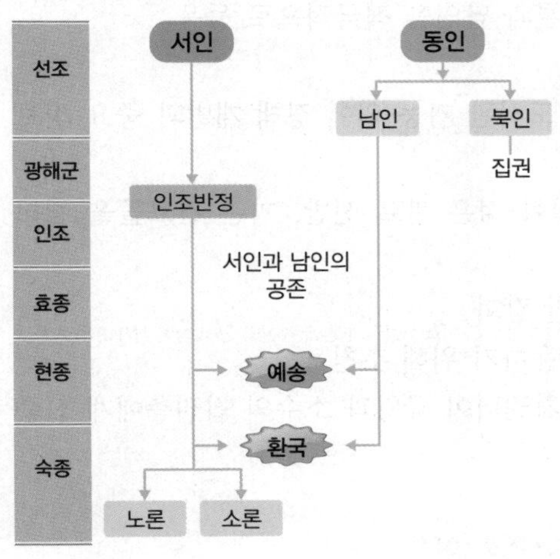


**자료 해설**

선조 때 사림이 동인과 서인으로 나뉘면서 시작된 붕당 정치는 인조반정 이후 서인이 주도하는 가운데 남인이 정치에 참여하는 형태로 전개되었고, 이러한 정국 운영은 현종 때까지 계속되었다. 이 시기에는 붕당 간 상호 견제와 비판이 비교적 잘 이루어져 붕당 정치가 본격화되었고, 이에 따라 지방 사림의 정치 참여의 폭이 확대되고 언론 기관인 3사의 역할이 강조되었다. 그러나 현종 때 서인과 남인이 왕실의 의례 문제를 두고 치열한 논쟁을 벌이는 가운데 상호 협조와 견제의 원칙은 유지하였지만 붕당 간 갈등은 점차 심화되었다.

### 붕당 정치의 변질

교과서 144쪽

> 조정에서 노론, 소론, 남인의 삼색이 날이 갈수록 더욱 사이가 나빠져 서로 역적이란 이름으로 모함하니 이 영향이 시골까지 미쳐 하나의 싸움터를 만들었다. 그리하여 서로 혼인을 하지 않을 뿐만 아니라 다른 붕당끼리는 서로 용납하지 않았다. …… 대체로 당색이 처음 일어날 때는 미미하였으나 자손들이 조상의 당론을 지켜 200년을 내려오면서 마침내 굳어져 깨뜨릴 수 없는 당이 되고 말았다. …… 오늘날 붕당의 환난만큼 심한 것이 없었으니 이대로 나가고 고치지 않는다면 장차 어떤 세상이 될 것인가.
>
> - 이중환, 『택리지』

**자료 해설**

환국은 '판을 뒤집는다'는 뜻으로, 숙종이 서인과 남인을 번갈아 집권하게 해 정치 국면이 급격하게 전환된 사건을 말한다. 숙종은 국왕의 권위를 높이고자 의도적으로 집권 붕당을 완전히 교체하는 환국을 여러 차례 일으켰다. 서인과 남인이 번갈아 집권하면서 두 붕당 간 대립이 격화되었을 뿐만 아니라 상대 당에 대한 탄압과 보복까지 가해졌고, 이 과정에서 서인도 노론과 소론으로 나뉘어 대립하였다.

환국을 거치면서 붕당 간 건전한 비판과 견제는 사라지고 상대 붕당을 철저하게 배제하는 것은 물론이고 존재 자체를 인정하지 않을 만큼 붕당 정치는 변질되었다.

## 2 탕평책과 세도 정치

### 1. 탕평책

붕당 간의 갈등과 대립을 극복하고 공존하기 위해 추진된 정책

(1) **의미**: 국왕이 정국의 주도권을 행사하는 정치 운영 방식

(2) **특징**: 영조와 정조 때 본격적으로 실시 → 붕당을 대신하여 국왕이 직접 정치 주도, 자신을 따르는 정치 세력을 위주로 정국 운영

### 2. 영조의 탕평책

왕위에 오르기 전부터 극심한 붕당 간의 대립을 경험하면서 탕평에 대한 강한 의지를 가짐

(1) **특징**: 탕평 교서 발표, 붕당을 없애자는 논의에 동의하는 인물 등용 → 왕의 측근으로 삼아 정국 주도

교서: 국왕이 내리는 명령서

(2) **탕평책 실시**: 산림의 존재 부정, 상당수의 서원 정리, 탕평비 건립

서원 정리: 붕당의 근거지였던 서원을 붕당 간 갈등과 대립을 유발하고 정국 혼란을 가져오는 요인으로 판단

(3) **결과**: 붕당 간의 갈등 완화, 국왕을 중심으로 한 정치 세력 강화

(4) **한계**: 국왕과 혼인 관계를 맺은 측근 세력의 정치적 비중이 높아짐 → 척신 정치 출현의 폐단 발생

척신 정치: 왕실의 외가 친척이 주도하는 정치

### 3. 정조의 탕평책

(1) **특징**: 영조의 정책 계승, 정권에서 소외된 소론과 남인을 적극적으로 등용

(2) **탕평책 실시**

① **규장각 설치**: 학술 연구 기구, 본래의 왕실 도서관 기능 외에 정책 개발과 중요 정보 수집까지 담당

② **인재 육성**: 붕당에 관계없이 규장각에서 일할 젊은 관료 선발, 기존 관료들을 재교육 → 국왕 지지 세력으로 육성

③ **장용영 설치**: 친위 부대, 국왕의 군사적 기반 강화

④ **수원 화성 건설**: 자신의 정치적 기반으로 활용하기 위해 추천

수원 화성: 『화성성역의궤』에 건설의 전 과정이 상세하게 기록됨

(3) **영·정조 탕평책의 한계**: 붕당의 기반 해체, 정치권력이 국왕과 소수의 집권층에게 집중 → 세도 정치 출현의 배경

### 4. 민생 안정책과 문물 정비 사업

(1) **영조 시기**

① 민생 안정: 균역법 실시, 신문고 제도 부활, 청계천 일대 준천 사업 실시

준천: 홍수의 피해를 줄이기 위해 물이 잘 흐르도록 하천의 바닥을 깊이 파내는 작업

② 문물 정비: 「동국여지도」 편찬, 『속대전』, 『속오례의』 간행

『속대전』: 『경국대전』 이후에 나온 법령을 통합하여 편찬한 법전

(2) **정조 시기**

① 민생 안정: 서얼 차별 완화, 통공 정책(상공업 활성화 도모)

서얼 차별 완화: 이덕무, 박제가 등 서얼 출신을 규장각 검서관으로 임명

② 문물 정비: 『대전통편』, 『탁지지』, 『무예도보통지』 편찬

### 5. 세도 정치

(1) **등장 배경**: 정조 사망 후 어린 나이의 순조 즉위 → 국왕에게 집중된 권력이 소수 세도 가문에게 넘어감

(2) **세도 정치의 전개**: 순조, 헌종, 철종 3대에 걸친 시기

① 세도 가문의 권력 독점: 왕실과 혼인 관계를 맺은 안동 김씨, 풍양 조씨 등이 비변사와 군사권 장악, 왕위 계승 문제에도 개입

안동 김씨, 풍양 조씨: 순조가 12살에 즉위하자 장인 김조순이 권력 장악, 헌종이 8살에 즉위하자 외할아버지 조만영이 권력 차지

② 정치 기강 문란: 세도 가문이 가문의 이익만 추구 → 부정부패, 과거에서 부정 합격자 증가, 뇌물을 이용한 관직 승진 성행

(『조선 정치사(1800~1863)』, 1990)

비변사 고위 관료 출신 가문

**보충 탕평(蕩平)**

탕탕평평(蕩 쓸어버릴 탕, 平 바로잡을 평)의 줄임말이며, '어느 쪽에도 치우치지 않고 바른 길을 간다.'는 뜻이다. 정치는 당파를 초월한 군주가 중심이 되어 중립적이고 바르게 해야 한다는 뜻이 담겨 있다.

**탕평비**

영조는 미래에 핵심 관료가 될 인재들에게 탕평의 정신을 알리고자 성균관 앞에 탕평비를 세웠다. 탕평비에는 '두루 친하고 치우치지 않는 것이 군자의 마음이고, 편벽되어 두루 친하지 않는 것이 소인의 마음이다.'라고 새겨져 있다.

**균역법**

균역의 폐단을 해결하기 위해 실시한 법으로 농민이 내는 군포를 1필로 줄여 주었다.

**보충 통공 정책**

시전 상인은 국역을 부담하는 대신 허가받지 않고 상업 활동을 하는 사람이나 점포를 단속할 수 있는 권한(금난전권)을 행사하였다. 정조는 시전 상인이 가진 금난전권을 폐지하여 자유로운 상업 활동을 보장하였다.

**보충 강화 도령, 철종**

정조의 이복동생 은언군의 손자로 반역죄에 연루되어 집안이 몰락하면서 강화도에서 숨어 지냈다. 산에서 나무를 하거나 농사를 지으면서 겨우 목숨만 부지할 수 있을 정도로 가난하고 학문과도 거리가 멀었던 그가 세도 가문에 의해 갑자기 왕이 되자, 한성의 양반과 백성들이 그를 비꼬아 '강화 도령'이라고 불렀다.

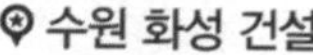

## 교과서 속 자료 & 개념

### 규장각 설치와 인재 육성

교과서 146쪽

규장각(서울 종로)

(자료 해설)

창덕궁 후원에 설치된 규장각은 정조가 집무실로 활용하면서 점차 국정을 의논하는 기관으로 바뀌었다.

정조는 당파나 신분에 상관없이 젊고 재능 있는 관리들을 선발하여 규장각에서 학문을 연구하게 하여 자신의 세력 기반을 강화하였다. 학식이 뛰어났던 정조는 이들을 상대로 수시로 직접 강의를 하거나 심지어 시험을 주관하여 채점을 하기도 하였다. 규장각 출신의 관리들은 정조를 도와 개혁 정치에 앞장섰다.

### 수원 화성 건설

교과서 146쪽

수원 화성의 남문인 팔달문(경기 수원)

(자료 해설)

정조가 세운 수원 화성은 군사적 방어 기능과 상업적 기능을 동시에 갖춘 실용적인 성이다. 화성 건설 과정에는 정약용이 설계한 거중기와 녹로 등 새로운 기구가 활용되어 공사 기간이 줄고 공사 경비도 절감되었다.

화성은 전통 성곽 기술과 당시 외국의 성 쌓는 기술의 장점도 참고하여 축조된 건축으로, 그 독창성과 우수성을 세계적으로 인정받아 유네스코 세계 유산으로 등재되었다.

## 개념 꿀꺽

**1. 빈칸에 알맞은 말을 쓰시오.**

(1) 양 난을 겪으면서 조선 정치 기구의 중심이 의정부와 6조에서 (　　　)(으)로 바뀌었다.

(2) 현종 때 왕실의 의례 문제로 두 차례 (　　　)이/가 발생하여 서인과 남인의 갈등이 심화되었다.

(3) 정조는 (　　　)을/를 설치하여 본래 왕실 도서관 기능뿐만 아니라 정책 개발과 중요 정보 수집까지 담당하게 하였다.

**2. 다음 내용이 옳으면 ○표, 틀리면 ×표 하시오.**

(1) 정여립 사건 등을 계기로 사림 세력은 동인과 서인으로 나뉘었다. (　　　)

(2) 숙종이 환국으로 정국을 운영하면서 서인과 남인의 대립이 격화되었다. (　　　)

(3) 탕평책은 국왕이 정국의 주도권을 행사하는 정치 운영 방식이었다. (　　　)

(4) 순조, 헌종, 철종의 3대에 걸쳐 왕실과 혼인 관계를 맺은 몇몇 특정 가문이 권력을 독점하였다. (　　　)

정답
1. (1) 비변사 (2) 예송 (3) 규장각
2. (1) × (2) ○ (3) ○ (4) ○

## 기초 튼튼 | 기본문제

**01** (가)에 들어갈 내용으로 적절한 것은?

> 비변사는 본래 외적의 침입에 대비하고자 설치한 임시 군사 회의 기구였으나 양 난을 계기로 국정 전반을 총괄하는 최고 기구로 발전하였다. 이로 인해 (가)

① 붕당 정치가 시작되었다.
② 네 차례의 사화가 발생하였다.
③ 의정부와 6조의 기능이 약화되었다.
④ 집현전이 정책 연구 기관으로 확대·개편되었다.
⑤ 재상의 비중이 약화되고 국왕 중심으로 정치가 운영되었다.

단답형

**02** (가), (나)에 들어갈 알맞은 말을 각각 쓰시오.

> 인조~현종 시기에 서인과 남인은 상대 붕당을 견제하였지만, 두 붕당 사이의 정치적 논의는 활발하게 이루어졌다. 이 시기에 각 붕당은 (가) 와/과 향약을 통해 지방 사림의 여론을 모아 중앙 정치에 반영하였다. 따라서 향촌에서는 산림의 역할이 중요해졌고, 중앙 정치에서는 공론을 주도하는 (나) 의 역할이 강조되었다.

(가): (　　　　　　), (나): (　　　　　　)

**03** (가), (나)에 들어갈 붕당을 옳게 짝지은 것은?

> • 임진왜란 후 즉위한 광해군 때는 북인이 정국을 독점하였다가 (가) 이 주도한 인조반정으로 몰락하였다.
> • 인조~현종 때까지는 붕당 간의 상호 공존과 비판이 비교적 잘 이루어졌으며, 숙종 재위 초반까지는 (가) 과 (나) 이 함께 정국을 운영해 나갔다.

| | (가) | (나) | | (가) | (나) |
|---|---|---|---|---|---|
| ① | 동인 | 서인 | ② | 동인 | 남인 |
| ③ | 서인 | 동인 | ④ | 서인 | 남인 |
| ⑤ | 노론 | 소론 | | | |

**04** 다음 논쟁에 대한 설명으로 옳은 것만을 〈보기〉에서 고른 것은?

**보기**

ㄱ. 숙종 때 여러 차례 발생하였다.
ㄴ. 왕실의 의례 문제를 둘러싸고 일어났다.
ㄷ. 서인이 노론과 소론으로 나뉘는 계기가 되었다.
ㄹ. 국왕과 사대부의 관계에 대한 붕당 간 입장 차이가 반영되었다.

① ㄱ, ㄴ　② ㄱ, ㄷ　③ ㄴ, ㄷ
④ ㄴ, ㄹ　⑤ ㄷ, ㄹ

**05** 다음 자료를 활용한 탐구 주제로 가장 적절한 것은?

> 조정에서 노론, 소론, 남인의 삼색이 날이 갈수록 더욱 사이가 나빠져 서로 역적이란 이름으로 모함하니 이 영향이 시골까지 미쳐 하나의 싸움터를 만들었다. 그리하여 서로 혼인을 하지 않을 뿐만 아니라 다른 붕당끼리는 서로 용납하지 않았다.
> – 「택리지」

① 세도 정치의 출현
② 척신 정치의 전개
③ 붕당 정치의 변질
④ 민생 안정책의 마련
⑤ 영조와 정조 시기 문물 정비

중요
## 06 영조의 업적에 대한 설명으로 옳은 것은?

① 서원을 정리하였다.
② 장용영을 설치하였다.
③ 수원에 화성을 세웠다.
④ 환국으로 정국을 운영하였다.
⑤ 시전 상인의 난전 단속권을 폐지하였다.

## 07 탕평책에 대한 설명으로 옳은 것만을 〈보기〉에서 고른 것은?

보기
ㄱ. 영조와 정조 때 본격적으로 실시되었다.
ㄴ. 붕당 간 대립이 심화되는 결과를 가져왔다.
ㄷ. 국왕이 정국의 주도권을 행사하는 정치 운영 방식이었다.
ㄹ. 안동 김씨, 풍양 조씨 등 세도 가문의 권력 독점을 견제하기 위해 실시되었다.

① ㄱ, ㄴ ② ㄱ, ㄷ ③ ㄴ, ㄷ
④ ㄴ, ㄹ ⑤ ㄷ, ㄹ

중요
## 08 (가)가 시행한 정책으로 옳은 것만을 〈보기〉에서 고른 것은?

(가) 은/는 어린 나이에 아버지 사도 세자의 죽음을 겪는 등 불행을 당하였지만 결국 왕위에 올랐다. 즉위 이후 왕권 강화를 위해 노론, 소론, 남인을 고루 관직에 등용하였고, 학술 연구 기구로 규장각을 설치하고, 국왕의 군사적 기반을 강화하고자 장용영을 창설하였다.

보기
ㄱ. 신문고를 부활하였다.
ㄴ. 속대전을 편찬하였다.
ㄷ. 통공 정책을 실시하였다.
ㄹ. 서얼에 대한 차별을 완화하였다.

① ㄱ, ㄴ ② ㄱ, ㄷ ③ ㄴ, ㄷ
④ ㄴ, ㄹ ⑤ ㄷ, ㄹ

## 09 다음에 해당하는 시기를 연표에서 옳게 고른 것은?

법전 및 국가 기록 등을 정리하는 사업이 추진되어 『대전통편』, 『탁지지』, 『무예도보통지』 등이 편찬되었다.

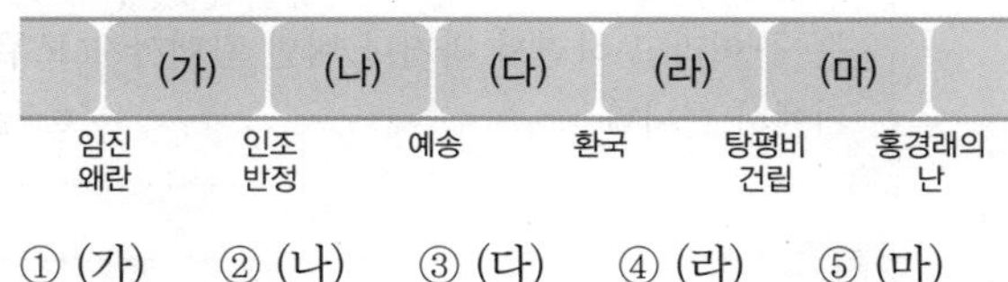


① (가) ② (나) ③ (다) ④ (라) ⑤ (마)

단답형
## 10 (가)에 들어갈 알맞은 말을 쓰시오.

정조가 급작스럽게 사망하고 순조가 어린 나이에 즉위하면서 국왕에게 집중된 권력이 소수 가문에게 넘어갔다. 이때부터 왕실과 혼인 관계를 맺은 안동 김씨와 풍양 조씨 등의 가문이 순조, 헌종, 철종의 3대에 걸쳐 권력을 독점한 (가) 이/가 시작되었다.

( )

중요
## 11 (가) 시기에 나타난 상황으로 옳은 것만을 〈보기〉에서 고른 것은?

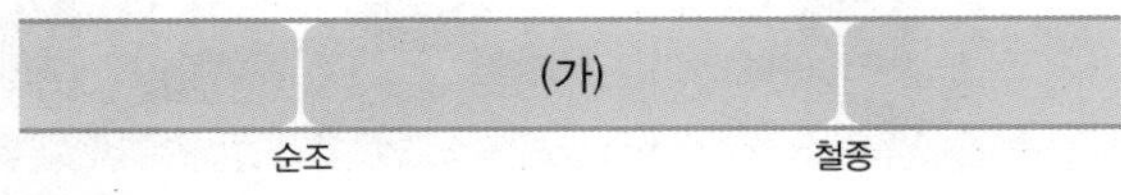


보기
ㄱ. 붕당 간 갈등이 극심하였다.
ㄴ. 세도 가문이 비변사를 장악하였다.
ㄷ. 과거에서 부정으로 합격하는 경우가 많았다.
ㄹ. 왕이 자신을 따르는 정치 세력을 위주로 직접 정국을 운영하였다.

① ㄱ, ㄴ ② ㄱ, ㄷ ③ ㄴ, ㄷ
④ ㄴ, ㄹ ⑤ ㄷ, ㄹ

## 실력 쑥쑥 | 실전문제

**01** (가) 기구에 대한 설명으로 옳은 것만을 〈보기〉에서 고른 것은?

> 요즘 큰일이건 작은 일이건 모두 (가) 에서 처리합니다. 의정부는 이름밖에 없고 6조는 할 일을 모두 빼앗겼습니다. 이름은 '국경의 방비를 담당하는 곳'이라고 하면서 과거나 비빈 간택까지 모두 여기에서 합니다. -「효종실록」

**보기**

ㄱ. 세도 정치 시기에 권한이 약화되었다.
ㄴ. 영조의 탕평책이 시행되면서 폐지되었다.
ㄷ. 양 난을 계기로 국정을 총괄하는 최고 기구로 발전하였다.
ㄹ. 본래 외적의 침입에 대비하고자 설치된 임시 군사 회의 기구였다.

① ㄱ, ㄴ ② ㄱ, ㄷ ③ ㄴ, ㄷ
④ ㄴ, ㄹ ⑤ ㄷ, ㄹ

고난도

**02** 다음 학생들의 대화 속 정치 형태에 대한 설명으로 옳은 것만을 〈보기〉에서 고른 것은?

**보기**

ㄱ. 탕평책으로 활성화되었다.
ㄴ. 3사의 역할을 유명무실하게 하였다.
ㄷ. 향촌에서 산림의 역할을 강화하였다.
ㄹ. 서원, 향약을 통해 모아진 지방 사림의 여론도 반영되었다.

① ㄱ, ㄴ ② ㄱ, ㄷ ③ ㄴ, ㄷ
④ ㄴ, ㄹ ⑤ ㄷ, ㄹ

**03** (가)~(라)의 사실들을 일어난 순서대로 옳게 나열한 것은?

> (가) 예송이 전개되었다.
> (나) 환국이 거듭되었다.
> (다) 탕평책이 실시되었다.
> (라) 세도 정치가 출현하였다.

① (가) - (나) - (다) - (라)
② (가) - (라) - (나) - (다)
③ (나) - (가) - (다) - (라)
④ (다) - (라) - (가) - (나)
⑤ (라) - (다) - (나) - (가)

중요

**04** 다음 비석을 세운 국왕에 대한 설명으로 옳은 것은?

비석에는 '두루 친하고 치우치지 않는 것이 군자의 마음이고, 편벽되어 두루 친하지 않는 것이 소인의 마음이다.'라고 새겨져 있다.

① 장용영을 설치하였다.
② 균역법을 시행하였다.
③ 수원에 화성을 세웠다.
④ 통공 정책을 실시하였다.
⑤ 환국으로 정국을 운영하였다.

중요

**05** **밑줄 친 '왕'의 재위 시기에 있었던 사실로 옳은 것은?**

> 왕은 자신의 뜻을 펼칠 학술 연구 기구로 규장각을 설치하고, 이곳에서 일할 젊은 관료들을 선발하였으며, 기존 관료들을 재교육하여 자신의 지지 세력으로 육성하였다.

① 균역법이 마련되었다.
② 속대전이 편찬되었다.
③ 수원에 화성이 건립되었다.
④ 청계천 준천 사업이 실시되었다.
⑤ 동국여지도 등 각종 지도와 지리서가 편찬되었다.

**06** **(가) 왕의 재위 시기에 대한 설명으로 옳지 않은 것은?**

> (가) 은/는 '강화 도령'이라는 별명으로 더 유명하였다. 사도 세자의 후손이었지만 반역죄로 집안이 몰락하면서 강화도에서 숨어 지내야 하였다. 산에서 나무를 하거나 농사를 지으면서 가난하게 살던 (가) 은/는 왕실의 예법이나 학문은 전혀 알지 못하였다.

① 부정부패가 만연하였다.
② 왕이 직접 국정을 주도하였다.
③ 세도 가문이 군사권을 장악하였다.
④ 과거 시험에서 부정 합격자가 많았다.
⑤ 비변사가 국가 최고 기구의 역할을 하였다.

**07** **밑줄 친 '이 시기'에 있었던 사실로 옳은 것은?**

> 이 시기에는 안동 김씨와 풍양 조씨 등 상위 6개의 특정 가문이 비변사 당상관직(정3품 이상)의 약 40% 정도를 차지하였다.

① 임진왜란이 발발하였다.
② 6조 직계제가 시행되었다.
③ 비변사의 기능이 강화되었다.
④ 두 차례의 사화가 발생하였다.
⑤ 외척 가문이 정치를 주도하였다.

## 서술형

**08** **다음 글을 읽고 물음에 답하시오.**

> (가) 은/는 영조와 정조 때에 들어서 본격적으로 실시되었다. 영조와 정조는 붕당을 대신하여 국왕이 직접 정치를 주도할 것을 선포하고, 자신을 따르는 정치 세력을 위주로 정국을 운영하였다.

(1) (가)에 들어갈 정책을 쓰시오.

(2) 영조와 정조가 시행한 (가) 정책이 가진 한계를 서술하시오.

**09** **그래프를 통해 알 수 있는 밑줄 친 '이 시기'의 정치 상황을 서술하시오.**

V. 조선 사회의 변동

# 사회 변화와 농민의 봉기

교과서 150~155쪽

## 1 조선 후기 경제와 사회 변동

### 1. 상품 화폐 경제의 발달

(1) **농촌의 변화**: 모내기법의 전국적 보급, 인삼, 담배 등 상품 작물 재배 → 재산을 축적한 부유한 농민 등장, 대다수 농민은 여전히 가난

(2) **상업과 수공업의 변화**

대동법 실시로 등장한 상인으로, 궁궐, 관청 등 정부에 필요한 물품을 시장에서 구매하여 납품

① 배경: 대동법 시행에 따른 공인의 대량 구매 활동 → 상공업 활성화

② 경제 발달

장인이 자유롭게 상품을 만들어 시장에서 판매함

| 상업 | 전국 각지에 장시 설치 확대, 보부상과 대상인의 활동 활발 |
|---|---|
| 수공업 | 정부 주도의 수공업 쇠퇴, 민간 운영의 수공업 발달 |
| 화폐 유통 | 18세기 후반 상평통보의 전국 유통, 세금 납부나 소작료 지급 등에도 화폐 사용 |

### 2. 신분제의 동요

자유민으로 과거 응시 가능, 조세와 공납, 역 부담

대다수가 노비이며 백정, 무당, 광대 등도 천인

(1) **신분 구분**: 법적으로 양인과 천인으로 구분 → 16세기 이후 지배층인 양반과 서얼·중인, 피지배층인 상민과 천민으로 구분하는 경향 강화

(2) **신분제 동요**: 양반의 수 증가, 상민과 노비의 수 감소

| 양반 | 붕당 정치의 변질 → 소수 양반만 관직 진출, 향반과 잔반 증가 |
|---|---|
| 중간 계층 | • 서얼: 18세기 이후 서얼에 대한 차별 철폐 요구, 집단 상소 운동 → 정조 때 서얼에 대한 차별 완화, 중앙의 주요 관직에도 임명<br>• 중인: 차별 철폐와 신분 상승 요구 전개 → 실패 |
| 상민 | • 부유한 농민·상인 등이 공명첩과 납속을 이용하여 신분 상승 → 군역 면제 기대<br>• 신분을 속이거나 몰락한 양반의 족보 구매 등으로 양반 행세 |
| 노비 | 상민층 감소로 국가 재정 악화 → 노비종모법 시행(영조), 공노비 해방(순조) |

노비 수를 줄이고 조세와 군역을 부담하는 상민 수를 늘리는 방안으로 국가 재정 확충에 목적을 둠

## 2 농민 봉기

전세, 군포, 환곡을 거두는 행정

### 1. 삼정의 문란

매관매직, 즉 뇌물을 바치고 수령이 된 자들이 농민을 수탈하여 보상받으려고 함

(1) **배경**: 세도 정치 시기 매관매직 등 부정부패 심화, 수령과 아전의 과도한 수탈

(2) **삼정의 문란**

① 전세 문란: 각종 명목의 부가세 추가 징수

본래 목적과 다르게 이자를 관청의 경비로 사용하면서 변질됨

② 군포 문란: 원칙적으로는 양인 남자만 부과 대상 → 어린아이, 죽은 사람에게도 부과

③ 환곡 문란: 빈민 구제 목적으로 시행 → 높은 이자 징수, 세금처럼 변질

삼정 중 폐단이 가장 심각

### 2. 비기와 예언 사상의 유행

미륵불이 지상에 내려와 중생을 구원할 것이라는 신앙

(1) **배경**: 삼정의 문란, 가뭄·홍수·전염병 등으로 백성의 고통 증가 → 새로운 세상 열망

(2) **비기, 예언 사상**: 『정감록』, 미륵 신앙 확산 → 양반, 농민의 의식 변화에 영향

이씨 왕조가 망하고 정씨 왕조가 출현한다는 예언 수록

### 3. 농민의 봉기

(1) **홍경래의 난(1811)**: 평안도 지역 차별 대우, 세도 가문의 수탈에 저항 → 상공업자, 광산업자, 농민 등 참여, 한때 청천강 이북 지역 점령 → 정주성 전투에서 패배, 진압

(2) **임술 농민 봉기(1862)**: 삼정의 문란 극심, 탐관오리의 착취에 저항 → 진주 농민 봉기를 시작으로 전국으로 확산 → 농민의 사회의식 한층 성장

경상 우병사 백낙신의 수탈에 항거하여 유계춘의 주도로 봉기

---

**보충 대동법**

공납을 개혁한 제도로, 집집마다 거두던 특산물(현물)을 소유한 토지를 기준으로 쌀이나 베, 돈으로 거두었다. 그 결과 농민의 부담이 줄어들고 국가 재정도 개선되었다. 이 제도의 시행으로 정부는 필요한 물품을 공인에게 조달하도록 하였다.

**보충 양반의 지위 하락**

> 옷차림은 신분의 귀천을 나타내는 것이다. 근래 이것이 문란해져 상민과 천민이 갓을 쓰고 도포를 입는 것이 마치 조정의 관리나 선비와 같다. 심지어는 시전 상인들이나 군역을 지는 상민들까지도 서로 양반이라고 부른다. – 『일성록』

조선 후기 양반 중심의 신분 질서가 크게 흔들려 양반의 권위가 하락하였음을 보여 준다.

**공명첩(空名帖)**

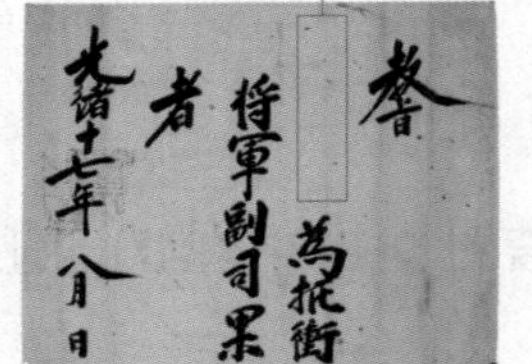


이름 쓰는 곳이 비워져 있는 임명장으로 임진왜란 이후 부족한 재정을 메우고자 정부가 발행한 명예직 임명장이다.

**납속**

정부에 돈이나 곡식을 바치면 그 대가로 벼슬을 주거나 역을 면제해 준 정책으로, 이를 통해 노비의 신분에서 벗어나기도 하였다.

**보충 노비종모법**

노비의 신분은 어머니의 신분에 따라 결정된다는 법이다. 따라서 아버지만 노비인 경우 자식은 노비가 되지 않았다.

## 교과서 속 자료 & 개념

### 중간 계층의 신분 상승 운동

교과서 151쪽

황경헌 등 하삼도 유생들이 상소하여 아리기를 "작위의 높고 낮음은 조정에서만 써야 옳은 것이고, 적자와 서자의 분별은 한 집안에서만 써야 옳은 것입니다. …… 노비였다가 해방된 이들은 벼슬을 받기도 하고 아전이었다가 관직을 받은 이들은 높은 자리에 오르기도 하는데, 저희는 한번 낮아진 신분이 대대로 후손으로 이어져 영구히 서족(庶族)이 되어 지금까지 그저 버림받은 물건이 되었습니다."라고 하였다. – 『정조실록』

**자료 해설**

적자는 본처의 자식을 말하고, 서자(서얼)는 첩의 자식을 말한다. 조선 시대에 서얼은 문과에 응시할 자격이 제한되었고 관직에 진출하더라도 고위 관직에 진출할 수 없었다.

18세기 이후 서얼은 자신들에 대한 차별을 철폐하고자 적극적으로 집단 상소를 올리는 방법으로 신분 상승 운동을 전개하였다. 그 결과 정조 때 서얼에 대한 차별이 완화되어 이덕무, 박제가, 유득공 등이 규장각 검서관에 임명되기도 하였다. 이에 자극을 받은 중인들도 신분 상승 운동을 전개하였으나 이들의 요구는 받아들여지지 않았다.

### 홍경래의 난

교과서 153쪽

조정에서는 어찌 평안도를 더러운 흙과 같이 여기는가? 심지어 권세가의 노비도 우리를 보면 반드시 '평안도 놈'이라고 말하니 서쪽 땅에 사는 자로서 어찌 억울하고 원통하지 않겠는가? …… 지금 나이 어린 임금이 왕위에 있어서 권력 있는 신하들의 간악한 짓이 갈수록 더 심해지고, 세도 가문의 무리들이 권력을 제멋대로 하니 …… 이곳 평안도에서 병사를 일으켜 백성들을 구하고자 한다. – 『패림』

**자료 해설**

평안도 지역은 청과 국경을 서로 맞대고 있어 군사적·외교적으로 매우 중요한 곳이었다. 이 지역은 지하자원이 풍부하여 광업과 수공업이 발달하였으며, 특히 청과의 무역을 통해 상업도 발달하였다. 그러나 평안도 지역은 차별을 받아 평안도 출신이라는 이유로 과거 시험에 합격해도 중요한 관직에 오르는 것이 어려웠다. 이러한 차별에 저항하여 몰락 양반 홍경래는 평안도 지역의 상공업자와 광산업자들을 끌어들여 자금을 마련하고, 광산 노동자, 가난한 농민들을 모아 봉기하였다. 이들은 한때 청천강 이북의 넓은 지역을 점령하는 등 세력을 확장하였지만 관군에 밀려 정주성에서 패하고 결국 진압되었다.

홍경래의 난은 실패로 끝났지만 이후 일어난 하층민의 저항과 봉기에 큰 영향을 주었다.

## 개념 꿀꺽

**1. 빈칸에 알맞은 말을 쓰시오.**

(1) (　　　)은/는 집집마다 거두던 특산물을 소유한 토지를 기준으로 쌀이나 베, 돈으로 거둔 제도이다.

(2) (　　　)은/는 임진왜란 이후 부족한 재정을 메우고자 정부가 발행한 명예직 임명장이다.

(3) 세도 정치기에는 전세, 군포, 환곡을 거두어들이는 (　　　)이/가 문란해졌다.

(4) 빈민 구제를 위한 제도인 (　　　)은/는 이자가 관청의 경비로 사용되면서 사실상 세금처럼 변질되어 그 폐단이 가장 심각하였다.

**2. 다음 내용이 옳으면 ○표, 틀리면 ×표 하시오.**

(1) 조선 후기에 모내기법이 널리 보급되고 상품 작물 재배가 이루어지면서 재산을 축적한 부유한 농민이 생겨났다. (　　　)

(2) 정조 때는 서얼에 대한 차별이 완화되어 서얼 출신들이 중앙의 주요 관직에 임명되기도 하였다. (　　　)

(3) 19세기에 들어 백성들 사이에 각종 비기나 예언 사상이 유행하였다. (　　　)

(4) 홍경래의 난은 백낙신의 수탈에 저항하여 진주 지방에서 시작되었다. (　　　)

정답
1. (1) 대동법 (2) 공명첩 (3) 삼정 (4) 환곡
2. (1) ○ (2) ○ (3) ○ (4) ×

## 기초 튼튼 | 기본문제

중요
**01** 조선 후기 경제 상황에 대한 설명으로 옳지 않은 것은?

① 화폐 사용이 확산되었다.
② 전국 각지에 장시가 들어섰다.
③ 정부 주도의 수공업이 활발해졌다.
④ 모내기법이 전국적으로 보급되었다.
⑤ 인삼, 담배 등 상품 작물이 재배되었다.

단답형
**02** (가)에 들어갈 알맞은 말을 쓰시오.

조선 후기에는 상공업이 발달하면서 화폐 사용도 확산되었다. 왼쪽 사진의 (가) 은/는 18세기 후반에 전국적으로 유통되었고 세금 납부나 소작료 지급 등에도 사용되었다.

(                    )

중요
**03** (가), (나)에 들어갈 용어를 옳게 짝지은 것은?

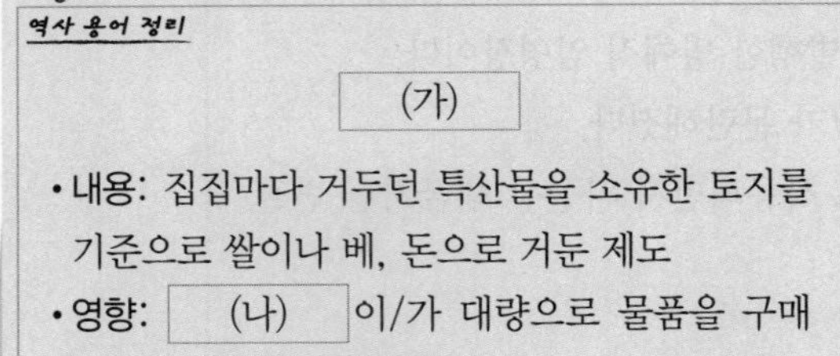
역사 용어 정리

(가)

• 내용: 집집마다 거두던 특산물을 소유한 토지를 기준으로 쌀이나 베, 돈으로 거둔 제도
• 영향: (나) 이/가 대량으로 물품을 구매하면서 상공업이 활발해짐

| | (가) | (나) |
|---|---|---|
| ① | 균역법 | 공인 |
| ② | 균역법 | 보부상 |
| ③ | 대동법 | 공인 |
| ④ | 대동법 | 보부상 |
| ⑤ | 통공 정책 | 공인 |

**04** 다음 자료에 나타난 시기의 경제 상황으로 옳은 것만을 〈보기〉에서 고른 것은?

> 옷차림은 신분의 귀천을 나타내는 것이다. 근래 이것이 문란해져 상민과 천민이 갓을 쓰고 도포를 입는 것이 마치 조정의 관리나 선비와 같다. 심지어는 시전 상인들이나 군역을 지는 상민들까지도 서로 양반이라고 부른다. – 『일성록』

보기
ㄱ. 벽란도가 무역항으로 번성하였다.
ㄴ. 아라비아 상인이 송을 거쳐 왕래하였다.
ㄷ. 민간에서 운영하는 수공업이 활발하였다.
ㄹ. 보부상과 대상인이 활발하게 활동하였다.

① ㄱ, ㄴ ② ㄱ, ㄷ ③ ㄴ, ㄷ
④ ㄴ, ㄹ ⑤ ㄷ, ㄹ

**05** 선생님의 질문에 대한 학생의 답변으로 옳은 것은?

① 노비 수가 늘었습니다.
② 화폐 사용이 증가하였습니다.
③ 국가의 재정이 부족하였습니다.
④ 중인의 신분 상승 운동이 전개되었습니다.
⑤ 신분을 양인과 천민으로 구분하는 경향이 강해졌습니다.

**06** (가) 신분에 대한 설명으로 옳은 것만을 〈보기〉에서 고른 것은?

수계도권

그림은 서울의 (가) 출신 문인들이 시 짓는 모임을 갖고 있는 모습을 그린 「수계도권」이다. 조선 후기에 (가) 은/는 그림과 같이 시사(詩社)를 조직하여 시를 나누는 등 양반과 같은 문화생활을 즐기고자 하였다.

보기

ㄱ. 법적으로 양인이었다.
ㄴ. 중앙의 주요 관직을 독차지하였다.
ㄷ. 신분 상승 운동을 벌이기도 하였다.
ㄹ. 대개 생산 활동을 하며 조세와 군역을 부담하였다.

① ㄱ, ㄴ ② ㄱ, ㄷ ③ ㄴ, ㄷ
④ ㄴ, ㄹ ⑤ ㄷ, ㄹ

중요

**07** 다음 자료를 활용한 탐구 주제로 가장 적절한 것은?

시아버지 상은 이미 마치고, 갓난아기 배냇물은 아직 마르지도 않았는데, 이 집 삼 대 이름은 군적에 모두 올랐네. 급하게 가서 억울함을 호소해도, 관청 문지기는 호랑이 같고, 이정은 으르렁대며 외양간 소마저 끌고 가네. – 정약용, 「애절양」

① 삼정의 문란 ② 신분제의 정착
③ 대동법의 시행 ④ 정감록의 유행
⑤ 부유한 농민의 등장

단답형

**08** (가)에 들어갈 책으로 옳은 것은?

① 정감록 ② 탁지지 ③ 칠정산
④ 동국통감 ⑤ 주자가례

**09** 세도 정치 시기에 있었던 사실로 옳지 <u>않은</u> 것은?

① 평안도 가산에서 홍경래의 난이 일어났다.
② 어린아이나 죽은 사람에게도 군포가 부과되었다.
③ 유계춘을 중심으로 진주 농민이 진주성을 점령하였다.
④ 서얼 출신인 박제가, 유득공이 규장각 검서관에 임명되었다.
⑤ 이씨 왕조가 망하고 정씨 왕조가 출현한다는 예언이 유행하였다.

단답형

**10** 다음 격문과 관련 있는 사건의 명칭을 쓰시오.

조정에서는 어찌 평안도를 더러운 흙과 같이 여기는가? 심지어 권세가의 노비도 우리를 보면 반드시 '평안도 놈'이라고 말하니 서쪽 땅에 사는 자로서 어찌 억울하고 원통하지 않겠는가? …… 세도 가문의 무리들이 권력을 제멋대로 하니 …… 이곳 평안도에서 병사를 일으켜 백성들을 구하고자 한다.

– 「패림」

( )

## 실력 쑥쑥 | 실전문제

중요

**01** 다음 그림에 나타난 농사 기술이 널리 보급된 시기 경제 상황으로 옳은 것만을 〈보기〉에서 고른 것은?

보기

ㄱ. 화폐 유통이 활발해졌다.
ㄴ. 보부상과 대상인이 성장하였다.
ㄷ. 정부 주도의 수공업이 활발하였다.
ㄹ. 대부분의 농민들이 부농으로 성장하였다.

① ㄱ, ㄴ ② ㄱ, ㄷ ③ ㄴ, ㄷ
④ ㄴ, ㄹ ⑤ ㄷ, ㄹ

**02** 다음 상황의 제목으로 가장 적절한 것은?

① 전세의 문란 ② 환곡의 문란
③ 신분제의 동요 ④ 대동법의 시행
⑤ 상공업의 활성화

고난도

**03** 다음 글에 나타난 시기에 볼 수 있는 모습으로 적절하지 않은 것은?

> 몇몇 가문이 비변사와 군사권을 장악하고 왕위 계승 문제에 직접적으로 개입하기도 하였다. 이들이 자기 가문의 이익만 추구하는 경향을 보이면서 각종 부정부패가 나타나 과거에서는 실력보다 부정으로 합격하는 경우가 많았다.

① 생계를 위해 자리 짜기를 하는 양반
② 평안도에 대한 차별 철폐를 요구하는 농민
③ 갓난아이에게 군포를 부과하고 돌아가는 아전
④ 몰락한 양반의 족보를 사서 집에 가져가는 상인
⑤ 난전 단속권을 폐지한다는 발표에 분노하는 시전 상인

**04** 다음 격문이 발표된 봉기에 대한 설명으로 옳은 것만을 〈보기〉에서 고른 것은?

> 조정에서는 어찌 평안도를 더러운 흙과 같이 여기는가? 심지어 권세가의 노비도 우리를 보면 반드시 '평안도 놈'이라고 말하니 서쪽 땅에 사는 자로서 어찌 억울하고 원통하지 않겠는가? …… 지금 나이 어린 임금이 왕위에 있어서 권력 있는 신하들의 간악한 짓이 갈수록 더 심해지고, 세도 가문의 무리들이 권력을 제멋대로 하니 …… 이곳 평안도에서 병사를 일으켜 백성들을 구하고자 한다.

보기

ㄱ. 철종 시기에 일어났다.
ㄴ. 한때 진주성을 점령하였다.
ㄷ. 상공업자, 광산업자들이 참여하였다.
ㄹ. 『정감록』의 예언 사상이 봉기에 이용되었다.

① ㄱ, ㄴ ② ㄱ, ㄷ ③ ㄴ, ㄷ
④ ㄴ, ㄹ ⑤ ㄷ, ㄹ

**05** 다음 자료를 활용한 탐구 주제로 가장 적절한 것은?

황경헌 등 하삼도 유생들이 상소하여 아뢰기를 "작위의 높고 낮음은 조정에서만 써야 옳은 것이고, 적자와 서자의 분별은 한 집안에서만 써야 옳은 것입니다. …… 노비였다가 해방된 이들은 벼슬을 받기도 하고 아전이었다가 관직을 받은 이들은 높은 자리에 오르기도 하는데, 저희는 한번 낮아진 신분이 대대로 후손으로 이어져 영구히 서족(庶族)이 되어 지금까지 그저 버림받은 물건이 되었습니다."라고 하였다.

– 「정조실록」

① 공노비의 해방
② 노비종모법의 영향
③ 공명첩 발행의 효과
④ 상품 화폐 경제의 발달
⑤ 중간 계층의 신분 상승 운동

중요

**06** 선생님의 질문에 대한 학생의 답변으로 옳은 것은?

① 삼정의 문란이 극심하였습니다.
② 평안도 사람들을 차별 대우하였습니다.
③ 홍경래의 난이 관군에게 진압되었습니다.
④ 무신 정권의 가혹한 수탈이 계속되었습니다.
⑤ 국왕이 의도적으로 환국을 일으켜 정국을 혼란에 빠뜨렸습니다.

## 서술형

**07** 다음 글을 읽고 물음에 답하시오.

공납은 세금을 각 지역의 특산물로 내게 하는 제도였는데, 농민들에게 큰 부담이 되었다. 이에 집집마다 토산물을 거두는 공납 대신 백성들 각자가 소유하고 있는 토지의 많고 적음에 따라 쌀, 베, 돈으로 납부하게 하는 <u>이 제도</u>를 시행하였다.

(1) 밑줄 친 '이 제도'를 쓰시오.

(2) 밑줄 친 '이 제도'가 경제 발전에 끼친 영향을 서술하시오.

**08** 다음 자료를 읽고 물음에 답하시오.

영조는 (가) 을/를 시행하였는데, 이는 노비의 신분은 어머니의 신분에 따라 결정된다는 법이었다. 또 순조 때에는 6만 6천여 명의 공노비를 해방하였다.

(1) (가)에 들어갈 정책을 쓰시오.

(2) 조선 정부가 위의 정책들을 시행한 공통적인 목적을 서술하시오.

**09** 홍경래의 난이 일어난 이유를 <u>두 가지</u> 서술하시오.

# 학문과 예술의 새로운 경향 ~ 생활과 문화의 새로운 양상

교과서 156~169쪽

## 1 문화 교류와 서학의 유입

### 1. 일본에 파견한 통신사

(1) **배경**: 임진왜란 이후 조선-일본의 외교 관계 회복, 에도 막부의 요청, 조선 정부가 일본과의 평화 유지 필요성 인식

- 에도 막부의 요청: 쇼군이 바뀔 때마나 권위를 과시할 목적으로 요청
- 필요성 인식: 북방의 여진족으로부터 압박을 받고 있었기 때문에 일본과의 관계 안정이 필요

(2) **영향**: 통신사 일행과 일본 문인들과의 학문적 교류, 통신사의 서체와 시문이 일본에 유행, 일본의 서적과 고구마 등 외래 작물이 조선에 전래

- 통신사: 양국의 평화를 유지하는 외교 사절이자 문화 전파자 역할을 함

### 2. 청에 파견한 연행사

- 연행사: 청의 수도인 '연경(베이징)에 간 사신'이라는 의미

(1) **배경**: 병자호란 이후 조선과 청의 조공·책봉 관계 수립

(2) **영향**: 외교 업무 수행, 청의 학자 및 서양 선교사와 교류를 통해 새로운 문물 접촉 → 국내 일부 학자들을 중심으로 북학론 제기

- 북학론: 청의 문물을 적극적으로 수용하고 배워야 한다는 주장

### 3. 서양 학문(서학)의 유입

(1) **수용**: 중국에 간 사신들을 통해 본격적으로 전래 → 정두원이 명에서 천리경, 자명종, 서양식 화포 등을 가져옴, 연행사가 서양 관련 서적과 문물을 정기적으로 전래

(2) **영향**: 국내의 서학 연구자 증가 → 홍대용의 지전설 주장, 정약용의 거중기 제작 등

- 지전설: 지구가 둥글고 24시간에 1바퀴씩 스스로 돈다는 주장

## 2 새로운 사상의 등장과 예술의 부흥

### 1. 실학과 국학의 발달

- 실학: 현실 문제에 관심을 두고 이를 적극적으로 개혁하고자 노력하는 학문적 경향

| | |
|---|---|
| 실학 | • 발달 배경: 양 난 이후 신분제 동요, 조세 제도 문란, 소수 지주의 토지 독점 등으로 사회 문제 확대 → 지식인을 중심으로 다양한 개혁 방안 모색<br>• 실학자의 개혁안: 토지 제도 개혁을 통한 자영농 육성 주장(유형원, 이익, 정약용 등), 상공업 발전과 기술 혁신을 통한 국가의 부강 도모, 청과의 교역 확대 주장(유수원, 홍대용, 박지원, 박제가 등 북학파) |
| 국학 | • 발달 배경: 실학 발달, 민족의 전통과 현실에 관한 관심 증대 → 우리의 역사, 지리, 국어 등을 연구<br>• 안정복의 「동사강목」(중국 중심 역사관 탈피), 유득공의 「발해고」(발해사를 우리 역사로 인식), 이중환의 「택리지」(우리나라의 지리적 환경과 풍속 정리), 정상기의 「동국지도」, 김정호의 「대동여지도」, 「훈민정음운해」와 「언문지」(우리말 음운 연구) |

- 「발해고」: 발해를 우리 역사로 본격적으로 다루면서 통일 신라와 발해를 가리켜 남북국이라는 용어 사용

### 2. 새로운 종교의 등장

| | | |
|---|---|---|
| 천주교 | • 17세기 중국을 왕래한 사신을 통해 서학의 하나로 수용 → 18세기 후반부터 신앙으로 수용, 「주교요지」(교리서)<br>• 천주 앞 모든 사람의 평등 주장, 사후 천당행을 약속 | 성리학적 질서 부정, 새로운 사회 지향 → 정부가 사교로 규정, 탄압 |
| 동학 | 19세기 중엽 최제우가 창시 → 시천주 사상, 후천 개벽 주장 | |

### 3. 예술의 부흥

| | |
|---|---|
| 진경 산수화 | • 우리 문화에 대한 자부심 증대 → 우리나라의 산천을 독자적인 화풍으로 그림<br>• 정선의 「인왕제색도」, 「금강전도」 등이 대표 작품 |
| 풍속화 | • 김홍도: 서민의 일상을 간결한 필치로 그림 → 「무동」, 「서당」, 「취중송사」 등<br>• 신윤복: 양반의 풍류와 남녀 간 애정을 풍자적·감각적으로 표현 → 「월하정인」, 「주유청강」 등 |
| 민화 | 서민들의 생활 공간 장식, 해·달·식물 등을 소재로 행복과 장수 기원 → 「까치호랑이」 등 |

- 우리 문화에 대한 자부심 증대: 조선의 고유색을 찾으려는 시도로 이어짐
- 「인왕제색도」: 비가 내린 후 인왕산의 모습을 표현

**보충 연행사**

연행사는 1년에 한 번은 반드시 정기적으로 청에 파견되었는데, 베이징에서의 체류 기간을 합치면 평균 5개월 정도의 기간이 소요되었다. 연행사는 베이징에 머무르며 공식적인 외교 업무를 수행하였고, 청의 관료나 학자들과 교제하면서 주변국과 서양 여러 나라에 대한 정보를 얻었다. 또한 베이징의 유리창이라고 칭하는 시장, 상점에 들러 중국과 서양의 각종 진귀한 문물을 살펴보기도 하였으며, 서점에서 많은 책을 접하였다. 이들이 가지고 온 청과 서양의 책은 조선의 학문과 문화 발전에 많은 영향을 끼쳤다.

**보충 실학자 정약용**

이익의 학문을 접하면서 실학을 접하고 체계화한 인물이다. 각종 사회 개혁 사상을 제시하였을 뿐만 아니라 과학 기술에도 관심이 깊었다. 정조 때 배다리 설계, 수원 화성 설계를 책임졌고, 화성 건설 과정에서 서양 선교사가 쓴 「기기도설」을 참고하여 거중기를 만들어 활용하여 공사 비용과 기간을 크게 단축하였다. 그러나 정조가 죽은 뒤 천주교 박해에 휘말려 강진에서 긴 유배 생활을 하였다. 이때에 「목민심서」, 「흠흠신서」, 「경세유표」 등 많은 책을 집필하였다.

**보충 「대동여지도」**

김정호가 당시까지 만들어진 모든 지도를 종합하여 만든 지도이다. 전국의 산맥·하천·포구·도로망 등을 자세히 표시하고, 도로에 10리마다 점을 찍었다. 전국을 22첩으로 나누어 평상시에는 필요한 지역만 책처럼 휴대할 수 있었다.

**「주교요지」**

천주교 교리를 순 한글로 해석한 것으로 천주교의 대중화에 중요한 역할을 하였다.

## 교과서 속 자료 & 개념

### 『열하일기』

교과서 157쪽

(자료 해설)

청 황제 건륭제의 70세 생일을 축하하는 연행사의 일원으로 청의 열하에 다녀온 박지원이 그곳에서 경험한 내용을 일기 형식으로 자세히 기록한 책이다. 이 책에서 박지원은 우리도 청과 같이 벽돌을 널리 활용하고 선박이나 수레를 전국적으로 활용하자고 주장하였다. 『열하일기』와 같이 연행사로 다녀온 사람들이 쓴 보고서나 기행문을 통해 청의 사정이 알려지면서 청의 문물을 적극적으로 수용하고 배워야 한다는 북학론이 제기되었다.

### 실학의 발달

교과서 158쪽

- 토지는 국가의 근본이다. 근본이 무너지면 모든 제도가 혼란해진다. …… 그런데 부자들은 한없이 넓은 토지가 서로 맞대어 있고, 가난한 사람은 송곳 꽂을 땅도 없는 지경이 되었다. 부유한 자는 더욱 부유해지고, 가난한 자는 더욱 가난해지게 되었다.

  – 유형원, 『반계수록』

- 재물을 비유하자면 우물과 같다. 우물에서 물을 퍼낼수록 가득차지만 뚜껑을 덮어 놓으면 말라 버린다. 그러므로 비단옷을 입지 않으면 비단 짜는 사람이 없어질 것이고, 비단을 짜는 여인의 솜씨도 사라질 것이다.

  – 박제가, 『북학의』

(자료 해설)

양 난 이후 성리학이 당시 사회의 여러 문제에 대한 마땅한 해결책을 제시하지 못하는 가운데 일부 지식인들을 중심으로 현실 문제에 관한 다양한 개혁 방안이 모색되었는데, 이러한 학문적 경향을 실학이라고 한다.

유형원, 이익, 정약용 등은 농촌 문제에 주목하여 자료와 같이 토지를 농민에게 나누어 주는 등의 토지 제도 개혁을 통해 농민 생활을 안정시켜야 한다고 보았다. 한편 청의 영향을 많이 받아 북학파라고도 불린 유수원, 홍대용, 박지원, 박제가 등은 청과의 교역을 확대하고 청의 문물 수용을 주장하였다. 또한 상공업 진흥을 통해 현실을 개혁하고자 하였는데, 박제가는 자료와 같이 재물을 우물물에 비유하여 소비를 권장해야 생산이 활발해진다고 주장하였다.

### 진경 산수화

교과서 160쪽

「인왕제색도」(정선, 삼성 미술관 리움)

(자료 해설)

병자호란 이후 조선이 비록 청에 패하였지만 문화적으로는 오랑캐가 세운 청에 비해 우월하다는 인식이 지식인을 중심으로 확산되었다. 이와 함께 중국 중심의 문화에서 벗어나 우리 문화에 대한 관심도 높아졌다. 조선 후기에 등장한 진경 산수화는 다른 그림을 모방하여 그린 것이 아니라 우리 산천을 직접 답사하고 화폭에 담은 산수화이다. 「인왕제색도」, 「금강전도」를 그린 정선은 진경 산수화의 대가였으며, 자연 경관의 묘사는 물론 자연을 보면서 느끼는 주관적인 감정도 표현하려고 하였다.

## 3 성리학적 질서의 강화

### 1. 가부장 중심의 가족 제도 강화

(1) **배경**: 서원, 향약 등을 통해 성리학적 규범이 향촌 사회에 널리 보급

(2) **가족 제도 변화**: 가족 내 가장의 권위 강조, 적장자(정실 부인이 낳은 큰아들)가 대를 이어야 한다는 의식 확산

| 고려~조선 초기 | | 조선 후기 |
|---|---|---|
| • 자녀들이 돌아가면서 제사 담당<br>• 부계, 모계 혈연을 모두 중시 | ➡ | • 제사를 적장자에게 고정, 아들이 없으면 양자를 들여와 제사 담당<br>• 부계 혈연 중시 → 외가나 처가 쪽의 친척은 족보 기재에서 배제, 동족 마을 형성 |

### 2. 적장자 상속 우대

(1) **배경**: 붕당 정치의 변질로 정권에서 소외된 양반들의 관직 진출이 어려움 → 양반들의 사회적 지위 추락, 경제적 기반 약화

(2) **내용**: 많은 양반 가문에서 적장자에게 재산을 집중 상속 → 적장자가 집안의 대표로 제사 주관, 다른 형제들 부양

### 3. 여성의 사회적 지위 약화

성리학적 규범이 강조되면서 여성의 역할은 더욱 제한됨

| 고려~조선 초기 | | 조선 후기 |
|---|---|---|
| • 자녀에게 균등하게 재산 상속<br>• 아들딸 구분 없이 출생 순 족보 기재<br>• 결혼 후 신랑이 신붓집에서 일정 기간 거주<br>• 아버지가 죽으면 어머니가 호주(한 집안을 책임지는 사람)가 되는 경우가 상당수<br>• 과부의 재가가 비교적 자유로움 | ➡ | • 딸은 재산 상속이나 제사에서 차별<br>• 먼저 태어난 딸보다 늦게 태어난 아들을 족보에 우선 기재<br>• 결혼 후 바로 신랑 집에서 생활하는 시집살이 보편화<br>• 여성의 호주 비율이 확연히 낮아짐<br>• 여성의 정절 중시 → 과부의 재가 금지 |

## 4 서민 문화의 발달

### 1. 서민 문화

중인층과 상민층이 문화 생산과 소비의 주체가 된 문화

(1) **발달 배경**

① 상품 화폐 경제의 발달 → 부를 축적한 농민과 상인들이 증가

② 서당 교육의 확대 → 서민의 의식 향상으로 문화생활에 대한 욕구 증가

(2) **특징**: 역동적이면서 직설적인 표현, 양반들의 위선 풍자, 사회의 부정과 비리 고발

(3) **영향**: 서민들의 욕구 분출, 사회 현실에 대한 비판 의식 향상

### 2. 한글 소설과 사설시조의 유행

(1) **한글 소설**: 『홍길동전』(허균, 최초의 한글 소설), 『춘향전』(신분 차별의 부당성 주장), 『콩쥐팥쥐전』, 『흥부전』, 『심청전』, 『장화홍련전』 등

(『홍길동전』: 서얼인 주인공 홍길동이 서얼 차별에 저항, 탐관오리 응징, 이상 국가 건설 등의 문제를 다루는 내용)

(2) **사설시조**: 형식에 구애받지 않고 자신의 감정을 솔직하고 구체적으로 표현 → 남녀 간의 사랑 이야기, 부조리한 사회 현실 비판

### 3. 다양한 공연 예술의 발달

상업 발달을 배경으로 장시 확대 → 장시가 사람들이 많이 모이는 공연장의 역할을 함

(1) **판소리**: 소리꾼이 고수의 장단에 맞춰 이야기 전개, 추임새로 청중 참여 가능

(2) **탈놀이**: 주로 양반 풍자와 불교에 대한 비판, 황해도 봉산 탈춤과 안동 하회 탈춤 유명

(3) **광대놀이**: 상인과 연계, 장터 마당에서 솟대타기, 줄타기 등 각종 공연 실시

**보충 성리학적 규범의 보급**

성리학은 사회 질서 유지를 위해 명분론을 중시하였다. 명분론은 '임금은 임금답게, 신하는 신하답게'라는 공자의 가르침을 발전시킨 것으로, 현실 사회의 상하 관계를 인정하고, 지위와 차별을 정당화하였다. 이는 남녀 관계와 가족 내에도 적용되었다. 또 성리학적 질서를 바탕으로 가정에서 지켜야 할 예의범절을 정리한 『주자가례』가 널리 보급되면서 점차 가정 내에서 적장자를 우대하는 경향이 강해졌고, 여성의 지위는 낮아졌다.

**동족 마을**

동족 마을은 같은 성씨를 사용하는 사람들이 모여 사는 마을이다. 가문을 중심으로 서원이나 사당이 건립되어 선조의 위패를 모시고 제사를 드렸다. 이를 통해 가문의 권위를 과시하고 친족 간의 결속력을 강화하였다.

**보충 사설시조**

> 두꺼비 파리를 물고 두엄 위에 치달아 앉아
> 건넛산을 바라보니 흰 송골매 있거늘 가슴이 끔찍하여
> 풀떡 뛰어 내닫다가 두엄 아래 자빠졌구나
> 마침 날랜 나이기 망정이지 피멍 들 뻔하였네
> –『청구영언』에 수록, 작자 미상

백성을 착취하는 하급 관리가 중앙의 높은 관리를 보고 도망가다가 넘어졌지만, 자신이 날랜 덕에 다치지 않았다고 허세를 부리는 모습을 풍자한 사설시조이다. 형식에 구애받지 않고 길게 풀어쓴 사설시조는 주로 중인을 비롯하여 부녀자, 기생, 상인 등 서민층과 몰락 양반들 사이에서 유행하였다.

## 교과서 속 자료 & 개념

### 열녀를 권하는 조선 사회

교과서 163쪽

화순 옹주 홍문(충남 예산)

(자료 해설)

성리학의 명분론(名分論)은 임금은 임금답게, 신하는 신하답게, 남편은 남편답게, 아내는 아내답게 살아야 한다는 주장이었으며, 임금과 신하, 양반과 상민, 부모와 자식, 남편과 아내 등 모든 인간관계에 적용되었다. 이를 바탕으로 형성된 성리학적 질서 속에서 여성의 정절이 강조되었다. 남편을 여읜 여성은 평생 홀로 살아야 했고, 심지어 자결을 강요받기도 하였다. 남편을 따라 극단적인 선택을 하는 여성을 열녀로 표창하여 본보기로 삼았다.

영조의 둘째 딸인 화순 옹주는 남편이 38세의 나이로 죽자 식음을 전폐하고 남편의 뒤를 따라 세상을 떠났다. 이후 정조가 화순 옹주를 기리는 열녀문을 내렸다.

### 양반들을 풍자하는 탈놀이

교과서 166쪽

양반: 나는 사대부의 자손일세.
선비: 뭐, 사대부? 그럼 나는 팔대부의 자손일세.
양반: 아니, 팔대부는 또 뭐야?
선비: 팔대부는 사대부의 갑절이지.
양반: 우리 할아버지는 문하시중(門下侍中)이거든.
선비: 문하시중 그까짓 거? 우리 할아버지는 문상시대(門上侍大)인데.
양반: 문상시대? 그건 또 뭐야?
선비: 문하(門下)보다는 문상(門上)이 높고, 시중(侍中)보다는 시대(侍大)가 크단 말일세.

– 안동 하회 별신굿 탈놀이

(자료 해설)

가면을 쓰고 공연하는 탈놀이의 내용은 지배층이나 특권층을 풍자하고 비판하는 내용이 많았다. 특히 조선 후기의 탈놀이는 무능하고 부패한 양반이나 계율을 어기고 문란한 생활을 하는 파계승(=계율을 어긴 승려)을 조롱하고 풍자하였다.

대부분의 탈놀이에서 양반의 하인으로 말뚝이가 등장하는데, 말뚝이는 양반들을 조롱하고 풍자하는 역할을 하였다.

## 개념 꿀꺽

**1. 빈칸에 알맞은 말을 쓰시오.**

(1) 조선 후기 일부 학자들을 중심으로 청의 문물을 적극적으로 수용하고 배워야 한다는 (　　　)이/가 제기되었다.

(2) (　　　)은/는 풍속화의 대표적인 화가로 서민들의 일상을 익살스러우면서도 따뜻한 시선으로 바라보면서 간결한 필치로 그려 냈다.

(3) 조선 후기에는 중인층과 상민층도 문화를 생산하고 소비하게 되면서 (　　　)이/가 발달하였다.

**2. 다음 내용이 옳으면 ○표, 틀리면 ×표 하시오.**

(1) 유형원, 이익, 정약용 등은 상공업 발전과 기술 혁신으로 국가를 부강하게 만들 수 있다고 생각하여 청과의 교역 확대 등을 적극적으로 주장하였다. (　　　)

(2) 조선 후기에 재산 상속에서 적장자를 우대하는 경향이 확산되었다. (　　　)

(3) 최초의 한글 소설로 알려진 『홍길동전』은 서얼에 대한 차별 철폐, 탐관오리에 대한 응징 등을 주제로 하였다. (　　　)

정답
1. (1) 북학론 (2) 김홍도 (3) 서민 문화
2. (1) × (2) ○ (3) ○

## 기초 튼튼 | 기본문제

단답형

**01** (가)에 들어갈 알맞은 말을 쓰시오.

> 임진왜란 이후 단절된 조선과 일본의 외교 관계는 에도 막부의 요청으로 회복되었다. 그리고 에도 막부는 쇼군이 바뀔 때마다 권위를 과시하려고 조선에 (가) 파견을 요청하였다.

( )

**02** (가)에 대한 설명으로 옳은 것만을 <보기>에서 고른 것은?

> 그림은 당대 최고의 시장인 베이징의 유리창 거리를 보여 주고 있다. 청에 파견된 (가) 은/는 유리창 거리의 서점에 들러 수많은 책을 구매하거나 빌려 보았고, 때로는 조선에 없는 책 목록을 베껴 오기도 하였다.

**보기**

ㄱ. 천리경, 자명종을 처음으로 들여왔다.
ㄴ. 고구마 등 외래 작물을 국내에 전하였다.
ㄷ. 서양 관련 서적이나 문물을 정기적으로 들여왔다.
ㄹ. 일부 학자들이 북학론을 제기하는 데 영향을 끼쳤다.

① ㄱ, ㄴ ② ㄱ, ㄷ ③ ㄴ, ㄷ
④ ㄴ, ㄹ ⑤ ㄷ, ㄹ

**03** 밑줄 친 '이들'에 해당하지 않는 인물은?

> 이들은 상공업 발전과 기술 혁신으로 국가를 부강하게 만들 수 있다고 생각하였다. 청의 영향을 많이 받아 북학파라고도 불렸으며, 청과의 교역을 확대하고, 수레와 선박, 화폐 등을 적극적으로 활용해야 한다고 주장하였다.

① 이익 ② 유수원 ③ 박지원
④ 박제가 ⑤ 홍대용

**04** 다음 주장을 펼친 인물은?

> 재물을 비유하자면 우물과 같다. 우물에서 물을 퍼낼수록 가득 차지만 뚜껑을 덮어 놓으면 말라 버린다. 그러므로 비단옷을 입지 않으면 비단 짜는 사람이 없어질 것이고, 비단을 짜는 여인의 솜씨도 사라질 것이다. －『북학의』

① 이익 ② 유형원 ③ 박지원
④ 박제가 ⑤ 유수원

중요

**05** 밑줄 친 '그'에 대한 설명으로 옳은 것은?

① 동학을 창시하였다.
② 거중기를 만들었다.
③ 지전설을 주장하였다.
④ 대동여지도를 제작하였다.
⑤ 천주교를 조선에 처음 소개하였다.

## 06 (가)에 들어갈 책으로 옳은 것은?

> 이중환은 우리나라의 지리적 환경과 풍속 등을 정리한 지리서인 (가) 을/를 편찬하였다.

① 언문지 ② 택리지 ③ 발해고
④ 동사강목 ⑤ 훈민정음운해

## 07 다음 내용의 책을 저술한 인물은?

> 부여씨가 망하고 고씨가 망한 다음, 김씨가 남방을 차지하고 대씨가 북방을 차지하고는 발해라 하였으니, 이것을 남북국이라 한다. …… 저 대씨가 어떤 사람인가? 바로 고구려 사람이다. 그들이 차지하고 있던 땅은 어떤 땅인가? 바로 고구려 땅이다.

① 유득공 ② 정약용 ③ 안정복
④ 김정호 ⑤ 홍대용

중요
## 08 (가)에 대한 설명으로 옳은 것만을 〈보기〉에서 고른 것은?

> (가) 의 확산
> • 교리: 마음속에 한울님이 모셔져 있다는 시천주 사상
> • 확산: 충청·전라·경상도 지방의 농민들에게 지지를 얻음

보기
ㄱ. 17세기 중국에서 들어왔다.
ㄴ. 사교로 규정되어 정부의 탄압을 받았다.
ㄷ. 서학에 대한 경계를 바탕으로 창시되었다.
ㄹ. 죽은 후 천당에 갈 수 있다는 약속으로 사람들에게 위안을 주었다.

① ㄱ, ㄴ ② ㄱ, ㄷ ③ ㄴ, ㄷ
④ ㄴ, ㄹ ⑤ ㄷ, ㄹ

중요
## 09 다음에서 설명하는 화풍이 반영된 작품으로 옳은 것은?

> 조선 후기에는 우리 문화에 대한 자부심이 높아지면서 우리나라 산천을 독자적인 화풍으로 그린 그림이 등장하였다. 이러한 화풍을 발전시킨 인물이 정선이었다.

①

②

③

④

⑤

## 10 조선 후기에 나타난 변화 모습으로 옳지 않은 것은?

① 동족 마을이 늘어났다.
② 가장의 권위가 강조되었다.
③ 아들딸이 돌아가면서 제사를 지내게 되었다.
④ 외가나 처가 쪽 친척은 대체로 족보에 기재하지 않았다.
⑤ 적장자가 집안의 대를 이어야 한다는 의식이 확산되었다.

## 기초 튼튼 기본문제

중요

**11** 조선 후기에 다음과 같은 변화가 나타난 배경으로 가장 적절한 것은?

> • 가부장 중심의 가족 제도가 강화되었다.
> • 재산 상속에서 적장자를 우대하였다.
> • 여성의 사회적 지위가 낮아졌다.

① 실학이 발달하였다.
② 천주교가 확산되었다.
③ 동학교도가 증가하였다.
④ 서민 문화가 발달하였다.
⑤ 성리학적 규범이 정착되었다.

**12** 다음 글에 나타난 시기 여성의 지위와 관련된 설명으로 옳은 것은?

> 영조의 둘째 딸인 화순 옹주는 남편이 38세의 나이로 죽자 식음을 전폐하고 남편의 뒤를 따르려고 결심하였다. 결국 영조의 만류에서도 불구하고 식음을 전폐한 지 14일 만에 세상을 떠났다. 영조는 아버지의 뜻을 저버린 데 대한 아쉬움 때문에 열녀문을 내리지 않았지만, 이후 정조가 화순 옹주를 기리는 열녀문을 내렸다.

① 과부의 재가가 금지되었다.
② 대개 아들딸이 돌아가면서 제사를 지냈다.
③ 아들딸 구분 없이 태어난 순서대로 족보에 올랐다.
④ 혼례 후 신랑이 신붓집으로 가서 일정 기간 거주하는 풍속이 일반적이었다.
⑤ 아버지가 죽으면 아들이 있어도 대체로 어머니가 호주가 되어 집안을 이끌었다.

중요

**13** 서민 문화 발달의 배경으로 옳은 것만을 〈보기〉에서 고른 것은?

> **보기**
> ㄱ. 정감록이 확산되었다.
> ㄴ. 서당 교육이 확대되었다.
> ㄷ. 성리학적 규범이 강조되었다.
> ㄹ. 상품 화폐 경제가 발달하였다.

① ㄱ, ㄴ ② ㄱ, ㄷ ③ ㄴ, ㄷ
④ ㄴ, ㄹ ⑤ ㄷ, ㄹ

단답형

**14** (가)에 들어갈 알맞은 말을 쓰시오.

> 허균이 지은 (가) 은/는 우리나라 최초의 한글 소설로 알려져 있다. 서얼 출신 주인공이 차별에 저항하고 이상 세계를 건설하는 내용으로, 서얼에 대한 차별 철폐와 탐관오리에 대한 응징을 주제로 하였다.

( )

**15** (가), (나)에 대한 설명으로 옳지 <u>않은</u> 것은?

> (가) 두꺼비 파리를 물고 두엄 위에 치달아 앉아
> 건넛산을 바라보니 흰 송골매 떠 있거늘 가슴이 끔찍하여
> 풀떡 뛰어 내닫다가 두엄 아래 자빠졌구나
> 마침 날랜 나이기 망정이지 피멍 들 뻔하였네
> (나) 양반: 나는 사대부의 자손일세.
> 선비: 뭐, 사대부? 그럼 나는 팔대부의 자손일세.
> 양반: 아니, 팔대부는 또 뭐야?
> 선비: 팔대부는 사대부의 갑절이지.

① (가) – 부조리한 사회 현실을 비판하였다.
② (가) – 형식에 구애받지 않는 사설시조이다.
③ (나) – 대표적인 판소리 작품이다.
④ (나) – 양반들을 조롱하고 풍자하였다.
⑤ (가), (나) – 조선 후기에 서민 문화가 발달하였음을 보여 준다.

중요

**01** 다음 지도에 나타난 행로로 이동한 사절단에 대한 설명으로 옳은 것은?

1636년의 행로

① 북학론 제기의 배경을 제공하였다.
② 조선의 문화를 전파하는 역할을 하였다.
③ 박지원의 열하일기 저술에 영향을 주었다.
④ 천주교를 서학의 하나로 조선에 소개하였다.
⑤ 조공·책봉 관계가 수립되면서 조선 정부가 파견하였다.

**02** 다음 가상 인터뷰 장면이 들어갈 다큐멘터리의 제목으로 가장 적절한 것은?

① 서학을 수용하다
② 실학이 발달하다
③ 서민 문화가 발달하다
④ 천주교와 동학이 확산되다
⑤ 우리의 역사, 지리를 연구하다

**03** 다음 인물들에 대한 설명으로 옳은 것만을 〈보기〉에서 고른 것은?

• 유수원 • 홍대용 • 박지원 • 박제가

보기

ㄱ. 청과의 교역 확대를 주장하였다.
ㄴ. 상공업 발전과 기술 혁신이 국가를 부강하게 만든다고 여겼다.
ㄷ. 천주 앞에서는 모든 사람이 평등하다는 사상을 널리 전파하였다.
ㄹ. 우선 자영농을 육성하여 농민 생활을 안정시켜 농촌 문제를 해결할 것을 주장하였다.

① ㄱ, ㄴ ② ㄱ, ㄷ ③ ㄴ, ㄷ
④ ㄴ, ㄹ ⑤ ㄷ, ㄹ

**04** 다음 지도에 대한 설명으로 옳지 않은 것은?

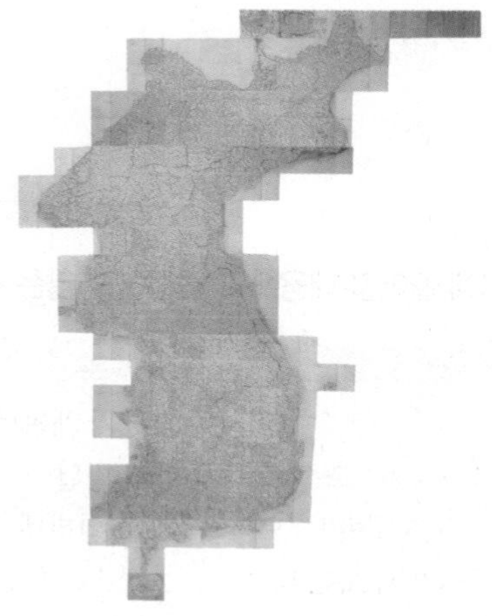

① 김정호가 제작하였다.
② 중국 중심의 세계관이 반영되었다.
③ 도로에 10리마다 점을 찍어 거리를 표시하였다.
④ 전국의 산맥·하천·도로망 등을 자세히 표시하였다.
⑤ 전국을 22첩으로 나누어 필요한 지역만 책처럼 휴대할 수 있었다.

**05** (가), (나)에 들어갈 말을 옳게 짝지은 것은?

- 유득공은 (가) 에서 발해를 우리 역사로 본격적으로 다루면서 남북국이라는 용어를 사용하였다.
- 안정복은 (나) 을/를 저술하여 중국 중심의 역사관에서 벗어나 우리 역사를 체계화하였다.

| | (가) | (나) |
|---|---|---|
| ① | 택리지 | 발해고 |
| ② | 택리지 | 동사강목 |
| ③ | 발해고 | 택리지 |
| ④ | 발해고 | 동사강목 |
| ⑤ | 동사강목 | 발해고 |

**06** (가)에 들어갈 내용으로 적절하지 않은 것은?

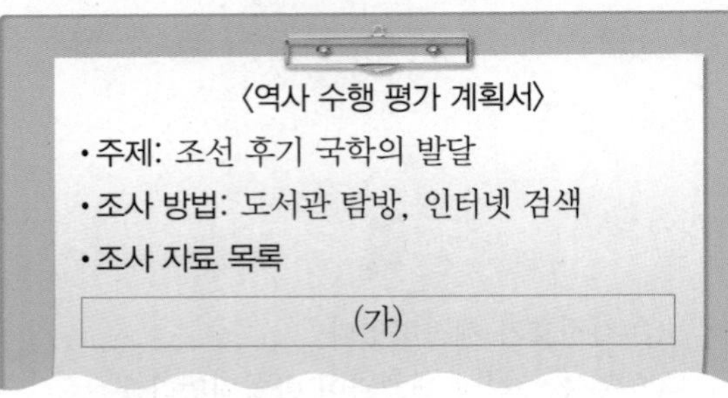


① 유득공의 발해고
② 이중환의 택리지
③ 안정복의 동사강목
④ 박지원의 열하일기
⑤ 정상기의 동국지도

중요

**07** (가)에 대한 설명으로 옳은 것만을 〈보기〉에서 고른 것은?

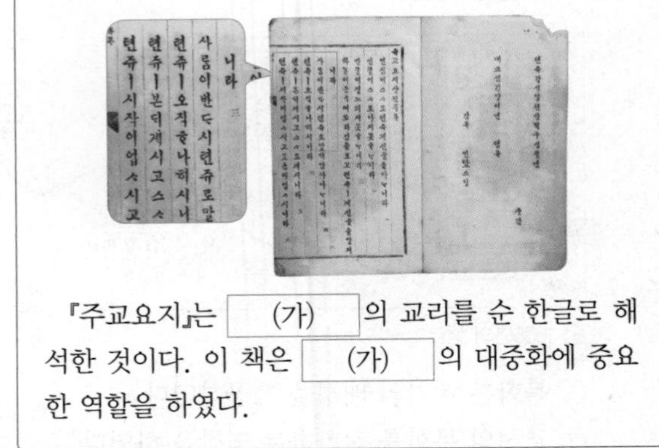


『주교요지』는 (가) 의 교리를 순 한글로 해석한 것이다. 이 책은 (가) 의 대중화에 중요한 역할을 하였다.

**보기**
ㄱ. 최제우가 창시하였다.
ㄴ. 성리학적 질서를 부정하였다.
ㄷ. 서학의 하나로 조선에 소개되었다.
ㄹ. 시천주 사상과 후천 개벽을 주장하였다.

① ㄱ, ㄴ ② ㄱ, ㄷ ③ ㄴ, ㄷ
④ ㄴ, ㄹ ⑤ ㄷ, ㄹ

고난도

**08** 다음 그림이 그려진 시기의 사회 모습으로 옳은 것만을 〈보기〉에서 고른 것은?

**보기**
ㄱ. 동족 마을이 각지에 생겨났다.
ㄴ. 여성이 호주가 되는 경우가 많았다.
ㄷ. 재산 상속에서 적장자를 우대하였다.
ㄹ. 자녀들을 태어난 순서대로 족보에 올렸다.

① ㄱ, ㄴ ② ㄱ, ㄷ ③ ㄴ, ㄷ
④ ㄴ, ㄹ ⑤ ㄷ, ㄹ

**09** 다음 자료를 활용한 탐구 활동으로 가장 적절한 것은?

> 양반: 나는 사대부의 자손일세.
> 선비: 뭐, 사대부? 그럼 나는 팔대부의 자손일세.
> 양반: 아니, 팔대부는 또 뭐야?
> 선비: 팔대부는 사대부의 갑절이지.
> 양반: 우리 할아버지는 문하시중(門下侍中)이거든.
> 선비: 문하시중 그까짓 거? 우리 할아버지는 문상시대(門上侍大)인데.
> 양반: 문상시대? 그건 또 뭐야?
> 선비: 문하(門下)보다는 문상(門上)이 높고, 시중(侍中)보다는 시대(侍大)가 크단 말일세.
>
> – 안동 하회 별신굿 탈놀이

① 국학 발달의 배경을 살펴본다.
② 서민 문화가 발달한 분야와 성격을 파악한다.
③ 양반 중심 문화의 형성 배경과 사례를 조사한다.
④ 성리학적 규범의 확산으로 나타난 사회 변화를 알아본다.
⑤ 동학의 시천주 사상이 향촌 사회에 끼친 영향을 분석한다.

중요

**10** (가), (나)에 대한 설명으로 옳지 않은 것은?

(가)

(나)

① (가) – 김홍도의 작품이다.
② (가) – 서민의 일상을 그린 풍속화이다.
③ (나) – 생활 공간의 장식용으로 그려졌다.
④ (나) – 사대부의 내적 정신세계가 반영되었다.
⑤ (가), (나) – 조선 후기에 널리 유행한 화풍이었다.

## 서술형

**11** 다음 자료를 읽고 물음에 답하시오.

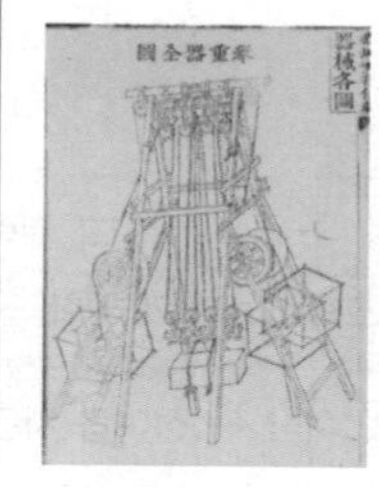

> (가) 은/는 서양 선교사가 쓴 『기기도설』을 참고하여 거중기를 만들어 화성 건설에 활용하였다. 또한 수많은 책을 집필하여 다양한 개혁 방안을 제시하였다.

(1) (가)에 들어갈 인물의 이름을 쓰시오.

(2) (가) 인물이 당시 농촌 문제 해결을 위해 주장한 내용을 서술하시오.

**12** 다음과 같은 사회 모습 변화의 배경을 서술하시오.

# | 대단원 | 정리하기

## 1 조선 후기의 정치 변동

### 1 붕당 정치

| | |
|---|---|
| 정치 체제 변화 | 양 난을 계기로 ① ____ 가 최고 권력 기구로 발전 → 의정부와 6조의 기능 크게 약화 |
| 붕당 정치의 전개 | • 선조 시기: 붕당 정치 시작 → 정여립 사건 이후 ② ____ 이 북인과 남인으로 분화<br>• 광해군 시기: 북인이 정국 독점 → 서인이 주도한 인조반정으로 몰락<br>• 인조~현종 시기: ③ ____ 과 남인이 상호 공존과 비판 인정 |
| ④ ____ | • 왕실의 의례 문제를 둘러싼 논쟁<br>• 1차 예송에서는 서인 주장 채택, 2차 예송에서는 남인 주장 채택 |
| ⑤ ____ 전개 | 숙종이 의도적으로 집권 붕당을 급격하게 교체 → 서인과 남인의 대립 격화, 상대 붕당을 철저히 배제, 탄압 → 붕당 정치의 변질 |

### 2 탕평책과 세도 정치

| | |
|---|---|
| ⑥ ____ | • 국왕이 정국의 주도권을 행사하는 정치 운영 방식<br>• 영조와 정조 때 본격적으로 실시 |
| 영조의 탕평책 | 탕평 교서 반포, 산림의 존재 부정, ⑦ ____ 정리, 탕평비 건립 |
| 정조의 탕평책 | • 정권에서 소외된 소론과 남인을 적극 등용<br>• ⑧ ____ 설치: 본래 왕실 도서관, 정책 개발과 중요 정보 수집 역할 부여 → 정조 개혁 정치의 핵심 기구<br>• 수원 화성 건설<br>• ⑨ ____ 설치: 친위 부대, 국왕의 군사적 기반 강화 |
| 민생 안정책 | • 영조: 군포 부담을 경감하기 위한 ⑩ ____ 실시, 신문고 제도 부활<br>• 정조: ⑪ ____ 차별 완화, 통공 정책(상공업 활성화 도모) |
| 문물 정비 | • 영조: 「동국여지도」 편찬, 『속대전』과 『속오례의』 간행<br>• 정조: 『대전통편』, 『탁지지』, 『무예도보통지』 편찬 |
| ⑫ ____ 정치 | • 순조, 헌종, 철종 3대 60여 년간<br>• 세도 가문의 국정 운영: 안동 김씨, 풍양 조씨 등의 세도 가문이 권력 독점, 자기 가문의 이익 추구 → 부정부패, 과거에서 부정행위 성행, 매관매직 |

## 2 사회 변화와 농민의 봉기

### 1 조선 후기 경제와 사회 변동

| | |
|---|---|
| 농업의 변화 | • ⑬ ____ 이 전국적으로 보급 → 생산량 증대<br>• 인삼, 담배 등 상품 작물 재배<br>• 부유한 농민층 등장, 대다수 농민은 여전히 가난 |
| 상공업의 변화 | • ⑭ ____ 시행: 집집마다 거두던 특산물을 토지를 기준으로 쌀이나 베, 돈으로 징수 → ⑮ ____ 등장(정부에 필요한 물품 조달), 상공업 활성화<br>• 전국에 장시 발달, 보부상과 대상인의 활동 활발<br>• 민간 운영의 수공업 발달<br>• 화폐 사용 확산 → 18세기 후반에 ⑯ ____ 가 전국적으로 유통, 세금 납부나 소작료 지급에도 화폐 사용 |
| 신분제의 동요 | • 몰락 양반인 향반과 잔반 증가<br>• 중간 계층(서얼·중인)이 신분 상승 운동 전개<br>• 상민층이 ⑰ ____ 구입, 납속, 몰락한 양반의 족보 구매 등으로 신분 상승 추구<br>• 영조 때 ⑱ ____ 시행, 순조 때 공노비 해방 → 상민 수를 늘려 재정 기반 확보 목적 |

### 2 농민 봉기

| | |
|---|---|
| ⑲ ____ 문란 | • 배경: 세도 정치 시기의 부정부패 심화, 수령과 아전의 과도한 수탈<br>• 전세의 문란: 각종 명목의 부가세 추가 징수<br>• 군포의 문란: 어린아이나 죽은 사람에게도 부과<br>• ⑳ ____ 의 문란: 본래 빈민 구제 목적의 제도 → 세금처럼 변질, 폐단이 가장 심각 |

| 비기와 예언 사상 | • ㉑ [ ]: 이씨 왕조가 망하고 정씨 왕조가 출현한다는 예언이 담김<br>• 미륵 신앙: 미륵불이 지상에 내려와 중생을 구원할 것이라는 신앙 |
|---|---|
| 홍경래의 난 | • 배경: ㉒ [ ] 지역 차별 대우, 세도 가문의 과도한 수탈<br>• 몰락 양반인 홍경래가 주도, 상공업자, 광산업자, 광산 노동자, 가난한 농민 등 참여 → 한때 청천강 이북 지역 점령 → 정주성 전투에서 패배, 진압됨 |
| 임술 농민 봉기 (1862) | • 배경: 삼정의 문란 극심, 탐관오리의 착취<br>• 전개: 백낙신의 수탈에 저항하여 ㉓ [ ]에서 농민들이 봉기 → 전국으로 확산 |

## 3 학문과 예술의 새로운 경향

### 1 문화 교류와 서학의 유입

| ㉔ [ ] 파견 | • 배경: 에도 막부의 요청(쇼군의 권위 과시 목적), 조선 정부의 필요성 인식<br>• 교류 활동: 일본 문인들과 학문적 교류, 일본에서 통신사의 서체와 시문 유행, 일본의 서적과 고구마 등 외래 작물을 국내에 들여옴 |
|---|---|
| ㉕ [ ] 파견 | • 배경: 조선과 청이 ㉖ [ ] 관계 수립<br>• 교류 활동: 청 학자 및 서양 선교사와 교류, 새로운 문물 접촉 → 북학론 제기에 영향, 서학 도입 |
| 서양 과학 수용 | 서양 과학 참고 → 홍대용의 지전설 주장, 정약용의 거중기 제작 |

### 2 새로운 사상의 등장과 예술의 부흥

| 실학의 발달 | • 유형원, 이익, ㉗ [ ] 등이 토지 제도 개혁을 통한 자영농 육성을 주장<br>• ㉘ [ ]로 불리는 유수원, 홍대용, 박지원, 박제가 등이 상공업 발전과 기술 혁신의 필요성 인식, 청의 문물을 적극적으로 수용할 것을 주장 |
|---|---|
| 국학의 발달 | • 역사: ㉙ [ ]의 『동사강목』, 유득공의 『발해고』<br>• 지리: 이중환의 『택리지』, 정상기의 「동국지도」, 김정호의 「㉚ [ ]」<br>• 국어: 『훈민정음운해』, 『언문지』 |
| 새로운 종교의 등장 | • 천주교: 서학의 하나로 수용 → 18세기 후반부터 신앙으로 수용(평등 강조, 사후 천당행을 약속)<br>• ㉛ [ ]: 19세기 중엽 최제우가 창시(시천주 사상, 후천 개벽 주장) |
| 예술의 부흥 | • ㉜ [ ]: 우리나라 산천을 독자적인 화풍으로 표현, 정선의 「인왕제색도」, 「금강전도」<br>• 풍속화: 김홍도(서민의 일상 모습 표현), 신윤복(양반의 풍류와 남녀 간 애정을 풍자적·감각적으로 표현)<br>• ㉝ [ ]: 서민들의 생활 공간 장식, 동식물 등을 소재로 행복과 장수를 기원 |

## 4 생활과 문화의 새로운 양상

### 1 성리학적 질서의 강화

| 배경 | 서원, 향약 등을 통해 ㉞ [ ]적 규범이 향촌 사회에 보급, 정착 |
|---|---|
| 가족 제도의 변화 | • 가부장 중심의 가족 제도 강화 → 가장의 권위 강조, 적장자 계승 의식 확산<br>• 재산 상속과 제사 등에서 적장자 우대 경향 확산 |
| 여성의 지위 변화 | • 재산 상속이나 제사, 족보 기재 등에서 차별<br>• 여성의 정절 중시, 과부의 재가 금지, 시집살이 보편화 |

### 2 서민 문화의 발달

| 배경 | • 상품 화폐 경제의 발달로 부를 축적한 농민과 상인 수 증가<br>• ㉟ [ ] 교육의 확대로 서민들의 의식 향상 → 문화생활의 욕구 증가 |
|---|---|
| 서민 문화 | • 한글 소설: 『홍길동전』, 『춘향전』 등<br>• 사설시조: 형식에 구애받지 않고 길게 풀어쓴 시조 → 부조리한 사회 현실 비판<br>• 공연 예술: 판소리, 탈놀이 등 |

# 자신만만 | 적중문제

## 01 조선 후기의 정치 변동

**01** (가)~(마) 시기에 나타난 정치 상황에 대한 설명으로 옳은 것은?

| | (가) | (나) | (다) | (라) | (마) | |
|---|---|---|---|---|---|---|
| 선조 | 인조 | 효종 | 현종 | 숙종 | 경종 | |

① (가) – 서인이 정권을 주도하였다.
② (나) – 세도 정치가 출현하였다.
③ (다) – 환국으로 붕당 간 대립이 격화되었다.
④ (라) – 두 차례 예송이 발생하였다.
⑤ (마) – 사화가 여러 차례 반복되었다.

**02** 다음 건축물이 설립된 시기에 재위한 국왕에 대한 설명으로 옳은 것은?

팔달문

① 탕평비를 건립하였다.
② 규장각을 설치하였다.
③ 환국으로 정국을 운영하였다.
④ 서원의 상당수를 정리하였다.
⑤ 북인과 함께 중립 외교를 펼쳤다.

**03** 다음 글이 쓰인 시기의 정치 상황에 대한 설명으로 옳은 것은?

> 시아버지 상은 이미 마치고,
> 갓난아기 배냇물은 아직 마르지도 않았는데,
> 이 집 삼 대 이름은 군적에 모두 올랐네.
> 급하게 가서 억울함을 호소해도,
> 관청 문지기는 호랑이 같고,
> 이정은 으르렁대며 외양간 소마저 끌고 가네.
>
> – 정약용, 「애절양」

① 붕당 정치가 시작되었다.
② 세도 가문이 권력을 독점하였다.
③ 거듭되는 사화로 사림이 큰 피해를 입었다.
④ 환국이 거듭되며 붕당 간의 대립이 격화되었다.
⑤ 국왕이 탕평책을 실시하여 직접 정국을 운영하였다.

## 02 사회 변화와 농민의 봉기

**04** 다음 자료에 나타난 시기의 사회 모습으로 옳은 것만을 <보기>에서 고른 것은?

> 농민이 밭에 심는 것은 곡물만이 아니다. 모시·오이·배추·도라지 등의 농사도 잘 지으면 그 이익이 헤아릴 수 없이 크다. 도회지 주변의 파밭·마늘밭·배추밭·오이밭에서는 10무(4두락)의 밭에서 수만 전의 수입을 올릴 수 있다.
>
> – 정약용, 「경세유표」

**보기**

ㄱ. 양반의 수가 급격히 줄어들었다.
ㄴ. 상민이 공명첩을 구입하기도 하였다.
ㄷ. 중간 계층이 신분 상승을 요구하였다.
ㄹ. 정부 주도의 수공업이 크게 발달하였다.

① ㄱ, ㄴ ② ㄱ, ㄷ ③ ㄴ, ㄷ
④ ㄴ, ㄹ ⑤ ㄷ, ㄹ

**05** 밑줄 친 '이 시기'에 볼 수 있는 장면으로 적절하지 않은 것은?

> 이 시기에 붕당 정치가 제대로 운영되지 않았고 몇몇 세도 가문이 권력을 독점하면서 소수의 양반만이 관직에 진출할 수 있었다. 그로 인해 벼슬길에 나가지 못한 채 향촌에서 겨우 위세를 유지하는 향반이나 경제적으로 몰락한 잔반이 늘어났다.

① 인삼을 팔기 위해 명으로 떠나는 상인
② 상평통보로 시장에서 물건을 사는 여인
③ 논에서 줄맞추어 모를 심고 있는 농민들
④ 잘 팔리는 농기구만 만들어 판매하는 대장장이
⑤ 농사지을 땅이 없어 일자리를 찾아 도시로 떠나는 농민

**06** 다음 지도에 나타난 봉기에 대한 설명으로 옳은 것만을 〈보기〉에서 고른 것은?

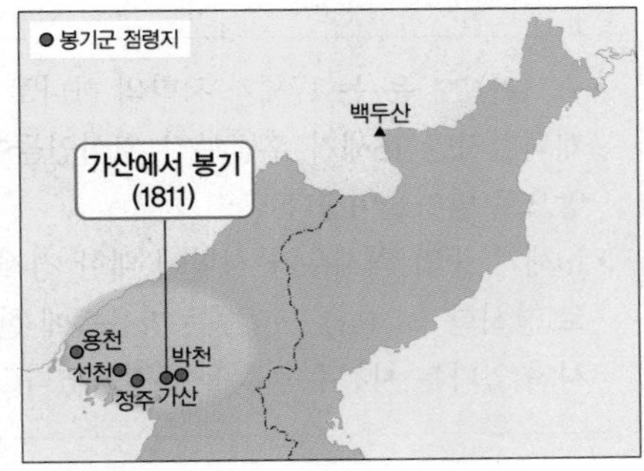


**보기**
ㄱ. 임술 농민 봉기라고 불린다.
ㄴ. 몰락 양반 홍경래가 주도하였다.
ㄷ. 탐관오리 백낙신의 수탈에 저항하여 일어났다.
ㄹ. 광산 노동자와 가난한 농민이 대거 참여하였다.

① ㄱ, ㄴ ② ㄱ, ㄷ ③ ㄴ, ㄷ
④ ㄴ, ㄹ ⑤ ㄷ, ㄹ

## 03 학문과 예술의 새로운 경향

**07** (가), (나) 인물에 대한 설명으로 옳은 것만을 〈보기〉에서 고른 것은?

> • (가) 은/는 서양 과학을 참고하여 지구가 둥글고 24시간에 한 바퀴씩 자전한다는 주장을 펼쳤다.
> • (나) 은/는 서양 선교사가 쓴 『기기도설』을 참고하여 거중기를 제작하였다.

**보기**
ㄱ. (가) – 청과의 교역 확대를 주장하였다.
ㄴ. (가) – 국가의 부강을 위한 상공업 발전을 강조하였다.
ㄷ. (나) – 동학을 창시하였다.
ㄹ. (나) – 발해를 우리 역사로 본격적으로 다루면서 '남북국' 용어를 사용하였다.

① ㄱ, ㄴ ② ㄱ, ㄷ ③ ㄴ, ㄷ
④ ㄴ, ㄹ ⑤ ㄷ, ㄹ

**08** 다음 인물들의 공통적인 주장으로 가장 적절한 것은?

> • 유형원 • 이익 • 정약용

① 청과 교역을 확대합시다.
② 생산력 증대를 위해 소비를 권장합시다.
③ 토지 제도를 개혁하여 자영농을 육성합시다.
④ 수레와 선박, 화폐를 적극적으로 활용합시다.
⑤ 서학을 경계하고 마음속에 한울님을 모십시다.

## 04 생활과 문화의 새로운 양상

**09** 다음 작품이 발표된 시기 가정생활에서 볼 수 있는 일반적인 모습만을 〈보기〉에서 고른 것은?

보기

ㄱ. 자녀들에게 재산이 고르게 상속되었다.
ㄴ. 혼례 후 신부가 바로 신랑 집으로 들어가 생활하였다.
ㄷ. 아들이 없는 경우 양자를 들여와 집안의 제사를 지내게 하였다.
ㄹ. 어머니가 가정의 경제생활과 자녀 교육에서 주체적인 역할을 맡았다.

① ㄱ, ㄴ ② ㄱ, ㄷ ③ ㄴ, ㄷ
④ ㄴ, ㄹ ⑤ ㄷ, ㄹ

**10** (가)에 들어갈 내용으로 적절하지 않은 것은?

• 학습 목표: 조선 후기 서민 문화의 경향과 발달 모습을 이해한다.

〈과제〉

모둠별로 과제를 수행한 후 보고서 1부를 작성하여 ○○월 ○○일까지 제출하시오.

• 모둠별 과제: (가)

① 1모둠 – 판소리의 특징을 정리한다.
② 2모둠 – 민화에서 다룬 주요 소재를 알아본다.
③ 3모둠 – 인왕제색도에 담긴 화풍을 분석한다.
④ 4모둠 – 조선 후기에 탈춤과 판소리가 인기 있었던 이유를 알아본다.
⑤ 5모둠 – 사설시조의 형식과 시조에 나타난 당시 사회의 부조리를 조사한다.

### 서술형

**11** 밑줄 친 ㉠에 해당하는 정책을 두 가지 서술하시오.

노론의 정치적 지원으로 즉위한 왕은 탕평 교서를 발표하는 등 탕평에 대한 강한 의지를 드러냈으며, 붕당의 여론을 주도하는 산림의 존재를 인정하지 않았고, 붕당의 근거지가 된 서원을 상당수 정리하는 등의 탕평책을 실시하였다. 또한 ㉠민생을 안정시키고자 다양한 사회 개혁을 실시하였다.

**12** 다음 자료를 읽고 물음에 답하시오.

• (가) 은/는 17세기 서학의 하나로 국내에 소개되었지만 18세기 후반부터 지식인들에 의해 신앙으로 받아들여졌다.
• 19세기 중엽 최제우가 서학에 대한 경계를 바탕으로 창시한 (나) 은/는 마음속에 한울님이 모셔져 있다는 시천주 사상을 주장하였다.

(1) (가), (나)에 들어갈 종교를 쓰시오.

(2) (가), (나) 종교의 공통점을 두 가지 서술하시오.

## 최고난도 **문제**

**01** 선생님의 질문에 대한 학생의 답변으로 옳지 않은 것은?

① (가)는 법적으로 과거에 응시할 수 있습니다.
② (나)는 중인과 서얼이 속한 중간 계층으로, 신분 상승을 요구하기도 하였습니다.
③ 임진왜란 이후 (다)에서 공명첩 구입, 납속을 이용하여 양반으로 행세하는 사람들이 생겼습니다.
④ (라)는 어머니의 신분을 따른다는 법이 시행되면서 그 수가 줄어들었습니다.
⑤ (나)~(라)는 조세와 군역을 부담할 의무가 있었습니다.

**풀이 비법**
① 양인에는 상민도 포함되었다는 사실을 바탕으로 이들이 가진 공통적인 권리와 의무를 생각한다.
② 양반 외 어떤 사람이 지배층에 속하였는지 생각하여 (나)를 유추한다.
③ 천민의 대다수를 차지한다는 점을 통해 (라)를 유추한다.

**02** (가), (나)를 주장한 인물에 대한 설명으로 옳은 것만을 <보기>에서 고른 것은?

> (가) 천체가 운행하는 것이나 지구가 자전하는 것은 그 형세가 동일하니, 분리해서 설명할 필요가 없다. …… 천체들이 서로 의존하고 상호 작용하면서 이루고 있는 우주 공간의 세계 밖에도 또 다른 별들이 있다.
> (나) 상공업은 말단적인 직업이라 하지만 본래 부정하거나 비루한 일은 아니다. …… 스스로의 노력으로 물품의 교역에 종사하며, 남에게서 얻지 않고 자기의 힘으로 먹고 사는데, 그것이 어찌 천하거나 더러운 일이겠는가?

**보기**
ㄱ. (가) – 서학의 영향을 받았다.
ㄴ. (가) – 시천주 사상을 내세운 종교를 창시하였다.
ㄷ. (나) – 상공업의 진흥을 통해 현실을 개혁하고자 하였다.
ㄹ. (나) – 토지 개혁을 통해 자영농을 육성하자고 주장하였다.

① ㄱ, ㄴ ② ㄱ, ㄷ ③ ㄴ, ㄷ ④ ㄴ, ㄹ ⑤ ㄷ, ㄹ

**풀이 비법**
① (가)에서 지구가 자전한다는 내용을 통해 주장한 인물을 떠올려 보고, 이러한 주장을 제기한 배경을 생각해 본다.
② (나)에서 상공업에 대한 인식을 파악하고, 이를 바탕으로 관련 학자를 유추해 본다.

# VI 근·현대 사회의 전개

이 단원의 목차

▼ 광화문 광장(서울 종로)

| 사진으로 맛보기 |

사진 속 장면은 2016년에 박근혜 대통령의 탄핵을 요구하며 시민들이 참여한 촛불 집회의 모습입니다. 당시 인터넷과 누리 소통망 등을 활용한 활발한 소통과 토론, 자발적인 시민들의 참여에 기반하여 촛불 집회는 수개월간 매주 토요일마다 개최되었고, 이 자리에는 많은 시민들이 참가하였습니다.

| 단원 열기 |

이 단원에서는 개항을 전후한 시기부터 현재까지의 한국 사회를 주요 주제별로 살펴봅니다. 국민 국가 수립 운동, 일제 강점기 민족 운동, 대한민국 정부 수립을 살펴보고, 그 과정에서 나타난 경제적 변화와 민주주의의 확대를 공부합니다. 나아가 남북 분단과 평화 통일을 위한 노력에 대해서도 알아봅니다.

# 국민 국가의 수립

교과서 174~183쪽

## 1 문호의 개방과 개혁을 위한 움직임

### 1. 흥선 대원군의 통치

(1) **배경**: 나이 어린 고종 즉위 → 국왕의 친부인 흥선 대원군이 정국 운영

(2) **흥선 대원군의 정치 개혁** ─ 고종이 성인이 되어 직접 정치에 나설 때까지 10여 년간 통치

① 세도가들이 장악한 비변사의 기능 축소

② 경복궁 중건 → 왕실의 권위 회복 추구

(3) **통상 수교 거부 정책**

① 병인박해(1866): 천주교 탄압 강화 → 수많은 천주교도와 국내에 있던 프랑스 신부 처형

② 병인양요: 병인박해를 문제 삼아 프랑스군이 강화도 침공 → 양헌수 부대 등이 격퇴

③ 신미양요: 제너럴 셔먼호 사건을 구실로 미군이 강화도 침공 → 조선군 항전

④ 척화비 건립: 신미양요 후 건립 → 서양 세력의 침략적 접근을 일시적으로 저지, 급변하는 국제 정세에 능동적으로 대처하지 못하게 됨

'서양 오랑캐가 쳐들어오는데 맞서 싸우지 않고 화해하자고 하면 나라를 팔아치우는 것과 같다'라는 내용의 비문을 새김

### 2. 강화도 조약(조일 수호 조규) 체결(1876)

(1) **배경**: 일본의 정치 변화, 운요호 사건, 조선 정부의 대외 인식 변화

(2) **내용**: 부산·인천 등 개항, 영사 재판권과 연안 측량권 등을 허용 → 불평등 조약

(3) **의의**: 조선이 외국과 맺은 최초의 근대적 조약

흥선 대원군이 정치에서 물러나고 고종이 직접 정치에 나서면서 통상 수교 거부 정책 완화, 개항의 필요성 인식

일본 군함 운요호가 불법으로 강화도에 들어와 조선군과 전투를 벌인 사건

### 3. 개화를 둘러싼 갈등

(1) **개혁을 위한 정부의 노력**: 통리기무아문(개혁 추진 기관) 설치, 신식 군대인 별기군 설치, 조사 시찰단(일본)과 영선사(청) 파견

(2) **개화 반대의 움직임**: 위정척사 운동, 임오군란(1882)

별기군보다 차별 대우를 받았던 구식 군인들이 일으킨 봉기로 일본인 군사 교관과 정부 고관 습격

(3) **개화 세력 분화**: 개혁 추진 방법을 둘러싸고 온건파와 급진파로 분화

(4) **갑신정변(1884)**: 김옥균, 박영효 등의 급진파가 우정총국 개국 축하연을 이용해 정변을 일으킴 → 청군의 개입으로 3일 만에 실패

근대적인 우편 사무를 위해 세운 기관

### 4. 동학 농민 운동

(1) **배경**: 고부에서 부당한 세금 징수에 농민들이 저항

(2) **전개 과정**: 동학 지도자 전봉준을 중심으로 농민군 봉기 → 전주성 점령 → 전주 화약 체결(폐정 개혁 및 집강소 설치 합의) → 일본군의 경복궁 점령 → 청일 전쟁 발발 → 농민군 재봉기 → 공주 우금치 전투에서 농민군 패배

정부가 청에 지원군을 요청하면서 청군은 물론 일본군까지 조선에 군대를 보내자 외세의 개입을 막기 위해 서둘러 정부와 체결

농민군 자치 기구, 각 지역에서 폐정 개혁 실천

### 5. 갑오개혁의 추진

(1) **배경**: 경복궁을 점령한 일본의 요구, 조선 정부가 개혁의 필요성 인식

(2) **개혁 내용**: 군국기무처 주도 → 신분제와 과거제 폐지, 탁지아문으로 재정 일원화, 조세 금납화 등

### 6. 삼국 간섭과 국내 정세 변화

(1) **삼국 간섭**: 청일 전쟁에서 일본 승리, 일본이 랴오둥반도 차지 → 러시아, 독일, 프랑스의 압력으로 일본이 랴오둥반도를 청에 반환

(2) **국내 정세 변화**: 조선의 친러 정책 → 을미사변 → 단발령 시행 → 전국적인 의병 운동

러시아를 끌어들여 일본을 견제하고자 함

일본이 친러 정책의 배후에 명성 황후가 있다고 여겨 궁궐에 일본군을 난입시켜 황후를 살해한 사건

---

**보충 흥선 대원군**

철종이 후사 없이 사망하자 흥선군 이하응의 아들이 어린 나이에 국왕(고종)으로 즉위하면서 흥선군은 '대원군'이 되었다. 임금이 대를 이을 자손이 없을 때 가까운 왕족에서 임금을 세우는데, '대원군'은 임금의 친아버지에게 주는 벼슬을 말한다.

**제너럴 셔먼호 사건**

미국 상선 제너럴 셔먼호가 대동강을 거슬러 올라와 통상을 요구하며 민간인들에게 피해를 주다가 침몰한 사건이다.

**보충 영사 재판권**

외국인에 대한 재판을 그 나라 관리(영사) 등에게 허용한 것이다. 강화도 조약에서 영사 재판권을 인정한 이후 조선에서 범죄를 일으킨 일본인을 재판할 때 조선의 법률에 따라 재판하지 않고 일본법에 따라 조선에 있는 일본인 관리가 재판하게 되었다. 영사 재판권 조항은 조선의 주권을 침해하는 규정이었다.

**위정척사**

위정(衛正)이란 바른 것, 즉 성리학과 성리학적 질서를 수호하자는 것이고, 척사(斥邪)란 사악한 것, 즉 성리학 이외의 모든 종교와 사상을 배척하자는 것이다.

**보충 개화 세력의 분화**

| 구분 | 온건파 | 급진파 |
|---|---|---|
| 주요 인물 | 김홍집, 김윤식 등 | 김옥균, 박영효 등 |
| 개혁 모델 | 양무운동 | 메이지 유신 |
| 개혁 방법 | 전통 질서 유지, 서양의 과학 기술은 수용 | 서양 과학 기술은 물론 사상과 제도도 수용 |

## 교과서 속 자료 & 개념

### 병인양요와 신미양요

교과서 174쪽

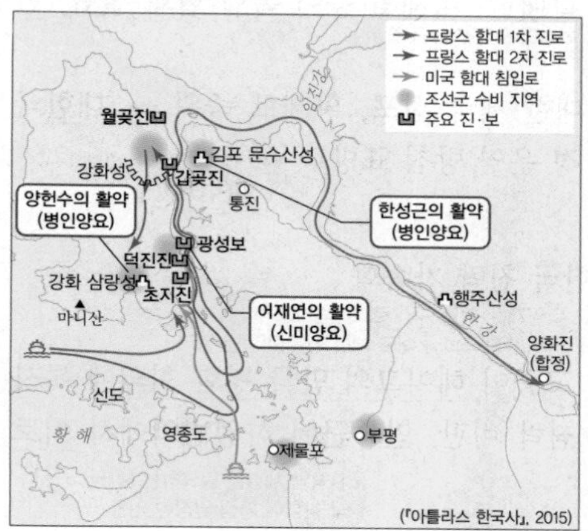


(자료 해설)

강화도는 우리나라의 중심 지역으로 진출할 수 있는 위치에 있어 오랫동안 군사적 요충지 역할을 하였다. 특히 19세기 말 서양 함대는 조선 왕실을 압박하여 통상을 요구하면서, 한강 하구에 위치한 강화도를 점령해 한양으로 나아갈 수 있는 발판을 마련하고자 하였다.

병인양요(1866)와 신미양요는 모두 강화도에서 일어났던 전투로, 병인양요 때에는 병인박해를 구실로 침입한 프랑스군을 물리쳤고, 신미양요 때에는 제너럴 셔먼호 사건을 구실로 쳐들어온 미군을 물리쳤다.

### 갑신정변 개혁 정강

교과서 175쪽

- 문벌을 폐지하여 인민 평등의 권리를 세워, 능력에 따라 관리를 임명한다.
- 지조법을 개혁하여 관리의 부정을 막고 국가 재정을 확충한다.
- 대신들은 의정부에 모여 정령을 의결하고, 반포한다.

– 김옥균, 『갑신일록』

(자료 해설)

김옥균, 박영효 등의 급진파는 임오군란 이후 청의 내정 간섭이 심해지고 정부의 개화 정책이 후퇴하자 불만을 가졌다. 그러던 중 청프 전쟁을 계기로 조선에 주둔하던 청군 일부가 철수하자 급진파는 우정총국 개국 축하연을 기회로 삼아 정변을 일으켰다.

정변 세력은 문벌 폐지와 인민 평등권 확립, 능력에 따른 인재 등용, 조세 제도의 개혁, 내각 중심의 정치 등을 담은 14개조의 개혁안을 발표하였다.

### 동학 농민 운동의 전개

교과서 176쪽

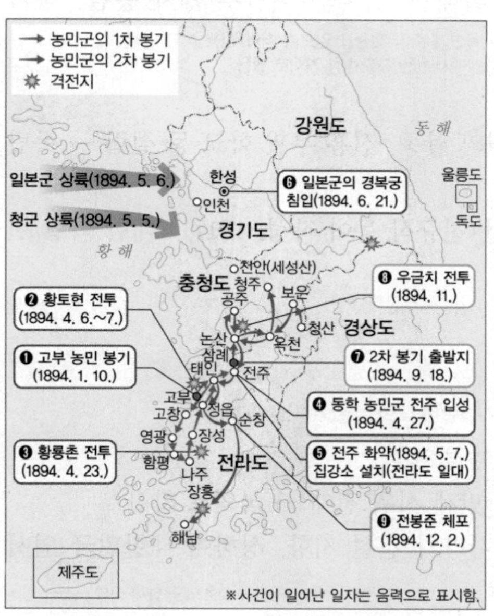


(자료 해설)

고부에서 지방관의 부당한 세금 징수에 항의하여 봉기를 일으킨 동학 지도자 전봉준은 농민군을 조직하여 관군에 맞서 싸웠다. 농민군이 황토현과 황룡촌 등지에서 승리하고 전주성을 함락하자 조선 정부는 이를 진압하기 위해 청에 지원병을 요청하였다. 청군이 조선에 군대를 보낸다는 소식을 들은 일본도 군대를 파견하였다.

외국군의 개입 소식에 농민군과 정부군은 폐정 개혁 및 집강소 설치를 조건으로 전주 화약을 서둘러 맺었고, 사태가 진정되자 정부는 청과 일본에 군대 철수를 요구하였다. 하지만 일본은 이를 거부하고 경복궁을 점령한 다음 청일 전쟁을 일으켰다. 이에 농민군은 일본군 타도를 내세워 다시 봉기하였으나 우금치 전투에서 정부군과 일본군에게 패배하였다.

**아관 파천**

을미사변 이후 일본으로부터 신변의 위협을 느낀 고종이 의병 운동이 일어난 혼란 속에서 일본의 감시를 피해 경운궁 인근에 위치한 러시아 공사관(아관)으로 거처를 옮긴 사건이다.

**보충 대한국 국제**

제1조 대한국은 세계 만국에 공인된 자주독립 제국이다.
제2조 대한 제국의 정치는 만세토록 변하지 않을 전제 정치이다.
제3조 대한국 황제는 무한한 군주권을 지니고 있다.
제6조 대한국 황제는 법률을 제정할 수 있고, …… 법률을 개정할 권리를 가진다.

대한국은 황제가 전제 정치를 실시하는 자주 독립국임을 명문화하였으며, 황제가 모든 권한을 갖는다고 규정하였다.

**보충 전제 군주제**

군주가 법적, 제도적 제한 없이 권력을 행사하는 정치 제도이다. 이와 달리 헌법 등을 통해 군주권을 제한하는 제도는 입헌 군주제라고 한다.

**보충 헌병 경찰제**

군인인 헌병이 경찰 업무까지 맡는 제도였다. 경찰은 주로 질서를 필요로 하는 도시에 배치되었고, 헌병은 국경, 의병이 출몰하는 지방 등에 주로 배치되었다. 헌병 경찰은 치안뿐만 아니라 일반적인 행정 사무까지도 간여하였다.

**민족 자결주의**

제1차 세계 대전이 끝날 무렵 미국 대통령 윌슨이 발표한 민족 자결주의는 각 민족은 정치적 운명을 스스로 결정할 권리가 있으며, 다른 민족의 간섭을 받지 않는다는 주장이다.

### 7. 대한 제국의 수립

(1) **독립 협회**: 아관 파천 이후 열강의 이권 침탈 확대 → 서재필 등이 독립 협회 설립, 만민 공동회 개최(열강의 이권 침탈 비판)
- 의회 설립 운동을 전개하여 의회식 중추원 관제 마련을 이끌어 냄
- 우리나라 최초의 근대적 대중 집회

(2) **대한 제국 수립**: 고종이 경운궁으로 환궁 → 대한 제국 선포, 황제로 즉위 → '대한국 국제' 발표(전제 군주제 강화, 황제 중심의 국정 운영 방침 표방)
- 대한 제국의 헌법과 같은 역할

### 8. 을사늑약 체결(1905)

(1) **배경**: 러일 전쟁에서 일본이 승리 → 일본의 한국 침략 가속화

(2) **내용**: 대한 제국의 외교권 박탈

(3) **저항**: 전국적으로 의병 운동 봉기(을사의병), 고종이 헤이그의 만국 평화 회의에 특사 파견(1907), 『대한매일신보』 등 언론이 일본 침략 비판, 안중근이 하얼빈역에서 이토 히로부미 사살
- 일제는 이를 구실로 고종을 물러나게 하고 대한 제국의 군대도 해산 → 정미의병 봉기
- 을사늑약 체결을 강요하는 등 한국 침략에 가장 앞장선 인물

### 9. 일본의 독도 침탈

(1) **일본의 독도 침탈 시도**: 러일 전쟁 당시 독도의 군사·경제적 가치에 주목 → 일본이 시마네현 고시 제40호를 통해 자국 영토라고 일방적으로 주장

(2) **독도 수호 노력**
- 신라 지증왕 때 우리 영토로 편입, 조선 숙종 때 안용복이 일본에 건너가 독도가 우리 땅임을 확인

① **대한 제국 칙령 제41호(1900)**: 대한 제국이 독도를 울릉군의 관할로 포함

② **광복 후 노력**: 이승만 정부가 '인접 해양에 대한 주권에 관한 대통령 선언(1952)' 발표, 독도 의용 수비대의 수호 활동 등

## 2 민족 운동의 전개와 대한민국 임시 정부

### 1. 일제의 식민 통치

(1) **무단 통치(1910년대)**: 전국 각지에 헌병 경찰 배치, 한국인에게 태형 시행, 언론·집회·결사의 자유 박탈 → 한국인의 기본권 박탈
- 무단 통치 시기에는 헌병 경찰이 재판 없이 태형을 가할 수 있었으며, 이른바 문화 정치의 시행으로 폐지됨

(2) **이른바 문화 정치**: 보통 경찰제 실시, 『동아일보』와 『조선일보』 발행 허용 → 언론 검열 강화, 친일 세력 양성
- 3·1 운동을 계기로 시행, 한국인을 이간·분열하는 데 의도가 있었음

(3) **전시 동원 정책**: 1930년대 일제의 침략 전쟁 확대 → 일본군 '위안부' 강제 동원, 「국가총동원법」 실시, 징용과 징병 시행
- 만주 사변과 중일 전쟁을 일으켜 침략 전쟁을 확대하고, 이 과정에서 한반도를 병참 기지로 활용

### 2. 국민 주권 의식의 확산

(1) **국외 독립운동 기지 건설**: 이회영 등 신민회원의 활동, 신흥 무관 학교 등 설립 → 독립군 양성 등 무장 투쟁 준비

(2) **국민 주권 의식이 담긴 선언서**: '대동단결 선언'(신규식 등이 작성, 1917), '대한 독립 선언서'(조소앙 등이 작성, 1919)

### 3. 3·1 운동

(1) **배경**: 윌슨의 민족 자결주의, 2·8 독립 선언
- 일본에 있는 한국인 유학생들이 발표

(2) **과정**

① 1919년 3월 1일 서울에서 기미 독립 선언서 발표

② 서울, 평양, 원산, 선천 등 전국 각지에서 만세 시위 전개 → 국외로 확산

(3) **의의**: 제국주의 침략 반대, 국민이 주인된 나라의 건설 지향, 상하이 대한민국 임시 정부 수립에 영향
- 우리 역사상 최초의 공화제 정부

## 교과서 속 자료 & 개념

### 을사늑약

교과서 177쪽

일본국 정부와 한국 정부는 …… 아래에 열거한 조관을 약정한다.

**제1조** 일본국 정부는 도쿄에 있는 외무성을 통하여 금후 한국의 외국과의 관계 및 사무를 감독·지휘하고, …….

**제2조** …… 한국 정부는 금후 일본국 정부의 중개를 거치지 않고서는 국제적 성질을 가지는 어떠한 조약이나 약속도 하지 않을 것을 약속한다.

자료 해설

러일 전쟁에서 승리한 일본은 군대를 동원하여 궁궐을 둘러싸고 고종과 대신들을 위협하여 을사늑약을 강요하였다. 일부 대신들이 이를 강력하게 반대하는 가운데 일본은 이완용, 박제순, 이지용 등 을사오적의 동의를 받아 조약 체결을 강행하였고, 이로 인해 대한 제국은 외교권을 빼앗겼다.

을사늑약 체결에 항의하여 전국에서 의병 운동이 일어났고, 조약 체결을 끝까지 거부하였던 고종은 조약 체결이 무효라는 점을 주장하고자 네덜란드 헤이그에서 열린 만국 평화 회의에 특사를 파견하였지만 성과를 거두지는 못하였다.

### 독도는 우리 땅

교과서 178쪽

**〈대한 제국 칙령 제41호(1900)〉**

**제1조** 울릉도를 울도라 개칭하여 강원도에 부속하고, 도감을 군수로 개정하여 관제 중에 편입할 것.

**제2조** 군청의 위치는 울릉도 태하동으로 정하고, 관할 구역은 울릉전도와 죽도·석도(독도)로 할 것.

– 대한 제국 『관보』 제1716호

**〈연합국 최고 사령관 각서 제677호(1946)〉**

본 지령의 목적상 일본은 일본의 4개 도서(홋카이도, 혼슈, 규슈 및 시코쿠)와 쓰시마 섬을 포함한 약 1,000개의 인접한 보다 작은 도서들과 북위 30도의 북쪽 류큐(난세이) 열도(구치노시마 도서 제외)로 한정되며, (a) 우쓰료(울릉)섬, 리앙쿠르 암석(독도) …… 등은 제외한다.

– 일본으로부터 일정 수변 지역의 통치 및 행정상의 분리에 관한 각서

자료 해설

1900년 대한 제국은 칙령 제41호를 통해 울릉도와 독도가 우리 영토임을 분명히 하였다. 그러나 일본은 러일 전쟁 중에 독도를 자국 영토라고 일방적으로 주장하며 편입시켰다.

광복 후 영토를 되찾는 과정에서 우리나라는 독도에 대한 영토 주권도 함께 회복하였다. 연합국 최고 사령관 각서 제677호에는 일본의 영토를 4개 주요 도서와 약 1,000개의 인접한 작은 섬으로 한정하였으며, 울릉도와 독도 및 제주도 등을 일본의 통치·행정 범위에서 제외한다고 밝혔다.

### 기미 독립 선언과 3·1 운동

교과서 180쪽

우리 조선이 독립한 나라임과 조선 사람이 자주적인 민족임을 선언한다. …… 낡은 시대의 유물인 침략주의, 강권주의에 희생되어, 우리 역사가 있은 지 몇천 년 만에 처음으로 다른 민족의 압제에 뼈아픈 괴로움을 당한 지가 10년이 지났으니 ……우리의 본디부터 지녀 온 자유권을 지켜 왕성한 번영 속에서 삶을 즐겨 마음껏 누릴 것이며, 평화가 넘치는 온 세계에 우리 민족의 빛나는 문화를 맺게 할 것이다.

독립 선언식을 하고 있는 민족 대표 33인(민족 기록화)

자료 해설

고종 황제가 갑자기 사망하자 종교계 지도자와 학생들이 고종의 장례일에 즈음하여 대규모 만세 시위를 계획하였다. 이를 준비하여 민족 대표 33인은 제국주의 침략을 반대하고 독립을 선언하는 내용이 담긴 독립 선언서를 작성하고 전국에 배포하였다. 마침내 3월 1일, 민족 대표들은 태화관에 모여 독립 선언식을 하였고, 일찍부터 탑골 공원에 모여 있던 학생과 시민들도 독립 선언서를 낭독하고 거리로 나가 만세 시위를 벌였다. 시위는 순식간에 전국으로 확산되었고, 국외에까지 퍼져 나갔다.

### 4. 대한민국 임시 정부

(1) **대한민국 임시 정부의 활동**

① 비밀 행정 조직으로 연통제 실시 (국내외의 연락, 정보 수집, 명령 전달 등에 이용)

② 만주에 육군 주만 참의부 설치 → 무장 항일 운동 지원

③ 미국에 구미 위원부 설치 → 외교 운동 전개 (다양한 외교 활동을 펼쳤으나 성과를 거두지는 못함)

(2) **국민 대표 회의 소집**: 독립운동의 방향을 두고 민족 지도자들 갈등 (외교 활동을 유지하자는 편과 무장 투쟁을 중심으로 활동 방향을 바꾸자는 편으로 나뉨) → 국민 대표 회의를 통한 독립운동 재정비 노력(1923) → 회의 결렬 → 임시 정부의 활동 침체

(3) **대한민국 임시 정부의 강화 노력**: 한국 독립당 결성(1940), 한국 광복군 조직(1940) (임시 정부의 정규군으로 연합국의 일원이 되어 대일전 전개), 대한민국 건국 강령 발표(1941)

### 5. 국내외의 다양한 항일 운동

(1) **국내**: 물산 장려 운동 (한국인이 생산한 상품을 구입할 것을 촉구한 운동으로 조만식이 주도) 등 실력 양성 운동 (먼저 독립에 필요한 힘을 쌓아 독립을 준비하자는 운동), 신간회의 활동, 광주 학생 항일 운동 (한국인 학생과 일본인 학생의 충돌 사건에서 비롯된 학생 주도의 항일 운동) 등 학생 운동 전개

(2) **국외**: 무장 항일 운동 전개 → 1920년대 봉오동 전투 (홍범도가 이끄는 대한 독립군이 일본군 격퇴) 와 청산리 대첩 (김좌진의 북로 군정서가 대한 독립군과 함께 청산리 일대에서 일본군 격퇴), 1930년대 조선 혁명군(영릉가 전투 등)과 한국 독립군(쌍성보 전투 등)의 활동

## 3 광복과 대한민국 정부의 수립

### 1. 광복 후 한반도의 상황

(1) **한반도의 분할**: 일본의 항복 후 미국과 소련이 북위 38도선을 경계로 한반도에 진주 → 군정 실시 (군인과 군대가 나라를 다스리는 통치 형태로, 38도선 이남은 미군이 점령하고 직접 통치)

(2) **정치 세력 형성**

① 광복 직후 여운형 등이 조선 건국 준비 위원회 결성 → 새로운 국가 수립에 대비

② 김구, 이승만 등 국외 독립운동가들의 귀국

### 2. 좌우 대립과 통일 정부 수립을 위한 노력

(1) **모스크바 3국 외상 회의** (미국, 영국, 소련 3국의 외무 장관 회의): 한반도에 임시 민주 정부 구성, 미소 공동 위원회의 개최, 미·영·중·소 4개국에 의한 최고 5년간 신탁 통치 (특정 국가가 일정 지역을 대신 통치하는 제도) 의 시행 등에 합의

(2) **국내의 좌우 대립**: 신탁 통치 문제를 두고 좌익과 우익의 입장 차이 → 갈등 심화

(3) **미소 공동 위원회 개최**: 임시 민주 정부 수립을 위한 협의에 참여할 단체 선정 문제로 갈등 → 소련과 미국의 입장 차이로 결렬

(4) **좌우 합작 운동**: 여운형 등이 좌우 합작 위원회 결성, 통일 정부 수립을 위해 노력 → 성과를 거두지 못함

### 3. 대한민국 정부 수립

(1) **5·10 총선거 실시(1948)** (김구 등은 남한만의 단독 선거는 단독 정부 수립으로 이어져 분단이 확실해지는 것을 걱정하여 불참)

① 배경: 다시 개최된 미소 공동 위원회 결렬 → 미국이 한반도 문제 유엔 상정 → 유엔이 남북 총선거 결정 → 유엔 한국 임시 위원단 파견 → 북측의 위원단 입북 거부 → 유엔이 선거 가능 지역의 총선거 실시 결정 → 제주에서 단독 선거 반대 시위

② 실시: 유엔 결의에 따라 실시, 남한만의 단독 선거, 최초의 총선거 → 제헌 국회 구성

(2) **제헌 국회**: 제헌 헌법 제정, 국회의 간접 선거로 이승만을 대통령으로 선출

(3) **정부 수립**: 이승만이 내각 구성 → 대한민국 정부 수립 선포(1948. 8. 15.)

(4) **반민족 행위자 처벌 노력**: 제헌 국회가 「반민족 행위 처벌법」 제정 → 이승만 정부가 부정적 태도로 친일 행위자에 대한 철저한 처벌 방해

---

**보충 대한민국 건국 강령**

> …… 보통 선거 제도를 실시하여 정권을 균등히 하고 국유 제도를 채용하여 이권을 균등히 하며 의무 교육을 실시해 배울 권리도 균등히 할 것이다.

대한민국 임시 정부는 일본의 패망을 예견하고 건국을 준비하면서 어떤 나라를 만들 것인지에 관한 구상을 담은 건국 강령을 발표하였다.

**신간회**

신간회는 일제 강점기 최대 규모의 민족 운동 단체로, 이상재 등이 민족 운동을 보다 광범위하게 전개하고자 사회주의 세력과 연합하여 창립하였다(1927). 전국 각지에 지회를 두었으며, 광주 학생 항일 운동에 진상 조사단을 파견하는 등 활발히 활동하였다. 그러나 일제의 탄압으로 활동이 어려워져 1931년에 해체되었다.

**보충 미소 공동 위원회 결렬**

미국과 소련은 한반도 임시 민주 정부 수립을 위한 협의에 참여할 단체를 선정하는 문제를 두고 대립하였는데, 각자 자신들에게 우호적인 정부를 세우기 위한 입장을 고수하였다. 소련은 모스크바 3국 외상 회의의 결정에 찬성하는 단체들만 포함하자고 주장한 반면 미국은 회의 결정에 반대한다는 이유로 협의 대상에서 제외해서는 안 된다고 주장하여 입장이 좁혀지지 않았다.

**보충 제주 4·3 사건(1948)**

제주도의 좌익 세력과 일부 주민이 남한만의 단독 선거에 반대하여 시위를 일으키자, 미군정은 군인과 경찰, 서북 청년단 등의 우익 단체를 동원하여 대규모 진압 작전을 벌였다. 진압은 정부 수립 이후에도 계속되어 1954년 무렵에야 끝이 났다. 이 과정에서 25,000명 이상 무고한 제주 주민이 희생되었다.

## 교과서 속 자료 & 개념

### 광주 학생 항일 운동

교과서 181쪽

光州高普中學生衝突事件

全南警察總動員 徹夜하야 嚴重警戒

雙方氣勢依然險惡

朝鮮人代表提案 憲章改正案上程

學務當局도 事態를重視

광주 학생 항일 운동을 보도한 신문기사

자료 해설

광주에서 출발한 통학 열차가 나주에 도착하였을 때 일본인 남학생이 한국인 여학생을 희롱하여 한국과 일본 학생 간에 충돌이 일어났다. 일제 경찰이 이 사건을 일본인 학생에게 유리하게 처리하면서 한국인 학생들의 불만이 커졌다. 1929년 11월 3일 일왕의 생일 기념식을 맞아 일제가 한국 학생들에게 신사 참배 등을 강요하자 그동안 억눌려 있던 분노가 폭발한 한국인 학생들이 격문을 뿌리며 시위에 나섰다. 광주에서 시작된 광주 학생 항일 운동은 12월에는 서울 지역까지 확대되었으며, '식민지 교육 철폐', '일본 제국주의 타도', '민족 해방'을 주장하였다. 전국에서 320개 교, 수만 명의 학생이 참여한 광주 학생 항일 운동은 3·1 운동 이후 최대 규모의 민족 운동이었다.

### 신탁 통치를 둘러싼 대립

교과서 182쪽

삼상 결정 지지 집회(좌)와 신탁 통치 반대 운동(우)

자료 해설

1945년 12월 모스크바 3국 외상 회의에서는 한반도에 임시 민주 정부를 세우고, 이를 위한 미소 공동 위원회 개최, 최대 5년간의 신탁 통치를 거쳐 한국을 독립시킨다는 방안 등이 결의되었다. 이러한 가운데 신탁 통치의 내용만 부각되어 국내에 알려지면서 신탁 통치 반대 여론이 형성되었다. 김구 등 대한민국 임시 정부 요인을 비롯한 우익 세력은 신탁 통치가 식민 통치의 연장이라고 여겨 반대 운동을 전개하였다. 좌익 세력은 처음에는 신탁 통치에 반대 입장을 보였지만, 모스크바 3국 외상 회의 결정의 핵심이 민주적인 임시 정부 수립에 있다고 파악하고 3상 회의의 결정 내용을 지지하는 입장에 섰다. 이로써 좌익과 우익의 갈등은 더욱 격렬해졌다.

## 개념 꿀꺽

**1. 빈칸에 알맞은 말을 쓰시오.**

(1) 갑오개혁 당시 개혁 기구인 (　　　)을/를 중심으로 신분제 폐지, 조세 금납화 등의 개혁 조치가 단행되었다.

(2) 러일 전쟁에서 승리한 일본은 을사늑약을 체결하여 대한 제국의 (　　　)을/를 빼앗았다.

(3) 제주도에서는 남한만의 단독 선거에 반대하는 시위가 일어나 진압 과정에서 수많은 무고한 사람들이 희생되었는데, 이를 (　　　)(이)라고 한다.

**2. 다음 내용이 옳으면 ○표, 틀리면 ×표 하시오.**

(1) 제너럴 셔먼호 사건은 프랑스 상선이 대동강을 거슬러 올라와 통상을 요구하며 민간인들에게 피해를 주다가 침몰된 사건이다. (　　　)

(2) 1910년대 일제는 전국 각지에 헌병 경찰을 배치하고 무단 통치를 실시하였다. (　　　)

(3) 좌익 세력은 신탁 통치 결정에 '절대 반대 입장'을 보이며 반탁 운동에 앞장섰다. (　　　)

정답
1. (1) 군국기무처 (2) 외교권 (3) 제주 4·3 사건
2. (1) × (2) ○ (3) ×

## 기초 튼튼 기본문제

**01** 흥선 대원군에 대한 설명으로 옳은 것은?

① 갑신정변을 일으켰다.
② 갑오개혁을 추진하였다.
③ 독립 협회를 설립하였다.
④ 강화도 조약을 체결하였다.
⑤ 비변사의 기능을 축소하였다.

**02** 다음 대화의 주제로 옳은 것은?

① 병인양요　　② 신미양요
③ 을미사변　　④ 운요호 사건
⑤ 위정척사 운동

중요
**03** 강화도 조약에 대한 설명으로 옳은 것만을 〈보기〉에서 고른 것은?

보기
ㄱ. 제너럴셔먼호 사건이 계기가 되었다.
ㄴ. 인천 등 항구를 개항하는 결과를 가져왔다.
ㄷ. 흥선 대원군이 척화비를 세우는 배경이었다.
ㄹ. 조선이 외국과 맺은 최초의 근대적 조약이었다.

① ㄱ, ㄴ　　② ㄱ, ㄷ　　③ ㄴ, ㄷ
④ ㄴ, ㄹ　　⑤ ㄷ, ㄹ

단답형
**04** (가)에 들어갈 알맞은 말을 쓰시오.

개항 후 조선 정부는 근대적 개혁 추진 기관인 (가) 을/를 설치하고 신식 군대인 별기군을 설치하였다. 또 근대 문물에 대한 정보를 수집하고자 일본과 청에 사절단을 파견하였다.

(　　　　)

**05** 밑줄 친 '사건'으로 옳은 것은?

별기군보다 차별 대우를 받는다고 생각하던 구식 군인들이 일본인 군사 교관을 살해하고 정부 고관을 습격하는 <u>사건</u>을 일으켰다.

① 병인박해　　② 임오군란
③ 갑신정변　　④ 을미사변
⑤ 아관 파천

**06** 밑줄 친 '개혁 조치'의 내용으로 옳지 않은 것은?

경복궁을 점령한 일본이 조선에 개혁을 요구하였고, 이러한 분위기 속에서 군국기무처를 중심으로 <u>개혁 조치</u>가 단행되었다.

① 신분제 폐지
② 과거제 폐지
③ 조세 금납화
④ 대한국 국제 발표
⑤ 탁지아문으로 재정 일원화

**07** 다음 사건이 일어난 시기를 연표에서 옳게 고른 것은?

> 조선 정부 안에서 러시아를 끌어들여 일본을 견제하자는 움직임이 나타나자 일본이 이러한 움직임을 차단하기 위해 일본군을 궁궐에 난입시켜 명성 황후를 살해하였다.

| | (가) | | (나) | | (다) | | (라) | | (마) | |
|---|---|---|---|---|---|---|---|---|---|---|
| 강화도 조약 체결 | | 갑신 정변 | | 삼국 간섭 | | 단발령 실시 | | 아관 파천 | | 대한국 국제 발표 |

① (가) ② (나) ③ (다) ④ (라) ⑤ (마)

단답형

**08** (가)에 들어갈 단체 이름을 쓰시오.

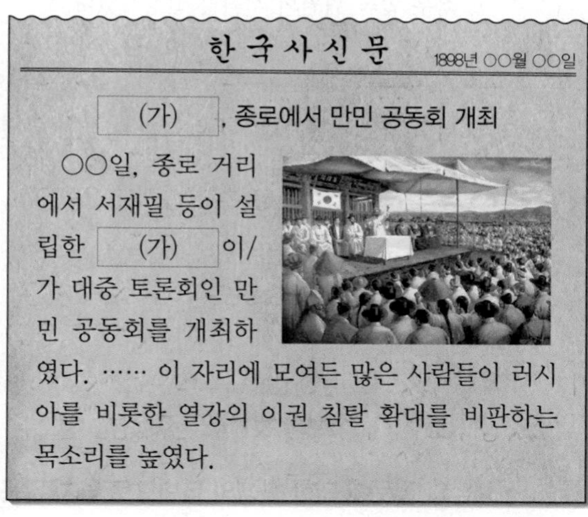
한 국 사 신 문 1898년 ○○월 ○○일

(가), 종로에서 만민 공동회 개최

○○일, 종로 거리에서 서재필 등이 설립한 (가) 이/가 대중 토론회인 만민 공동회를 개최하였다. …… 이 자리에 모여든 많은 사람들이 러시아를 비롯한 열강의 이권 침탈 확대를 비판하는 목소리를 높였다.

( )

중요

**09** 을사늑약과 관련된 설명으로 옳지 않은 것은?

① 러일 전쟁 중에 체결되었다.
② 일본의 강요에 의해 체결되었다.
③ 전국에서 의병 운동이 일어나는 원인이었다.
④ 일본이 대한 제국의 외교권을 빼앗는 내용이 담겼다.
⑤ 고종이 헤이그에 특사를 파견하여 무효임을 알리고자 하였다.

**10** 다음 상황을 배경으로 일어난 사실로 옳은 것은?

> 일본이 만국 평화 회의에 특사를 파견하였다는 구실로 고종을 물러나게 하고, 대한 제국의 군대를 해산하였다.

① 집강소가 설치되었다.
② 정미의병이 일어났다.
③ 갑오개혁이 추진되었다.
④ 만민 공동회가 개최되었다.
⑤ 대한국 국제가 발표되었다.

**11** 다음 의거를 일으킨 인물은?

> 을사늑약을 강요하는 등 대한 제국을 침략하는 데 앞장선 이토 히로부미를 하얼빈역에서 사살하였다.

① 김옥균 ② 서재필
③ 안중근 ④ 전봉준
⑤ 박영효

**12** 다음 수업 시간에 수행할 탐구 활동으로 적절한 것만을 〈보기〉에서 고른 것은?

> • 학습 목표: 독도 수호를 위한 우리 민족의 노력을 설명할 수 있다.

보기

ㄱ. 강화도 조약의 주요 내용을 분석한다.
ㄴ. 시마네현 고시 제40호 내용을 알아본다.
ㄷ. 조선 숙종 때 안용복의 활동을 조사한다.
ㄹ. 대한 제국 칙령 제41호의 내용을 찾아본다.

① ㄱ, ㄴ ② ㄱ, ㄷ ③ ㄴ, ㄷ
④ ㄴ, ㄹ ⑤ ㄷ, ㄹ

중요

## 13 (가), (나) 시기 시행된 일제 식민 통치에 대한 설명으로 옳은 것만을 〈보기〉에서 고른 것은?

| | (가) | | (나) | |
|---|---|---|---|---|
| | 조선 총독부 설치 | | 3·1 운동 | | 중일 전쟁 발발 |

**보기**

ㄱ. (가) – 일부 여성을 일본군 '위안부'로 끌고 갔다.
ㄴ. (가) – 헌병 경찰이 재판 없이 한국인에게 태형을 가하였다.
ㄷ. (나) – 동아일보, 조선일보 등의 발행을 허용하였다.
ㄹ. (나) – 국가 총동원법을 실시해 인적·물적 수탈을 강화하였다.

① ㄱ, ㄴ ② ㄱ, ㄷ ③ ㄴ, ㄷ
④ ㄴ, ㄹ ⑤ ㄷ, ㄹ

단답형

## 14 (가), (나)에 들어갈 이름을 각각 쓰시오.

- (가) 이/가 이끄는 대한 독립군은 1920년 6월에 일본군을 봉오동에서 크게 물리쳤다.
- (나) 의 북로 군정서는 대한 독립군과 함께 청산리 일대에서 일본군과 싸워 이겼다.

(가): (          ), (나): (          )

중요

## 15 밑줄 친 '㉠'의 활동으로 옳은 것은?

3·1 운동을 계기로 임시 정부를 만들자는 움직임이 일어난 결과 중국 상하이에 ㉠우리 역사상 최초의 공화제 정부가 수립되었다.

① 연통제를 실시하였다.
② 대동단결 선언을 작성하였다.
③ 물산 장려 운동을 주도하였다.
④ 광주 학생 항일 운동에 진상 조사단을 파견하였다.
⑤ 신흥 무관 학교를 만들어 무장 투쟁을 준비하였다.

## 16 (가)의 활동으로 옳은 것은?

광복 직후 (가) 은/는 조선 건국 준비 위원회를 만들어 새로운 국가 수립에 대비하였다.

① 독립 협회를 설립하였다.
② 한국 독립당을 구성하였다.
③ 좌우 합작 위원회를 만들었다.
④ 대한민국 정부 수립을 선포하였다.
⑤ 초대 대통령으로서 내각을 구성하였다.

## 17 모스크바 3국 외상 회의에 대한 설명으로 옳은 것만을 〈보기〉에서 고른 것은?

**보기**

ㄱ. 좌우 합작 위원회 개최를 결정하였다.
ㄴ. 미·영·소 3국의 외무 장관이 참석하였다.
ㄷ. 한국에 대한 신탁 통치를 시행할 것을 합의하였다.
ㄹ. 남북 총선거를 통한 한국 정부의 구성을 결의하였다.

① ㄱ, ㄴ ② ㄱ, ㄷ ③ ㄴ, ㄷ
④ ㄴ, ㄹ ⑤ ㄷ, ㄹ

중요

## 18 선생님의 질문에 대한 학생의 답변으로 옳지 않은 것은?

① 남한 지역에서만 치러졌습니다.
② 우리나라 최초의 총선거였습니다.
③ 제헌 국회를 구성하는 선거였습니다.
④ 유엔의 결의에 따라 실시되었습니다.
⑤ 이승만이 대통령으로 선출되었습니다.

정답과 해설 242쪽

**01** 다음 그림에 나타난 상황의 배경으로 옳은 것만을 〈보기〉에서 고른 것은?

보기

ㄱ. 병인양요　　ㄴ. 신미양요
ㄷ. 청일 전쟁　　ㄹ. 운요호 사건

① ㄱ, ㄴ　② ㄱ, ㄷ　③ ㄴ, ㄷ
④ ㄴ, ㄹ　⑤ ㄷ, ㄹ

중요

**02** (가)에 대한 설명으로 옳지 않은 것은?

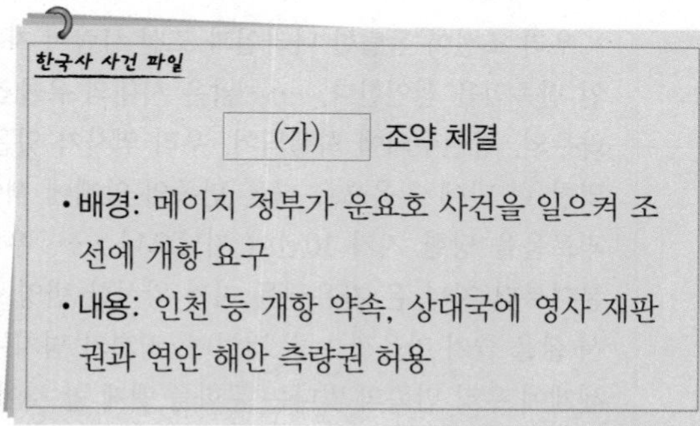

한국사 사건 파일

(가) 조약 체결

- 배경: 메이지 정부가 운요호 사건을 일으켜 조선에 개항 요구
- 내용: 인천 등 개항 약속, 상대국에 영사 재판권과 연안 해안 측량권 허용

① 조선과 일본 사이에 체결되었다.
② 조선이 외국과 맺은 최초의 근대적 조약이었다.
③ 조선에 불리한 조항이 포함된 불평등 조약이었다.
④ 조선이 서양 여러 나라에 문호를 개방하는 계기가 되었다.
⑤ 안동 김씨, 풍양 조씨 등이 권력을 독점한 세도 정치 시기에 체결되었다.

**03** 다음 개혁안이 발표된 사건에 대한 설명으로 옳지 않은 것은?

> • 문벌을 폐지하여 인민 평등의 권리를 세워, 능력에 따라 관리를 임명한다.
> • 지조법을 개혁하여 관리의 부정을 막고 국가 재정을 확충한다.
> • 대신들은 의정부에 모여 정령을 의결하고, 반포한다.
>
> –『갑신일록』

① 청군의 개입으로 실패하였다.
② 김옥균, 박영효 등이 참여하였다.
③ 군국기무처를 중심으로 전개되었다.
④ 사건 발생에 우정총국 개국 축하연이 이용되었다.
⑤ 급진적 개혁을 주장하는 개화 세력이 주도하였다.

고난도

**04** (가)에 들어갈 사실로 옳은 것은?

전라도 고부에서 동학 지도자 전봉준을 중심으로 농민들이 부당한 세금 징수에 항의하며 봉기하였다.

↓

청군과 일본군이 조선에 들어왔다.

↓

(가)

↓

농민군이 공주 우금치에서 정부군과 일본군에 패하였다.

① 조선 정부가 청에 파병을 요청하였다.
② 농민군이 황토현 전투에서 승리하였다.
③ 전봉준 등 농민군 지도부가 체포되었다.
④ 일본군이 궁궐에 난입해 명성 황후를 살해하였다.
⑤ 농민군은 정부군과 폐정 개혁과 집강소 설치에 합의하였다.

**05** 다음 자료에 대한 설명으로 옳은 것은?

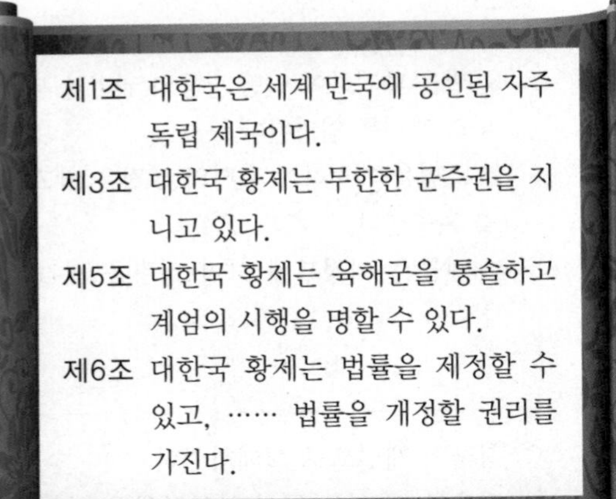
제1조 대한국은 세계 만국에 공인된 자주 독립 제국이다.
제3조 대한국 황제는 무한한 군주권을 지니고 있다.
제5조 대한국 황제는 육해군을 통솔하고 계엄의 시행을 명할 수 있다.
제6조 대한국 황제는 법률을 제정할 수 있고, …… 법률을 개정할 권리를 가진다.

① 을사늑약 후 제정되었다.
② 입헌 군주제를 표방하였다.
③ 독립 협회의 주도로 작성되었다.
④ 의회 설립 운동의 결과로 발표되었다.
⑤ 황제 중심의 국정 운영 방침이 반영되었다.

**06** 밑줄 친 '이 시기'에 전개된 항일 운동으로 옳은 것은?

이 시기에 일제에 의해 수많은 한국 청년이 징용, 징병 등으로 끌려갔습니다. 일부 여성은 일본군 '위안부'로 내몰려 인권을 유린당하였습니다.

① 광주 학생 항일 운동이 전개되었다.
② 조만식이 물산 장려 운동을 주도하였다.
③ 대한민국 임시 정부가 한국 광복군을 조직하였다.
④ 기미 독립 선언서가 발표되고 전국 각지에서 만세 시위가 전개되었다.
⑤ 홍범도가 이끄는 대한 독립군이 봉오동에서 일본군과 싸워 승리하였다.

고난도

**07** 다음 선언에 대한 설명으로 옳은 것만을 〈보기〉에서 고른 것은?

> 융희 황제(순종)가 3가지 보배(영토, 인민, 주권)를 포기한 1910년 8월 29일은 즉 우리가 그 보배들을 계승한 날이다. 황제가 주권을 포기함에 따라 우리 국민들이 당연히 3가지 보배를 계승하여 통치할 특권이 있고 그것을 상속할 의무가 있다.

**보기**

ㄱ. 국민 주권 의식이 담겼다.
ㄴ. 3·1 운동 이후 발표되었다.
ㄷ. 신규식 등 독립운동가들이 작성하였다.
ㄹ. 미국 대통령이 주장한 민족 자결주의의 영향을 받았다.

① ㄱ, ㄴ ② ㄱ, ㄷ ③ ㄴ, ㄷ
④ ㄴ, ㄹ ⑤ ㄷ, ㄹ

**08** 다음 독립 선언서가 발표된 민족 운동에 대한 설명으로 옳은 것은?

> 우리 조선이 독립한 나라임과 조선 사람이 자주적인 민족임을 선언한다. …… 낡은 시대의 유물인 침략주의, 강권주의에 희생되어, 우리 역사가 있은 지 몇천 년 만에 처음으로 다른 민족의 압제에 뼈아픈 괴로움을 당한 지가 10년이 지났으니 …… 우리의 본디부터 지녀 온 자유권을 지켜 왕성한 번영 속에서 삶을 즐겨 마음껏 누릴 것이며, 평화가 넘치는 온 세계에 우리 민족의 빛나는 문화를 맺게 할 것이다.

① 대한민국 임시 정부 수립에 영향을 끼쳤다.
② 신간회가 진상 조사단을 파견하여 지원하였다.
③ 독립에 필요한 힘을 쌓자는 주장이 제기되었다.
④ 한국인이 생산한 상품을 구입하는 소비 활동을 촉구하였다.
⑤ 한국인 학생과 일본인 학생들의 충돌 사건을 계기로 일어났다.

## 09 (가)에 들어갈 독립군 부대로 옳은 것은?

① 대한 독립군 ② 한국 광복군
③ 조선 혁명군 ④ 한국 독립군
⑤ 북로 군정서군

중요

## 10 (가)~(라)의 사실들을 일어난 순서대로 옳게 나열한 것은?

(가) 제헌 국회가 반민족 행위 처벌법을 제정하였다.
(나) 유엔의 결의에 따라 우리나라 최초로 총선거가 실시되었다.
(다) 이승만이 내각을 구성하고 대한민국 정부 수립을 선포하였다.
(라) 여운형 등이 좌우 합작 위원회를 만들어 통일 정부 수립을 위해 노력하였다.
(마) 미·영·소 3국의 외무 장관이 한국에 대해 신탁 통치를 시행할 것을 합의하였다.

① (가) - (나) - (다) - (마) - (라)
② (나) - (다) - (마) - (라) - (가)
③ (다) - (가) - (나) - (라) - (마)
④ (다) - (나) - (가) - (마) - (라)
⑤ (마) - (라) - (나) - (다) - (가)

### 서술형

## 11 다음 자료를 읽고 물음에 답하시오.

일본은 운요호 사건을 일으켜 조선에 개항을 요구하였다. 마침 개항의 필요성을 느끼던 조선 정부도 이에 응해 (가) 을/를 체결하고, 인천 등의 항구를 개항하였다. (가) 은/는 조선이 외국과 맺은 최초의 근대적 조약이었으나, ㉠불평등 조약이었다.

(1) (가)에 들어갈 조약 이름을 쓰시오.

(2) 밑줄 친 ㉠의 근거가 되는 (가) 조약의 내용을 서술하시오.

## 12 다음 조약의 강제 체결에 항의하여 고종이 벌인 활동을 서술하시오.

일본국 정부와 한국 정부는 …… 아래에 열거한 조관을 약정한다.
제1조 일본국 정부는 도쿄에 있는 외무성을 통하여 금후 한국의 외국과의 관계 및 사무를 감독·지휘하고, …….
제2조 …… 한국 정부는 금후 일본국 정부의 중개를 거치지 않고서는 국제적 성질을 가지는 어떠한 조약이나 약속도 하지 않을 것을 약속한다.

# 2 자본주의와 사회 변화

교과서 184~191쪽

## 1 외세의 경제적 침탈

### 1. 개항장 중심의 무역

(1) **강화도 조약(조일 수호 조규, 1876)**: 인천, 부산, 원산 등 개항 → 개항장에 거류지 형성
— 외국 상인이 거주할 수 있는 거류지가 만들어져 개항장을 중심으로 무역이 이루어짐

(2) **조일 무역 규칙(1876)**: 무관세, 미곡 무제한 반출 가능
— 관세 부과나 일본 상인이 일본으로 가져가는 양에 제한을 두는 규정이 없었음

(3) **조일 통상 장정(1883)**

① 체결: 조미 수호 통상 조약 후 조선이 개정 요구 → 관세 부과, 방곡령 규정 포함
— 방곡령: 식량 부족 등의 문제로 쌀 수출을 금지하는 명령

② 영향: 함경도, 황해도 지역에서 방곡령 선포 → 일본의 항의로 방곡령 철회
— 관세 부과 조항을 둠
— 일본은 1개월 전에 미리 방곡령 선포 사실을 알리지 않았다는 이유로 철회 요구

### 2. 외세의 이권 침탈과 반대 운동

(1) **이권 침탈**: 아관 파천 이후 열강이 광산 개발권, 금광 채굴권, 철도 부설권 등 차지
— 이권: 경제적으로 이익을 얻을 수 있는 권한

(2) **이권 침탈에 대한 반대 운동**

① 독립 협회의 활동: 러시아의 부산 절영도 조차 요구 저지, 한러 은행 폐쇄 요구

② 보안회: 일본의 황무지 개간권 요구 반대 운동 전개 → 저지에 성공(1904)

### 3. 일본의 경제적 침탈과 대응

(1) **일제의 침탈**: 화폐 정리 사업(백동화를 일본 제일 은행의 화폐로 교환 → 일부 상공업자들 타격), 일본 정부로부터 거액의 돈을 빌리도록 강요
— 화폐 정리 사업: 러일 전쟁 중 강제 체결된 제1차 한일 협약에 따라 재정 고문으로 온 메가타가 주도

(2) **침탈 대응**: 대한 제국 정부가 진 빚을 갚자는 국채 보상 운동 전개

### 4. 근대적 문물의 도입

(1) **근대 교육**: 원산 학사(1883, 최초의 근대 학교), 배재 학당, 이화 학당 등 설립
— 원산 학사: 개항지 원산에 설립
— 배재 학당, 이화 학당: 개신교 선교사들이 설립

(2) **철도 부설**: 경인선 개통(1899) 후 여러 곳에 철도 부설, 일제의 군사적 목적에 이용됨
— 일제는 러일 전쟁 중 경부선, 경의선을 부설해 군사 물자 수송 등 전쟁에 이용

(3) **신문 발간**: 『한성순보』(최초의 신문, 1883), 『독립신문』(독립 협회가 발행, 1896)

## 2 일제 강점기의 사회와 경제

### 1. 토지 조사 사업(1910년대)

|  |  |
|---|---|
| 목적 | 일제가 식민 통치에 필요한 비용을 마련하기 위해 실시 |
| 방법 | 토지 소유자들이 토지 신고 → 토지 대장 작성, 토지 가격 산정 |
| 결과 | • 총독부의 지세 수입 증가 (그동안 지세를 내지 않던 땅이 드러나게 되고 세금 액수도 조정되었기 때문)<br>• 소유권이 불분명한 땅이 국유지로 편입, 국유지 중 일부는 동양 척식 주식회사와 일본인에게 불하 → 일본인 지주의 증가<br>• 지주의 소유권만 인정, 소작인의 경작권 무시 → 소작인의 생활이 더욱 어려워짐 (지주가 마음대로 소작인을 내쫓거나 소작료를 높일 수 있게 됨) |

### 2. 산미 증식 계획(1920년대)

|  |  |
|---|---|
| 목적 | 한국에서 쌀을 증산하여 일본 내 쌀 부족 문제 완화 |
| 방법 | 화학 비료 사용 확대, 밭을 논으로 만드는 정책, 수리 조합 조직을 통해 수리 시설 확충 |
| 결과 | 수리 조합비의 과다 징수, 소작료 상승, 지주가 소작농에게 조합비 전가 → 농민 생활 곤궁 |

### 3. 침략 전쟁 확대와 경제적 수탈(1930년대 이후)

(1) **일본 독점 자본의 진출**: 한반도 북부에 공장 설립(군수 물품 생산), 남면북양 정책
— 군수 물품: 전쟁 수행에 필요한 물건

(2) **전쟁을 위한 수탈**: 금속과 미곡 공출 → 물자 부족, 물가 상승
— 금속 공출: 무기 제조에 필요한 금속을 확보하고자 놋그릇, 가마솥 등까지 빼앗음

---

**보충 조일 통상 장정(1883)**

> • 외국의 화물이 해관을 통과할 때는 관세를 납부해야 한다.
> • 조선 측이 국내에 양식이 부족해 일시 쌀 수출을 금지하려고 할 때에는 1개월 전에 지방관이 일본 영사관에게 통지하여야 한다.

조일 통상 장정으로 일본 상품에 관세를 부과할 수 있게 되었고, 각 지의 지방관이 상황에 따라 방곡령을 내려 곡물 수출을 금지할 수도 있게 되었다.

**조차**
다른 나라 영토의 일부를 일정한 기간 동안 빌려 차지하는 것을 의미한다.

**보충 국채 보상 운동**
1907년 서상돈 등을 중심으로 대구에서 시작되었다. 많은 사람들이 금주, 금연, 패물 모으기 등을 통해 마련한 성금을 내는 형식으로 전개되었다. 『대한매일신보』 등 언론사가 적극적으로 후원하면서 전국으로 확산되었지만, 일제의 탄압으로 중단되었다.

**동양 척식 주식회사**
일제가 조선의 경제 이권을 차지하기 위해 1908년에 만든 특수 회사이다.

**남면북양 정책**
일제가 공업 원료를 확보하고자 한반도 남부에는 면화를 재배하고 북부에는 양을 사육하도록 한 정책이다.

## 교과서 속 자료 & 개념

### 열강의 이권 침탈

교과서 185쪽

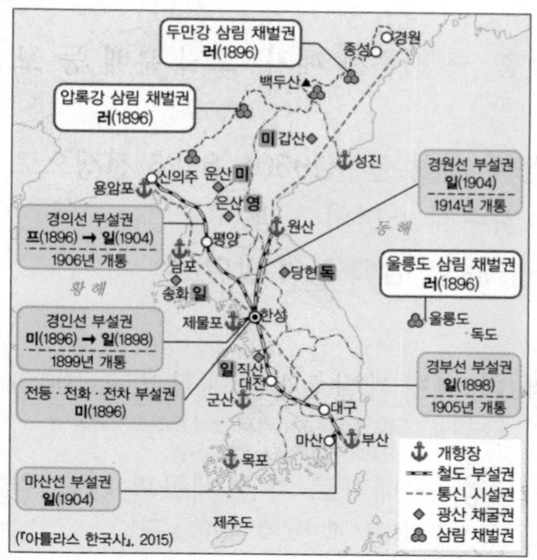


**자료 해설**

아관 파천 이후 제국주의 열강의 이권 침탈이 본격화되었다. 러시아는 광산, 산림 등 각종 이권을 침탈하였고, 부산의 절영도를 조차하려 하였으나 독립 협회의 반대로 철회하였다. 미국은 운산 금광 채굴권을 비롯하여 철도, 전기, 전차 부설권 등을 차지하였다. 뒤늦게 이권 침탈 경쟁에 뛰어든 일본은 금광 채굴권 등을 가져갔으며, 특히 한국 침략을 위해 철도 부설권을 차지하는 데 집중하여 미국이 가졌던 경인선 철도 부설권을 사들이고 경부선, 경의선 철도 부설권도 가져갔다.

### 토지 조사 사업

교과서 186쪽

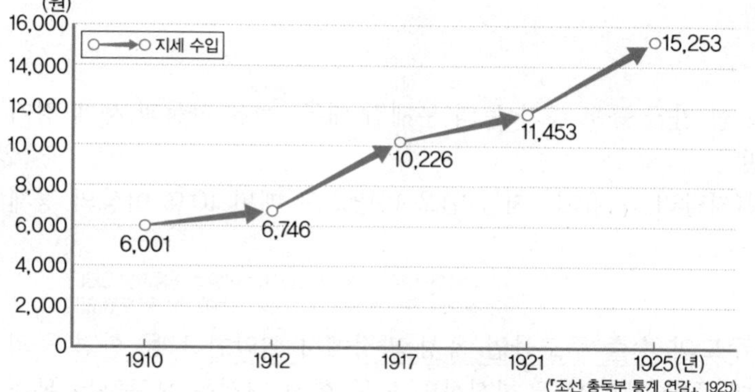


지세 부과액의 증가

**자료 해설**

일제는 한국을 강제 병합한 직후부터 토지 조사 사업을 준비하였다. 토지 조사 사업은 총독이 정한 기한 내에 토지 소유자가 직접 신고하는 방식으로 진행되었는데, 그 절차가 까다로웠다. 일제는 신고 내용을 바탕으로 지세를 납부할 사람들을 확인하고 지세를 부과할 근거 자료를 만들 수 있었고, 조선 총독부의 지세 수입은 늘어났다.

이 사업으로 주인이 불분명한 토지는 국유지로 편입되었고, 국유지 가운데 일부는 동양 척식 주식회사로 넘어갔다. 동양 척식 주식회사는 이 땅을 한국으로 이주한 일본인에게 헐값으로 팔아 지주 행세를 할 수 있게 해 주었다.

### 산미 증식 계획

교과서 187쪽

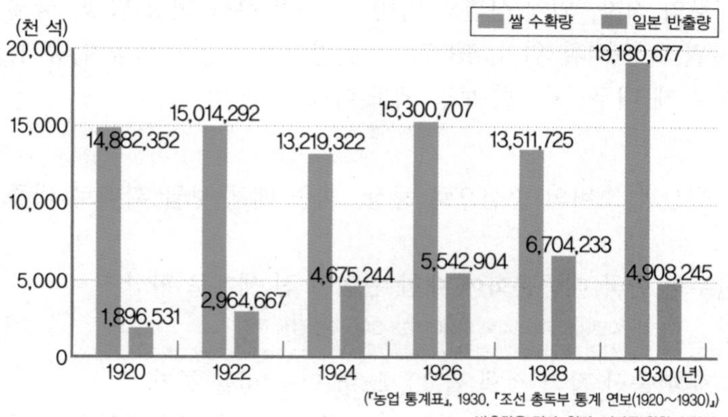


1920년대 쌀 생산량과 반출량

**자료 해설**

산미 증식 계획이 시행된 시기에 쌀 수확량은 조금 늘었다 줄었다 하였지만 일본으로의 반출량은 꾸준히 증가하였다. 이에 따라 일본의 식량 상황은 나아졌지만 한국의 식량 사정은 악화되었다. 또 지주들은 소작료로 거두어들인 쌀을 미곡 상인에게 되팔아 이익을 남겼고, 더 큰 이익을 얻기 위해 소작료를 올리고, 심지어 자신이 내야 할 조합비를 소작인에게 넘기기도 하였다. 소작인은 고율의 소작료뿐만 아니라 증산 비용까지 떠안게 되어 생활이 더욱 어려워졌고, 일부 농민은 살길을 찾아 국외나 도시로 이주하였다.

## 3 대한민국의 경제 성장과 사회 변화

### 1. 1960년대 이전의 경제 상황

(1) **미 군정의 개혁**: 소작료를 수확량의 3분의 1로 낮춤 → 지주제 폐지, 토지 분배 등 보다 근본적인 대책을 세우자는 주장 확산

(2) **농지 개혁**: 정부 수립 후 「농지 개혁법」 제정 → 농지 개혁 실시(1950), 6·25 전쟁으로 잠시 중단하였다가 꾸준히 추진 → 자영농 증가, 지주제 소멸의 성과

(3) **원조 경제**: 6·25 전쟁 후 외국의 무상 원조로 재정 운영, 삼백 산업 발달

### 2. 국가 주도의 경제 성장

(1) **배경**: 1950년대 후반 미국의 무상 원조 축소 → 제1차 경제 개발 5개년 계획 발표(1962)

1962년부터 1차 경제 개발 5개년 계획을 시작하여 이후 4차까지 진행

(2) **경제 개발 자금 마련**

① **베트남 파병**: 미국이 베트남 전쟁에 국군 파병 요청 → 대가로 차관 제공과 기술 원조 등 경제적 지원 약속(브라운 각서, 1966)

식민 지배에 대한 사과와 배상이 부족하다는 한계를 가짐

② **한일 국교 정상화**: 한일 기본 조약 체결, 청구권 및 경제 협력에 관한 협정 체결 → 일본으로부터 경제 개발에 필요한 일부 자금을 들여옴

(3) **특징**: 외국 자본을 토대로 수출 주도산업 집중 육성 → 일부 부문에서 성과, 철강 등 중화학 공업에 투자 시작

### 3. 경제 위기와 3저 호황

(1) **1970년대**: 외국에 갚아야 할 자금 규모 증가 등의 문제점 대두, 석유 파동과 세계 경기 악화로 경제 위기에 직면

(2) **1980년대 중반**: 3저 호황(저달러, 저유가, 저금리)을 바탕으로 매년 10% 이상의 경제 성장률 기록

### 4. 노동 환경 개선 요구 대두

수출 상품의 가격 경쟁력을 높인다는 이유로 노동자의 임금은 낮은 상태로 유지, 열악한 작업 환경 개선에 관심을 두지 않음

(1) **노동 운동의 전개**: 국가 주도의 수출 주도산업 육성 과정에서 열악한 노동 환경 등의 문제점 표출 → 1980년대 중반 이후 임금 현실화와 노동 환경 개선을 요구하는 목소리 확대 → 1987년에 이르러 전국적으로 노동 운동 전개

(2) **노동조합**: 한국 노동조합 총연맹 외에 전국 민주 노동조합 총연맹 조직(1995)

### 5. 외환 위기의 발생

(1) **1980년대 후반 경제**: 자유 무역을 확대해야 한다는 신자유주의 대두 → 우루과이 라운드로 농산물 시장 개방 압력이 커짐

(2) **1990년대 후반 이후 경제**: 무역 적자, 외채 상환의 압박 → 외환 부족 현상 발생, 국제 통화 기금에 구제 금융 지원 요청(외환 위기, 1997) → 실업과 비정규직 노동자 증가, 소득 격차 심화 등의 사회 문제 대두 → 사회 보장 제도 확대 요구

기초 생활 보장 확대, 연금 제도 확충, 적정 수준의 최저 임금 보장 등을 요구

### 6. 대중문화의 발전

(1) **대중문화**: 대중이 문화의 생산과 소비의 중심으로 등장, 대중 매체 보급 확대로 대중문화 형성 촉진

(2) **한류 확산**: 1990년대 후반부터 한국 대중문화에 대한 관심이 전 세계로 확산

### 7. 새로운 사회적 과제

1960년대 이후 산업화 과정에서는 산아 제한 정책 추진 → 최근 출산율 크게 하락, 사회 문제화

(1) **인구 구조의 변화**: 출산율 저하(출산 장려 정책 필요), 노령 인구 비율 증가

(2) **다문화 현상**: 국제결혼과 외국인 이주 노동자, 탈북자의 증가 → 사회적 다양성을 존중해야 한다는 인식 확산이 필요

실버산업 육성, 고령자에 대한 사회 보장 제도 마련 등이 필요

---

**보충 브라운 각서**

- 한국의 경제 개발을 돕기 위해 차관을 제공한다.
- 베트남에 파견되는 병력이 필요로 하는 장비를 제공한다.
- 수출을 진흥하기 위한 모든 분야에서 한국에 대한 기술 원조를 강화한다.

미국의 요청을 받아들여 한국은 미국 다음으로 베트남 전쟁에 많은 병력을 파병하였다. 미국은 한국의 파병 대가로 경제 개발에 필요한 자금을 빌려주기로 약속하는 브라운 각서를 맺었다.

**삼백 산업**

미국의 원조 물자를 바탕으로 성장한 제분, 제당, 면방직 산업의 생산물인 밀가루, 설탕, 면직물이 모두 흰색이어서 붙여진 이름이다.

**석유 파동**

석유 공급의 부족과 석유 가격의 폭등으로 세계 경제가 큰 혼란과 어려움을 겪은 일을 말한다.

**보충 신자유주의**

국가 권력의 시장 개입을 비판하고 시장의 기능과 민간의 자유로운 활동을 중시한 이론이다. 국가의 시장 개입을 최소화하고, 정리 해고, 파견 노동제, 임시직과 성과급 제도 확대 등의 노동 시장 유연화, 복지 제도 축소와 같은 방향을 추구한다. 또한 국제 무역에서도 자유 무역을 추구하고 상품과 금융의 자유로운 이동을 주장한다.

**보충 금 모으기 운동**

외환 위기 직후 국가 부채를 줄이자는 취지에서 국민 스스로 자신이 소유한 금을 모아 기부하는 금 모으기 운동이 일어났다.

## 교과서 속 자료 & 개념

### 농지 개혁법

교과서 188쪽

제1조 농가 경제 자립과 농업 생산력 증진을 위해 농지를 농민에게 적정히 분배한다.
제5조 농사를 짓지 않는 사람의 농지, 3정보 이상을 초과하는 농지 부분 등은 정부가 지정된 가격에 매수한다.
제11조 정부가 매수한 농지는 현재 그 농지를 경작하고 있는 농민(소작농), 경작하는 농지 규모가 너무 적은 농민 등에게 지정된 가격으로 분배한다.

자료 해설

일제 강점기 전체 농경지의 60% 이상이 땅을 빌려 농사를 짓는 소작지였다. 광복 이후 대다수 농민은 '농사짓는 농민이 토지를 가진다.'는 원칙이 실현되기를 희망하였다.

미 군정 시기 일부 개혁이 추진되었으나 본격적인 농지 개혁은 정부 수립 이후 진행되었다. 이승만 정부는 한 가구당 3정보까지만 소유하게 하고, 3정보 이상의 토지를 국가가 사서 다른 농민에게 대가를 받고 분배하는 방식으로 농지 개혁을 추진하였다.

### 한일 기본 조약

교과서 189쪽

한일 기본 조약을 체결하는 모습

자료 해설

한국과 일본 간 관계 정상화는 식민 지배 책임에 대한 입장 차이로 어려움을 겪었다. 1960년대 들어서 미국이 공산주의 세력에 대항하는 반공 동맹을 강화하기 위해 한국과 일본의 관계 개선을 강력히 요구하였다. 이러한 가운데 박정희 정부는 경제 개발에 필요한 자금을 마련할 목적으로 일본과 국교 정상화에 나섰고, 1965년 한일 기본 조약을 체결하였다. 이로 인해 한국은 경제 개발에 필요한 자금의 일부를 마련할 수 있었다. 그러나 이는 식민 지배에 대한 충분한 사과와 배상을 받지 못했다는 비판을 받았다.

## 개념 꿀꺽

**1. 빈칸에 알맞은 말을 쓰시오.**

(1) 조일 통상 장정에 따라 지방관이 (　　　)을/를 내려 곡물 수출을 금지할 수도 있게 되었다.
(2) 화폐 정리 사업은 일본인 재정 고문 (　　　)이/가 주도하였다.
(3) 대한 제국이 일본에 많은 빚을 지게 되자, 성금을 내어 일본에 진 빚을 갚자는 (　　　)이/가 일어나 전국으로 확산되었다.
(4) 1950년부터 시작된 (　　　)이/가 꾸준히 추진되어 자영농이 늘어나고 지주제가 없어지는 성과를 거두었다.

**2. 다음 내용이 옳으면 ○표, 틀리면 ×표 하시오.**

(1) 보안회는 러시아의 절영도 조차 요구를 철회시켰다. (　　　)
(2) 토지 조사 사업으로 조선 총독부의 지세 수입이 늘어났다. (　　　)
(3) 1970년대 3저 호황으로 우리나라는 높은 경제 성장률을 기록하였다. (　　　)
(4) 1980년대 후반 외환 위기가 발생하여 국제 통화 기금에 국제 금융을 신청하였다. (　　　)

정답 1. (1) 방곡령 (2) 메가타 (3) 국채 보상 운동 (4) 농지 개혁 2. (1) × (2) ○ (3) × (4) ×

# 기초 튼튼 | 기본문제

**01** 조일 무역 규칙에 대한 설명으로 옳은 것만을 〈보기〉에서 고른 것은?

보기
ㄱ. 방곡령 반포의 근거가 되었다.
ㄴ. 강화도 조약과 함께 체결되었다.
ㄷ. 개항장에 들어오는 일본 물품에 대한 관세 규정이 있었다.
ㄹ. 일본 상인이 조선의 쌀을 가져가는 데 양을 제한하는 규정이 없었다.

① ㄱ, ㄴ ② ㄱ, ㄷ ③ ㄴ, ㄷ
④ ㄴ, ㄹ ⑤ ㄷ, ㄹ

**02** (가)에 들어갈 국가는?

• 아관 파천 이후 (가) 은/는 광산 채굴권, 삼림 채벌권 등을 빼앗아 갔다.
• 독립 협회는 (가) 의 부산 절영도 조차 요구를 철회시키는 등 열강의 이권 침탈에 대한 반대 운동을 전개하였다.

① 미국 ② 영국 ③ 일본
④ 러시아 ⑤ 프랑스

**03** (가)에 들어갈 단체로 옳은 것은?

① 신민회 ② 신간회 ③ 보안회
④ 독립 협회 ⑤ 군국기무처

단답형
**04** 밑줄 친 ㉠을 부르는 용어를 쓰시오.

일제는 대한 제국으로 하여금 일본 정부로부터 거액의 돈을 빌려 사용하게 하였다. 이로 인해 대한 제국이 일본에 많은 빚을 지게 되자 1907년에 ㉠ 일본에 진 빚을 갚자는 운동이 전국적으로 일어났다.

( )

**05** (가) 시기에 볼 수 있는 장면으로 적절하지 않은 것은?

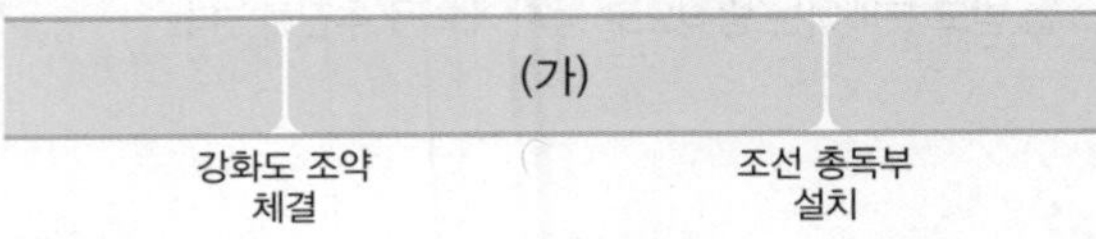


① 선교사에게서 영어를 배우는 학생
② 일본 화폐로 일본 상품을 사는 부인
③ 인천, 부산 등지에서 장사를 하는 외국 상인
④ 인천으로 향하는 기차 안에서 책을 읽는 지식인
⑤ 조선일보에 실린 일제의 침략 상황을 보고 분노하는 유생

중요
**06** 다음과 같은 결과를 가져온 일제의 경제 정책으로 옳은 것은?

• 총독부의 지세 수입이 증가하였다.
• 주인이 불분명한 토지는 총독부의 소유가 되기도 하였다.
• 지주가 마음대로 소작인을 내쫓거나 고율의 소작료를 매길 수 있게 되었다.

① 미곡 공출제 ② 화폐 정리 사업
③ 남면북양 정책 ④ 토지 조사 사업
⑤ 산미 증식 계획

**07** (가)에 들어갈 내용으로 적절한 것은?

> 6·25 전쟁이 끝나고 큰 피해를 입은 경제를 복구하려는 노력이 이어지는 가운데 정부는 외국으로부터 무상 원조를 받아 재정을 운영하였다. 이를 바탕으로 (가)

① 삼백 산업이 성장하였다.
② 신자유주의가 대두하였다.
③ 3저 호황 현상이 나타났다.
④ 금 모으기 운동이 전개되었다.
⑤ 국제 통화 기금에 구제 금융을 신청하였다.

중요

**08** 박정희 정부 시기 경제 정책에 대한 설명으로 옳지 않은 것은?

① 수출 주도산업을 집중 육성하였다.
② 경제 개발 5개년 계획을 추진하였다.
③ 농지 개혁법을 만들어 농지 개혁을 실시하였다.
④ 철강 등 중화학 공업에 대한 투자를 시작하였다.
⑤ 경제 개발에 필요한 자금을 외국으로부터 빌려왔다.

중요

**09** 다음 정책의 공통점으로 옳은 것은?

> • 베트남 전쟁에 국군 파병
> • 한일 기본 조약 체결

① 지주제 소멸
② 삼백 산업의 발달
③ 석유 파동의 위기 극복
④ 경제 개발에 필요한 자금 마련
⑤ 일본의 식민 지배에 대한 배상 해결

**10** 다음 자료에 나타난 상황이 전개된 배경으로 옳은 것은?

① 석유 파동이 일어났다.
② 농지 개혁이 실시되었다.
③ 외환 위기가 발생하였다.
④ 미국의 무상 원조가 줄어들었다.
⑤ 베트남 전쟁에 국군이 파병되었다.

**11** 다음과 같은 변화의 원인으로 옳은 것은?

→

가족계획 표어의 변화

① 출산율의 하락
② 농촌 인구의 감소
③ 다문화 사회의 형성
④ 사회 보장 제도의 확충
⑤ 노령 인구의 비율 증가

# 실력 쑥쑥 | 실전문제

**01** **다음 조약에 대한 설명으로 옳은 것은?**

> ○○ 통상 장정(1883)의 주요 내용
> - 외국의 화물이 해관을 통과할 때는 관세를 납부해야 한다.
> - 조선 측이 국내에 양식이 부족해 일시 쌀 수출을 금지하려고 할 때에는 1개월 전에 지방관이 일본 영사관에게 통지하여야 한다.

① 조일 무역 규칙 체결로 이어졌다.
② 조미 수호 통상 조약 체결에 영향을 끼쳤다.
③ 일본 상인들이 개항장에서만 무역 활동을 하도록 제한하였다.
④ 조선이 서양 여러 나라에게 문호를 개방하는 계기를 제공하였다.
⑤ 일본이 함경도와 황해도에서 내린 방곡령을 철회시키는 근거로 이용하였다.

중요

**02** **다음 자료를 활용한 탐구 주제로 가장 적절한 것은?**

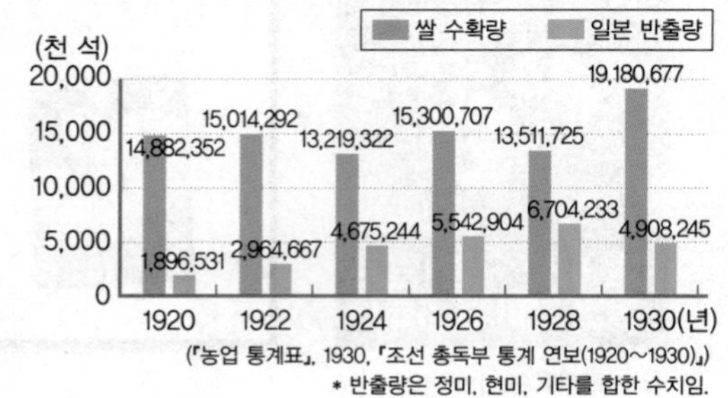


(『농업 통계표』, 1930, 『조선 총독부 통계 연보(1920~1930)』)
* 반출량은 정미, 현미, 기타를 합한 수치임.

① 국채 보상 운동의 성과
② 산미 증식 계획의 추진
③ 미곡 공출제 시행의 배경
④ 토지 조사 사업 추진의 배경
⑤ 열강의 이권 침탈이 농촌에 끼친 영향

**03** **(가)에 들어갈 내용으로 적절하지 <u>않은</u> 것은?**

> 〈1930년대 일제의 경제적 수탈 심화〉
> - 배경: 일제의 침략 전쟁 확대
> - 수탈 정책: (가)

① 금속 공출 실시
② 미곡 공출제 시행
③ 남면북양 정책 실시
④ 동양 척식 주식회사 설립
⑤ 북부 지방에 군수 공장 설립

고난도

**04** **다음 법령에 근거하여 실시된 정책에 대한 설명으로 옳은 것만을 〈보기〉에서 고른 것은?**

> 제5조 농사를 짓지 않는 사람의 농지, 3정보 이상을 초과하는 농지 부분 등은 정부가 지정된 가격에 매수한다.
> 제11조 정부가 매수한 농지는 현재 그 농지를 경작하고 있는 농민(소작농), 경작하는 농지 규모가 너무 적은 농민 등에게 지정된 가격으로 분배한다.

**보기**

ㄱ. 이승만 정부가 추진하였다.
ㄴ. 6·25 전쟁 발발로 종결되었다.
ㄷ. 지주제가 없어지는 성과를 거두었다.
ㄹ. 소작농이 증가하는 결과를 가져왔다.

① ㄱ, ㄴ　② ㄱ, ㄷ　③ ㄴ, ㄷ
④ ㄴ, ㄹ　⑤ ㄷ, ㄹ

고난도

**05** 다음 사실을 이해하기 위한 탐구 활동으로 적절한 것만을 〈보기〉에서 고른 것은?

> 박정희 정부는 경제 개발에 필요한 자금을 외국으로부터 빌려왔다. 정부는 빌려온 자금을 토대로 수출 주도산업을 집중적으로 육성하였다.

**보기**

ㄱ. 브라운 각서의 내용을 분석한다.
ㄴ. 한일 기본 조약과 관련 협정의 내용을 파악한다.
ㄷ. 우루과이 라운드가 우리 경제에 미친 영향을 살펴본다.
ㄹ. 외국으로부터 들어온 무상 원조 물자의 운영 상황을 조사한다.

① ㄱ, ㄴ ② ㄱ, ㄷ ③ ㄴ, ㄷ
④ ㄴ, ㄹ ⑤ ㄷ, ㄹ

**06** (가)에 들어갈 내용으로 가장 적절한 것은?

① 출산율 하락
② 노령 인구 증가
③ 계층 간 소득 격차 확대
④ 비정규직 노동자 수 증가
⑤ 외국인 이주 노동자 수 증가

## 서술형

**07** (가)에 들어갈 내용을 두 가지 서술하시오.

역사 정리 노트

〈일제의 토지 조사 사업〉
- 시행 방식: 토지 소유자들이 토지를 신고하도록 하고 그 땅의 토지 대장을 만들었다.
- 결과
  - 총독부의 지세 수입이 늘어났다.
  - (가)

**08** 밑줄 친 ㉠의 이유를 서술하시오.

> 1965년 정부는 일본과 한일 기본 조약을 체결하고 청구권 및 경제 협력에 관한 협정 등을 맺어 일본으로부터 경제 개발에 필요한 자금을 들여왔다. 하지만 이 과정에서 정부는 국민에게 ㉠큰 비판을 받았다.

Ⅵ. 근·현대 사회의 전개

# 민주주의의 발전 ~ 평화 통일을 위한 노력

교과서 192~209쪽

## 1 민주주의 발전을 위한 첫걸음

### 1. 대한민국 임시 정부 헌법

(3·1 운동을 계기로 독립운동을 효율적으로 지도할 조직이 필요하다는 인식이 확산되면서 여러 지역에서 성립된 임시 정부 중 하나(1919. 4.))

**(1) 대한민국 임시 헌장:** 상하이 대한민국 임시 정부의 임시 의정원이 발표, 민주 공화제 채택, 남녀 귀천과 관계없이 일체 평등하다는 내용 포함

**(2) 대한민국 임시 정부**

① 임시 정부 통합: 여러 지역 임시 정부의 통합 움직임 → 상하이 대한민국 임시 정부의 정식 출범(1919. 9.)

② 대한민국 임시 정부 헌법 발표: 대한민국 임시 헌장을 보강, 대한민국 임시 정부 국무원이 공포 → 주권 재민의 원칙, 모든 국민이 평등하다는 내용 포함

### 2. 대한민국 헌법

(5·10 총선거로 선출된 국회 의원들이 구성. 제헌 국회 의원의 임기는 2년이었음)

**(1) 제헌 헌법 제정:** 제헌 국회가 제정·공포(1948. 7. 17.) → 대통령 중심제에 기반한 민주 공화정 체제 채택

**(2) 헌법의 개정:** 제헌 헌법 이후 현재까지 9차에 걸쳐 개헌 → 헌법 정신이 일부 훼손되었다는 지적이 제기되기도 함

## 2 민주주의의 시련과 발전

### 1. 이승만 정부의 장기 집권 시도

**(1) 헌법 개정**

(당시 적용되고 있던 제헌 헌법은 국회의 간접 선거로 대통령 선출을 규정)

|  |  |
|---|---|
| 1차 개헌<br>(발췌 개헌, 1952) | • 배경: 6·25 전쟁 직전 제2대 총선거 실시(1950) → 이승만에 반대하는 성향의 후보들이 대거 당선<br>• 추진: 6·25 전쟁 중 강압적으로 대통령 직선제 개헌안을 국회에서 통과시킴 → 개헌에 따라 실시된 제2대 대통령 선거에서 이승만 당선 |
| 2차 개헌<br>(사사오입 개헌, 1954) | 자유당의 개헌안(초대 대통령에 한해 중임 제한 철폐) 제출 → 국회에서 부결 → 자유당이 사사오입 논리를 내세워 개헌안 통과 선포 → 이후 제3대 대통령 선거에서 이승만 당선 |

**(2) 반대 세력 탄압**

① 진보당 사건: 조봉암을 간첩 혐의로 체포 사형

② 「국가 보안법」 개정: 야당과 언론에 대한 탄압 강화

(정부와 자유당이 정권 유지를 위해 정·부통령 선거에서 대대적인 선거 부정을 저질러 대통령에 이승만, 부통령에 이기붕을 당선시킴)

### 2. 4·19 혁명

**(1) 배경:** 이승만 정부와 자유당의 독재, 3·15 부정 선거(1960)

**(2) 전개 과정:** 선거 당일 부정 선거 규탄 시위, 마산에서 김주열 학생 실종 → 김주열 학생의 시신 발견 → 시위가 전국으로 확산 → '민주주의 사수'를 요구하는 대규모 시위, 시위대의 경무대 진출 중 경찰 총격으로 사상자 다수 발생(4. 19.) → 정부의 계엄령 선포 → 대학교수들의 시국 선언, 시위 전개(대통령의 퇴진 요구)

(경무대: 이승만 대통령이 생활한 관저, '청와대'의 옛 이름)

(계엄령: 국가 비상사태에 공공질서 유지를 위해 대통령이 발동할 수 있는 권한으로, 군대를 동원하여 치안과 사법권을 유지하는 조치)

**(3) 결과**

① 이승만 사임 → 허정 과도 정부 수립

② 장면 내각 수립: 내각 책임제, 양원제 국회를 주요 내용으로 하는 개헌 → 선거 실시 → 민주당의 압승으로 장면 내각 수립

(양원제: 두 개의 합의체로 구성된 의회로, 보통 상원과 하원으로 구분하며 장면 내각 당시 참의원과 민의원이 존재)

---

**보충 대한민국 임시 정부 헌법**

> 제1조 대한민국은 대한 인민으로 조직한다.
> 제2조 대한민국의 주권은 대한 인민 전체에 있다.
> 제4조 대한민국의 인민은 일체 평등하다.
> 제5조 대한민국의 입법권은 의정원이, 행정권은 국무원이, 사법권은 법원이 행사한다.

대한민국의 주권이 국민에게 있다는 주권 재민의 원칙과 모든 국민이 평등하다는 내용이 포함되었다. 또한 임시 의정원(입법 기관), 국무원(행정 기관), 법원의 삼권 분립을 명시하였다.

**보충 사사오입 개헌**

1954년 개헌안 표결 당시 재적 의원 203명 중 참석한 202명의 투표 결과 찬성 135표, 반대 60표, 기권 7표가 나와 개헌 정족수에 1표가 부족하여 부결이 선포되었다. 그러나 자유당은 이를 받아들이지 않고 이틀 뒤 수학에서 나오는 사사오입(=반올림) 논리를 가져와 억지 주장을 내세워 개헌안이 통과되었다고 선포하였다.

**보충 조봉암**

조봉암은 1956년 제3대 대통령 선거에 무소속으로 출마하여 돌풍을 일으켰다. 이후 조봉암이 진보당을 창당하고 세력이 커지자 위기를 느낀 이승만 정부는 조봉암에게 「국가 보안법」 위반과 간첩 혐의를 씌워 체포하고 사형을 집행하였다. 이후 2007년 진실 화해 위원회는 이 사건에 대해 '이승만 정권이 정적을 제거하기 위해 저지른 조작 사건'이라고 발표하였으며, 2011년 1월에 열린 재심에서 조봉암의 무죄가 선고되었다.

**내각 책임제**

실질적인 행정권을 담당하는 내각이 의회 다수당의 신임에 따라 존속하는 의회 중심주의 권력 형태이다.

## 교과서 속 **자료 & 개념**

### 제헌 헌법

교과서 193쪽

> 유구한 역사와 전통에 빛나는 우리들 대한 국민은 기미 3·1 운동으로 대한민국을 건립하여 세계에 선포한 위대한 독립 정신을 계승하여 이제 민주 독립 국가를 재건함에 있어서 …… 모든 사회적 폐습을 타파하고 민주주의제 제도를 수립하여 정치, 경제, 사회, 문화의 모든 영역에 있어서 각인의 기회를 균등히 하고 …….
>
> **제1조** 대한민국은 민주 공화국이다.
>
> **제2조** 대한민국의 주권은 국민에게 있고 모든 권력은 국민으로부터 나온다.

**자료 해설**

제헌 헌법은 1948년에 제정된 우리나라 최초의 헌법이다. 대한민국이 민주 공화정 체제를 채택하였으며, 대한민국의 주권이 국민에게 있음을 밝혔다.

헌법 전문에는 대한민국이 3·1 운동으로 건립되었고, 독립 정신을 계승하여 민주주의 제도를 수립하였다는 점이 언급되었고, 사회 구성원 모두가 균등한 기회를 보장받아야 한다는 원칙과 국제 평화 유지를 위한 노력에 동참할 것이라는 결의도 담겼다.

### 발췌 개헌

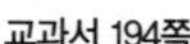

교과서 194쪽

기립 표결로 발췌 개헌안 통과

**자료 해설**

1950년 제2대 총선거의 결과 국회의 간접 선거로 2대 대통령 선거가 치러진다면 이승만의 당선이 어려웠다. 이에 이승만의 지지 세력은 대통령 직선제로 헌법을 바꾸려고 했으나 실패하였다.

6·25 전쟁 중 임시 수도인 부산에서 개헌이 다시 추진되었다. 이승만 정부는 개헌에 반대하는 국회의원을 폭력으로 협박하고 간첩으로 몰아 구속하는 등 공포 분위기를 조성하였다. 이러한 가운데 사진과 같이 기립 표결을 진행하여 개헌안을 통과시켰다. 당시 대통령 직선제, 양원제 국회 구성이라는 정부의 개헌안과 내각 책임제, 단원제 국회 구성이라는 국회의 개헌안을 절충하여 만들어진 개헌안이라고 하여 '발췌 개헌'이라는 이름이 붙여졌다.

### 4·19 혁명 전개

교과서 194, 195쪽

부정 선거 규탄 시위

이승만 하야 요구 시위

시위에 참여한 초등학생들

대학교수단 시위

**자료 해설**

3·15 부정 선거에 항의하기 위해 시작된 시위는 전국으로 확산되었다. 4월 18일 고려 대학교 학생들이 시위를 마치고 학교로 돌아가던 길에 정치 폭력배에게 폭행을 당하는 사건이 일어나자 4월 19일에 국회 의사당 앞에 10만여 명의 학생들이 모여들었다. 이들이 대통령이 있는 경무대 방향으로 진출하자 경찰이 총격을 가하여 다수의 사상자가 발생하였다. 하지만 시위는 전국적으로 계속되었고 정부가 계엄령을 선포하였지만 학생과 시민, 초등학생도 시위에 가세하였으며, 대학교수들이 '학생의 피에 보답하라.'라고 적힌 플래카드를 들고 시위에 나서 부정 선거 관련자 처벌과 대통령의 퇴진을 요구하였다.

보충 **한일 국교 정상화 반대 시위**

한일 국교 정상화를 위한 한일 회담 과정에서 일본은 한국에 경제 협력 자금을 식민 지배에 대한 배상이 아닌 '독립 축하금' 명목으로 제공하기로 하였다. 이 사실이 알려지자 학생과 시민들은 '굴욕적 대일 외교 반대', '불법적 친일 정권 반대' 등을 내세우며 반대 시위를 벌였다. 한편 미국은 공산주의 진영에 맞서 한국과 일본의 안보 협력 체계를 강화하기 위해 한일 국교 정상화를 적극 지지하였다.

**긴급 조치권**

단순한 행정 명령 하나만으로도 국민의 자유와 권리를 제한할 수 있는 초헌법적 권한이다. 대통령이 독자적으로 내릴 수 있도록 되어 있어 사실상 유신에 저항하는 세력에 대한 탄압 도구로 악용되었다.

보충 **전두환 정부 등장**

5·18 민주화 운동을 진압한 전두환이 통일 주체 국민 회의를 열어 대통령에 취임하였다. 이후 선거인단에 의한 대통령 간접 선거로 헌법을 바꾸고 다시 대통령에 당선되었다.

보충 **4·13 호헌 조치**

호헌은 '헌법을 수호한다'는 의미로, 대통령 직선제 개헌을 요구하는 시위가 확산되자 전두환 정부가 특별 담화를 통해 당시의 헌법인 대통령 간선제를 유지하며, 일체의 개헌 논의를 금지한다고 선언하였다.

**금융 실명제**

모든 금융 거래를 실제 거래자의 이름으로 해야 하는 제도로, 금융 거래의 투명성을 확보하고 세금을 정확히 부과하는 동시에 불법 자금이 유통되는 것을 단속하기 위한 목적으로 시행되었다.

### 3. 5·16 군사 정변과 박정희 정부

(1) **5·16 군사 정변**: 박정희 등의 일부 군인들이 정권 장악 → 국회 해산, 국가 재건 최고 회의 구성 (입법·행정·사법권을 장악하고 군정 실시)

(2) **박정희 정부 성립**: 대통령 중심제로 개헌, 민주 공화당 창당 → 박정희 대통령 당선 (박정희가 군에서 전역한 후 민주 공화당 후보로 출마)

① 정책: 반공과 경제 발전 강조 → 한일 국교 정상화, 베트남 파병

② 3선 개헌(1969): 대통령 3선을 허용하는 개헌안을 편법으로 통과시킴 (장기 집권 목적)

3선 개헌 후 치러진 대통령 선거에서 김대중 후보의 약진, 국회 의원 선거에서 야당 세력의 성장 → 박정희 정부의 정치적 위기감 고조

### 4. 유신 체제와 독재 강화

(1) **배경**: 1970년대 국내외 정세 변화 → 닉슨 독트린, 미국과 중국의 화해 모색, 미국이 베트남에서의 군대 철수와 주한 미군 감축 결정, 국내에서 야당 세력 성장

(2) **유신 헌법 제정(1972)** (정부가 비상계엄을 선포하고 국회 해산 후 비상 국무 회의를 통해 유신 개헌안을 마련하여 국민 투표로 확정)

① **내용**: 대통령 임기 6년을 규정, 대통령 연임 횟수 제한 규정 삭제, 통일 주체 국민 회의에서 대통령 간접 선거, 대통령에게 국회 의원 3분의 1의 후보자 추천권과 긴급 조치권 등 부여 (민주주의의 기본 원리인 삼권 분립의 원칙을 무시하고 비정상적으로 대통령 권한을 강화함)

② 유신 체제 성립: 통일 주체 국민 회의에서 박정희가 제8대 대통령으로 선출됨 → 영구 집권 가능, 독재 체제 강화

(3) **유신 반대 운동**: 유신 헌법 철폐 운동 전개, 재야인사들의 3·1 민주 구국 선언(1976)

(4) **유신 반대 운동 탄압**: 대통령의 긴급 조치 발동, 인민 혁명당 사건 조작(1975)

## 3 민주주의의 진전

### 1. 5·18 민주화 운동

(1) **배경**: 부산과 마산에서 유신 반대 운동이 확산되는 가운데 박정희 피살(유신 체제 붕괴) → 전두환 등 신군부 세력이 정권 장악(12·12 사태) → 전국적인 민주화 요구 시위 → 신군부 세력의 비상계엄 확대 (비상계엄 해제, 민주화 실현 요구)

(2) **전개**: 광주의 민주화 시위 → 계엄군의 폭력적 진압, 총격으로 무고한 시민들 희생됨

### 2. 6월 민주 항쟁

(정권의 폭력성을 감추기 위해 야간 통행금지 해제, 학생 두발 및 교복 자율화 등 유화 정책을 펼쳤으나 언론사를 통폐합하고 민주화 운동을 탄압하는 등 강압적으로 통치)

(1) **배경**: 전두환 정부의 강압 통치, 민주화에 대한 열망 고조, 국민의 직선제 개헌 요구

(2) **전개**: 정부가 박종철의 고문 사망 사건 은폐 → 진상 규명과 대통령 직선제 개헌을 요구하는 시위 전개 → 정부의 4·13 호헌 조치, 시위 탄압 → 민주화와 개헌 요구 시위 확산 → 시위 도중 연세대 학생 이한열이 최루탄에 피격 → 전국적으로 시위 확대 (학생뿐 아니라 넥타이 부대라 불리는 직장인들까지 시위에 참여)

(3) **결과**: 6·29 민주화 선언 발표 → 제9차 개헌(5년 단임제, 대통령 직선제) (여당의 차기 대통령 후보 노태우의 발표, 대통령 직선제 개헌 요구 수용)

### 3. 성숙한 민주주의를 위한 노력

(1) **제9차 개헌 이후의 상황**: 대통령 직선제 실현 → 평화적 정권 교체

(2) **민주주의의 진전**

① 김영삼 정부: 금융 실명제 법제화, 지방 자치제 전면 확대, 역사 바로 세우기 (전두환, 노태우 두 전직 대통령을 반란 및 내란죄로 구속·기소)

② 김대중 정부: 최초의 평화적인 여야 정권 교체 실현, 외환 위기 극복, 인권법 제정 (자본 유치, 부실 기업 정리, 구조 조정 등 시행)

(3) **촛불 집회**

① 전개: 미군 장갑차 사건(2002), 미국산 쇠고기 수입 재개 협상 반대(2008), 박근혜 정부의 국정 농단 사건에 항의(2016)

② 의의: 이전 민주화 운동으로 성취한 성과 위에 성숙한 민주주의를 추구함

## 교과서 속 자료 & 개념

### 유신 반대 운동

교과서 196쪽

3·1 민주 구국 선언 사건 구속자의 가족들이 첫 공판이 비공개되자 침묵시위로 항의하는 모습

**자료 해설**

유신 헌법은 대통령의 장기 집권을 보장하고, 민주주의를 파괴하였으며, 국민의 기본권을 억압하였다. 이러한 유신 헌법의 폐기를 요구하여 시민들이 저항하자 박정희 정부는 긴급 조치를 발동하여 민주화 운동을 탄압하였다. 그러나 정부의 탄압에도 언론계, 종교계, 노동계 등 사회 각 분야에서 유신에 반대하는 목소리가 커졌다. 이러한 가운데 1976년 함석헌, 김대중 등 재야인사들은 명동 성당에서 3·1 민주 구국 선언을 발표하여 유신 체제 논리를 정면으로 비판하고 대통령의 퇴진을 요구하였다.

### 5·18 민주화 운동

교과서 197쪽

우리는 왜 총을 들 수밖에 없었는가? 너무나 무자비한 만행을 더는 보고 있을 수만은 없어서 너도나도 총을 들고 나섰던 것입니다. …… 경악스러운 또 하나의 사실은 20일 밤부터 계엄 당국이 발포 명령을 내려 무차별 발포를 시작하였다는 것입니다. 이 자리에 모이신 민주 시민 여러분! 그런 상황에 우리가 할 수 있는 일은 무엇이겠습니까?

– 광주 시민군 궐기문

**자료 해설**

1980년 5월 비상계엄을 전국으로 확대한 가운데 신군부는 광주에서 일어난 민주화 시위에 계엄군을 투입하여 학생과 시민을 무차별 폭행하고 연행하였다. 분노한 시민들이 대규모 집회를 개최하자 계엄군이 시민을 향해 발포하여 많은 사상자가 발생하였다. 계엄군의 발포에 분노한 광주 시민과 학생들은 스스로 무장하고 시민군을 조직하여 계엄군에 맞섰다. 하지만 신군부 세력은 탱크와 헬기를 동원하여 전남 도청에서 저항하던 시민군을 무자비하게 진압하였다.

### 6월 민주 항쟁

교과서 197쪽

…… 40년 독재 정치를 청산하고 희망찬 민주 국가를 건설하기 위한 거보를 전 국민과 함께 내딛는다. 국가의 미래요 소망인 꽃다운 젊은이를 야만적인 고문으로 죽여 놓고 그것도 모자라서 뻔뻔스럽게 국민을 속이려 했던 현 정권에게 국민의 분노가 무엇인지를 분명히 보여 주고, 국민적 여망인 개헌을 일방적으로 파기한 4·13 폭거를 철회시키기 위한 민주 장정을 시작한다. …….

– 6·10 국민 대회 선언

직선제를 요구하는 시민들

**자료 해설**

1987년 초 경찰의 가혹한 고문으로 대학생 박종철이 사망한 사건을 정부가 조작·은폐하려 했다는 사실이 알려지면서 학생과 시민들은 사건의 진상 규명을 요구하고 대통령 직선제 개헌을 요구하는 시위를 본격화하였다. 이러한 가운데 정부가 4·13 호헌 조치를 발표하자 시위는 확산되었다.

야당과 종교계, 학생 운동 조직 등은 민주 헌법 쟁취 국민운동 본부를 결성하여 직선제 개헌과 정권의 퇴진을 요구하며 범국민 민주화 대회(6·10 국민 대회) 개최를 준비하였다. 그러던 중 시위에 참여한 대학생 이한열이 경찰이 쏜 최루탄에 맞고 뇌사 상태에 빠졌다. 분노한 시민들은 '독재 타도, 호헌 철폐'를 외치며 격렬하게 시위를 벌였고, 결국 전두환 정부는 국민의 요구에 굴복하였다.

## 4 분단과 전쟁

### 1. 광복 이후의 한반도

(1) **8·15 광복**: 연합국의 승리에 따른 결과, 우리 민족의 끊임없는 독립운동의 결실
(2) **미소의 한반도 분할 점령**: 38도선을 경계로 남북에 각각 미군과 소련군 주둔
(3) **한반도의 분단**: 통일 국가 형성을 위한 노력 실패 → 대한민국 정부 수립(1948. 8. 15.), 김일성이 조선 민주주의 인민 공화국 선포(1948. 9. 9.)

### 2. 6·25 전쟁의 전개

(1) **배경**: 중국의 공산화, 애치슨 선언, 북한의 전쟁 준비
- 북한의 전쟁 준비: 소련과 비밀 군사 협정 체결, 군사적 지원을 약속받음, 중국에 있던 조선인 공산주의자들이 북한군에 편입됨

(2) **전개**: 북한의 기습 남침(1950. 6. 25.), 3일 만에 서울 점령 → 이승만 정부의 부산 피란 → 유엔군 참전 → 낙동강 방어선까지 후퇴 → 인천 상륙 작전 → 서울 수복 → 압록강까지 진격 → 중국군의 참전으로 후퇴 → 1·4 후퇴 → 서울 재탈환 → 38도선 부근에서 치열한 공방전 전개
- 유엔군 참전: 전쟁 발발 직후 유엔 안전 보장 이사회에서 북한의 남침을 침략으로 규정, 유엔군 파병 결정

(3) **휴전 협정**: 유엔군과 북한군, 중국군의 휴전 회담 진행 → 협정 체결(1953. 7. 27.)
- 휴전 회담: 포로 송환 방식, 휴전선 설정 등의 문제에 합의가 되지 않아 2년여 동안 회담 진행

(4) **영향**: 수많은 사상자 발생, 전쟁고아·피란민·이산가족 발생, 시설 파괴, 남북 간 적대감과 대결 구도 심화, 분단 고착화, 이승만 정부의 반공 체제 강화, 김일성의 독재 체제가 확고해짐

**보충 애치슨 선언**

1950년 1월 미국 국무 장관 애치슨이 미국의 태평양 지역 방위선에서 타이완과 한국을 제외한다는 발표를 하였다. 이는 북한이 전쟁을 일으켜도 미국이 개입하지 않을 것이라는 기대를 갖게 하였다.

**보충 인천 상륙 작전**

1950년 9월 15일에 맥아더가 이끄는 유엔군과 국군이 인천에 상륙해 북한군의 후방을 공격한 작전이다. 이 작전이 성공하면서 유엔군과 국군은 서울을 되찾았고 불리한 전세를 뒤바꾸었다.

## 5 통일을 위한 남과 북의 노력

### 1. 1970년 이전의 남북 관계

(1) **1950년대**: 6·25 전쟁 이후 대립과 갈등 심화
(2) **1960년대**: 4·19 혁명 후 평화 통일에 대한 논의 진행 → 5·16 군사 정변으로 위축

### 2. 7·4 남북 공동 성명(1972)

(1) **과정**: 닉슨 독트린 후 냉전 체제 완화 → 남북 적십자사 회담(이산가족 상봉 논의) → 비밀 특사 파견 → 성명 발표 성사
(2) **내용**: 자주·평화·민족적 대단결의 통일 원칙 제시

**7·4 남북 공동 성명**

> 첫째, 통일은 외세에 의존하거나 외세의 간섭을 받음이 없이 '자주'적으로 해결하여야 한다.
> 둘째, 통일은 서로 상대방을 반대하는 무력행사에 의거하지 않고 '평화'적으로 실현하여야 한다.
> 셋째, 사상과 이념·제도의 차이를 초월하여 하나의 민족으로서 '민족적 대단결'을 도모하여야 한다.

서울과 평양에서 동시에 발표된 7·4 남북 공동 성명은 분단 이후 남북한이 최초로 통일 원칙에 합의하고 발표한 의미 있는 성명이었다.

### 3. 남북 기본 합의서(1991)

(1) **배경**: 동유럽 사회주의권 붕괴, 남한 정부가 소련, 중국 등과 국교 수립 → 남북 대화의 재개 → 남북한 유엔 동시 가입(1991), 수차례 남북 고위급 회담 개최
(2) **남북 기본 합의서 채택**: 남북한이 서로의 체제 인정, 상호 불가침에 합의

### 4. 6·15 남북 공동 선언(2000)

(1) **배경**: 김대중 정부의 대북 화해 협력 정책 → 분단 이후 최초로 남북 정상 회담 개최
- 대북 화해 협력 정책: 햇볕 정책이라고도 함

(2) **6·15 남북 공동 선언**: 남북한 교류와 협력 활성화, 이산가족 문제의 조속한 해결에 합의 → 이산가족 상봉, 개성 공단 건설, 경의선 복원 등 교류와 협력이 활발해짐

### 5. 6·15 남북 공동 선언 이후의 남북 관계

(1) **2007 남북 정상 회담**: 노무현 정부의 대북 포용 정책, 두 번째 남북 정상 회담 성사 → 10·4 남북 공동 선언 발표
(2) **남북 긴장 관계 형성**: 금강산 관광객 피살 사건, 북한의 핵 실험 강행과 미사일 시험 발사 등으로 남북 관계 긴장(이명박 정부), 개성 공단의 운영 중단(박근혜 정부)
(3) **2018 남북 정상 회담**: 문재인 정부의 판문점 회담 → 남북 관계 개선을 위해 노력

## 교과서 속 자료 & 개념

### 휴전 협정

교과서 203, 204쪽

휴정 협정 체결

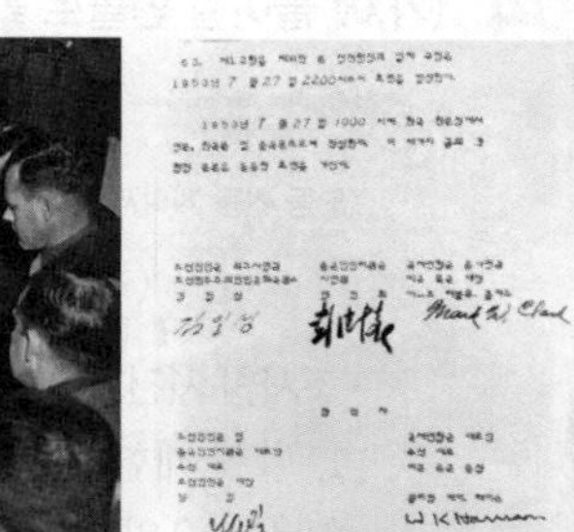

휴전 협정문(1953. 7. 27.)

(자료 해설)

전쟁 발생 1년여 만에 전선은 38도선 부근에서 교착 상태에 빠졌다. 이러한 가운데 소련이 정전 협정을 제안하자 6·25 전쟁이 세계 대전으로 확대될 것을 우려한 미국도 이를 받아들였다. 이승만 정부는 정전에 반대하며 북진 통일을 주장하였고, 회담에는 유엔군(미국), 북한군, 중국군 대표가 참석하였다. 휴전 회담은 군사 분계선(휴전선) 설정, 포로 송환 방식에 대한 합의가 이루어지지 않아 2년여 동안 계속되었고, 마침내 1953년 7월 27일 휴전 협정이 체결되었다. 한편 정전 회담이 진행되는 동안에도 치열한 전투가 계속되어 많은 희생자가 발생하였다.

### 6·15 남북 공동 선언

교과서 207쪽

1. 남과 북은 나라의 통일 문제를 그 주인인 우리 민족끼리 서로 힘을 합쳐 자주적으로 해결해 나가기로 하였다.
2. 남과 북은 나라의 통일을 위한 남측의 연합제 안과 북측의 낮은 단계의 연방제 안이 공통성이 있다고 인정하고 앞으로 이 방향에서 통일을 지향해 나가기로 하였다.
4. 남과 북은 경제 협력을 통하여 민족 경제를 균형적으로 발전시키고, 사회, 문화, 체육, 보건, 환경 등 제반 분야의 협력과 교류를 활성화하여 서로의 신뢰를 다져 나가기로 하였다.

2000 남북 정상 회담

(자료 해설)

김대중 정부는 '햇볕 정책'이라는 이름의 대북 화해 협력 정책을 추진하여 남북 관계에 화해 분위기를 조성하였다. 이에 따라 남북이 대화에 적극 나서 2000년 6월, 평양에서 분단 이후 최초의 남북 정상 회담이 개최되었다. 그 결과 통일 방안과 경제 협력 등의 내용을 담은 6·15 남북 공동 선언이 발표되었다. 이후 남북의 적대적 대결 구도는 화해와 협력 단계로 급속히 전환되었으며, 남북 간 교류와 협력이 활발히 전개되었다.

## 개념 꿀꺽

**1. 빈칸에 알맞은 말을 쓰시오.**

(1) 초대 대통령에 한해 중임 제한을 없앤다는 내용의 개헌안이 국회에서 통과되었는데, 이를 (　　　) 개헌이라고 한다.

(2) (　　　) 헌법은 대통령을 통일 주체 국민 회의라는 기구에서 뽑게 하였다.

(3) 6월 민주 항쟁의 결과 5년 단임제, 대통령 (　　　)을/를 주요 내용으로 한 제9차 개헌이 이루어졌다.

(4) 1950년 미국이 (　　　)을/를 발표하여 태평양 방어선에서 타이완과 한국을 제외하였다.

**2. 다음 내용이 옳으면 ○표, 틀리면 ×표 하시오.**

(1) 제헌 헌법은 민주 공화정 체제를 채택하였으며, 대한민국의 주권이 국민에게 있음을 밝혔다. (　　　)

(2) 6월 민주 항쟁 가운데 시민은 신군부 퇴진과 비상계엄 해제를 요구하였다. (　　　)

(3) 남북 기본 합의서 채택은 남북이 최초로 통일 원칙에 합의하였다는 데 큰 의미가 있다. (　　　)

(4) 김대중 정부는 '햇볕 정책'이라고도 불린 대북 화해 협력 정책을 적극 추진하였다. (　　　)

정답
1. (1) 사사오입 (2) 유신 (3) 직선제 (4) 애치슨 선언
2. (1) ○ (2) × (3) × (4) ○

# 기초 튼튼 | 기본문제

**01** 다음 헌법에 대한 설명으로 옳은 것만을 〈보기〉에서 고른 것은?

> 제1조 대한민국은 대한 인민으로 조직한다.
> 제2조 대한민국의 주권은 대한 인민 전체에 있다.
> 제4조 대한민국의 인민은 일체 평등하다.
> 제5조 대한민국의 입법권은 의정원이, 행정권은 국무원이, 사법권은 법원이 행사한다.

보기
ㄱ. 입헌 군주제를 채택하였다.
ㄴ. 제헌 국회에서 제정되었다.
ㄷ. 주권 재민의 원칙이 반영되었다.
ㄹ. 제헌 헌법에 그 정신이 계승되었다.

① ㄱ, ㄴ ② ㄱ, ㄷ ③ ㄴ, ㄷ
④ ㄴ, ㄹ ⑤ ㄷ, ㄹ

단답형

**02** (가)에 들어갈 알맞은 말을 쓰시오.

> 제1조 대한민국은 민주 공화국이다.
> 제2조 대한민국의 주권은 (가) 에게 있고 모든 권력은 (가) 으로부터 나온다.
> – 제헌 헌법

( )

중요

**03** 밑줄 친 '개헌안'의 주요 내용으로 옳은 것은?

> 6·25 전쟁 중 임시 수도인 부산에서 야당 의원들이 헌병대에 연행되는 일이 벌어졌다. 이러한 공포 분위기 속에서 개헌안이 국회를 통과하였다.

① 내각 책임제를 채택한다.
② 대통령을 국회에서 선출한다.
③ 대통령을 직접 선거로 선출한다.
④ 대통령에게 긴급 조치권을 부여한다.
⑤ 초대 대통령에 한해 중임 제한을 없앤다.

**04** (가)에 들어갈 인물로 옳은 것은?

> 〈모둠 활동 계획서〉
> (가) 정부의 장기 집권 시도
> • 조사할 사건과 자료 목록
> 1. 발췌 개헌
> 2. 사사오입 개헌
> 3. 진보당 사건
> 4. 개정된 「국가 보안법」

① 장면 ② 허정 ③ 이승만
④ 박정희 ⑤ 전두환

중요

**05** (가)의 계기가 된 사건으로 옳은 것은?

> 〈 (가) 의 전개〉
> 김주열 학생의 시신 발견 → 전국적으로 시위 확산 → 경찰의 발포, 계엄령 선포 → 대학교수단 시위, 시국 선언문 발표 → 이승만 대통령 사임

① 5·10 총선거 ② 2·8 독립 선언
③ 3·15 부정 선거 ④ 4·13 호헌 조치
⑤ 5·16 군사 정변

**06** 밑줄 친 '정부'에 대한 설명으로 옳은 것만을 〈보기〉에서 고른 것은?

> 4·19 혁명 이후 허정 과도 정부가 수립되어 개헌을 추진하였다. 개헌안이 국회를 통과한 후 치러진 선거를 통해 새로운 정부가 구성되었다.

보기
ㄱ. 내각 책임제 정부였다.
ㄴ. 5·16 군사 정변으로 무너졌다.
ㄷ. 3저 호황에 힘입어 고도성장을 이루었다.
ㄹ. 미국으로부터 무상 원조를 받기 시작하였다.

① ㄱ, ㄴ ② ㄱ, ㄷ ③ ㄴ, ㄷ
④ ㄴ, ㄹ ⑤ ㄷ, ㄹ

단답형

## 07 (가)에 들어갈 나라를 쓰시오.

> 박정희 정부는 경제 발전을 명분으로 한일 국교 정상화를 추진하였고, 미국의 요청으로 (가) 에 국군을 파병하였다.

( )

중요

## 08 유신 헌법에 규정된 내용만을 〈보기〉에서 고른 것은?

**보기**

ㄱ. 대통령은 국민이 직접 선출한다.
ㄴ. 대통령의 임기는 5년, 단임으로 한다.
ㄷ. 대통령은 긴급 조치를 발동할 수 있다.
ㄹ. 대통령은 국회 의원의 3분의 1의 후보자를 추천한다.

① ㄱ, ㄴ ② ㄱ, ㄷ ③ ㄴ, ㄷ
④ ㄴ, ㄹ ⑤ ㄷ, ㄹ

## 09 (가)에 반대하여 일어난 사건으로 옳은 것은?

> 새로운 헌법에 따라 박정희는 통일 주체 국민 회의에서 다시 제8대 대통령에 선출되었다. 이로써 (가) 체제가 확립되었다.

① 12·12 사태
② 진보당 사건
③ 5·16 군사 정변
④ 인민 혁명당 사건
⑤ 3·1 민주 구국 선언

## [10~11] 다음 자료를 읽고 물음에 답하시오.

> 신군부 세력이 계엄령을 내리고 정치인들의 활동을 제한하는 가운데 광주에서 시위가 전개되었다. 신군부는 이를 탄압하고자 계엄군을 투입하고, 무고한 시민들을 향해 총격을 가하였다.

## 10 위의 상황이 일어난 시기를 연표에서 옳게 고른 것은?

| | (가) | | (나) | | (다) | | (라) | | (마) | |
|---|---|---|---|---|---|---|---|---|---|---|
| 6·25 전쟁 | | 4·19 혁명 | | 장면 내각 수립 | | 유신 헌법 제정 | | 전두환 정부 수립 | | 6월 민주 항쟁 |

① (가) ② (나) ③ (다) ④ (라) ⑤ (마)

## 11 밑줄 친 '시위'에서 나온 구호로 가장 적절한 것은?

① 민주화를 실현하라
② 대통령 직선제를 실시하라
③ 유신 독재 체제는 물러가라
④ 부정 선거 세력을 처벌하라
⑤ 국가 재건 최고 회의를 폐지하라

중요

## 12 다음 자료를 활용한 탐구 주제로 가장 적절한 것은?

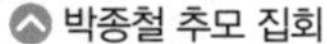
박종철 추모 집회

이한열 열사의 국민장

① 촛불 집회 ② 4·19 혁명
③ 6월 민주 항쟁 ④ 유신 반대 운동
⑤ 5·18 민주화 운동

**13** 밑줄 친 '정부'가 추진한 정책으로 옳은 것만을 〈보기〉에서 고른 것은?

> 1998년 최초의 평화적인 여야 정권 교체가 이루어져 새로운 정부가 출범하였다.

보기
ㄱ. 금융 실명제 법제화
ㄴ. 지방 자치제 전면 확대 시행
ㄷ. 외환 위기 극복을 위한 구조 조정
ㄹ. 민주주의 발전을 위한 인권법 제정

① ㄱ, ㄴ ② ㄱ, ㄷ ③ ㄴ, ㄷ
④ ㄴ, ㄹ ⑤ ㄷ, ㄹ

단답형
**14** 다음 글과 관련 있는 작전을 쓰시오.

> 6·25 전쟁 초반 낙동강 방어선까지 밀렸던 국군과 유엔군은 서울을 3개월 만에 되찾고 38도선을 넘어 압록강까지 진격하였다.

( )

**15** 6·25 전쟁의 영향으로 옳지 않은 것은?

① 이산가족이 발생하였다.
② 남북 간 대결 구도가 심화되었다.
③ 북쪽에서 김일성 독재 체제가 확고해졌다.
④ 남쪽에서 이승만 정부의 반공 체제가 강화되었다.
⑤ 미국이 애치슨 선언을 발표하여 태평양 방어선에서 한국을 제외하였다.

**16** (가)~(라)의 사실들을 일어난 순서대로 옳게 나열한 것은?

> (가) 남북한이 유엔에 동시 가입하였다.
> (나) 남북 정상이 판문점에서 만나 회담을 가졌다.
> (다) 남북 정상 회담 후 6·15 남북 공동 선언이 발표되었다.
> (라) 서울과 평양에서 7·4 남북 공동 성명이 동시에 발표되었다.
> (마) 금강산 관광객 피살 사건, 북한의 핵 실험 강행 등으로 남북 사이에 긴장 관계가 형성되었다.

① (가) – (나) – (마) – (다) – (라)
② (나) – (가) – (다) – (라) – (마)
③ (다) – (마) – (가) – (나) – (라)
④ (라) – (가) – (다) – (마) – (나)
⑤ (마) – (다) – (나) – (라) – (가)

중요
**17** 다음 선언 발표 이후 이루어진 남북 교류 및 협력 정책으로 옳은 것만을 〈보기〉에서 고른 것은?

> 2. 남과 북은 나라의 통일을 위한 남측의 연합제 안과 북측의 낮은 단계의 연방제 안이 공통성이 있다고 인정하고 앞으로 이 방향에서 통일을 지향해 나가기로 하였다.
> 4. 남과 북은 경제 협력을 통하여 민족 경제를 균형적으로 발전시키고, 사회, 문화, 체육, 보건, 환경 등 제반 분야의 협력과 교류를 활성화하여 서로의 신뢰를 다져 나가기로 하였다.

보기
ㄱ. 경의선 복원
ㄴ. 개성 공단 건설
ㄷ. 남북 기본 합의서 채택
ㄹ. 남북이 최초로 통일 원칙에 합의

① ㄱ, ㄴ ② ㄱ, ㄷ ③ ㄴ, ㄷ
④ ㄴ, ㄹ ⑤ ㄷ, ㄹ

**01** 밑줄 친 '헌법'에 대한 설명으로 옳지 않은 것은?

① 주권 재민의 원칙이 담겼다.
② 대한민국 임시 정부 헌법이라고 불렸다.
③ 모든 국민이 평등하다는 내용이 포함되었다.
④ 대통령제에 기반한 민주 공화정 체제를 채택하였다.
⑤ 대한민국이 3·1 운동으로 건립되었음을 언급하였다.

고난도

**02** (가), (나) 개헌에 대한 설명으로 옳은 것만을 〈보기〉에서 고른 것은?

(가) 6·25 전쟁 중에 임시 수도인 부산에서 개헌이 이루어졌다.
(나) 국회에서 찬성표가 부족해 통과하지 못하였으나 자유당이 사사오입의 억지 논리를 내세워 개헌안을 통과시켰다.

**보기**

ㄱ. (가) – 대통령 간선제로 바꾸었다.
ㄴ. (나) – 초대 대통령에 한해 중임 제한을 없앴다.
ㄷ. (가), (나) – 제헌 국회에서 이루어졌다.
ㄹ. (가), (나) – 이승만 정부의 장기 집권에 목적이 있었다.

① ㄱ, ㄴ　② ㄱ, ㄷ　③ ㄴ, ㄷ
④ ㄴ, ㄹ　⑤ ㄷ, ㄹ

**03** (가)에 대한 설명으로 옳은 것은?

1960년 (가) 의 전개 과정에서 대학교수들이 '학생의 피에 보답하라.'라고 적힌 플래카드를 들고 부정 선거를 저지른 피고인들의 처벌 등을 요구하며 시위를 전개하였다.

① 5·10 총선거에 반대하였다.
② 유신 헌법 철폐를 주장하였다.
③ 5·18 민주화 운동을 계승하였다.
④ 이승만 대통령의 퇴진을 요구하였다.
⑤ 4·13 호헌 조치의 철회를 요구하였다.

고난도

**04** (가) 헌법이 적용된 시기에 있었던 사실로 옳은 것은?

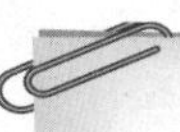
(가) 헌법의 주요 내용

- 대통령 임기는 6년으로 한다.
- 통일 주체 국민 회의에서 대통령을 선출한다.
- 대통령은 법관의 영장 없이 국민을 체포·구금할 수 있는 권한이 포함된 긴급 조치를 발동할 수 있다.

① 대통령의 3선을 허용하는 개헌안이 제출되었다.
② 한일 국교 정상화에 반대하는 시위가 확산되었다.
③ 대통령이 국회 의원 3분의 1의 후보자를 추천하였다.
④ 진보당의 조봉암이 간첩 혐의로 무고하게 사형되었다.
⑤ 야간 통행금지 해제, 학생 두발 및 교복 자율화 등 유화 정책이 실시되었다.

중요

**05** 다음 글이 발표된 사건에 대한 설명으로 옳은 것만을 〈보기〉에서 고른 것은?

> 우리는 왜 총을 들 수밖에 없었는가? 너무나 무자비한 만행을 더는 보고 있을 수만은 없어서 너도나도 총을 들고 나섰던 것입니다. …… 경악스러운 또 하나의 사실은 20일 밤부터 계엄 당국이 발포 명령을 내려 무차별 발포를 시작하였다는 것입니다. 이 자리에 모이신 민주 시민 여러분! 그런 상황에 우리가 할 수 있는 일은 무엇이겠습니까?
>
> – 광주 시민군 궐기문

보기

ㄱ. 박정희 정부의 독재 체제에 저항하였다.
ㄴ. 전두환 등 신군부의 무력에 의해 진압되었다.
ㄷ. 비상계엄 해제와 민주화의 실현을 요구하였다.
ㄹ. 재야인사들이 3·1 민주 구국 선언을 발표하는 계기가 되었다.

① ㄱ, ㄴ ② ㄱ, ㄷ ③ ㄴ, ㄷ
④ ㄴ, ㄹ ⑤ ㄷ, ㄹ

**06** 다음 상황들이 전개된 시기를 연표에서 옳게 고른 것은?

- 대통령 간접 선거로 헌법을 바꾸었다.
- 야간 통행금지 해제, 학생 두발 및 교복 자율화 등 유화 정책이 실시되었다.
- 언론사를 통폐합하고 민주화 운동을 탄압하였다.
- 서울대 학생 박종철이 경찰의 가혹한 고문으로 사망한 사건이 일어나자 정부가 이를 은폐하였다.

| | (가) | | (나) | | (다) | | (라) | | (마) | |
|---|---|---|---|---|---|---|---|---|---|---|
| 4·19 혁명 | | 장면 내각 수립 | | 5·16 군사 정변 | | 유신 헌법 제정 | | 5·18 민주화 운동 | | 6월 민주 항쟁 |

① (가) ② (나) ③ (다) ④ (라) ⑤ (마)

중요

**07** 다음 발표 이후 개정된 헌법의 내용으로 옳은 것은?

① 양원제 국회를 채택한다.
② 대통령 임기를 6년으로 한다.
③ 대통령의 5년 단임제를 규정한다.
④ 대통령의 연임을 3회까지 허용한다.
⑤ 통일 주체 국민 회의에서 대통령을 선출한다.

**08** 다음 개정 헌법이 마련된 이후 일어난 사실로 옳지 않은 것은?

> 제67조 ① 대통령은 국민의 보통·평등·직접·비밀 선거에 의하여 선출한다.
>
> 제70조 대통령의 임기는 5년으로 하며, 중임할 수 없다.

① 지방 자치제가 전면 확대되었다.
② 부산과 마산에서 유신 반대 운동이 전개되었다.
③ 외환 위기 극복을 위한 구조 조정이 시행되었다.
④ 대통령의 탄핵을 요구하는 촛불 시위가 전개되었다.
⑤ 역사 바로 세우기를 통해 두 전직 대통령이 반란 및 내란죄로 구속·기소되었다.

**09** 다음 전쟁 상황 이후 일어난 사실로 옳은 것만을 〈보기〉에서 고른 것은?

인천 상륙 작전을 계기로 국군은 서울을 3개월 만에 되찾고 38도선을 넘어 압록강까지 진격하였다.

보기

ㄱ. 1·4 후퇴
ㄴ. 중국군 참전
ㄷ. 애치슨 선언 발표
ㄹ. 유엔의 유엔군 파병 결정

① ㄱ, ㄴ ② ㄱ, ㄷ ③ ㄴ, ㄷ
④ ㄴ, ㄹ ⑤ ㄷ, ㄹ

**10** 다음 남북 정상 회담 이후 일어난 사실로 옳은 것은?

분단 이후 최초로 남과 북의 정상인 김대중 대통령과 김정일 국방 위원장이 평양에서 남북 정상 회담을 진행하였다.

① 개성 공단 건설이 추진되었다.
② 남북 기본 합의서가 체결되었다.
③ 남북한이 유엔에 동시 가입하였다.
④ 남북이 최초로 통일 원칙에 합의한 7·4 남북 공동 성명을 발표하였다.
⑤ "가자! 북으로! 오라! 남으로!"라는 구호 아래 남북 학생 회담 개최가 제기되었다.

## 서술형

**11** 다음 사건의 발생 배경을 서술하시오.

어린 학생들과 부녀자 등 많은 시민이 거리로 나와 대통령의 퇴진을 요구하는 시위를 전개하였다.

**12** 다음 글을 읽고 물음에 답하시오.

헌법이 발표된 후 일본 도쿄에서 이에 대한 반대 운동을 준비하던 김대중이 괴한들에게 납치되는 사건이 벌어졌다. 이에 사건의 해명을 요구하는 움직임이 전개되었으며, 전국에서 헌법의 폐기를 요구하는 시위가 벌어졌다.

(1) 밑줄 친 '헌법'을 부르는 말을 쓰시오.

(2) 다음 평가의 근거가 되는 밑줄 친 '헌법'의 내용을 두 가지 이상 서술하시오.

| 대단원 |
정리하기

# 1 국민 국가의 수립

## 1 문호의 개방과 개혁을 위한 움직임

|  |  |
|---|---|
| 흥선 대원군의 통치 | • 비변사 기능 축소, 경복궁 중건<br>• 통상 수교 거부 정책: 병인박해, 병인양요, 신미양요, ① ______ 건립 |
| ② ______ | • 배경: 운요호 사건, 조선 정부의 개항 필요성 인식<br>• 내용: 부산·인천 등 개항, 일본에 영사 재판권, 연안 측량권 허용 → 불평등 조약 |
| 개화를 둘러싼 갈등 | • 개화 정책 : 통리기무아문과 별기군 설치, 조사 시찰단·영선사 파견<br>• 개화 반대 움직임: 유생들의 위정척사 운동, 구식 군인들의 ③ ______<br>• 갑신정변: 급진 개화파 주도, 청군 개입으로 실패 |
| 동학 농민 운동 | • 지배층의 가혹한 수탈에 맞서 전봉준의 지도로 농민군 봉기 → 전주성 점령 → ④ ______ 체결 → 일본군의 경복궁 점령, 청일 전쟁 발발 → 농민군 재봉기 → 우금치 전투에서 농민군 패배 |
| 갑오개혁 | • 군국기무처 주도, ⑤ ______와 과거제 폐지 등의 개혁 추진<br>• 정세 변화: 청일 전쟁에서 일본 승리 → 삼국 간섭으로 일본의 랴오둥반도 반환 → 조선 정부의 친러 정책 → ⑥ ______ → 단발령 실시 → 항일 의병 봉기 |
| 대한 제국의 수립 | • 아관 파천 이후 열강의 이권 침탈 → 서재필 등이 ⑦ ______ 설립<br>• 고종의 경운궁 환궁 → 대한 제국 선포, 대한국 국제 발표(전제 군주제 강화) |
| ⑧ ______ 체결 | • 배경: 러일 전쟁에서 일본이 승리 → 한국 침략 본격화<br>• 내용: 대한 제국의 외교권 박탈<br>• 저항: 의병 운동, 헤이그 특사 파견, 안중근 의거(이토 히로부미 사살) |
| 독도 | • 독도 수호 노력: 안용복의 활동, 대한 제국 칙령 제41호 발표 등<br>• 일본의 독도 침탈: 러일 전쟁 중 시마네현 고시 제40호 발표 |

## 2 민족 운동의 전개와 대한민국 임시 정부

|  |  |
|---|---|
| 일제의 식민 통치 | • 무단 통치: 전국에 ⑨ ______ 배치, 한국인에게만 태형 시행, 언론·집회·결사의 자유 박탈<br>• 문화 정치: 보통 경찰제, 『조선일보』, 『동아일보』 발행 허용<br>• 병참 기지화: 침략 전쟁 확대 → 「국가 총동원법」 실시, 징용과 징병, 일본군 '위안부' 강제 동원 |
| ⑩ ______ | • '기미 독립 선언서' 발표 → 전국적인 만세 시위 → 국외까지 확산<br>• 의의: 상하이 대한민국 임시 정부 수립에 영향 |
| 대한민국 임시 정부 | • 우리 역사상 최초의 공화제 정부<br>• 연통제 실시, 육군 주만 참의부 설치, 구미 위원부 설치 등 → ⑪ ______ 개최 후 활동 침체<br>• 1940년대 한국 독립당 결성, ⑫ ______ 창설, 대한민국 건국 강령 발표 |
| 국내외의 다양한 항일 운동 | • 국내: 물산 장려 운동 등 실력 양성 운동, 이상재 등이 ⑬ ______ 창립(사회주의 세력과 연합, 1927), 광주 학생 항일 운동(1929)<br>• 국외: 무장 항일 운동 전개 → 1920년대 봉오동 전투와 청산리 대첩, 1930년대 조선 혁명군과 한국 독립군의 활동 |

## 3 광복과 대한민국 정부의 수립

|  |  |
|---|---|
| 좌우 대립의 격화 | • 한반도 분할: 38도선을 경계로 미군과 소련군 주둔<br>• ⑭ ______이 조선 건국 준비 위원회 결성 → 새로운 국가 수립에 대비<br>• 모스크바 3국 외상 회의 이후 신탁 통치 문제를 두고 좌우 대립 격화 |
| 대한민국 정부 수립 | • ⑮ ______ 실시: 남한만의 단독 선거 → 제헌 국회 구성<br>• 제헌 국회: 제헌 헌법 제정, ⑯ ______을 대통령으로 선출, 「반민족 행위 처벌법」 제정 |

## 2 자본주의와 사회 변화

### 1 외세의 경제적 침탈

| | |
|---|---|
| 개항장 중심의 무역 | 조일 무역 규칙(무관세, 일본인이 미곡 무제한 반출 가능), 조일 통상 장정(관세 부과, 방곡령 규정 포함) |
| 외세의 경제 침탈과 저항 | • 독립 협회: 러시아의 절영도 조차 요구 저지<br>• 보안회: 일제의 황무지 개간권 요구 저지<br>• 화폐 정리 사업: 일본 제일 은행권으로 교환<br>• ⑰ : 일본에 진 빚을 갚자는 운동 |

### 2 일제 강점기의 사회와 경제

| | |
|---|---|
| ⑱ 사업 | 총독부 지세 수입 증가, 지주의 소유권만 인정, 주인이 불분명한 토지의 국유지 편입 등 발생 |
| 1920년대 ⑲ | 일본의 쌀 부족 문제 완화를 목적으로 추진 → 수리 조합비 과다 징수, 소작료 상승, 농민 생활 곤궁 |
| 1930년대 수탈 | 일본의 침략 전쟁 확대 → 군수 공장 설립, 남면북양 정책, 금속 공출, 미곡 공출 |

### 3 대한민국의 경제 성장과 사회 변화

| | |
|---|---|
| 1950년대 | ⑳ 실시(→ 자영농 증가, 지주제 소멸), 전후 외국의 무상 원조를 바탕으로 삼백 산업 발달 |
| 1960~70년대 | 경제 개발 5개년 계획 추진, 베트남 파병과 한일 기본 조약으로 자금 확보, 수출 주도산업 집중 육성 |
| 1980년대 | 3저 호황을 바탕으로 높은 경제 성장률 기록 |
| 1990년대 | ㉑ 발생 |

## 3 민주주의의 발전

### 1 민주주의 발전을 위한 첫걸음 ~ 2 민주주의의 시련과 발전

| | |
|---|---|
| 대한민국 헌법 | 대한민국 임시 정부 헌법의 주권 재민 원칙과 국민 평등의 이념 계승 |
| 이승만 정부 | ㉒ 개헌, 사사오입 개헌, 진보당 사건, 「국가보안법」 개정 → 장기 집권 추구 |
| 4·19 혁명 | • 배경: 이승만 정부의 장기 독재, ㉓<br>• 결과: 이승만 사임 → 개헌 후 장면 내각 출범 |
| 박정희 정부 | • 박정희 등 군인들의 정변(5·16 군사 정변) → 반공과 경제 발전 강조 → 한일 국교 정상화, 베트남 파병<br>• ㉔ : 유신 헌법을 토대로 한 독재 체제<br>• 3·1 민주 구국 선언 등 유신 반대 운동 전개 |

### 3 민주주의의 진전

| | |
|---|---|
| 5·18 민주화 운동(1980) | • 배경: 전두환 등 신군부의 등장<br>• 요구: 비상계엄 해제, 민주화 실현<br>• 전개: 광주의 민주화 시위 → 계엄군의 발포로 무고한 시민들 희생 |
| 6월 민주 항쟁 (1987) | • 배경: 전두환 정부의 강압 통치, 민주화에 대한 국민 열망<br>• 전개: 경찰의 고문으로 박종철 사망 → ㉕ 조치 발표 → 민주화와 개헌 요구 시위 → 이한열의 최루탄 피격 → 전국적으로 시위 확대<br>• 결과: 대통령 ㉖ 개헌 |

## 4 평화 통일을 위한 노력

### 1 분단과 전쟁

| | |
|---|---|
| 국토 분단 | 광복 후 미군과 소련군의 한반도 분할 점령 → 대한민국 정부 수립, 조선 민주주의 인민 공화국 선포 |
| 6·25 전쟁 (1950) | 북한군 남침 → 유엔군 참전 → 인천 상륙 작전 → 국군과 유엔군의 북진 → ㉗ 참전 → 1·4 후퇴 → 서울 재수복 → 전선 교착 → 휴전 회담 → 휴전 협정 체결(1953. 7. 27.) |

### 2 통일을 위한 남과 북의 노력

| | |
|---|---|
| 7·4 남북 공동 성명(1972) | 자주·평화·민족적 대단결의 통일 원칙 제시 |
| 6·15 남북 공동 선언(2000) | • ㉘ 정부의 대북 화해 협력 정책 추진 → 최초의 남북 정상 회담 개최 후 선언<br>• 남북이 화해와 협력 단계로 급속히 전환 → 이산가족 상봉, 개성 공단 건설, 경의선 복구 등 남북 간 교류와 협력 확대 |

# 자신만만 | 적중문제

## 01 국민 국가의 수립

**01** (가)가 실시한 정책으로 옳지 않은 것은?

> 19세기 후반 농민 봉기와 서양 세력의 접근으로 위기의식이 높아지는 가운데 나이 어린 고종이 왕위에 오르고, 그 아버지인 (가) 이/가 권력을 잡았다. 그는 통치 체제를 정비하고 왕실의 권위를 강화하기 위한 노력을 하였고, 대외적으로 통상 수교를 거부하는 정책을 펼쳤다.

① 경복궁을 중건하였다.
② 천주교를 탄압하였다.
③ 비변사의 권한을 강화하였다.
④ 전국 각지에 척화비를 세웠다.
⑤ 강화도에 침입한 프랑스군과 싸워 물리쳤다.

**02** (가)~(라)의 사실들을 일어난 순서대로 옳게 나열한 것은?

> (가) 일본이 대한 제국의 외교권을 빼앗았다.
> (나) 일본 군인들이 궁궐로 난입해 명성 황후를 살해하였다.
> (다) 군국기무처를 중심으로 신분제 폐지, 조세 금납화 등의 개혁 조치가 단행되었다.
> (라) 고종이 러시아 공사관에서 경운궁으로 돌아와 대한 제국을 선포하고 황제에 즉위하였다.
> (마) 러시아가 독일, 프랑스와 함께 일본에 압력을 가해 랴오둥반도를 청에 반환하도록 하였다.

① (나) – (가) – (다) – (라) – (마)
② (나) – (다) – (가) – (마) – (라)
③ (다) – (마) – (나) – (라) – (가)
④ (다) – (마) – (라) – (가) – (나)
⑤ (마) – (다) – (나) – (라) – (가)

**03** 다음 조약 체결에 저항하여 일어난 사실로 옳은 것만을 〈보기〉에서 고른 것은?

> 제1조 일본국 정부는 도쿄에 있는 외무성을 통하여 금후 한국의 외국과의 관계 및 사무를 감독·지휘하고, …….
> 제2조 …… 한국 정부는 금후 일본국 정부의 중개를 거치지 않고서는 국제적 성질을 가지는 어떠한 조약이나 약속도 하지 않을 것을 약속한다.

**보기**

ㄱ. 전국적으로 의병 운동이 일어났다.
ㄴ. 고종이 헤이그에 특사를 파견하였다.
ㄷ. 독립 협회가 만민 공동회를 개최하였다.
ㄹ. 동학 농민군이 공주 우금치에서 정부군과 일본군에 맞서 싸웠다.

① ㄱ, ㄴ ② ㄱ, ㄷ ③ ㄴ, ㄷ
④ ㄴ, ㄹ ⑤ ㄷ, ㄹ

**04** 선생님의 질문에 대한 학생의 답변으로 옳은 것은?

① 일본군 '위안부'를 강제로 동원하였습니다.
② 동아일보와 조선일보의 발행을 허용하였습니다.
③ 국가 총동원법을 실시하여 수탈을 강화하였습니다.
④ 헌병 경찰이 한국인의 일상생활을 감시하였습니다.
⑤ 수많은 한국 청년을 징용, 징병으로 끌고 갔습니다.

## 02 자본주의와 사회 변화

**05** (가), (나) 정책에 대한 설명으로 옳은 것만을 〈보기〉에서 고른 것은?

(가) 국내 화폐인 백동화를 사용하지 못하게 하고, 일본 제일 은행에서 발행한 돈으로 바꾸게 하였다.
(나) 일제가 한반도 남부에는 면화를 재배하고 북부에는 양을 사육하도록 하였다.

보기

ㄱ. (가) – 1910년대 일제의 수탈 정책이었다.
ㄴ. (가) – 일부 상공업자들에게 큰 타격을 주었다.
ㄷ. (나) – 재정 고문 메가타가 주도하였다.
ㄹ. (나) – 일제가 일본인 회사에 공업 원료를 안정적으로 공급하기 위해 시행한 정책이었다.

① ㄱ, ㄴ ② ㄱ, ㄷ ③ ㄴ, ㄷ
④ ㄴ, ㄹ ⑤ ㄷ, ㄹ

**06** 다음 그래프에 나타난 변화의 배경으로 옳은 것은?

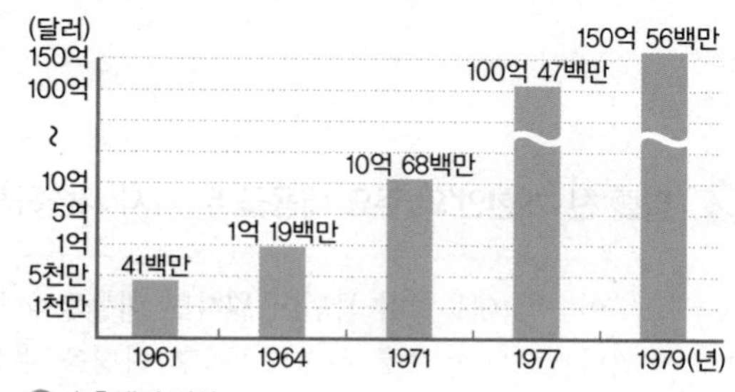

수출액의 변화

① 농지 개혁이 실시되었다.
② 경제 개발 5개년 계획이 추진되었다.
③ 전국 민주 노동조합 총연맹이 조직되었다.
④ 원조 물자를 이용한 삼백 산업이 발달하였다.
⑤ 저달러, 저유가, 저금리의 3저 호황 현상이 나타났다.

## 03 민주주의의 발전

**07** 다음 글의 내용을 활용한 탐구 활동으로 가장 적절한 것은?

3월 15일에 실시된 정·부통령 선거에서 대대적인 선거 부정이 저질러져 대통령에 이승만, 부통령에 이기붕이 당선되었다.

선거 당일 마산 등지에서 학생과 시민들의 시위가 벌어졌다. 특히 실종된 김주열 학생이 시신으로 발견되자 시위가 전국으로 확산되었다.

① 4·19 혁명의 역사적 의의를 파악한다.
② 인천 상륙 작전의 전개 과정을 조사한다.
③ 제주 4·3 사건이 일어난 원인을 살펴본다.
④ 5·18 민주화 운동의 발생 배경을 분석한다.
⑤ 반민족 행위 특별 조사 위원회의 활동을 알아본다.

**08** 다음 선언이 발표된 민주화 운동의 과정에서 볼 수 있는 모습으로 가장 적절한 것은?

…… 40년 독재 정치를 청산하고 희망찬 민주 국가를 건설하기 위한 거보를 전 국민과 함께 내딛는다. 국가의 미래요 소망인 꽃다운 젊은이를 야만적인 고문으로 죽여 놓고 그것도 모자라서 뻔뻔스럽게 국민을 속이려 했던 현 정권에게 국민의 분노가 무엇인지를 분명히 보여 주고, 국민적 여망인 개헌을 일방적으로 파기한 4·13 폭거를 철회시키기 위한 민주 장정을 시작한다.

– 6·10 국민 대회 선언

① 호헌 철폐 집회에 참가한 회사원
② 12·12 사태 소식을 알리는 아나운서
③ 부정 선거를 규탄하며 행진하는 교수
④ 대통령 3선 개헌 반대를 외치는 학생들
⑤ 광주 시가지에서 계엄군과 대치하는 시민군

## 04 평화 통일을 위한 노력

**09** (가)~(라)를 일어난 순서대로 옳게 나열한 것은?

〈사진으로 보는 6·25 전쟁〉

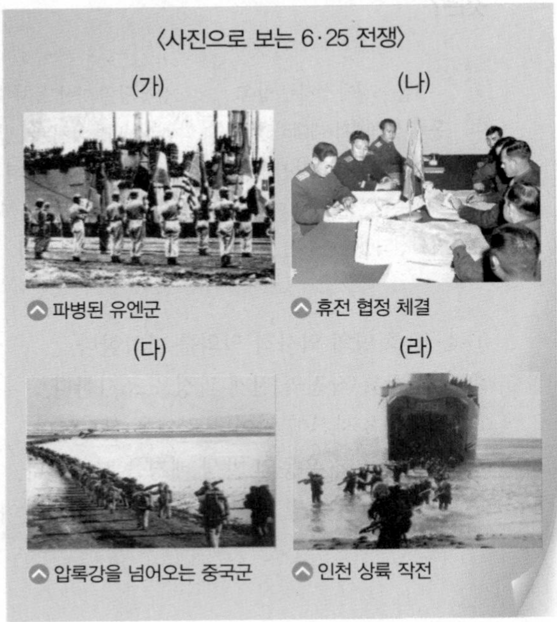

(가) 파병된 유엔군
(나) 휴전 협정 체결
(다) 압록강을 넘어오는 중국군
(라) 인천 상륙 작전

① (가) – (라) – (다) – (나)
② (다) – (가) – (라) – (나)
③ (다) – (라) – (가) – (나)
④ (라) – (가) – (다) – (나)
⑤ (라) – (다) – (가) – (나)

**10** 다음 성명 발표의 배경으로 옳은 것은?

> 쌍방은 다음과 같은 조국 통일 원칙들에 합의를 보았다.
> 첫째, 통일은 외세에 의존하거나 외세의 간섭을 받음이 없이 '자주'적으로 해결하여야 한다.
> 둘째, 통일은 서로 상대방을 반대하는 무력행사에 의거하지 않고 '평화'적으로 실현하여야 한다.
> 셋째, 사상과 이념·제도의 차이를 초월하여 하나의 민족으로서 '민족적 대단결'을 도모하여야 한다.

① 미국이 애치슨 선언을 발표하였다.
② 남북한이 유엔에 동시 가입하였다.
③ 미국과 중국 간 긴장이 완화되었다.
④ 동유럽 사회주의 정권이 붕괴되었다.
⑤ 최초의 남북 정상 회담이 개최되었다.

### 서술형

**11** 밑줄 친 '개혁 조치'의 내용을 세 가지 서술하시오.

> 경복궁을 점령한 일본은 조선에 개혁을 요구하였다. 이러한 분위기 속에서 군국기무처를 중심으로 개혁 조치가 단행되었다.

**12** (가)에 들어갈 내용을 서술하시오.

> 일제의 경제적 수탈 정책
>
> ○○ ○○ 계획
>
> • 목적: 일본의 쌀 부족 문제를 완화하고자 함
> • 방법: 화학 비료 사용 확대, 밭을 논으로 만드는 정책, 수리 조합을 만들어 수리 시설이나 제방 확충 등을 추진함
> • 결과: (가)

**13** 밑줄 친 '개헌안'의 주요 내용을 두 가지 서술하시오.

> 이승만 대통령이 국민이 원하면 대통령직에서 물러나겠다는 발표를 하였다. 이후 허정을 수반으로 하는 과도 정부가 수립되어 헌법 개정안을 제출하였고, 개헌안은 국회를 통과하였다.

## 최고난도 문제

**01** (가), (나) 주장에 대한 설명으로 옳은 것만을 <보기>에서 고른 것은?

(가) 저들(=서양)의 종교는 사악하다. …… 하지만 저들의 기술은 이롭다. 잘 이용하여 백성을 잘살게 할 수 있다면 농업, 양잠, 의복, 병기, 배, 수레에 대한 기술을 꺼릴 이유가 없다. 종교는 배척하되 기술을 본받는 것은 함께할 수 있다.
(나) 서양 물건과 사교(=사악한 종교)의 위세로 공자와 맹자의 가르침이 날로 사라져 종묘사직이 무너질 위기에 있습니다. …… 옛 제도를 복구하고 성리학을 장려하여 사악함을 막는다면 왜와 서양을 막을 수 있으며, 이에 러시아도 우리에게 제압될 것입니다.

**보기**

ㄱ. (가) – 갑신정변에 반영되었다.
ㄴ. (가) – 온건파 개화 세력의 입장이다.
ㄷ. (나) – 위정척사 운동 속에서 제기되었다.
ㄹ. (나) – 메이지 유신과 같은 개혁을 추구하였다.

① ㄱ, ㄴ ② ㄱ, ㄷ ③ ㄴ, ㄷ ④ ㄴ, ㄹ ⑤ ㄷ, ㄹ

**풀이 비법**

① (가)는 서양 문물에 대해 어떤 입장을 취하고 있는지 파악한다.
② (나) 주장에서 사교가 어떤 종교일지 생각해 보고, 개화에 대해 어떤 입장을 취하고 있는지 파악한다.
③ (가), (나)의 특징에 맞게 ㄱ~ㄹ의 사실을 짝짓는다.

**02** (가), (나) 사이 시기에 일어난 사실만을 <보기>에서 고른 것은?

(가) 제헌 국회 의원을 선출하기 위한 선거가 5월 10일 오전 7시부터 유엔 한국 임시 위원단의 감시 아래 남한 전역에서 시작되었다. 수백만의 남녀 유권자는 국회 의원을 선출하기 위해 투표장으로 향하였다.
(나) 지난 11월 27일 부결되었던 헌법 개정안이 정족수 계산 착오를 이유로 부결이 취소되었다. 정부는 야당의 반대에도 불구하고 사사오입의 논리를 내세워 '재적 의원 3분의 2는 135이므로 이번 개헌안은 통과된 것이다.'라고 발표하였다.

**보기**

ㄱ. 4·19 혁명이 일어났다.
ㄴ. 발췌 개헌안이 통과되었다.
ㄷ. 이승만이 대통령으로 선출되었다.
ㄹ. 제1차 미소 공동 위원회가 개최되었다.

① ㄱ, ㄴ ② ㄱ, ㄷ ③ ㄴ, ㄷ ④ ㄴ, ㄹ ⑤ ㄷ, ㄹ

**풀이 비법**

① (가)에서 말하는 선거가 무엇이며, 언제 시행된 것인지 파악한다.
② 사사오입의 논리에 주목하여 (나)에서 설명하는 개헌을 파악한다.
③ ㄱ~ㄹ이 일어난 시기를 구분한다.

# 역사 ②
# 평가문제집

정답과 해설

# I 선사 문화와 고대 국가의 형성

## 1 선사 문화와 고조선 ~ 2 여러 나라의 성장

기초튼튼 **기본문제** 본문 p.12~13

| | | | | |
|---|---|---|---|---|
| 01 ① | 02 간석기 | 03 ② | 04 ① | 05 ④ |
| 06 8조법 | 07 ② | 08 ④ | 09 서옥제 | 10 ⑤ | 11 ① |

**01** **정답** ① 빗살무늬 토기는 신석기 시대에 제작되어 사용되었다. 표면에 빗살무늬가 새겨져 있다.

**02** **정답 간석기** 신석기 시대에는 작고 빠른 동물들을 잡기 위해 돌을 다듬고 갈아서 간석기를 제작하였다. 신석기 시대 사람들은 돌로 창과 활을 만들어 사냥과 작업의 효율을 높였다.

**03** **정답** ② 신석기 시대 사람들은 빗살무늬 토기를 제작해 음식물을 저장하거나 운반, 조리하는 용도로 사용하였다. 또 갈판과 갈돌을 이용해 곡식을 가루로 만들어 먹었다. 신석기 시대에는 농경과 목축이 시작되었다.

**04** **정답** ① 청동기 시대에는 두 개의 구멍에 끈을 연결하여 손으로 잡고 이삭을 자르는 도구인 반달 돌칼을 사용하였고, 밑바닥이 납작하고 무늬가 없는 민무늬 토기에 곡식을 저장하였다.

**05** **정답** ④ 제시된 지도는 고조선의 문화권을 나타내고 있다. 우리 역사상 최초의 국가인 고조선은 세형 동검 등 독자적인 청동기 문화를 발전시켰으며 연과 경쟁할 만큼 성장하였다. ④ 제가 회의에서 중대한 일을 결정한 나라는 고구려이다.

**06** **정답 8조법** 고조선은 8조법을 제정하였다. 이를 통해 농경 사회, 사유 재산 인정, 신분제 사회 등 고조선의 사회 모습을 추측할 수 있다.

**07** **정답** ② (가) – 부여, (다) – 옥저, (라) – 동예, (마) – 삼한이다.

**08** **정답** ④ 한반도 남부 지역에 세워진 국가는 삼한이다. 삼한 중 진한과 변한에서는 철이 많이 생산되어 마한, 동예뿐만 아니라 낙랑, 왜 등에도 수출하였고, 교역할 때 철을 화폐처럼 사용하기도 하였다.

**09** **정답 서옥제** 고구려에는 남자가 여자의 집에서 일정 기간 사는 데릴사위 제도인 서옥제라는 풍습이 있었다.

**10** **정답** ⑤ 제시된 사료는 부여의 자연환경과 관련된 것이다. 쑹화강 유역의 평야 지대에 자리 잡은 부여는 농경과 목축이 발달하였다. 부여에서는 장례를 후하게 지냈고, 순장을 행하였다.

오답 피하기

①, ④ 옥저와 동예, ② 동예, ③ 고구려와 관련된 설명이다.

**11** **정답** ① 산천을 중요하게 여겨 마을끼리 함부로 침범하지 못하게 하였던 제도는 동예의 책화이다.

오답 피하기

① 동예의 제천 행사, ③ 고구려의 혼인 풍습, ④ 옥저의 혼인 풍습, ⑤ 옥저의 장례 풍습이다.

실력쑥쑥 **실전문제** 본문 p.14~15

| | | | | | |
|---|---|---|---|---|---|
| 01 ④ | 02 ③ | 03 ⑤ | 04 ③ | 05 ④ | 06 ② |
| 07 ③ | 08 ① | 09~11 해설 참조 | | | |

**01** **정답** ④ 주먹도끼와 슴베찌르개가 쓰인 시대는 구석기 시대이다. 구석기 시대에는 사냥, 낚시 등으로 식량을 마련하였다.

오답 피하기

①, ②, ⑤ 신석기 시대에 대한 설명이다.
③ 청동기 시대 이후에 대한 설명이다.

**02** **정답** ③ 빗살무늬 토기를 만들었다는 내용을 통해 신석기 시대의 가상 일기임을 알 수 있다.
③ 주먹도끼는 구석기 시대에 사용된 도구이다.

**03** **정답** ⑤ 철기 시대에는 고인돌과 돌널무덤을 대신하여 독무덤과 널무덤이 만들어졌다. 고인돌은 주로 청동기 시대에 만들어진 무덤 양식이다.

**04** **정답** ③ 청동기 시대에는 반달 돌칼을 사용하여 농사를 지었고, 청동기는 구하기가 어려워 농기구보다는 지배자의 검, 장신구 등으로 활용되었다. 또한 지배자를 위한 무덤으로 고인돌이 제작되었다.

오답 피하기

ㄷ, ㄹ. 신석기 시대에 해당한다.

**05** **정답** ④ 제시된 사료는 고조선을 건국한 단군왕검 이야기이다. 단군왕검 이야기를 통해 고조선이 농경 사회, 동물 숭배, 제정일치 사회였음을 알 수 있다.

**06** **정답** ② (가)는 부여, (나)는 고구려이다. 부여는 쑹화강 유역 평야 지대에서 시작하였고, 마가, 우가, 저가, 구가 등이 사출도 지역을 독자적으로 다스렸다. 또한 순장이라는 장례 풍습이 있었다. 고구려는 압록강 유역 산간 지대에서 시작하였으며, 상가, 고추가 등 제가 등이 있었고 서옥제라는 혼인 제도가 있었다.

**07** **정답** ③ (다)는 동예이다. 동예의 풍습으로는 책화와 족외혼이 있었다.

오답 피하기

ㄱ은 부여, ㄹ은 부여, 고구려와 관련된 풍습이다.

**08** **정답** ① (라)는 삼한이다.

① 족외혼은 동예의 풍습이다.

**09** **예시 답안** 구석기 시대에 사용했던 석기의 명칭은 뗀석기이다. 뗀석기는 돌을 깨뜨려 만들었다. 신석기 시대에 사용된 석기의 명칭은 간석기이다. 간석기는 돌을 갈아서 만든 것으로, 뗀석기보다 더 날카롭고 정교하게 제작할 수 있었다.

채점 기준

| | |
|---|---|
| 상 | 뗀석기와 간석기의 명칭과 제작 방법을 비교하여 바르게 서술한 경우 |
| 하 | 뗀석기와 간석기의 명칭과 제작 방법 중 하나만 바르게 서술한 경우 |

**10** **예시 답안** 남을 다치게 하면 곡물로 변상하였다는 점에서 농경 사회였음을 알 수 있다. 도둑질한 사람을 노비로 삼거나 배상을 치르게 하였다는 점을 통해 사유 재산을 인정하고 노비가 존재하는 신분제 사회였음을 알 수 있다.

채점 기준

| | |
|---|---|
| 상 | 고조선의 사회 모습을 두 가지 이상 서술한 경우 |
| 중 | 고조선의 사회 모습을 한 가지만 서술한 경우 |
| 하 | 고조선이 8조법을 제정하였다고만 서술한 경우 |

**11** **예시 답안** 삼한에는 소국마다 천신을 섬기는 제사장인 천군이 정치적인 군장과 별개로 존재하였으며, 제정 분리의 사회였다. 소도라고 불리는 신성 지역은 군장의 권력이 미치지 못하여 죄인이 들어와도 잡아가지 못하였다.

채점 기준

| | |
|---|---|
| 상 | 삼한이 제정 분리 사회였음을 천군, 군장 등의 단어를 사용하여 서술한 경우 |
| 중 | 삼한이 제정 분리 사회였다고만 서술한 경우 |
| 하 | 삼한에는 제사장인 천군이 별개로 존재하였다고만 서술한 경우 |

# 3 삼국의 성립과 발전

**기초튼튼 기본문제** 본문 p.20~21

01 ⑤ 02 관등제 03 ② 04 ⑤ 05 ⑤
06 ② 07 ④ 08 우산국(울릉도와 독도) 09 ①
10 ⑤ 11 금관가야

**01** **정답** ⑤ 삼국이 성립된 지역은 고구려-압록강 유역, 백제-한강 유역, 신라-한반도 동남부 지역이다.

**02** **정답** **관등제** 관등제란 관리나 벼슬의 등급을 규정짓는 제도이다. 관등제는 삼국 초기 연맹의 지배자들을 왕 아래 귀족으로 흡수하는 과정에서 나타났다.

**03** **정답** ② 고구려에서 율령을 반포한 왕은 소수림왕이다.

**04** **정답** ⑤ 제시된 지도는 백제의 전성기인 4세기를 나타내고 있다. 백제의 전성기를 이끈 근초고왕은 고구려의 평양성을 공격하여 대동강 이남의 영토를 차지하였고, 마한의 남은 세력을 정복하였다.

오답 피하기

ㄱ. 백제 고이왕, ㄴ. 고구려 유리왕 때 일이다.

**05** **정답** ⑤ 제시된 사진은 경주에 있는 호우총에서 출토된 그릇이다. 신라의 내물왕 시기에 광개토 대왕의 도움으로 왜의 침입을 물리친 후 신라가 고구려의 영향을 받았음을 알 수 있다.

**06** **정답** ② 장수왕은 광개토 대왕의 뒤를 이어 남쪽으로 영토를 확장하기 위해 남진 정책을 펼쳐 한강 이남까지 영토를 확장하였다.

**07** **정답** ④ 왜와 우호적인 금관가야를 공격한 것은 고구려 광개토 대왕이다.

**08** **정답** **우산국(울릉도와 독도)** 지증왕은 장군 이사부를 보내 우산국(울릉도와 독도)을 정벌하도록 하였다.

**09** **정답** ① 지증왕의 뒤를 이은 법흥왕은 병부를 설치하여 군사권을 장악하고, 율령을 반포하여 등급에 따라 관리의 옷 색깔을 정하는 등 체제 정비에 힘썼다. 또한 귀족들의 반대에도 불구하고 불교를 공인하여 사상의 통일을 꾀하였다.

오답 피하기

ㄷ, ㄹ. 신라 진흥왕과 관련된 설명이다.

**10** **정답** ⑤ 진흥왕은 백제의 성왕과 함께 고구려가 차지하고 있던 한강 유역을 공격하고, 백제가 차지한 한강 하류 지역도 빼앗아 영토로 삼았다.

**11** **정답 금관가야** 전기 가야 연맹을 주도한 금관가야는 철 생산과 해상 교역을 바탕으로 성장하였다. 그러나 해상 교역이 쇠퇴하고 고구려 광개토 대왕의 침입을 받아 세력이 약화되었다.

실력쑥쑥 **실전문제** 본문 p.22~23

01 ① 02 ⑤ 03 ⑤ 04 ④ 05 ① 06 ④
07 ⑤ 08 ① **09~11 해설 참조**

**01** **정답** ① 중앙 집권 국가는 왕이 강력한 왕권을 만들어 간 국가이다. 이를 위해 율령을 반포하고, 불교를 수용하였으며, 관등제를 실시하였다.

**02** **정답** ⑤ 미천왕은 낙랑군과 대방군을 점령하여 중국의 군현 세력을 몰아냈다.
⑤ 태학을 세워 인재를 양성한 왕은 소수림왕이다.

**03** **정답** ⑤ 칠지도는 백제의 근초고왕이 왜왕에게 보낸 것으로 추정된다. 근초고왕은 고구려 평양성을 공격하여 고국원왕을 전사시키고, 대동강 이남 땅을 차지하였다.

오답 피하기
① 백제 침류왕에 대한 설명이다.
②, ③ 백제 고이왕에 대한 설명이다.
④ 철기 시대 여러 나라 중 동예에 대한 설명이다.

**04** **정답** ④ 신라는 초기에 박, 석, 김 3개의 성이 번갈아 가며 왕의 자리인 이사금에 올랐고, 이들이 연합하여 나라를 발전시켰다.

오답 피하기
① 철기 시대 부여와 고구려의 혼인 풍습에 대한 설명이다.
② 고구려 장수왕에 대한 설명이다.
③ 내물왕 시기에 김씨가 왕위를 세습하기 시작하였다.
⑤ 소수림왕은 고구려의 왕이다.

**05** **정답** ① 고구려 광개토 대왕은 신라의 침입한 왜를 물리치는 과정에서 왜와 우호적인 금관가야를 공격하였고, 이로 인해 금관가야가 크게 쇠퇴하였다. 또한 만주와 한반도 중부에 걸치는 대제국을 건설하고 독자적인 연호를 사용하였다.

오답 피하기
ㄷ. 고구려 장수왕, ㄹ. 신라 진흥왕이 추진한 정책이다.

**06** **정답** ④ 공산성은 옛 웅진(현 공주) 지역이다. 웅진 시기 무령왕은 22담로를 전국에 설치하고 왕족을 파견하여 지방 통제를 강화하였다.

**07** **정답** ⑤ 제시된 비석은 서울 북한산 신라 진흥왕 순수비이다. 진흥왕은 황룡사를 창건하고 화랑도를 개편하여 인재를 양성하였다. 그리고 이를 바탕으로 국력을 키워 한강 유역을 차지하고 대가야를 정복하였다.

오답 피하기
①, ② ,④신라의 법흥왕, ③ 신라의 지증왕의 업적이다.

**08** **정답** ① 제시된 지도는 가야의 영역을 나타내고 있다. 후기 가야 연맹을 이끌었던 대가야는 고구려의 남하에 위기를 느끼고 나·제 동맹에 참여하였다.

오답 피하기
②, ③ ,④, ⑤는 신라에 해당한다.

**09** **예시 답안** 백제, 고구려, 신라의 순서로 한강 유역을 차지하였다. 한강 유역은 한반도의 중심이자 중국과 직접 교류할 수 있는 곳이었기 때문에 이곳을 차지한 국가가 삼국 중에서 우위를 차지할 수 있었다.

채점 기준

| | |
|---|---|
| 상 | 한강 유역을 차지하려 한 이유와 한강 유역을 차지한 국가의 순서를 모두 서술한 경우 |
| 중 | 한강 유역을 차지하려 한 이유만 서술한 경우 |
| 하 | 한강 유역을 차지한 국가의 순서만 쓴 경우 |

**10** **예시 답안** 제시된 비석은 고구려 장수왕이 세운 충주 고구려비이다. 장수왕은 도읍을 평양으로 옮겨 국내성의 귀족 세력을 약화시켰다. 이어 남진 정책을 추진하여 백제의 수도 한성을 함락하고, 한강 이남까지 영토를 확장하였다.

채점 기준

| | |
|---|---|
| 상 | 장수왕의 정책을 두 가지 이상 서술한 경우 |
| 중 | 장수왕의 정책 중 한 가지만 서술한 경우 |
| 하 | 장수왕이 세운 비석이라고만 한 경우 |

**11** **예시 답안** 백제는 고구려 장수왕의 침입으로 한성을 빼앗기고 웅진(공주)으로 천도하였다. 백제의 성왕은 백제의 중흥을 위해 수도를 사비(부여)로 다시 옮기고, 국호를 남부여로 고쳐 새로운 발전을 꾀하였다.

채점 기준

| | |
|---|---|
| 상 | 백제의 천도 과정과 그 이유를 모두 정확하게 서술한 경우 |
| 하 | 백제의 천도 과정과 그 이유 중 일부만 서술한 경우 |

# 4 삼국의 문화와 대외 교류

기초튼튼 기본문제 본문 p.28~29

01 돌무지무덤 02 ④ 03 굴식 돌방무덤 04 ②
05 ⑤ 06 ③ 07 금동 연가 7년명 여래 입상
08 ① 09 ① 10 ③ 11 ⑤

01 **정답 돌무지무덤** 고구려 초기에 만들어진 고분 양식은 돌무지무덤이다. 돌무지무덤은 돌널 위에 돌을 쌓은 무덤으로 고구려의 장군총과 백제의 서울 석촌동 고분군이 대표적이다.

02 **정답** ④ 제시된 구조는 돌무지덧널무덤의 구조이다. 돌무지덧널무덤은 신라 초기의 무덤 양식으로 구조상 도굴이 어려워 많은 유물이 남아 있다.

오답 피하기
① 굴식 돌방무덤에 대한 설명이다.
②, ③ 계단식 돌무지무덤에 대한 설명이다.
⑤ 돌덧널무덤에 대한 설명이다.

03 **정답 굴식 돌방무덤** 제시된 사진은 덕흥리 고분 벽화이다. 돌방무덤의 널방에는 벽화를 그리기도 하였다.

자료 분석

**덕흥리 고분**

→ 덕흥리 고분은 평안남도 강서군에 위치한 벽화 고분으로, 고구려의 인물 풍속도, 장식무늬 관련 벽화가 출토되었다. 고구려의 대신이었던 진이라는 인물이 벽화에 그려져 있으며, 무덤 주인의 일상생활을 묘사한 그림, 무예를 겨루는 그림, 마굿간과 외양간, 불교 행사, 여러 가지 모양의 장식 무늬 등이 그려져 있어 당시 고구려의 생활상을 보여 주는 대표적인 고분으로 꼽힌다.

04 **정답** ② 제시된 사진은 공주 무령왕릉이다. 무령왕릉은 중국 남조의 영향을 받은 벽돌무덤으로 중국 청자나 일본산 소나무로 만든 관, 청동 거울 등이 출토되어 백제가 중국의 남조 및 왜와 활발히 교류하였음을 보여 준다.

05 **정답** ⑤ 제시된 구조는 굴식 돌방무덤의 구조이다. 굴식 돌방무덤의 대표적인 고분으로는 고구려의 쌍영총, 무용총, 덕흥리 고분 등이 있다.

오답 피하기
ㄱ. 돌무지무덤, ㄴ. 돌무지덧널무덤 양식이다.

06 **정답** ③ 삼국 시대에는 조나 보리가 주식으로 이용되었으며, 쌀은 소수의 지배층만이 먹을 수 있었다.

07 **정답 금동 연가 7년명 여래 입상** 금동 연가 7년명 여래 입상은 고구려에서 제작된 불상으로, 연가 7년이라는 글자가 새겨져 있어 제작 연대를 추정할 수 있다.

08 **정답** ① 삼국은 주로 귀족 사회를 중심으로 도교를 수용하였다. 고분 벽화의 사신도나 백제 금동 대향로, 산수무늬 벽돌 등에서 도교의 사상을 엿볼 수 있다.

09 **정답** ① 삼국 시대 초기에는 목탑을 주로 만들었으나 차츰 석탑으로 바뀌었다. 백제 최초의 석탑인 미륵사지 석탑은 목탑의 양식을 그대로 간직한 석탑이라는 특징이 있다.

10 **정답** ③ 「양직공도」는 6세기 초 중국 남조의 양에 온 외국인 사절을 그린 사신도이다. 백제의 사신도 그려져 있어 백제의 의생활을 추측할 수 있다.

11 **정답** ⑤ 왜에 종이와 먹을 만드는 기술을 전파한 국가는 고구려이다.

실력쑥쑥 실전문제 본문 p.30~31

01 ① 02 ④ 03 ① 04 ① 05 ④ 06 ④
07 ② 08~10 해설 참조

01 **정답** ① 공주 무령왕릉은 벽돌무덤 양식의 고분이다.

02 **정답** ④ 제시된 사진은 고구려의 장군총, 백제의 서울 석촌동 고분군으로 돌무지무덤 양식이다. 돌무지무덤은 고구려와 백제 초기에 만들어진 무덤 양식이다.

03 **정답** ① 제시된 사진은 경주 천마총에서 발견된 천마총 장니 천마도이다. 천마총은 돌무지덧널무덤 양식의 고분이다.

04 **정답** ① 제시된 사진은 굴식 돌방무덤의 쌍영총이다. 굴식 돌방무덤은 고구려, 백제, 신라 후기에 만들어진 고분 양식으로, 널방에 일상생활 모습이나 사신도를 그린 벽화가 많이 남아 있다.

05 **정답** ④ 삼국 시대에는 조, 보리가 주식으로 이용되었으며 쌀은 소수의 지배층만이 먹을 수 있었다.

**06** **정답** ④ 왕실을 중심으로 불교를 받아들이면서 삼국에서는 불교 예술도 발달하였다. 신라의 황룡사는 대표적인 거대한 사원이며, 익산 미륵사지 석탑은 백제 최초의 석탑이다.

**07** **정답** ② 제시된 사진은 삼국 시대에 신라에서 만들어진 경주 분황사 모전 석탑이다. 삼국 시대 초기에는 목탑을 만들었으나 차츰 석탑으로 바뀌었다.

**08** **예시 답안** 위와 같은 벽화가 발견된 고분 양식은 굴식 돌방무덤이다. 굴식 돌방무덤은 돌로 만들어진 방과 통로가 있으며, 일상생활 모습이나 사신도를 그린 벽화가 많이 남아 있다.

채점 기준

| | |
|---|---|
| 상 | 무덤 양식과 특징을 모두 서술한 경우 |
| 하 | 무덤 양식과 특징 중 한 가지만 서술한 경우 |

**09** **예시 답안** 제시된 벽화는 아프라시아브 궁전 벽화이다. 이 중 오른쪽 인물이 고구려의 사신으로 추정된다. 이를 통해 고구려가 서역의 국가와 활발하게 교류하였음을 알 수 있다.

채점 기준

| | |
|---|---|
| 상 | 고구려와 서역의 문화 교류를 정확하게 서술한 경우 |
| 중 | 고구려와 서역의 문화 교류 중 일부만 서술한 경우 |
| 하 | 아프라시아브 궁전 벽화라고만 한 경우 |

**10** **예시 답안** 일본 다카마쓰 고분 벽화에 등장하는 여성의 옷차림은 고구려인의 복장이고, 머리를 묶은 모습 또한 고구려 사람들과 유사하다. 고구려의 수산리 고분 벽화와 일본 다카마쓰 고분 벽화의 유사성은 고구려와 일본의 문화 교류를 보여 준다.

채점 기준

| | |
|---|---|
| 상 | 다카마쓰 고분 벽화의 특징과 고구려와 일본의 문화 교류를 모두 서술한 경우 |
| 하 | 수산리 고분 벽화와 다카마쓰 고분 벽화가 유사하다고만 서술한 경우 |

**대단원 정리하기**

본문 p.32~33

① 뗀석기 ② 농경(농사) ③ 고인돌 ④ 미송리식 ⑤ 잔무늬 ⑥ 8조법 ⑦ 부여 ⑧ 고구려 ⑨ 민며느리제 ⑩ 순장 ⑪ 천군 ⑫ 책화 ⑬ 율령 ⑭ 소수림왕 ⑮ 근초고왕 ⑯ 사로국 ⑰ 금관가야 ⑱ 평양 ⑲ 웅진(공주) ⑳ 진흥왕 ㉑ 골품제 ㉒ 돌무지덧널무덤 ㉓ 굴식 돌방무덤 ㉔ 무령왕릉 ㉕ 도교

**자신만만 적중문제**

본문 p.34~36

| | | | | | |
|---|---|---|---|---|---|
| 01 ③ | 02 ⑤ | 03 ① | 04 ⑤ | 05 ② | 06 ① |
| 07 ⑤ | 08 ④ | 09 ⑤ | 10 ③ | 11 ② | 12 ① |

13~15 해설 참조

**01** **정답** ③ 신석기 시대에는 농경이 시작되어 조, 피 등 잡곡을 재배하였다.

오답 피하기

① 청동기 시대, ② 신석기 시대, ④, ⑤ 구석기 시대에 대한 설명이다.

**02** **정답** ⑤ 제시된 사진은 청동기 시대에 제작된 반달 돌칼과 탁자식 고인돌이다. 청동기 시대에는 청동기로 검이나 제사용 도구를 만들어서 사용하였다.

**03** **정답** ① 단군왕검 이야기를 통해 고조선이 농경 사회를 바탕으로 건국되었으며, 제사와 정치가 일원화된 제정일치 사회였음을 알 수 있다.

**04** **정답** ⑤ 철기 시대에는 철로 농기구와 무기를 제작하였다. 이 시기에는 중국 화폐인 오수전이 수입되었다.

오답 피하기

①, ④ 신석기 시대, ② 구석기 시대, ③ 청동기 시대에 대한 설명이다.

**05** **정답** ② 삼한은 소국마다 천신을 섬기는 제사장인 천군이 정치적 군장과 별개로 존재하는 제정 분리 사회였다.

오답 피하기

① 부여에 순장 풍습이 있었다.
③ 서옥제는 고구려의 혼인 풍습이다.
④ 민며느리제는 옥저의 혼인 풍습이다.
⑤ 동예에서 책화가 실시되었다.

**06** **정답** ① 소수림왕은 체제 정비에 힘을 쏟았다. 불교를 수용하여 국가의 통합을 꾀하였고, 태학을 세워 인재를 양성하였다. 또 율령을 반포하여 발전의 토대를 마련하였다.

**07** **정답** ⑤ (가)는 법흥왕, (나)는 지증왕, (다)는 진흥왕, (라)는 내물왕 시기에 있었던 사실이다.

**08** **정답** ④ (가)는 한성 → 웅진, (나)는 웅진 → 사비의 백제의 천도 과정이다.

③ 근초고왕이 전성기를 맞이한 시기는 한성 시기이다.

**09** **정답** ⑤ (가)는 백제의 전성기, (나)는 신라의 전성기, (다)는 고구려의 전성기 지도이다. 시간 순서대로 나열하면 (가)-(다)-(나)이다.

**10** **정답** ③ 돌무지덧널무덤은 무덤의 구조상 도굴이 어려워 많은 유물이 남아 있다.

**11** **정답** ② 익산 미륵사지 석탑은 백제 최초의 석탑으로, 목탑의 양식을 그대로 간직하고 있다.

**12** **정답** ① 신라는 차츰 독자적으로 중국, 서역과 교류하였다. 경주 계림로 보검은 서역의 보검 장식으로 두 지역 사이의 교류 관계를 알 수 있다.

**13** **예시 답안** 소수림왕과 법흥왕은 불교를 수용하여 백성들의 사상을 통합하고, 율령을 반포하여 통치 질서를 확립하였다.

채점 기준

| | |
|---|---|
| 상 | 소수림왕과 법흥왕의 정책을 두 가지 서술한 경우 |
| 하 | 소수림왕과 법흥왕의 정책을 한 가지만 서술한 경우 |

**14** **예시 답안** (가)는 한강 유역이다. 한강 유역은 교통의 중심지로 중국과 직접 교역할 수 있었으며, 농업이 활발하고 철기 문화가 발달하여 경제적인 요충지였다.

채점 기준

| | |
|---|---|
| 상 | 한강 유역의 중요성을 두 가지 이상 바르게 서술한 경우 |
| 중 | 한강 유역의 중요성을 한 가지만 서술한 경우 |
| 하 | (가)가 한강 유역이라고만 한 경우 |

**15** **예시 답안** 고구려의 장군총과 백제의 서울 석촌동 고분군은 대표적인 돌무지무덤이다. 두 고분의 양식이 비슷한 것은 백제의 건국 세력이 고구려와 관련되어 있다는 역사적 사실을 뒷받침한다.

채점 기준

| | |
|---|---|
| 상 | 두 고분의 양식과 고구려와 백제의 관련성을 모두 서술한 경우 |
| 중 | 두 고분의 양식을 바르게 서술하였으나 고구려와 백제가 관련이 있다고만 한 경우 |
| 하 | 두 고분의 양식만 쓴 경우 |

**최고난도 문제** 본문 p.37

01 ④ 02 ⑤

**01** **정답** ④ 세형 동검과 잔무늬 거울은 기원전 5~기원전 4세기경 고조선이 중국의 철기 문화를 받아들인 후 나타난 독자적인 청동기 문화이다.

**02** **정답** ⑤ (가)는 신라 지증왕, (나)는 백제 성왕, (다)는 고구려 장수왕, (라)는 고구려 고국천왕, (마)는 백제 근초고왕에 대한 설명이다. 이를 순서대로 배열하면 (라) → (마) → (다) → (가) → (나)이다.

# Ⅱ 남북국 시대의 전개

## 1 신라의 삼국 통일과 발해의 건국

**기초튼튼 기본문제** 본문 p.44~45

01 양제 02 ③ 03 대야성 04 ③ 05 ② 06 ③
07 ④ 08 ① 09 기벌포 10 ④ 11 ④

**01** **정답 양제** 수 양제는 평양성 진격을 위해 30만 명의 별동대를 따로 편성하여 평양성을 공격하도록 하였다.

**02** **정답** ③ 제시된 지도의 (가)는 천리장성이다. 고구려와 우호적인 관계를 유지하던 당이 돌궐을 제압한 후 고구려를 압박하자 고구려는 천리장성을 쌓는 등 침입에 대비하였다.

**03** **정답 대야성** 백제의 의자왕은 신라에 대한 공세를 강화하여 대야성을 비롯한 신라의 40여 성을 빼앗았다.

**04** **정답** ③ 제시된 가상 대화는 신라 김춘추와 당 태종 사이에 맺어진 나당 동맹과 관련된 것이다. 나당 동맹이 체결된 이후 나당 연합군은 백제를 공격하였다. 계백이 이끄는 결사대는 황산벌 전투에서 김유신이 이끄는 신라군에 패하였다.

오답 피하기

①, ②, ④, ⑤ 나당 동맹이 맺어지기 전에 일어난 일이다.

**05** **정답** ② 김유신이 이끄는 신라군은 황산벌에서 계백이 이끄는 결사대를 물리치고, 당군과 함께 백제의 수도인 사비성으로 향하였다. 사비성이 함락되면서 백제는 멸망하였다(660).

오답 피하기

ㄴ. 나당 전쟁과 관련된 전투이다.
ㄹ. 고구려의 멸망과 관련된 사실이다.

**06** **정답** ③ 제시된 그림은 고구려의 평양성 전경이다. 고구려는 연개소문 사후 지배층의 분열로 국력이 약해졌다.

오답 피하기

① 백제, ② 당, ④ 수, ⑤ 신라에 대한 설명이다.

**07** **정답** ④ 백제가 멸망한 후 임존성을 근거지로 흑치상지 세력이, 주류성을 근거지로 복신과 도침이 백제 부흥 운동을 전개하였다.
④ 신라는 당을 몰아내고자 고구려 부흥 운동을 지원하였다.

**08** **정답** ① 고구려가 멸망한 이후 고연무가 오골성을 중심으로 고구려 부흥 운동을 일으켰고, 검모잠은 안승을 왕으로 추대하여 한성(재령)을 근거지로 고구려 부흥 운동을 전개하였다.

**09** **정답 기벌포** 신라는 당의 한반도 지배 야욕에 저항하기 위해 나당 전쟁을 벌였고, 매소성과 기벌포 전투에서 크게 승리하여 당의 군대를 몰아내고 삼국 통일을 이루었다.

**10** **정답** ④ 제시된 지도에서 (가)는 발해이다. 발해에는 고구려 유민 외에도 말갈인 등 타 민족이 함께 거주하였다.

**11** **정답** ④ 조선 후기 유득공은 통일 신라와 발해가 공존한 시기를 남북국 시대로 보아야 한다고 주장하였다.

**실력쑥쑥 실전문제** 본문 p.46~47

01 ① 02 ③ 03 ① 04 ④ 05 ④ 06 ②
07 ③ 08~10 해설 참조

**01** **정답** ① 검색 결과는 고구려와 수의 전쟁 중 살수 대첩과 관련된 자료이다.

오답 피하기
② 고려 시대 강감찬이 이끄는 고려군이 거란군을 크게 물리친 전투이다.
③, ④ 나당 전쟁에서 신라가 당을 상대로 승리한 전투이다.
⑤ 성주와 백성들이 당군의 공격을 막아 내 퇴각을 이끌어 낸 전투이다.

**02** **정답** ③ 제시된 지도의 (가)는 고구려이다. 고구려는 산간 지형을 이용하여 성을 쌓았고, 산성으로 들어가 장기간 항전하였다. 또한 우수한 제철 기술을 바탕으로 무기와 갑옷을 생산하여 수와 당의 침략을 물리쳤다.

**03** **정답** ① 백제의 공격으로 위기에 빠진 신라는 김춘추를 고구려로 보내 군사를 지원해 줄 것을 요청하였으나 거절당하였다. 이후 김춘추는 당으로 가서 나당 동맹을 체결하였다.

**04** **정답** ④ 신라의 삼국 통일 과정 중에 있었던 사건들을 시간 순서대로 나열하면 (나) 나당 동맹 체결 – (라) 황산벌 전투 – (가) 백제 멸망 – (다) 고구려 멸망이다.

**05** **정답** ④ (가)는 고구려 부흥 운동이다. 고연무는 오골성을 중심으로 고구려 부흥 운동을 전개하였다.

**06** **정답** ② (나)는 백제 부흥 운동이다. 복신과 도침은 왜에 가 있던 왕자 부여풍을 맞이하여 왕으로 추대하였다. 그러나 백제 부흥군과 왜의 연합군이 백강 전투에서 패하며 백제 부흥 운동은 실패로 끝났다.

오답 피하기
ㄴ. 고구려의 부흥 운동과 관련된 인물이다.
ㄹ. 고구려의 멸망과 관련된 사건이다.

**07** **정답** ③ 신라는 매소성과 기벌포 전투에서 크게 승리하여 당의 군대를 몰아내고 삼국 통일을 완수하였다.

**08** **예시 답안** 고구려는 산의 험난한 지형을 이용하여 성을 쌓았다. 또한, 요동 지역의 철광 지대를 확보하고 우수한 제철 기술을 바탕으로 강력한 철제 무기와 갑옷을 생산하였다.

채점 기준

| | |
|---|---|
| 상 | 고구려의 승리 요인을 두 가지 모두 서술한 경우 |
| 하 | 고구려의 승리 요인을 한 가지만 서술한 경우 |

**09** **예시 답안** 신라의 삼국 통일은 다른 민족인 당을 끌어들였고, 대동강 이북의 고구려 영토를 상실하고 대동강 이남 지역만 차지하였다는 한계가 있다.

채점 기준

| | |
|---|---|
| 상 | 외세를 끌어들인 점과 대동강 이북 영토를 상실한 점을 모두 서술한 경우 |
| 하 | 외세를 끌어들인 점과 대동강 이북 영토를 상실한 점 중 한 가지만 서술한 경우 |

**10** **예시 답안** 발해의 왕은 일본에 보낸 국서에 '고려(고구려) 국왕'이라는 명칭을 사용하였다. 또한 일본이 발해에 보낸 사신에 '견고려사'라는 칭호를 사용하였다.

채점 기준

| | |
|---|---|
| 상 | 발해의 고구려 계승 의식 근거를 두 가지 서술한 경우 |
| 중 | 발해의 고구려 계승 의식 근거를 한 가지만 서술한 경우 |
| 하 | 발해가 고구려 계승 의식을 내세웠다고만 서술한 경우 |

## 2 남북국의 발전과 변화

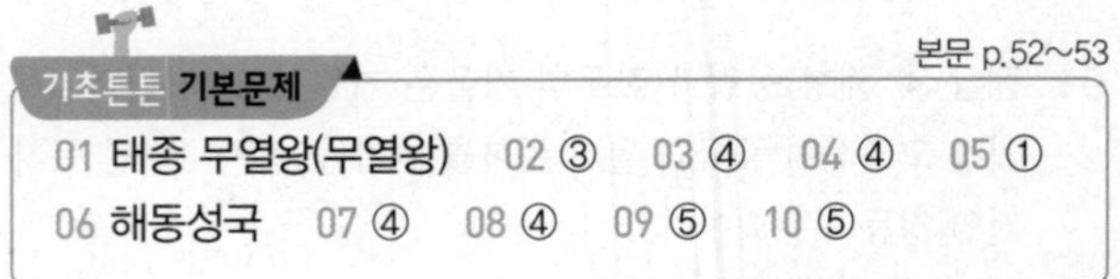
**기초튼튼 기본문제** 본문 p.52~53

01 태종 무열왕(무열왕) 02 ③ 03 ④ 04 ④ 05 ①
06 해동성국 07 ④ 08 ④ 09 ⑤ 10 ⑤

**01** **정답 태종 무열왕 (혹은 무열왕)** 김춘추는 나당 동맹 체결 등 외교 활동으로 공을 세운 뒤 김유신의 지원에 힘입어 최초의 진골 출신 왕이 되었다.

**02** **정답** ③ 신문왕은 유교적 인재를 양성하기 위해 국학을 설립하였다. 또한 관리들에게 주던 녹읍을 폐지하고 관료전을 지급하여 귀족들의 경제적 기반을 약화시켰다.

**03** **정답** ④ 통일 신라의 중앙 행정은 왕명을 받들어 행정을 총괄하는 집사부와 그 장관인 시중(중시)을 중심으로 운영되었다. 그 외에 10여 개의 관청을 두어 행정 업무를 효율적으로 분배하였다.

오답 피하기

ㄱ. 발해의 국정 총괄 기구, ㄷ. 발해의 유학 교육 기관이다.

**04** **정답** ④ 제시된 지도는 신라의 9주 5소경을 나타내고 있다. 삼국을 통일한 후 신라는 중앙에는 고구려인, 백제인, 말갈인까지 포함하여 9서당을 편성하였고, 지방에는 10정을 배치하였다.

**05** **정답** ① 발해의 중앙 정치 조직은 당의 3성 6부제를 수용하였으나 명칭과 운영은 발해의 독자성을 유지하였다. 당의 상서성에 해당하는 정당성에서 대내상이 국정을 총괄하였고, 6부의 명칭도 당의 6부와 달랐다.

오답 피하기

ㄷ. 발해는 6부의 명칭을 당과 다르게 유교에서 강조하는 덕목으로 바꾸어 사용하였다.

ㄹ. 주자감은 유교 교육 기관이다. 관리의 비리를 감찰하는 기구는 중정대이다.

**06** **정답 해동성국** 해동성국은 '바다 건너 동쪽의 번성한 나라'라는 의미로 발해가 크게 세력을 떨치자 당에서 발해를 가리켜 부른 말이다.

**07** **정답** ④ 귀족들의 수탈에 자연재해까지 겹치자 살기가 더욱 힘들어진 농민들은 결국 봉기를 일으켰다. 신문왕 시기에 폐지되었던 녹읍은 후에 다시 부활하였다.

**08** **정답** ④ 신라 말에는 선종과 풍수지리설이 유행하였다. 선종은 일상의 있는 그대로의 마음이 곧 도이고, 그 마음이 곧 부처임을 내세워 신라 말에 널리 확산되었다. 풍수지리설은 수도 금성(경주) 중심의 지리 인식을 거부하고 지방의 중요성을 내세워 호족의 환영을 받았다.

**09** **정답** ⑤ 제시된 유물은 최치원이 지은 탑지가 나온 합천 해인사 길상 탑이다. 6두품인 최치원은 당에서 귀국하여 사회를 바로잡기 위해 개혁안을 올렸으나 받아들여지지 않자 관직을 버리고 전국을 돌다가 일생을 마쳤다.

오답 피하기

① 도선, ②, ④ 궁예와 관련된 설명이다.

③ 최치원은 6두품 출신으로 최고 관직에 오르지 못하였다.

**10** **정답** ⑤ 신라의 군인 출신인 견훤은 백제의 부흥을 내세우며 완산주(전주)에 도읍을 정하고 후백제를 세웠다.

⑤ 나라 이름을 마진으로 하였다가 태봉으로 바꾼 국가는 후고구려이다.

**실력쑥쑥 실전문제** 본문 p.54~55

01 ① 02 ② 03 ⑤ 04 ③ 05 ④ 06 ④
07 ② 08 ⑤ 09~11 해설 참조

**01** **정답** ① 김춘추는 최초의 진골 출신 왕으로서 태종 무열왕으로 즉위하였다. 문무왕은 나당 전쟁을 끝내고 삼국 통일을 완성하였다.

**02** **정답** ② 신문왕은 김흠돌의 난을 진압하고 국왕 중심의 정치 체제를 수립한 뒤 각종 개혁 정책을 펼쳤다.

② 태학은 고구려 소수림왕이 설립하였다.

**03** **정답** ⑤ 대왕암은 삼국 통일을 완수한 문무왕의 무덤이다. 통일 신라의 중앙 행정은 왕명을 받들어 행정을 총괄하는 집사부와 그 장관인 시중(중시)을 중심으로 운영되었다.

오답 피하기

① 철기 시대에 등장한 부여, ② 발해, ③, ④ 고구려와 관련된 설명이다.

**04** **정답** ③ 통일 신라는 중앙군인 9서당에 신라인뿐만 아니라 고구려인, 백제인, 말갈인까지 포함하여 민족 통합의 의지를 보여 주었다.

**05** **정답** ④ 발해는 9세기 초 선왕 때에 전성기를 맞이하였다. 이때 발해는 말갈 세력을 대부분 복속시키고, 요동과 연해주 지방으로 진출하였으며, 남쪽으로는 신라와 국경을 맞대었다. 당은 전성기를 맞이한 발해를 '해동성국'이라 불렀다.

**06** **정답** ④ 신라 말 정치적 혼란으로 중앙 정부의 지방 통제력이 약화되자 지방 세력들도 왕위 쟁탈전에 가담하여 연이어 반란을 일으켰다. 가장 대표적인 것이 아버지가 왕에 오르지 못한 것에 불만을 품고 일으킨 김헌창의 난이다.

오답 피하기

①, ② 고려 시대에 일어난 난이다.

③ 신라 신문왕 시기에 일어난 난이다.

⑤ 신라 말에 일어난 농민 봉기이다.

**07** **정답** ② 신라 말 지방에서는 지방 통제력이 약화되면서 호족 세력이 성장하였다. 호족은 촌주, 몰락 귀족, 군대 지휘관 등 다양한 출신이 있었으며, 스스로 성주 또는 장군이라 부르며 독자적으로 백성을 다스렸다.

**08 정답** ⑤ (가)는 후고구려, (나)는 후백제이다. 후백제는 최승우와 같은 6두품 세력을 포섭하여 체제 정비에 힘쓰는 한편, 후당, 오월, 거란, 일본과의 외교에도 주력하였다.

**09 예시 답안** 통일 신라는 중앙군인 9서당을 정비할 때 신라인뿐만 아니라 고구려인, 백제인, 말갈인까지 포함하여 편성하였다. 또한 전국을 9주로 나누면서 신라, 백제, 고구려의 옛 땅에 각각 3개의 주를 설치하였다.

채점 기준

| | |
|---|---|
| 상 | 9서당 편성과 9주 설치에 관한 내용을 모두 바르게 서술한 경우 |
| 하 | 9서당 편성과 9주 설치에 관한 내용 중 한 가지만 서술한 경우 |

**10 예시 답안** 발해의 중앙 정치 조직은 당의 3성 6부제를 수용하였지만, 명칭과 운영은 발해의 독자성을 유지하였다. 각 기구의 명칭이 당과 달랐으며, 특히 6부의 명칭은 당과 달리 유교에서 강조하는 덕목으로 바꾸어 사용하였다.

채점 기준

| | |
|---|---|
| 상 | 당의 제도 수용, 발해의 독자성과 관련된 내용을 모두 바르게 서술한 경우 |
| 중 | 당의 제도 수용과 발해의 독자성을 서술하였으나 그 예시를 들지 못한 경우 |
| 하 | 당의 제도를 수용했다고만 서술한 경우 |

**11 예시 답안** 풍수지리설은 수도 금성(경주) 중심의 지리 인식을 거부하고 지방의 중요성을 내세워 호족의 환영을 받았다.

채점 기준

| | |
|---|---|
| 상 | 풍수지리설의 명칭과 영향을 모두 서술한 경우 |
| 하 | 풍수지리설의 명칭만 쓴 경우 |

## 3 남북국의 문화와 대외 관계

기초튼튼 **기본문제**

본문 p.60~61

01 ② 02 ④ 03 불국사 04 ① 05 ② 06 촌락 문서
07 ⑤ 08 ② 09 ① 10 왕오천축국전 11 ④

**01 정답** ② 통일 신라는 유학을 정치 이념으로 삼고자 국학을 설립하고, 독서삼품과를 실시하였다.

**02 정답** ④ 의상은 부석사를 창건하여 화엄종을 크게 열었고, 화엄종의 전국적인 보급에 힘썼다.

**03 정답 불국사** 불국사는 불교의 이상 세계를 신라 땅에 재현하기 위해 창건된 절로, 청운교와 백운교, 석가탑(불국사 삼층 석탑)과 다보탑 등이 있다.

**04 정답** ① 석굴암은 인공으로 만든 석굴 사원으로, 완벽한 수학적 비례와 불상 조각의 아름다움으로 높이 평가받고 있다. 석굴암 안에는 본존불상이 있는데, 신라인이 생각하는 이상적인 부처의 모습으로 조각되어 있다.

**05 정답** ② 경주 감은사지 동·서 삼층 석탑, 동궁과 월지는 통일 신라 시대의 대표적 유적이다.

오답 피하기

ㄴ. 익산 미륵사지 석탑과 ㄹ. 경주 분황사 모전 석탑은 삼국 시대의 대표적인 유적이다.

**06 정답 촌락 문서** 촌락 문서는 토지의 종류와 면적, 노비의 수, 3년간 인구 변동 내용, 소와 말의 수, 과실수까지 기록되어 있는 통일 신라의 문서이다.

**07 정답** ⑤ 발해에서는 유학이 발달하여 중앙 정치 기구 중 6부의 명칭을 충·인·의·예·지·신이라는 유교 덕목으로 사용하였다. 또한 주자감을 설치하여 유교 경전에 관한 교육을 강화하고 인재를 양성하였다.

오답 피하기

①, ④ 통일 신라, ② 고구려, ③ 신라와 관련된 설명이다.

**08 정답** ② 발해는 고구려 문화를 계승하면서 당과 말갈 등의 문화를 받아들였다. 발해의 막새 기와는 고구려의 것과 유사하고, 정혜 공주의 무덤에서도 모줄임천장 구조를 볼 수 있다.

**09 정답** ① 발해에서는 답추라는 춤과 페르시아에서 유래한 타구와 격구 놀이가 널리 유행하였다.

오답 피하기

ㄷ, ㄹ. 통일 신라와 관련된 내용이다.

**10 정답 왕오천축국전** 통일 신라의 승려 혜초는 천축국(인도와 주변 지역)의 다섯 지역을 답사하고 『왕오천축국전』이라는 여행기를 남겼다.

**11 정답** ④ 발해는 한때 신라와 대립하기도 하였으나, 점차 신라도를 통해 사신과 물자가 오가면서 교류가 활발해졌다.

실력쑥쑥 **실전문제**

본문 p.62~63

01 ③ 02 ② 03 ⑤ 04 ④ 05 ① 06 ①
07 ① 08~10 해설 참조

**01** **정답** ③ 6부의 명칭을 유교 용어로 사용한 것은 발해의 중앙 정치 제도에 대한 설명이다.

**02** **정답** ② 원효는 불교계의 사상적 대립을 보다 높은 차원에서 통합하려 하였으며, 백성에게 아미타 신앙을 전파하였다.

**03** **정답** ⑤ 신라의 촌락 문서는 일본 도다이사 쇼소인에 소장되어 있다. 촌락 문서는 통일 신라 시기 토지의 종류, 면적, 노비의 수, 인구 변동 내용, 소와 말의 수, 과실수 등 한 마을의 전체적인 경제력을 상세히 보여 주는 자료이다.

**04** **정답** ④ 이차돈의 순교를 거쳐 불교를 공인한 국가는 신라이다.

**05** **정답** ① 제시된 사진은 발해의 석등과 치미이다. 발해에서는 불교가 크게 융성하여 다양한 유물이 출토되었으며, 석가불과 다보불이 함께 앉아 있는 이불병좌상이 대표적이다.

오답 피하기

② 통일 신라의 첨성대, ③ 통일 신라의 석굴암 석굴 본존불상, ④ 신라의 천마총, ⑤ 통일 신라의 동궁과 월지이다.

**06** **정답** ① 제시된 지도는 통일 신라의 대외 교류를 나타내고 있다. 신라와 당은 8세기 이후 친선 관계를 회복하고 활발하게 교류하여 당에는 신라방, 신라소, 신라관, 신라원이 만들어졌다. 신라의 당항성은 울산항과 함께 국제적인 무역항으로 번성하였다.

오답 피하기

ㄷ. 발해관, ㄹ. 영주도는 발해의 대외 교류와 관련된다.

**07** **정답** ① 제시된 지도의 (가) 국가는 발해이다. 발해는 수도 상경성에서 뻗어나가는 5개의 주요 도로망을 통해 주변 국가와 활발하게 교류하였다. 문왕 시기 친선 관계를 맺은 이후 당에 많은 유학생과 상인이 왕래하자 산둥반도에는 발해인의 숙소인 발해관이 설치되었다.

오답 피하기

② 일본에 대규모 사절단을 파견하였다.

③ 발해의 동경 용원부에서 신라의 국경까지 가는 길에 역이 설치되기도 하였다.

④ 건국 초 발해는 신라와 대립하였다.

⑤ 당으로부터 비단과 공예품을 수입하였다.

**08** **예시 답안** 관음 신앙을 전파한 승려는 의상이다. 의상은 당에서 불교를 공부하고 돌아와 신라 화엄종을 열었고, 부석사 등 여러 사찰을 건립하였다.

채점 기준

| | |
|---|---|
| 상 | 의상의 이름과 업적을 모두 서술한 경우 |
| 하 | 의상의 이름과 업적 중 한 가지만 서술한 경우 |

**09** **예시 답안** 정효 공주 무덤은 고구려 문화를 계승하면서 당의 문화를 받아들인 발해 문화의 특징을 엿볼 수 있는 유적이다. 고구려의 영향을 받아 돌로 공간을 줄여 가면서 천장을 쌓았다. 또 당의 영향을 받아 벽돌무덤으로 만들어졌고, 당 양식의 벽화가 그려지기도 하였다.

채점 기준

| | |
|---|---|
| 상 | 발해 문화의 특징을 정확하게 서술한 경우 |
| 하 | 발해 문화의 특징을 일부만 서술한 경우 |

**10** **예시 답안** 발해는 신라도를 통해 신라와 교류하였고, 문왕 때 당과 친선 관계를 맺은 이후 많은 유학생과 상인이 당에 빈번하게 왕래하였다. 발해는 건국 초기부터 일본과 활발하게 교류하여 대규모 사절단이 파견되기도 하였다.

채점 기준

| | |
|---|---|
| 상 | 당, 신라, 일본과의 교류 내용을 모두 바르게 서술한 경우 |
| 중 | 당, 신라, 일본과의 교류 중 두 나라에 관해서만 바르게 서술한 경우 |
| 하 | 당, 신라, 일본과의 교류 중 한 나라에 관해서만 바르게 서술한 경우 |

**대단원 정리하기** 본문 p.64~65

① 살수 대첩 ② 나당 동맹 ③ 황산벌 전투 ④ 백강 전투 ⑤ 기벌포 전투 ⑥ 고구려 ⑦ 문무왕 ⑧ 관료전 ⑨ 5소경 ⑩ 9서당 ⑪ 문왕 ⑫ 해동성국 ⑬ 정당성 ⑭ 원종·애노 ⑮ 6두품 ⑯ 선종 ⑰ 풍수지리설 ⑱ 후백제 ⑲ 후고구려 ⑳ 독서삼품과 ㉑ 불국사 ㉒ 촌락 문서 ㉓ 주자감 ㉔ 혜초 ㉕ 발해관

**자신만만 적중문제** 본문 p.66~68

01 ④ 02 ③ 03 ④ 04 ① 05 문무왕
06 ⑤ 07 ⑤ 08 ④ 09 ① 10 ③ 11 ①
12 ⑤ 13~15 해설 참조

**01** **정답** ④ 수의 요구에 고구려가 굴복하지 않자, 수 문제와 양제는 고구려를 침략하였다. 을지문덕의 지휘 하에 고구려군은 살수(청천강)에서 수의 군대를 상대로 크게 승리하였다.

**02** **정답** ③ 나당 연합군은 먼저 백제를 공격하였다. 김유신이 이끄는 신라군은 황산벌에서 계백이 이끄는 결사대를 물리치고, 나당 연합군이 사비성을 함락시키며 백제를 멸망시켰다.

**03** **정답** ④ 백제와 고구려가 멸망한 후, 당이 한반도를 차지하려는 야욕을 보였다. 그 결과 신라와 당이 전쟁을 벌였고, 매소성과 기벌포에서 신라군이 승리하며 삼국 통일을 이루었다.

**04** **정답** ① 거란족이 당에 반란을 일으킨 틈을 타 영주 지방에 있던 고구려 출신 대조영이 고구려 유민과 말갈 집단을 이끌고 동쪽으로 이동하여 동모산 기슭에서 발해를 건국하였다.

**05** **정답** **문무왕** 문무왕은 삼국 통일을 완성하고 옛 고구려, 백제 출신을 등용하여 삼국을 통합하고자 노력하였다.

**06** **정답** ⑤ 신문왕은 9주 5소경 등 통치 체제를 정비하였으며, 유교적 소양을 갖춘 인재를 양성하고자 국학을 설립하였다. 또한 관리들에게 관료전을 지급하고 이전에 지급했던 녹읍을 폐지하여 귀족의 경제적 기반을 약화하였다.

오답 피하기

ㄱ. 10위는 발해의 중앙군이다.

**07** **정답** ⑤ (가)는 발해이다. 발해는 대내적으로 황제국을 표방하였고, 선왕 때에는 전성기를 맞아 '해동성국'이라 불리게 되었다. 그러나 선왕 사후 내분으로 국력이 약화되고 거란의 공격을 받아 멸망하였다.

⑤ 화백 회의와 골품제가 있었던 나라는 신라이다.

**08** **정답** ④ 견훤은 백제의 부흥을 내세우며 완산주(전주)에 도읍을 정하고 후백제를 세웠다. 후백제는 6두품 세력을 포섭하여 체제 정비에 힘쓰는 한편, 국제 외교에도 주력하였다.

**09** **정답** ① 신라 말 진골 귀족 간에 왕위 쟁탈전이 격화되며 중앙 정부의 지방 통제력이 약화되었고, 지방에서는 호족 세력이 성장하였다. 또한 실천을 중시하는 선종과 지방의 중요성을 강조하는 풍수지리설이 유행하였다.

오답 피하기

ㄷ. 신라 진흥왕 시기, ㄹ. 고구려와 관련된 설명이다.

**10** **정답** ③ 통일 후 신라는 불교 예술이 크게 발달하였다. 대표 유적으로는 불국사 내의 청운교와 백운교, 석가탑, 다보탑 등이 있으며 인공 석굴인 석굴암이 있다.

③ 익산 미륵사지 석탑은 백제에서 만들어진 것이다.

**11** **정답** ① (가) 원효는 아미타 신앙을 통해 누구나 극락에 갈 수 있다고 주장하였으며, (나) 의상은 관음 신앙을 전파하였다. (다) 혜초는 인도와 서역을 다녀와 『왕오천축국전』이라는 여행기를 남겼다.

**12** **정답** ⑤ 발해 초기의 문화에서는 고구려 문화의 요소가 강하게 나타난다. 발해의 옛 터에서는 고구려 양식을 본 딴 기와와, 'ㄱ'자, 'ㄷ'자, 'ㅡ'자 모양의 고구려와 유사한 온돌 등이 발견되었다.

**13** **예시 답안** (가)는 고구려, (나)는 신라이다. 신라의 삼국 통일은 삼국의 문화가 융합되면서 민족 문화 발전의 토대를 마련하였다는 의의가 있다.

채점 기준

| | |
|---|---|
| 상 | (가), (나) 국가의 이름과 신라의 삼국 통일의 의의를 모두 서술한 경우 |
| 중 | (가), (나) 국가의 이름과 신라의 삼국 통일의 의의 중 한 가지만 서술한 경우 |
| 하 | (가), (나) 국가의 이름 중 하나만 바르게 쓴 경우 |

**14** **예시 답안** (가)는 통일 신라의 5소경이다. 신라는 수도인 금성(경주)이 동남쪽에 치우친 점을 보완하고자 5소경을 설치하고 지방 정치와 문화의 중심지로 삼았다.

채점 기준

| | |
|---|---|
| 상 | 5소경의 명칭과 목적을 모두 서술한 경우 |
| 하 | 5소경의 명칭과 목적 중 한 가지만 서술한 경우 |

**15** **예시 답안** 귀족의 수탈과 자연재해로 농민의 삶이 피폐해졌음에도 신라 정부는 농민들에게 세금 납부를 독촉하였다. 대표적인 농민 봉기로는 사벌주(상주) 지역에서 일어난 원종·애노의 봉기가 있다.

채점 기준

| | |
|---|---|
| 상 | 농민 봉기의 원인과 대표 봉기를 모두 서술한 경우 |
| 하 | 농민 봉기의 원인과 대표 봉기 중 한 가지만 서술한 경우 |

**최고난도 문제** 본문 p.69

01 ⑤ 02 ④

**01** **정답** ⑤ (가)는 김흠돌의 난, (나)는 후백제 건국, (다)는 백강 전투, (라)는 원종·애노의 봉기, (마)는 고구려의 수 선제 공격에 대한 설명이다. 이를 시간 순서대로 배열하면 (마) → (다) → (가) → (라) → (나)이다.

**02** **정답** ④ (가)는 발해의 중앙 통치 제도, (나)는 통일 신라의 9주 5소경이다. 발해의 중앙 통치 제도는 당의 3성 6부제를 기반으로 독자적으로 운영되었으며, 통일 신라는 지방을 9주 5소경으로 나누었다.

오답 피하기

ㄱ. 통일 신라의 중앙 행정 운영 방식이다.

ㄷ. 발해의 지방 행정 제도이다.

# 고려의 성립과 변천

## 1 고려의 건국과 정치 변화

**기초튼튼 기본문제** 본문 p.76~77

| | | | | |
|---|---|---|---|---|
| 01 ⑤ | 02 ② | 03 시무 28조 | 04 ③ | 05 ④ |
| 06 ⑤ | 07 ④ | 08 ⑤ | 09 이자겸 | 10 ③ |
| 11 ① | 12 ⑤ | 13 ① | | |

**01** **정답 ⑤** 일리천(구미) 전투에서 고려군이 신검의 후백제군을 격파하여 후백제가 멸망하였다.
⑤ 스스로 고려에 나라를 넘긴 것은 신라의 경순왕이다.

**02** **정답 ②** 훈요 10조를 남긴 것은 고려 태조(왕건)이다. 태조는 기인 제도를 시행하여 호족 세력을 통제하였다.

**자료 분석**

**제4조** 중국의 풍속만을 무조건 따르지 말고, 거란을 경계할 것 → 자주적 문화 수용, 고구려 계승
**제5조** 서경을 중요시할 것 → 고구려 계승
**제6조** 연등회와 팔관회를 성실하게 열 것 → 불교 숭상

**03** **정답 시무 28조** 고려 성종은 최승로의 시무 28조를 받아들여 이를 바탕으로 나라의 제도를 정비하였다.

**04** **정답 ③** 상서성은 아래에 6부를 두고 주요 정책을 집행하였으며, 중추원은 왕명을 전달하고 군사 기밀을 다루었다.

**05** **정답 ④** 빗금 친 지역은 고려의 북쪽 국경에 설치된 군사 행정 구역으로 북계와 동계이다. 합쳐서 양계라고도 한다.

**06** **정답 ⑤** 고려의 과거제에서는 문학적 재능을 평가하는 제술과가 가장 중시되었다.

**07** **정답 ④** 개경에 설치된 국자감은 유교 사상과 기술 학문을 가르치는 최고 국립 교육 기관이었다.

오답 피하기
① 국학은 통일 신라 신문왕이 설립한 국립 교육 기관이다.
② 태학은 고구려의 국립 교육 기관이다.
③ 향교는 고려와 조선 시대에 지방의 관학 교육 기관이다.
⑤ 최충이 세운 문헌공도는 고려 시대의 사학 12도 중 하나로 대표적인 사립 교육 기관이다.

**08** **정답 ⑤** 고려의 전시과는 관리, 직업 군인 등에게 토지의 수조권을 지급하는 제도이다.

**09** **정답 이자겸** 이자겸은 자신의 딸들을 왕에게 시집보내면서 권력을 차지하였고, 인종의 왕위를 찬탈하려고 시도하다가 숙청되었다.

**10** **정답 ③** 묘청과 정지상 등 서경 세력은 풍수지리설에 따라 서경으로 천도하고, 금을 정벌할 것을 주장하였다.

**11** **정답 ①** 무신을 차별하고 무시하는 풍조가 만연하면서 이의방, 정중부 등이 무신 정변(1170)을 일으켰다.

**12** **정답 ⑤** 이의민의 뒤를 이어 무신 권력자가 된 최충헌은 교정도감을 설치하고 군사 조직인 도방을 운영하였다.

오답 피하기
ㄱ, ㄴ. 자신의 집에 정방을 설치하고, 몽골이 침입해 오자 수도를 강화도로 옮겨 항쟁한 인물은 최우이다.

**13** **정답 ①** 묘청의 서경 천도 운동(묘청의 난)은 무신 정변 이전의 사건으로 무신 집권기의 봉기와 관련이 없다.

**실력쑥쑥 실전문제** 본문 p.78~79

| | | | | | |
|---|---|---|---|---|---|
| 01 ④ | 02 ③ | 03 ⑤ | 04 ⑤ | 05 ② | 06 ③ |
| 07 ① | 08 ② | 09~11 해설 참조 | | | |

**01** **정답 ④** 왕건의 송악 천도(919), 고창 전투(930), 신라 항복(935), 후백제 멸망(936) 순으로 일어났다.

**02** **정답 ③** 고려 태조(왕건)는 사심관 제도, 기인 제도 등을 이용하여 호족을 통제하였다.

오답 피하기
①, ② ,④ 고려 태조(왕건)의 업적에 해당하지만 호족 통제 정책과는 관련이 없다.
⑤ 고려 태조(왕건)의 호족 우대 정책이다.

**03** **정답 ⑤** 최승로는 고려 성종에게 시무 28조를 올려 유교 이념을 바탕으로 한 통치를 주장하였다.

**04** **정답 ⑤** 중서문하성과 중추원의 재상들은 도병마사와 식목도감에서 중대 사안을 논의하였다.

오답 피하기
① 중추원, ② 식목도감, ③ 어사대에 대한 설명이다.
④ 중서문하성의 장관을 문하시중이라고 불렀다.

**05** **정답 ②** 제시된 자료는 이자겸의 난(1126) 직전의 상황을 나타낸 것이다. 대표적 문벌 가문인 경원 이씨 출신의 이자겸

은 왕실과 혼인 관계를 맺으면서 권력을 장악하였다. 그는 반란을 일으켜 인종의 왕위를 찬탈하려다가 실패하였다.

**06** **정답** ③ 묘청과 정지상 등 서경 세력은 서경 천도, 황제국 칭호와 독자 연호 사용, 금 정벌 등을 주장하였다.

오답 피하기
ㄱ. 김부식은 묘청의 서경 천도 운동을 진압하였다.
ㄹ. 최씨 무신 정권에 대한 설명이다.

**07** **정답** ① 이의방, 정중부 등이 무신 정변을 주도하였다.

오답 피하기
② 묘청의 서경 천도 운동, ③ 몽골 침입 이후의 상황, ⑤ 이자겸의 난에 대한 설명이다.
④ 무신 정변 이후 최충헌이 이의민을 죽이고 권력을 잡으면서 최씨 무신 정권이 시작되었다.

**08** **정답** ② 무신 정권 초기에는 합의 기구인 중방, 최충헌 집권 이후에는 교정도감이 최고 권력 기구의 역할을 하였다. 최우는 자신의 집에 정방을 설치하여 인사권을 독점하였다.

**09** **예시 답안** (1) 노비안검법
(2) 양민의 수가 늘어나고 공신과 호족의 영향력이 약화되었다.

채점 기준

| | |
|---|---|
| 상 | 노비안검법을 쓰고, 일어난 변화를 두 가지 서술한 경우 |
| 중 | 노비안검법을 썼으나 일어난 변화를 한 가지만 서술한 경우 |
| 하 | 노비안검법만 바르게 쓴 경우 |

**10** **예시 답안** 음서를 받은 사람보다 과거 급제자가 능력을 더 인정받았다.

채점 기준

| | |
|---|---|
| 상 | 과거 급제자가 음서를 받은 사람보다 능력을 더 인정받았다는 것을 비교 서술한 경우 |
| 하 | 과거 급제자가 능력을 인정받았다는 점을 서술하였으나, 음서를 받은 사람과 비교하지 못한 경우 |

**11** **예시 답안** 무신 권력자들이 세금을 과도하게 수탈하였고, 이의민과 같이 낮은 신분 출신의 무신 권력자가 나타나면서 하층민의 신분 상승 욕구가 강해졌다.

채점 기준

| | |
|---|---|
| 상 | 하층민의 봉기가 계속된 원인을 두 가지 서술한 경우 |
| 하 | 하층민의 봉기가 계속된 원인을 한 가지만 서술한 경우 |

## 2 고려의 대외 관계 ~ 3 몽골의 간섭과 고려의 개혁

본문 p.84~86

기초튼튼 **기본문제**

| | | | | |
|---|---|---|---|---|
| 01 ③ | 02 ① | 03 ② | 04 별무반 | 05 ③ |
| 06 ⑤ | 07 ⑤ | 08 ④ | 09 ② | 10 ③ |
| 11 정동행성 | | 12 ① | 13 ③ | 14 ④ |
| 15 공민왕 | | 16 ③ | 17 ⑤ | 18 ④ |

**01** **정답** ③ 서희는 거란의 1차 침입 때 소손녕과 외교 담판을 벌여 강동 6주를 획득하였다.

**02** **정답** ① 서희가 획득한 강동 6주는 고려의 서북 지역이자 압록강 하류 일대에 위치해 있었다.

**03** **정답** ② 낙성대는 고려의 장군 강감찬의 출생지이다. 강감찬은 거란의 3차 침략 때 귀주에서 크게 승리하였다.

**04** **정답 별무반** 완옌부가 여진 부족을 통합하고 고려를 위협하자, 고려는 신기군, 신보군, 항마군 등으로 구성된 별무반을 조직하고 여진을 정벌하였다.

**05** **정답** ③ 윤관은 별무반을 이끌고 여진족을 정벌한 후 동북 지역에 9성을 개척하였다.

오답 피하기
①, ④, ⑤ 동녕부, 탐라총관부, 쌍성총관부는 몽골이 고려 영토의 일부를 직접 지배할 목적으로 설치한 기구이다.
② 강동 6주는 거란의 1차 침입 때 서희의 외교 담판으로 획득한 지역이다.

**06** **정답** ⑤ 고려 시대의 국제 무역항은 예성강 하구의 벽란도이다. 당항성은 통일 신라 시대의 무역항이다.

**07** **정답** ⑤ 고려는 몽골과의 항쟁 과정에서 팔만대장경을 간행하였다. 초조대장경은 거란의 침입 때 제작된 것이다.

**08** **정답** ④ 김윤후는 처인성에서 부곡민들과 힘을 합쳐 몽골군과 맞서 싸웠으며, 몽골군의 대장 살리타를 사살하였다.

**09** **정답** ② 고려 원종은 태자의 신분으로 쿠빌라이 칸을 직접 찾아가 고려의 독립을 약속받고 강화를 체결하였다.

**10** **정답** ③ 삼별초는 무신 정권의 군사적 기반이었다. 이들은 개경 환도를 거부하고 대몽 항쟁을 펼쳤다.

**11** **정답 정동행성** 정동행성은 원이 일본 정벌을 위해 설치한 관청으로, 일본 원정 실패 이후 원이 고려의 내정을 간섭하는 용도로 사용되었다.

**12** **정답** ① 왕실의 호칭과 관제 용어가 격하되었다는 점을 통해 '이 시기'가 원 간섭기임을 알 수 있다. 원 간섭기에 고려에서는 몽골풍이, 몽골에서는 고려양이 유행하였다.

**13** **정답** ③ 원 간섭기에 권문세족이 지배 세력으로 등장하였다.

**14** **정답** ④ 권문세족은 대부분 친원적인 성향을 지녔으며 대농장을 경영하는 등 횡포를 일삼았다.

오답 피하기

ㄱ, ㄷ. 신진 사대부에 대한 설명이다.

**15** **정답 공민왕** 공민왕은 내정 개혁을 위해 승려 출신인 신돈을 등용하고 전민변정도감을 설치하여 권문세족이 불법적으로 빼앗은 토지를 원래 주인에게 돌려주도록 하였으며, 원래 양인이었던 사람이 불법적으로 노비가 된 경우 이를 해방시켜 다시 양인으로 돌아가도록 하였다.

**16** **정답** ③ (가)에 들어갈 세력은 신진 사대부이다. 신진 사대부는 주로 과거를 통해 관직에 진출하였다. 이들은 성리학적 이념에 따른 개혁을 주장하면서 불교를 비판하기도 하였다.

**17** **정답** ⑤ 최영은 홍건적을 격퇴하고 홍산에서 왜구를 무찌르는 등의 활약을 펼쳤다.
⑤ 쓰시마 섬을 토벌한 것은 박위이다.

**18** **정답** ④ 명이 철령위 설치를 통보하자 최영이 요동 정벌을 단행하였고, 이에 반대하던 이성계를 중심으로 요동 정벌군이 위화도에서 회군하였다. 이성계와 요동 정벌군은 개경으로 진격하여 우왕을 폐위시키고 최영을 제거하였다.

실력쑥쑥 **실전문제**

본문 p.87~89

01 ② 02 ② 03 ⑤ 04 ② 05 ④ 06 ⑤
07 ③ 08 ① 09 ① 10 ③ 11 ④
12~14 **해설 참조**

**01** **정답** ② 강감찬은 거란의 3차 침략 때 귀주에서 승리하였다. 고려는 거란의 3차 침입을 막아 낸 이후 천리장성을 건설하였다.

**02** **정답** ② 고려는 거란의 3차 침략을 물리친 이후 개경에 나성을, 북쪽 국경에는 천리장성을 쌓아 외적의 침입에 대비하였다.

오답 피하기

ㄴ. 강동 6주는 거란의 1차 침입 때 획득한 지역이다.
ㄹ. 거란과의 전쟁으로 고려는 송과의 외교 관계를 끊었으나 민간 교류는 꾸준히 지속하였다.

**03** **정답** ⑤ 여진은 금을 건국하고 거란을 멸망시킨 후 고려에 사대 관계를 요구하였다.

**04** **정답** ② 제시된 지도에서 (가)는 송, (나)는 거란(요), (다)는 여진(금), (라)는 일본, (마)는 아라비아 상인이다. 고려는 거란, 여진에는 주로 농기구나 곡식 등을 수출하고 모피나 말 등을 수입하였다.

**05** **정답** ④ 저고여 피살(1225), 강화도 천도(1232), 팔만대장경 간행(1236~1251), 삼별초의 항쟁(1270) 순서로 일어났다.

**06** **정답** ⑤ (가)는 강화도이다. 최씨 무신 정권의 최우는 몽골의 침입에 맞서 싸울 것을 결정하고 수도를 강화도로 옮겼다.
⑤ 삼별초와 관련된 항파두리 항몽 유적지는 제주도에 있다.

**07** **정답** ③ 원 간섭기에 소주 등 몽골의 풍습(몽골풍)이 고려에 소개되었다.

**08** **정답** ① 공민왕은 쌍성총관부를 공격하여 철령 이북의 영토를 되찾았다. 또 성균관을 개편하고, 정동행성을 유명무실화하였다.

오답 피하기

ㄷ. 우왕, ㄹ. 충목왕에 대한 설명이다.

**09** **정답** ① (가)는 권문세족, (나)는 신진 사대부이다. 공민왕 때 성장한 신진 사대부 중에는 권문세족 출신도 다수 포함되어 있었다.
① 공민왕의 개혁에 참여한 세력은 신진 사대부이다.

**10** **정답** ③ 홍건적과 왜구의 침략은 공민왕의 개혁이 실패하는 한 원인이 되었으며, 신흥 무신 세력 성장이 성장하는 계기가 되었다.

**11** **정답** ④ 제시된 지도는 위화도 회군을 나타내고 있다. 위화도 회군의 결과 우왕이 폐위되고 최영이 제거되었다. 그리고 이성계와 신진 사대부가 권력을 장악하여 친명 외교 정책이 확고해졌다.

**12** **예시 답안** 고려가 송과의 외교 관계를 끊고 거란과 외교 관계를 수립하기로 약속하고, 그 대가로 강동 6주를 개척하였다.

채점 기준

| | |
|---|---|
| 상 | 고려와 송의 외교 단절 약속과 강동 6주 개척을 모두 서술한 경우 |
| 중 | 고려와 송의 외교 단절 약속과 강동 6주 개척 중 한 가지만 서술한 경우 |
| 하 | 거란이 물러갔다고만 서술한 경우 |

**13** **예시 답안** (가)는 권문세족이다. 원 간섭기에 원의 영향력을 배경으로 성장한 권문세족은 기존 지배층이 중심을 이루었고, 그 외에 원과 밀접한 관계를 맺고 새롭게 권력을 잡은 사

람들도 있었다. 권문세족의 다수는 친원적인 성향을 지녔으며, 다른 사람의 토지를 빼앗아 큰 농장을 경영하기도 하였다

채점 기준

| 상 | (가) 세력이 권문세족임을 밝히고, 권문세족의 출신과 특징을 모두 서술한 경우 |
|---|---|
| 중 | (가) 세력이 권문세족임을 밝히고, 권문세족의 출신과 특징 중 한 가지만 서술한 경우 |
| 하 | (가) 세력이 권문세족이라고만 쓴 경우 |

**14 예시 답안** (가)는 전민변정도감이다. 전민변정도감에서는 권문세족이 불법으로 차지한 토지를 원래 주인에게 돌려주고, 억울하게 노비가 된 사람들을 풀어 주었다.

채점 기준

| 상 | 전민변정도감을 쓰고, 개혁의 내용을 바르게 서술한 경우 |
|---|---|
| 중 | 전민변정도감을 썼으나 개혁 내용이 미흡한 경우 |
| 하 | 전민변정도감만 쓴 경우 |

# 4 고려의 생활과 문화

본문 p.92~93

기초튼튼 기본문제

01 ⑤ 02 ④ 03 국자감 04 ① 05 ②
06 ③ 07 ① 08 ④ 09 ① 10 상감 기법
11 ① 12 ④ 13 ①

**01 정답** ⑤ 고려 시대의 특수 행정 구역에 거주하였던 향·소·부곡민은 신분상 일반 양민에 속하였다.

**02 정답** ④ 고려 시대에는 가족 내에서 남녀가 동등한 권리와 의무를 지녔다. 호적에는 딸과 아들이 태어난 순서대로 기재되었고, 부모의 재산을 아들과 딸에게 균등 상속하였다.

**03 정답 국자감** 국자감은 수도 개경에 세워진 최고 국립 교육 기관으로 유학 교육을 중시하였다.

**04 정답** ① 고려에 성리학을 처음 소개한 인물은 안향이다. 안향은 충렬왕을 모시고 원에 다녀오면서 성리학을 들여왔다.

오답 피하기

② 고려 시대의 사학 12도 중 하나인 문헌공도를 이끌었다.

③, ⑤ 고려 말의 대표적인 신진 사대부이다.

④ 충선왕이 세운 만권당에서 원의 학자들과 교류하였다.

**05 정답** ② 충선왕이 원의 연경(베이징)에 세운 독서당은 만권당이다. 이제현은 만권당에서 원의 학자들과 교류하였다. 고려 말에는 성리학자들이 신진 사대부라는 세력을 형성하였다.

**06 정답** ③ 의천은 대각 국사라고 불렸으며 천태종을 창시하여 교종의 입장에서 선종을 흡수·통합하고자 하였다.

오답 피하기

①, ②, ⑤ 통일 신라의 승려이다.

④ 고려의 승려이며 수선사를 중심으로 불교 개혁 운동을 전개하고, 선종(조계종)을 중심으로 교종을 포용하려 하였다.

**07 정답** ① 무신 정변 이후 교종이 쇠퇴하고 선종이 유행하였다.

**08 정답** ④ 하남 하사창동 철조 석가여래 좌상은 통일 신라의 양식을 계승한 고려 초기의 대형 철불이다.

오답 피하기

① 논산 관촉사 석조 미륵보살 입상은 고려 전기의 대형 석불로, 토속적이고 지방색이 강한 것이 특징이다.

② 금동 미륵보살 반가 사유상은 삼국 시대의 불상으로 일본과의 문화 교류를 잘 보여 주는 작품이다.

③ 금동 연가 7년명 여래 입상은 고구려의 소형 불상이다.

⑤ 파주 용미리 마애이불 입상은 고려 시대의 대형 석불로, 거대한 절벽을 몸체로 제작되었다.

**09 정답** ① 안동 봉정사 극락전은 고려 시대에 지어진 우리나라에서 가장 오래된 목조 건축물이다.

**10 정답 상감 기법** 고려 중기부터 자기의 표면을 파고 그 자리에 다른 색깔의 흙을 메워 무늬를 만드는 상감 기법을 적용하여 화려한 무늬를 갖춘 상감 청자가 제작되기 시작하였다.

**11 정답** ① 직지는 현재 전해지는 세계에서 가장 오래된 금속 활자본이다.

오답 피하기

② 김부식이 저술한 책으로 현재 전하는 가장 오래된 역사서이다.

③ 몽골이 침입하였을 때 불교의 힘으로 이를 막아 내고자 불경의 글들을 모아 새겨 만든 것이다.

④ 거란이 침입하였을 때 이를 막아 내고자 만들어졌으나 몽골의 침입으로 소실되었다.

⑤ 직지보다 더 오래된 금속 활자본으로 알려져 있으나, 현재 전하지 않고 있다.

**12 정답** ④ 평창 월정사 팔각 구층 석탑은 고려 전기를 대표하는 다각 다층탑이며 화강암으로 제작되었다. 개성 경천사지 십층 석탑은 고려 후기를 대표하는 석탑으로 원의 영향을 받아 대리석으로 제작되었다.

**13 정답** ① 고려 말 화약 제조법을 습득한 최무선은 화통도감 설치를 건의하였다. 고려의 수군은 화통도감에서 만들어진

화포를 이용하여 왜구와의 전투에서 큰 성과를 거두었다.

오답 피하기

② 통일 신라의 원효, ③ 통일 신라의 의상, ④ 통일 신라의 장보고, ⑤ 고려 말 신진 사대부에 대한 설명이다.

**실력쑥쑥 실전문제** 본문 p.94~95

01 ⑤ 02 ① 03 ③ 04 ③ 05 ④ 06 ②
07 ③ 08 ② 09~11 해설 참조

**01 정답** ⑤ 고려 시대에 '백정'이라고도 불린 일반 양민층은 국가에 조세, 공납, 역을 부담하였으며 농민이 대부분이었다.

오답 피하기

ㄱ. 일반 양민층은 법적으로 양인에 해당한다.
ㄴ. 중류층에 대한 설명이다.

**02 정답** ① 고려 시대에는 주로 남자가 여자의 집에 가서 혼인하였다.

**03 정답** ③ 성리학은 원 간섭기에 안향이 처음으로 고려에 소개한 학문이다. 따라서 고려 초기에는 성리학이 정치 운영의 기본 이념이 될 수 없었다.

**04 정답** ③ 지눌은 무신 정권기에 활약하였으며 선종(조계종)의 입장에서 교종을 포용하려 하였다.

**05 정답** ④ 평창 월정사 팔각 구층 석탑은 화강암으로 제작된 고려 전기의 대표적인 다각 다층탑이다.

**06 정답** ② 고려 전기에는 순청자가 발달하였으며, 고려청자는 아름다운 비취색으로 중국에도 널리 알려졌다.

오답 피하기

ㄴ. 상감 청자는 최씨 무신 정권 시기에 가장 발달하였다.
ㄹ. 원의 간섭이 시작되면서 청자 제작 기술이 쇠퇴하였다.

**07 정답** ③ 고려를 대표하는 목조 건축물인 영주 부석사 무량수전에는 주심포 양식과 배흘림기둥 양식이 적용되었다.

**08 정답** ② 팔만대장경판(합천 해인사 대장경판)은 고려 목판 인쇄술의 높은 수준을 잘 보여 준다.

**09 예시 답안** 고려 시대에는 가족 내에서 남녀가 동등한 권리와 의무를 지녀 여성도 호주가 될 수 있었고, 여성과 남성 모두 원하면 재혼을 할 수 있었다.

채점 기준

| 상 | 여성의 호주 가능, 재혼 가능을 모두 서술한 경우 |
|---|---|
| 하 | 여성의 호주 가능, 재혼 가능 중 한 가지만 서술한 경우 |

**10 예시 답안** 교종의 입장에서 선종을 흡수·통합하고자 하였다.

채점 기준

| 상 | 교종의 입장에서 선종을 흡수·통합하고자 하였다고 서술한 경우 |
|---|---|
| 하 | 선종을 흡수·통합하고자 하였다고만 서술한 경우 |

**11 예시 답안** 토속적이고 지방색이 강한 대형 석불이 제작되었다.

채점 기준

| 상 | 토속적(지방색이 강함)이라는 내용과 대형 석불을 모두 서술한 경우 |
|---|---|
| 중 | 토속적(지방색이 강함)이라는 내용과 대형 석불 중 한 가지 요소만 서술한 경우 |
| 하 | 개성 있는 불상을 만들었다고만 서술한 경우 |

**대단원 정리하기** 본문 p.96~97

① 훈요 10조 ② 노비안검법 ③ 유교 ④ 식목도감 ⑤ 음서 ⑥ 김부식 ⑦ 중방 ⑧ 교정도감 ⑨ 만적 ⑩ 강동 6주 ⑪ 별무반 ⑫ 벽란도 ⑬ 삼별초 ⑭ 정동행성 ⑮ 권문세족 ⑯ 쌍성총관부 ⑰ 전민변정도감 ⑱ 성리학 ⑲ 왜구 ⑳ 이성계 ㉑ 중류층 ㉒ 안향 ㉓ 천태종 ㉔ 지눌 ㉕ 팔만대장경 ㉖ 상감 청자

**자신만만 적중문제** 본문 p.98~100

01 ② 02 ⑤ 03 ④ 04 ⑤ 05 ④ 06 ②
07 ② 08 ④ 09 ⑤ 10 ⑤ 11 ① 12 ⑤
13 ① 14 ⑤ 15~17 해설 참조

**01 정답** ② 성리학은 원 간섭기에 안향이 처음 소개하였으므로 후삼국 통일 시기에는 통치 이념이 될 수 없었다.

**02 정답** ⑤ 제시된 사진은 고려 태조 왕건의 청동상이다. 왕건은 서경을 중시하고 북진 정책을 추진하였으며, 백성의 세금을 감면하였다.

오답 피하기

ㄱ. 고려 광종, ㄴ. 고려 성종에 대한 설명이다.

**03 정답** ④ 중추원은 왕명 전달과 군사 기밀 취급을 담당한 관서로 중서문하성과 함께 가장 핵심적인 중앙 관서였다.

**04 정답** ⑤ (가)는 최충헌, (나)는 최우이다. 최우는 군사 조직인 삼별초를 만들어 정권 유지에 활용하였다.

**05 정답** ④ 만적의 신분 해방 운동은 무신 집권자인 최충헌의 집권 시기에 일어났다. 따라서 무신 정변과 개경 환도 사이

의 시기에 해당한다.

**06** **정답** ② 거란(요)은 1125년 금(여진)의 침입으로 멸망하였다.

오답 피하기

①, ⑤ 몽골, ③ 여진, ④ 송에 대한 설명이다.

**07** **정답** ② 윤관은 별무반을 이끌고 여진을 정벌하였으며 동북 지역에 9성을 개척(1107~1108)하였다. 이는 귀주 대첩(1019)과 무신 정변(1170) 사이에 일어난 상황이다.

오답 피하기

① (나) 시기, ③ (마) 시기, ④, ⑤ (다) 시기에 해당한다.

**08** **정답** ④ 삼별초는 개경 환도를 거부하고 몽골과 고려 정부에 저항하였다. 이는 무신 정변(1170)과 공민왕 즉위(1351) 사이에 일어난 일이다.

**09** **정답** ⑤ (가) 세력인 신진 사대부는 성리학에 기초한 개혁의 필요성을 주장하였다.

**10** **정답** ⑤ 기철과 그 일파를 숙청하라고 명령하는 부분에서 가상 대화에 등장하는 왕이 공민왕임을 추론할 수 있다. 공민왕은 원에 의해 격하된 국가 제도를 복구하였으며, 신진 세력을 양성할 목적으로 성균관을 개편하였다.

오답 피하기

ㄱ. 무신 세력은 개경으로 환도하는 것을 거부하였다.
ㄴ. 고려 성종은 시무 28조를 수용하였다.

**11** **정답** ① 제시된 자료는 이성계의 요동 정벌 4불가론이다. 이성계는 위화도에서 회군하여 고려 우왕을 폐위시키고 정권을 잡았다.

오답 피하기

ㄷ. 이성계는 신진 사대부들과 손을 잡고 친명 정책을 추진하였다.
ㄹ. 최영에 대한 설명이다.

**12** **정답** ⑤ 일부다처제의 실시를 건의하였다가 비판받는 장면, 재산이 균등하게 분할되는 점을 통해 고려 시대의 상황임을 알 수 있다. 고려에서는 남녀 구분 없이 태어난 순서대로 호적을 기재하였다.

오답 피하기

① 고려 시대에는 여성도 호주가 될 수 있었다.
② 고려 시대에 여성은 관직에 진출할 수 없었다.
③ 고려 시대에는 남녀 모두 재혼이 허용되었다.
④ 고려 시대에는 주로 남자가 여자의 집에 가서 혼인하였다.

**13** **정답** ① 고려 후기를 대표하는 탑, 대리석으로 제작, 원의 영향 등을 통해 밑줄 친 '이 탑'이 개성 경천사지 십층 석탑임을 알 수 있다. 개성 경천사지 십층 석탑은 원 간섭기에 제작된 탑이다. 이 시기에는 응방에서 매를 길러 원에 바쳤다.

**14** **정답** ⑤ 1234년에 금속 활자로 인쇄된 『상정고금예문』은 현재 전하지 않는다.

**15** **예시 답안** 황제국을 칭하고 독자 연호를 사용할 것, 수도를 서경으로 옮길 것, 금을 정벌할 것을 주장하였다.

채점 기준

| | |
|---|---|
| 상 | 서경 세력이 주장한 내용 세 가지를 모두 서술한 경우 |
| 중 | 서경 세력이 주장한 내용을 두 가지만 서술한 경우 |
| 하 | 서경 세력이 주장한 내용을 한 가지만 서술한 경우 |

**16** **예시 답안** 원은 고려의 북방 지역에 쌍성총관부와 동녕부를 두고, 제주도에는 탐라총관부를 두어 지배하였다.

채점 기준

| | |
|---|---|
| 상 | 쌍성총관부, 동녕부, 탐라총관부 설치를 모두 서술한 경우 |
| 중 | 쌍성총관부, 동녕부, 탐라총관부 설치 중 두 가지만 서술한 경우 |
| 하 | 쌍성총관부, 동녕부, 탐라총관부 설치 중 한 가지만 서술한 경우 |

**17** **예시 답안** (1) (가) 의천, (나) 지눌
(2) 의천은 교종의 입장에서 선종을 흡수하고자 하였으며, 지눌은 선종(조계종)의 관점에서 교종을 포용하려고 하였다.

채점 기준

| | |
|---|---|
| 상 | (1), (2)번의 정답을 모두 정확하게 서술한 경우 |
| 중 | (1)번 답을 쓰고, (2)번에서 차이점을 미흡하게 서술한 경우 |
| 하 | (1)번 답만 쓴 경우 |

**최고난도 문제** 본문 p.101

01 ⑤ 02 ①

**01** **정답** ⑤ 제시된 도표에서 (가)는 정중부, (나)는 이의민, (다)는 최충헌, (라)는 최우, (마)는 임유무이다. 임유무는 개경 환도에 반대하였으며, 강화도에서 끝까지 항쟁하려다가 살해되었다. 임유무가 살해되면서 무신 정권이 붕괴되었고 개경 환도가 이루어졌다.

**02** **정답** ① (가)는 여진족이 금을 건국한 이후 고려에 형제 관계를 요구한 상황(1117)을 나타내며, (나)는 금이 고려에 사대 관계를 요구한 상황(1126)을 나타낸다. 금(여진)이 거란을 멸망시킨 것은 1125년의 일로, (가)와 (나) 사이에 일어난 사실이다.

# IV 조선의 성립과 발전

## 1 통치 체제와 대외 관계

**기초튼튼 기본문제** 본문 p.108~109

| | | | | | |
|---|---|---|---|---|---|
| 01 ④ | 02 ③ | 03 ① | 04 ② | 05 ③ | 06 ③ |
| 07 경국대전 | | 08 ② | 09 ① | 10 ⑤ | 11 ⑤ |
| 12 사대교린 | | 13 ① | | | |

**01 정답 ④** 조선의 건국 과정에서 일어난 사건들이다. 위화도 회군(1388) 이후 이성계와 정도전 등 신진 사대부는 과전법을 실시(1391)하였으며, 개혁을 주도한 정도전, 조준 등은 이성계를 왕으로 추대하여 조선을 건국(1392)하였다. 이후 태조 이성계는 수도를 개경에서 한양으로 옮겼다(1394).

**02 정답 ③** 조선의 개국 공신 정도전은 태조의 신임을 받아 건국 초기의 정치를 주도하였다. 그는 현명한 재상이 정치를 이끌어야 한다는 재상 중심의 정치를 강조하면서 국왕에게 권력이 집중되는 것을 막으려고 하였다. 또한 유교 이념을 바탕으로 경복궁의 주요 건물 이름을 짓는 등 새로운 문물제도를 정비하는 데 앞장섰다.

**03 정답 ①** 조선 건국 후 수도 한양에 세워진 주요 건물의 이름은 유교 이념에 따라 지어졌다.

**04 정답 ②** 태조 이성계의 다섯째 아들이며, 제1차 왕자의 난을 일으켜 권력을 장악하였다는 내용을 통해 조선 태종(이방원)에 대한 설명임을 알 수 있다. 태종은 공신들의 사병을 없애고 군사권을 장악하였으며, 호패법을 실시하여 인구를 파악하고 세금 징수와 군역 부과의 기초 자료를 마련하였다.

**05 정답 ③** 세종은 국정 운영에서 재상의 역할을 강화하였다.

**06 정답 ③** 세종 때 정책 연구 기관으로 확대·개편된 집현전은 세조 때 폐지되었다.

**07 정답 경국대전** 조선은 세조 때부터 성종 때까지 중앙의 6조 체제에 맞추어 6개의 법전으로 구성된 『경국대전』을 완성하여 유교적 통치 체제를 마련하였다.

**08 정답 ②** 조선의 최고 통치 기구인 의정부에서 영의정, 좌의정, 우의정이 모여 합의를 통해 나라의 중요한 정책을 결정하였다.

**09 정답 ①** 사간원은 간쟁 기관, 사헌부는 감찰 기관, 홍문관은 왕의 정치를 자문하고 중요 문서를 작성하는 등 문필 기관의 역할을 하였다.

**10 정답 ⑤** 조선 시대에 향리는 중앙에서 파견된 수령을 보좌하고 행정 실무를 처리하는 역할을 담당한 지방 관청의 하급 관리로 고려 시대보다 지위가 낮았다.

**11 정답 ⑤** 조선 시대에는 과거, 음서, 천거 등을 통해 관리를 등용하였다. 과거는 문관을 뽑는 무과, 무관을 뽑는 무과, 기술관을 선발하는 잡과로 나누어 시행되었다. 문과에는 대부분 양반 자제들이 응시하고 합격하였으나, 무과 합격자에는 향리나 상민의 자제들도 있었다. 기술관을 뽑는 잡과에는 주로 기술관과 향리의 자제들이 응시하였다.

오답 피하기

① 문과와 함께 무과도 정기적으로 시행되었다.
② 과거의 정기 시험은 3년마다 시행되었고, 특별한 일이 있을 때 치르는 특별 시험도 있었다.
③ 주로 과거를 통해 관리를 선발하였다.
④ 법적으로 천인은 과거 응시가 불가능하였다.

**12 정답 사대교린** 조선은 명과는 사대 정책으로 친선을 유지하였고, 여진 및 일본과는 교린 정책으로 평화를 유지하였다.

**13 정답 ①** 명과의 조공·책봉 관계는 형식적인 동아시아의 외교 관계였으며 조선은 명의 내정 간섭을 받지 않았다.

**실력쑥쑥 실전문제** 본문 p.110~111

| | | | | | |
|---|---|---|---|---|---|
| 01 ② | 02 ④ | 03 ④ | 04 ③ | 05 ⑤ | 06 ① |
| 07 ① | 08 ③ | 09~11 해설 참조 | | | |

**01 정답 ②** 고려 건국 초기에는 평양을 서경으로 삼고 북진 정책을 추진하였다.

**02 정답 ④** 한양에 세운 궁궐, 종묘, 사직, 관아 등의 주요 건물을 유교 사상에 따라 배치하였고, 각 건물의 이름도 유교 경전에서 따온 경우가 많았다. 한양으로 들어오는 사대문의 이름에는 유교 덕목인 인·의·예·지를 넣었다.

**03 정답 ④** 단종 때 정변을 일으켰다는 내용을 통해 밑줄 친 '나'는 수양 대군(세조)임을 알 수 있다. 어린 단종이 즉위하면서 재상을 중심으로 정국이 운영되자, 이에 불만을 품은 수양 대군은 정변을 일으키고 왕위에 올랐다. 세조(수양 대군)는 집현전을 폐지하고 의정부의 권한을 약화하여 국왕에게 권력을 집중시켰으며, 『경국대전』 편찬을 시작하였다.

**04** **정답** ③ 3사 중 하나인 홍문관은 성종 때 집현전을 계승하여 설치된 문필 기관이었다.

**05** **정답** ⑤ 의금부는 반역 등의 큰 죄를 다스리는 특별 사법 기구이다.

**06** **정답** ① 조선 시대 전국 대부분의 군현에 파견된 수령은 지방의 행정, 사법, 군사권을 장악하였다.

오답 피하기

ㄷ. 관찰사는 각 도의 행정을 총괄하였다. 수령은 각 도 아래 부·목·군·현에 파견된 지방관이다.

ㄹ. 향리에 대한 설명이다.

자료 분석

1. 농업을 발전시킬 것
2. 백성의 호구를 늘릴 것
3. 학교 교육을 진흥할 것
4. 군사 훈련을 실시하고 군기를 엄정히 할 것
5. 부역을 공평하고 균등하게 부과할 것
6. 소송의 다툼을 적게 할 것
7. 간사하고 교활한 무리를 제거할 것

–「성종실록」

→ 수령은 자신이 다스리는 군현에서 농업을 장려하고, 세금 징수와 군사 지휘 및 각종 소송 처리 등의 일곱 가지 임무를 수행하였다. 조선 시대의 수령은 고려 시대보다 지위가 강화되어 지방의 행정, 사법, 군사권을 장악하였다.

**07** **정답** ① (가)는 소과, (나)는 문과(대과), (다)는 무과, (라)는 잡과이다. ① 문과와 무과에 대한 설명이다. 전시는 임금 앞에서 보는 최종 시험으로 성적에 따라 벼슬이 정해졌다.

**08** **정답** ③ 조선은 조공과 책봉의 형태로 명과 외교하였으며, 세종 때 여진을 물리치고 4군과 6진 지역을 개척한 후 사민 정책을 실시하였다. 또한 조선은 류큐·자와·시암 등 여러 나라와 교류하였다.

**09** **예시 답안** 권문세족의 경제적 기반을 약화하고 신진 사대부의 경제적 기반을 강화하고자 하였다. 문란해진 토지 제도를 바로잡아 국가 재정을 확충하여 새 왕조 건설의 기반을 마련하고자 하였다.

채점 기준

| | |
|---|---|
| 상 | 권문세족의 경제적 기반 약화, 신진 사대부의 경제적 기반 강화, 국가 재정의 확충을 모두 포함하여 정확하게 서술한 경우 |
| 중 | 위의 내용 중 두 가지를 정확하게 서술한 경우 |
| 하 | 위의 내용 중 한 가지만 정확하게 서술한 경우 |

**10** **예시 답안** 권력의 독점과 관리의 부정을 방지하는 역할을 하였다.

채점 기준

| | |
|---|---|
| 상 | 권력의 독점 견제, 관리의 부정 방지라는 두 가지 역할을 모두 서술한 경우 |
| 중 | 권력의 독점 견제, 관리의 부정 방지의 역할 중 한 가지만 서술한 경우 |
| 하 | 사헌부, 사간원, 홍문관의 고유 업무를 서술한 경우 |

**11** **예시 답안** (1) (가) 최윤덕, (나) 김종서

(2) 압록강~두만강을 연결하는 국경선이 형성되었다.

채점 기준

| | |
|---|---|
| 상 | (가) 최윤덕, (나) 김종서를 정확하게 연결하여 쓰고, 압록강과 두만강을 연결하는 국경선이 형성되었다고 서술한 경우 |
| 중 | (가) 최윤덕, (나) 김종서를 정확하게 연결하여 쓰고, 북쪽 국경선이 확정되었다고 서술한 경우 |
| 하 | (가) 최윤덕, (나) 김종서만 쓰거나 북쪽 국경선이 확정되었다고만 서술한 경우 |

# 2 사림 세력과 정치 변화 ~ 3 문화의 발달과 사회 변화

기초튼튼 기본문제

본문 p.116~118

| | | | | | |
|---|---|---|---|---|---|
| 01 ④ | 02 ③ | 03 ① | 04 ① | 05 ③ | 06 ③ |
| 07 ③ | 08 백운동 서원 | | 09 ④ | 10 ⑤ | 11 ⑤ |
| 12 ⑤ | 13 ③ | 14 소학 | 15 ③ | 16 ④ | |
| 17 혼일강리역대국도지도 | | | 18 ③ | 19 ② | |

**01** **정답** ④ 정몽주와 길재 등의 학통을 이어받았고, 성종 때 중앙 정치 무대에 진출하였다는 내용을 통해 밑줄 친 '이들'이 사림 세력임을 알 수 있다. ④ 김종직은 성종 때 중앙 정계에 진출한 영남 출신의 대표적인 사림이다.

**02** **정답** ③ 성종 때 중앙 정치 무대에 진출한 사림은 의리와 도덕을 중시하였으며, 주로 3사의 언관직에 임명되어 권력을 독점한 훈구 세력을 비판하였다.

**03** **정답** ① 김종직이 쓴 조의제문은 무오사화의 발단이 되었다. 조의제문은 중국 초나라의 항우가 어린 의제를 죽이고 왕위에 오른 사실을 비판하여 의제를 추모한 글로, 훈구 세력은 이 글이 세조의 왕위 찬탈을 비난한 것이라고 주장하였다.

**04** **정답** ① 연산군의 재위 시기에 김종직이 쓴 조의제문을 발단으로 무오사화가 일어났고, 이어 연산군의 친어머니 폐위 사건과 관련하여 갑자사화가 일어났다.

**05** **정답** ③ 중종은 연산군을 몰아내는 반정을 주도한 훈구 세력이 권력을 장악하자 이들을 견제하기 위해 조광조를 비롯한 사림을 등용하였다. 그러나 조광조의 거짓 공훈 삭제 주장은 훈구 세력의 반발을 불러일으켰고, 이로 인해 조광조를 비롯한 많은 사림이 처형되거나 쫓겨났다.

**06** **정답** ③ 중종 때 일어난 기묘사화는 조광조의 급진적인 개혁에 대한 훈구 세력의 반발에서 비롯되었다.

오답 피하기

① 중종반정은 연산군을 폐위한 사건이다.

② 명종 때의 외척 정치 청산 문제와 이조 전랑 임명 문제를 둘러싼 사림 내부의 갈등으로 동인과 서인이 형성되었다.

**07** **정답** ③ 서원은 사림들이 지방에 세운 사립 교육 기관이다.

**08** **정답 백운동 서원** 최초의 서원은 중종 때 풍기 군수 주세붕이 세운 백운동 서원이다. 이 서원은 이후 이황의 건의로 명종에게서 '소수서원'이라는 사액을 받고 최초의 사액 서원이 되었다.

**09** **정답** ④ (가)는 향약이다. 향약은 마을 공동체의 상부상조 전통에 유교 윤리를 더하여 만들어진 향촌 자치 규약이다. ④ 사림 세력이 향약의 조직과 운영을 주도하면서 향촌 사회에서 세력을 키울 수 있었다.

**10** **정답** ⑤ 명종 때의 외척 정치 청산 문제와 이조 전랑 임명 문제를 둘러싸고 사림 내부에서 갈등이 심화되어 붕당이 형성되었다.

**11** **정답** ⑤ 동인은 선조 때 정계에 진출한 신진 사림이 중심이 되었으며, 주로 이황과 조식의 학문을 계승한 영남 출신 사림들이었다. 서인은 기성 사림이 중심이 되었으며, 주로 이이와 성혼의 학문을 따르는 기호 지방의 사림들이었다. 동인은 정여립 사건을 계기로 남인과 북인으로 갈라졌다.

**12** **정답** ⑤ 세종은 효자, 충신, 열녀들의 이야기를 담은 『삼강행실도』를 간행하여 백성에게 유교 윤리를 쉽게 가르치고자 하였다.

**13** **정답** ③ 양반들은 『주자가례』에 따라 친영이 포함된 혼례를 치렀다. 친영은 신랑이 처가(신부의 집)로 가서 예식을 올리고 신부를 맞이해 오는 의례이다.

**14** **정답 소학** 『소학』은 아동들에게 유학의 기본을 가르치기 위해 일상생활의 예의범절, 수양을 위한 글, 충신과 효자에 관한 내용을 모아 놓은 책이다.

**15** **정답** ③ 훈민정음 보급을 위해 불경과 농서 등을 번역하였으며, 행정 실무를 담당하는 서리나 향리에게 훈민정음을 배우게 하였다.

**16** **정답** ④ 『동국여지승람』은 조선 전기에 편찬된 지리서로, 지방 통치 자료를 확보하고 국방을 강화하는 데 활용되었다.

**17** **정답 혼일강리역대국도지도** 태종 때 제작된 「혼일강리역대국도지도」는 동양에 남아 있는 세계 지도 중 가장 오래된 것이다.

**18** **정답** ③ 16세기에는 매화, 난초, 국화, 대나무 등 사군자를 소재로 한 문인화가 많이 그려졌으며, 자기 공예에서도 선비들의 취향과 잘 어울리는 백자가 유행하였다.

**19** **정답** ② 세종 때 천체 관측 기구인 간의와 혼천의, 시각 측정을 위한 자격루와 앙부일구, 강수량 측정 기구인 측우기가 제작되었다. ② 신기전과 화차는 국방력 강화를 위해 제작된 로켓형 화기이다.

## 실력쑥쑥 실전문제

본문 p.119~121

01 ③ 02 ③ 03 ⑤ 04 ④ 05 ⑤ 06 ④
07 ⑤ 08 ① 09 ⑤ 10 ① 11 ③
12~15 해설 참조

**01** **정답** ③ 한명회는 계유정난 때 세조를 도와 공신이 된 인물로 훈구 세력을 대표한다.

**02** **정답** ③ (가)~(라)는 연산군~명종 때까지 일어난 네 차례 사화이다. (가)는 기묘사화(중종), (나)는 무오사화(연산군), (다)는 을사사화(명종), (라)는 갑자사화(연산군)에 대한 설명이다. (나)-(라)-(가)-(다) 순으로 일어났다.

**03** **정답** ⑤ 사림은 몇 차례 사화로 피해를 입었지만 향촌 사회에서 서원과 향약을 기반으로 꾸준히 세력을 확대하였다.

오답 피하기

ㄱ. 중종반정은 폭정을 일삼았던 연산군을 폐위한 사건이다.

ㄴ. 의금부와 승정원은 왕권을 뒷받침한 중앙 정치 기구이다.

**04** **정답** ④ 소수서원은 명종 때 이황의 건의로 '소수서원'이라는 현판을 하사받아 최초의 사액 서원이 되었다.

**05** **정답** ⑤ 외척을 이조 전랑에 앉힐 수 없다는 주장을 바탕으로 (가)는 동인, 동인을 대표하는 김효원을 비판하는 말을 바탕으로 (나)는 서인이라는 것을 알 수 있다. 동인은 외척 정치의 청산을 적극적으로 주장하였으나, 서인은 외척 정치의 청산에 소극적이었다.

**06 정답** ④ (가)의 동인은 주로 이황과 조식의 가르침을 받은 영남의 사림들이었다. (나)의 서인은 주로 이이와 성혼의 학문을 따른 사림들이었다.

**07 정답** ⑤ 『주자가례』가 보급되면서 양반들이 관례와 친영이 포함된 혼례를 치렀고, 집 안에 가묘(사당)를 세웠다.

오답 피하기
ㄱ. 유교식 장례가 보편화되었다.
ㄴ. 친족의 범위를 나타내는 족보의 중요성이 커졌다.

**08 정답** ① (가)는 「몽유도원도」, (나)는 분청사기 철화 어문 병이며 16세기 이전의 작품들이다. ① 「몽유도원도」는 안견이 그린 산수화이며, 강희안은 「고사관수도」를 그렸다.

**09 정답** ⑤ 「천상열차분야지도」는 태조 때 제작된 천문도이다.

**10 정답** ① 조선 전기에 천문 관측을 위한 기구로 간의, 규표 등이 제작되었다. 간의는 행성과 별의 위치, 시간의 측정, 고도와 방위 등을 정밀하게 측정할 수 있는 천체 관측 기구이다. 규표는 1년의 길이와 24절기를 정밀하게 측정하는 천문 관측 장치이다.

**11 정답** ③ 『향약집성방』은 우리나라에서 나는 약초로 구성된 처방전들을 기본으로 삼아 편찬되었다. 『의방유취』는 중국의 주요한 의학서와 조선에서 편찬된 의학 서적들을 모아 집대성한 의학 백과사전이다.

**12 예시 답안** (1) 사림
(2) 훈구 세력을 견제하고자 하였다.

채점 기준

| | |
|---|---|
| 상 | 사림이라 쓰고, 훈구 세력을 견제하고자 하였다고 정확하게 서술한 경우 |
| 중 | 사림이라 쓰고, 고위 관리들을 견제하고자 하였다고 서술한 경우 |
| 하 | 사림이라고만 쓴 경우 |

**13 예시 답안** (1) 향약
(2) 향촌 사회에서 풍속 교화와 질서 유지가 이루어졌고, 사림의 향촌 지배력이 강화되었다.

채점 기준

| | |
|---|---|
| 상 | 향약이라 쓰고, 향촌 사회에서 풍속 교화와 질서 유지, 사림의 향촌 지배력 강화에 영향을 끼쳤다고 서술한 경우 |
| 중 | 향약이라 쓰고, 향촌 사회의 풍속 교화와 질서 유지, 사림의 향촌 지배력 강화의 내용 중 한 가지만 서술한 경우 |
| 하 | 향약이라고만 쓴 경우 |

**14 예시 답안** 일반 백성도 우리말을 쉽게 배우고 자기 생각을 글로 표현할 수 있게 되었다. 우리말을 표기할 수 있는 고유한 문자가 생겼다.

채점 기준

| | |
|---|---|
| 상 | 일반 백성도 우리말을 쉽게 배우게 되었고, 우리말을 표기할 수 있는 고유 문자가 생겼다는 역사적 의미를 모두 정확하게 서술한 경우 |
| 중 | 일반 백성도 우리말을 쉽게 배우게 되었다거나 우리말을 표기할 수 있는 고유 문자가 생겼다는 역사적 의미 중 한 가지만 서술한 경우 |
| 하 | 우리 문자를 갖게 되었다고만 서술한 경우 |

**15 예시 답안** 중국과 아라비아의 역법을 참고하였으며, 한양을 기준으로 천체 운동을 관측하여 편찬한 역법서이다.

채점 기준

| | |
|---|---|
| 상 | 제시어를 모두 활용하여 『칠정산』의 특징을 정확하게 서술한 경우 |
| 중 | 제시어 중 2~3개를 활용하여 『칠정산』의 특징을 서술한 경우 |
| 하 | 제시어 중 1개만을 활용하여 『칠정산』의 특징을 서술한 경우 |

## 4 왜란·호란의 발발과 영향

본문 p.126~127

기초튼튼 **기본문제**

| | | | | |
|---|---|---|---|---|
| 01 ② | 02 ⑤ | 03 ④ | 04 훈련도감 | 05 ① |
| 06 ⑤ | 07 ⑤ | 08 ② | 09 ㉠ 명, ㉡ 청 | 10 ② |
| 11 ③ | 12 ④ | | | |

**01 정답** ② 도요토미 히데요시는 전국 시대를 통일한 후 조선을 침략하여 국내 불만 세력의 관심을 돌리려고 하였다.

오답 피하기
①, ⑤ 일본의 전국 시대 통일 이전에 일어난 사건으로, 일본인들이 조선의 무역량 제한에 반발하여 일으켰다.
③, ④ 후금(청)의 조선 침략 사건이다.

**02 정답** ⑤ 임진왜란 참전으로 명의 국력이 약해지면서 여진족이 성장하여 후금을 건국하였다.

**03 정답** ④ 왜적의 총출동에 대응하여 한산 앞바다에서 학익진을 쳐 진격하였다는 내용을 통해 자료와 관련된 전투가 임진왜란 당시 한산도 대첩임을 알 수 있다. 이순신이 이끄는 조

선 수군은 한산도 대첩에서 승리함으로써 남해의 제해권을 장악하였다.

**04** **정답 훈련도감** 훈련도감은 총을 다루는 포수, 창과 칼을 쓰는 살수, 활을 쏘는 사수 등 삼수병으로 구성되었다.

**05** **정답** ① 임진왜란 중에 편찬 작업이 시작된 『동의보감』은 광해군 때 완성되었다.

**06** **정답** ⑤ 광해군은 명과 후금 사이에서 중립 외교를 펼쳤으며, 폐모살제(계모 인목 대비를 폐위하고 이복동생인 영창대군을 죽인 사건)를 일으켰다. 이에 서인 세력의 주도로 인조반정이 일어나 왕위에서 쫓겨났다.

**07** **정답** ⑤ (다) 전쟁 초기에 열세였던 조선은 한산도 대첩으로 조선 수군이 제해권을 장악하면서 전세 역전의 발판을 마련하였다. (나) 조선의 의병과 수군이 활약하는 가운데 명의 지원군이 도착하여 조선과 명의 연합군은 평양성을 되찾았다. (라) 일본군이 남쪽 해안 지방으로 물러나면서 3년에 걸친 휴전 협상이 진행되었으나, 성과 없이 끝나고 일본군이 다시 침입하였다(정유재란). (가) 일본에서 도요토미 히데요시가 사망하자 일본군이 철수를 시작하였다.

**08** **정답** ② 정봉수는 정묘호란이 일어나자 의병을 일으켜 후금 군대와 맞서 싸웠다.

**09** **정답 ㉠ 명, ㉡ 청** 최명길은 병자호란 때 주화론을 주장한 대표적인 인물이다. 그는 명에 대한 의리를 지키자는 척화파에 맞서 청과의 화친을 주장하였다.

**자료 분석**

화친을 맺어 국가를 보존하는 것보다 차라리 의를 지켜 망하는 것이 옳다고 하였으나, 이것은 신하가 절개를 지키는 데 쓰는 말입니다. …… 자기의 힘을 헤아리지 않고 경망하게 큰 소리를 쳐서 오랑캐들의 노여움을 도발하여, 마침내 백성이 도탄에 빠지고 종묘와 사직에 제사를 지내지 못하게 된다면 그 허물이 이보다 클 수 있겠습니까? – 최명길, 『지천집』

→ 후금이 '청'으로 나라 이름을 바꾸고 조선에 군신 관계를 요구하자, 조선 조정은 척화파와 주화파로 나뉘어 대립하였다. 최명길은 대표적인 주화파로, 국력이 강해진 청의 요구를 받아들여 충돌을 피해야 한다고 주장하였다. 밑줄 친 부분에는 청의 침입으로 일어날 피해를 우려하며 화의를 주장하는 최명길의 입장이 잘 나타나 있다.

**10** **정답** ② 조선이 청과 군신 관계를 맺고 명과의 관계를 끊을 것을 언급하고 인질과 공물을 요구하는 내용을 통해 관련 전쟁이 병자호란임을 알 수 있다. 병자호란에서 패한 조선은 청과 군신 관계를 맺었고, 소현 세자와 봉림 대군, 청과의 전쟁을 주장하였던 신하들과 많은 백성이 청으로 끌려가 고통을 겪었다.

**11** **정답** ③ (가)~(라)는 광해군과 인조 시기에 일어난 사실들이다. (나) 광해군은 명과 후금이 대립하는 상황에서 명의 지원군 요청을 받아들여 강홍립이 이끄는 부대를 파견하였다. 그러나 상황에 따라 신중하게 대처할 것을 명령하여 후금과의 관계가 악화되지 않도록 하였다. (가) 명과의 의리를 중시한 서인은 광해군의 중립 외교와 폐모살제를 비판하면서 정변을 일으켜 광해군을 몰아내고 인조를 새로운 왕으로 추대하였다(인조반정). (라) 인조와 서인이 친명 정책을 내세우자 후금은 광해군의 원수를 갚는다는 구실로 조선을 침략하는 정묘호란을 일으켰고, 조선과 형제 관계를 맺고 철수하였다. (다) 국력이 더욱 강해진 후금이 나라 이름을 청으로 바꾸고 조선에 군신 관계를 요구하였고, 조선이 이를 거부하자 병자호란을 일으켰다. 인조가 남한산성으로 들어가 항전하였으나 결국 항복하여 소현 세자가 청에 인질로 끌려갔다.

**12** **정답** ④ 병자호란 이후 조선에서는 청에 대한 수치를 씻고 원수를 갚아야 한다는 북벌론이 일어났고, 청에 인질로 잡혀갔다 돌아와 왕위에 오른 효종(봉림 대군)은 북벌을 추진하였다. 그러나 효종이 죽은 후 북벌의 움직임은 사실상 중단되었고, 청과 사대 관계를 맺은 조선은 매년 청에 사신(연행사)을 파견하는 등 청과 교류하였다.

**실력쑥쑥 실전문제**

본문 p.128~129

01 ④ 02 ② 03 ③ 04 ① 05 ③ 06 ②
07~09 해설 참조

**01** **정답** ④ 임진왜란이 일어나자 선조는 의주로 피란하여 명에 원군을 요청하였고, 도요토미 히데요시의 사망으로 철수하는 일본군을 조선 수군이 격파하여 전쟁이 끝났다.

오답 피하기

ㄱ. 병자호란 후 조선에서는 청에 당한 치욕을 씻고 원수를 갚아야 한다는 북벌론이 제기되었다.

ㄷ. 후금이 조선과 형제 관계를 맺은 것은 정묘호란 때이다.

**02** **정답** ② 임진왜란 과정에서 일본에 끌려간 조선인 기술자들에 의해 일본의 도자기 문화가 크게 발전하였다.

**03** **정답** ③ (가)는 임진왜란의 첫 번째 전투인 부산진 전투 상황으로, 조선군은 조총으로 무장한 일본군을 막아 내지 못하였다. (나)는 조·명 연합군의 평양성 탈환에 관한 내용이다. 일본군이 부산진 전투 이후 파죽지세로 북상하여 충주 방어선마저 무너뜨리고 한양으로 다가오자 선조는 서둘러 의주로 피란하여 명에 지원군을 요청하였다. 이러한 가운데 바다

에서는 이순신이 이끄는 수군이 옥포에서 첫 승리를 거둔 후 한산도에서 일본의 수군을 크게 격파하였다.

오답 피하기

ㄱ, ㄹ. 정유재란은 (나) 이후의 상황이며, 정유재란 중에 이순신의 수군이 명량에서 일본 수군을 크게 격파하였다.

**04** **정답** ① (가)는 서인 세력이 광해군을 몰아내고 새로운 왕으로 인조를 세운 인조반정이다. 인조반정으로 정권을 잡은 서인 세력이 명에 대한 의리를 강조하면서 친명 정책을 추진하였다.

오답 피하기

②, ③, ④ 광해군 때의 사실이다.

⑤ 임진왜란 중에 훈련도감이 설치되었다.

**05** **정답** ③ (가)는 후금이 명과의 전쟁에 대비하여 조선과 명의 관계를 단절하고자 일으킨 정묘호란, (나)는 청이 군신 관계를 요구하면서 일으킨 병자호란이다. 조선의 지배층은 오랑캐로 여기던 청에 패배하여 군신 관계를 맺은 것에 커다란 충격을 받았고, 이러한 상황에서 북벌론이 제기되었다. 청에 인질로 잡혀갔다 돌아와 왕위에 오른 효종이 북벌을 적극적으로 추진하였으나 실현하지는 못하였다.

오답 피하기

ㄱ. 인조가 삼전도에서 항복하면서 조선의 패배로 끝난 전쟁은 병자호란이다.

ㄹ. 곽재우, 고경명 등은 임진왜란 때 활약한 의병이다.

**06** **정답** ② 윤집, 김상헌 등이 주장한 척화론으로, 청의 군신 관계 요구를 거부하고 청군에 맞서 싸우자는 주장이다.

**07** **예시 답안** 쓰시마섬 토벌 이후 오랫동안 평화가 유지되면서 조선이 왜구에 대한 대비를 소홀히 하였다. 조선이 무역량을 제한하면서 조선과 일본 사이에 갈등이 심화되었다. 도요토미 히데요시가 일본의 전국 시대를 통일하고 일본 내 불만 세력의 관심을 밖으로 돌리고자 하였다.

채점 기준

| | |
|---|---|
| 상 | 왜구에 대한 조선의 대비 소홀, 무역량 제한을 둘러싼 조선과 일본의 갈등 확대, 일본 내 정치 상황 등의 내용 중 두 가지를 정확하게 서술한 경우 |
| 중 | 위의 내용 중 한 가지만 정확하게 서술한 경우 |
| 하 | 조선과 일본 사이에 갈등이 있었다라고 모호하게 서술한 경우 |

**08** **예시 답안** 후금과 명이 대립하는 가운데 명이 조선에 지원군을 요청하자, 광해군은 두 나라 사이에서 중립 외교를 추진하였다.

채점 기준

| | |
|---|---|
| 상 | 후금과 명의 대립 사이에서 광해군이 중립 외교를 폈다라고 정확하게 서술한 경우 |
| 중 | 광해군이 중립 외교를 추진하였다고만 서술한 경우 |
| 하 | 중립 외교라는 용어를 사용하지 않고 전쟁을 피하고자 하였다고만 서술한 경우 |

**09** **예시 답안** 거듭된 흉년과 재해로 백성의 생활이 어려웠고, 명을 무너뜨리고 국력이 더욱 강성해진 청을 공격하는 것이 현실적으로 불가능하였다.

채점 기준

| | |
|---|---|
| 상 | 거듭된 흉년과 재해로 백성이 살기 힘들었고, 강성해진 청의 국력 때문에 현실적으로 공격이 불가능하였다라고 근거를 들어 정확하게 서술한 경우 |
| 중 | 백성의 생활이 어려웠고, 비현실적인 계획이었기 때문이라고 상황만 서술한 경우 |
| 하 | 조선의 국력이 청보다 약하였기 때문이라고 서술한 경우 |

**대단원 정리하기**

본문 p.130~131

① 한양 ② 세종 ③ 경국대전 ④ 관찰사 ⑤ 사대 ⑥ 4군 6진 ⑦ 조의제문 ⑧ 기묘사화 ⑨ 백운동 서원 ⑩ 이조 전랑 ⑪ 분청사기 ⑫ 자격루 ⑬ 칠정산 ⑭ 이순신 ⑮ 인조반정 ⑯ 병자호란

**자신만만 적중문제**

본문 p.132~134

01 ③ 02 ⑤ 03 ③ 04 ④ 05 ③ 06 ②
07 ④ 08 ② 09 ② 10 ② 11 ② 12 ②
13 ② 14~16 해설 참조

**01** **정답** ③ 정도전과 조준은 급진파 사대부에 해당한다. 온건파 사대부의 대표적 인물로 이색, 정몽주 등이 있다.

**02** **정답** ⑤ (가)는 태종, (나)는 세조이다. 태종과 세조는 의정부의 권한을 약화하고 국왕 중심의 정치를 운영하였다.

**03** **정답** ③ 사헌부, 사간원, 홍문관이 3사에 해당한다. 의금부는 국가의 큰 죄인을 다스린 특별 사법 기구이며, 춘추관은 『실록』 등 역사서 편찬을 담당하였다.

**04** **정답** ④ 조선은 무역소를 설치하고 여진과 교역하였으며, 조선에 협력하거나 귀화한 여진인에게 관직과 토지를 하사함으로써 그들과 평화를 유지하고자 하였다.

**05** **정답** ③ 계유정난은 수양 대군이 왕이 되고자 반대파를 제거하고 정권을 장악한 사건으로, 이때에 수양 대군을 도와준

이들은 세조 즉위 후 공신으로 책봉되어 훈구 세력을 형성하였다.

**06** **정답** ② 연산군 때 훈구 세력이 김종직의 조의제문을 문제 삼아 무오사화를 일으켰다.

**07** **정답** ④ 선조 때 사림이 붕당을 형성하여 동인과 서인으로 갈라졌다.

**08** **정답** ② 『동국통감』은 고조선부터 고려 말까지의 역사를 정리한 역사서이다. ② 우리나라에서 나는 약재와 이를 이용하는 치료법을 소개한 의학 서적은 『향약집성방』이다.

**09** **정답** ② 조선의 국왕이 사망한 뒤 사초를 기반으로 편찬하였다는 점, 여러 군데의 사고에 나누어 보관되었다는 점을 통해 (가)는 『조선왕조실록』임을 알 수 있다. 『조선왕조실록』은 유네스코 세계 기록 유산에 등록되었다.

**10** **정답** ② 중국에서 '항왜원조', 일본에서 '분로쿠·게이초 연간의 전쟁'으로 불리는 전쟁은 임진왜란이다. 임진왜란의 결과 일본에서 도요토미 정권이 무너지고 도쿠가와 이에야스가 정권을 장악하여 에도 막부가 수립되었다.

**11** **정답** ② 조선과 명의 연합군이 평양성을 되찾은 것은 임진왜란 과정에서 있었던 사실로 (가) 시기에 해당한다.

**12** **정답** ② (다) 시기는 광해군의 재위 시기에 해당한다. 왜란 후 즉위한 광해군은 전쟁 피해를 복구하고자 노력하였고, 그 시기에 허준이 『동의보감』을 완성하였다. 하지만 광해군은 왕권에 위협을 느껴 이복동생인 영창 대군을 죽이고 계모인 인목 대비를 폐위하는 폐모살제를 일으켰다.

오답 피하기

ㄴ. 왜란이 끝나는 (나) 시기에 해당하는 장면이다.

ㄹ. 인조 때 정묘호란 이후 청이 조선에 군신 관계를 요구하자 조선 조정은 척화파와 주화파로 나뉘어 대립하였다. 병자호란 직전의 상황으로 (라) 시기에 해당하는 장면이다.

**13** **정답** ② (가)는 봉림 대군(효종)이다. 청에 인질로 잡혀갔다 돌아와 인조에 이어 왕위에 오른 효종은 성곽과 무기를 정비하고 군대 양성에 힘을 기울여 북벌을 준비하였다.

**14** **예시 답안** 집현전을 계승한 홍문관을 설치하였다. 세조가 폐지한 경연을 다시 열었다. 『경국대전』을 완성하였다.

채점 기준

| | |
|---|---|
| 상 | 홍문관 설치, 경연 부활, 『경국대전』 완성 등 세 가지를 정확하게 서술한 경우 |
| 중 | 위의 내용 중 두 가지를 정확하게 서술한 경우 |
| 하 | 위의 내용 중 한 가지만 정확하게 서술한 경우 |

**15** **예시 답안** (1) 삼강행실도

(2) 삼강오륜과 같은 유교 윤리를 백성에게 쉽게 알리고 보급하고자 편찬하였다.

채점 기준

| | |
|---|---|
| 상 | 『삼강행실도』를 쓰고, 삼강오륜과 같은 유교 윤리를 백성에게 쉽게 알리고 보급하기 위해 편찬하였음을 정확하게 서술한 경우 |
| 중 | 『삼강행실도』를 쓰고, 삼강오륜 등 유교 윤리를 보급하기 위해 편찬하였다고 서술한 경우 |
| 하 | 『삼강행실도』만 쓰거나 자료의 표현을 이용하여 유교 윤리 실천을 위해 편찬하였다고 서술한 경우 |

**16** **예시 답안** 중립 외교를 폐기하고 명에 대한 의리를 강조하면서 친명 정책을 추진하였다.

채점 기준

| | |
|---|---|
| 상 | 중립 외교 폐기, 친명 정책 추진을 모두 서술한 경우 |
| 하 | 중립 외교 폐기나 친명 정책 추진 중 한 가지만 서술한 경우 |

**최고난도 문제** 본문 p.135

01 ③ 02 ③

**01** **정답** ③ 각 지도에 나타난 행정 구역을 통해 (가)는 고려, (나)는 조선임을 알 수 있다. ③ 조선 시대에는 특수 행정 구역이었던 향·부곡·소를 일반 군현으로 승격하였다.

**02** **정답** ③ (가)는 조선, (나)는 일본, (다)는 명이다. 일본이 명을 정벌하는 길을 빌려 달라는 구실을 내세워 조선을 침략하자 선조는 의주로 피란하여 명에 원군을 요청하였고, 명군이 도착하자 조선은 연합군을 형성하여 일본군을 물리쳤다. 임진왜란을 전후하여 명의 국력이 약해진 틈을 타 만주 지역에서 후금이 성장하여 명과 대립하였다. 임진왜란이 끝난 후 명이 후금을 공격하기 위해 조선에 원군을 요청하자 광해군은 강홍립이 이끄는 부대를 명에 파견하면서 상황에 따라 대처하도록 지시하는 중립 외교를 추진하여 후금과의 관계가 악화되지 않도록 하였다. ③ 임진왜란 이전 조선의 무역량 제한에 불만을 품은 일본인들이 삼포 왜란과 을묘왜변을 일으켰다.

# V 조선 사회의 변동

## 1 조선 후기의 정치 변동

기초튼튼 기본문제

본문 p.142~143

01 ③ 02 (가) 서원, (나) 3사 03 ④ 04 ④
05 ③ 06 ① 07 ② 08 ⑤ 09 ⑤
10 세도 정치 11 ③

01 **정답 ③** 양 난을 계기로 비변사가 국정 전반을 총괄하는 최고 기구로 발전하면서 기존의 최고 권력 기관이었던 의정부와 6조의 기능은 약화되었다.

02 **정답 (가) 서원, (나) 3사** 각 지방의 서원은 정치나 사회 문제와 관련된 공론 형성의 중심이자 붕당의 근거지가 되었다. 중앙 정치에서는 언론 기능을 담당한 3사가 공론 형성에 중요한 역할을 하였다.

03 **정답 ④** 서인이 주도한 인조반정으로 광해군과 북인이 몰락하였다. 이후 서인이 정국을 주도하고 남인이 공존하는 가운데 두 붕당 사이에 정치적 논의가 활발하게 이루어졌다.

04 **정답 ④** 예송은 현종 때 왕실의 의례 문제를 두고 벌어진 논쟁이다. 효종이 계모인 자의 대비보다 먼저 죽자, 자의 대비가 상복을 얼마 동안 입어야 하는지를 두고 서인과 남인 사이에 일어났다. 예송은 겉으로는 예법 문제를 둘러싸고 일어났지만, 국왕과 사대부의 관계에 관한 서인과 남인의 정치적·학문적 입장 차이를 드러낸 사건이었다. 논쟁의 가장 큰 쟁점은 효종이 인조의 장남이 아닌 둘째 아들로 왕위를 계승하였다는 점이었다. 『주자가례』를 따르는 사대부 가문에서 어머니는 장남이 죽으면 3년 동안 상복을 입고, 둘째부터는 1년 동안 상복을 입었다. 서인은 왕도 사대부와 같은 예법을 적용해야 한다며 효종이 둘째 아들이니 어머니인 자의 대비가 상복을 1년 동안 입어야 함을 주장하였다. 반면 남인은 왕과 사대부의 예는 같을 수 없고, 왕은 최고의 예로 대우해야 한다며 3년 동안 상복을 입어야 한다고 주장하였다.

05 **정답 ③** 상대 붕당의 존재 자체를 인정하지 않는 붕당 간의 심각한 갈등을 보여 주는 사료이다. 붕당 간의 건전한 비판과 견제를 추구한 바람직한 붕당 정치가 사라지고 상대 붕당을 철저하게 배제하고 탄압하는 정치 형태로 변질되었음을 알 수 있다.

06 **정답 ①** 붕당의 폐해가 극심한 가운데 왕위에 오른 영조는 탕평책을 실시하여 국왕이 정국의 주도권을 행사하는 정치 운영 방식을 추진하였다. ① 영조는 붕당의 여론을 주도하는 산림의 존재를 인정하지 않았으며, 붕당의 근거지가 된 서원을 상당수 정리하였다.

07 **정답 ②** 탕평책은 국왕이 정국의 주도권을 행사하는 정치 운영 방식으로, 영조와 정조 때에 들어서 본격적으로 실시되었다.

오답 피하기

ㄴ. 극심한 붕당 간 대립을 막고 정치를 안정시키기 위해 탕평책이 실시되었다. 영조와 정조 때의 탕평책으로 붕당 간 갈등이 완화되었다.

ㄹ. 영조와 정조의 탕평책으로 붕당의 기반은 해체되고, 정치권력이 국왕과 소수의 집권층에게 집중되었다. 이는 정조가 죽은 후 어린 순조가 즉위하면서 안동 김씨, 풍양 조씨 등 소수 세도 가문이 권력을 독점하는 세도 정치 출현의 배경이 되었다.

08 **정답 ⑤** 아버지가 사도 세자였으며, 규장각과 장용영을 설치한 국왕은 정조이다. 정조는 통공 정책의 시행으로 자유로운 상업을 추구하였으며, 서얼에 대한 차별을 완화하여 서얼 출신 유득공, 박제가 등을 규장각 검서관에 임명하였다.

오답 피하기

ㄱ. 영조는 신문고를 부활하여 백성의 억울함을 풀어 주고자 노력하였다.

ㄴ. 영조는 『경국대전』 시행 이후에 공포된 법령 중에서 시행할 법령만을 추려서 『속대전』을 편찬하였다.

09 **정답 ⑤** 정조는 『대전통편』, 『탁지지』, 『무예도보통지』 등 법전과 수많은 책을 편찬하여 문물제도를 정비하였다. 임진왜란은 선조 시기에 일어났으며, 인조반정으로 광해군이 몰락하였다. 현종 때 두 차례에 예송이 발생하였으며, 숙종 때 여러 차례 환국이 일어나 붕당 간 대립이 격화되었다. 붕당 간 대립이 극심한 가운데 왕위에 오른 영조는 탕평에 대한 자신의 강한 의지를 알리고 경계하도록 하기 위해 탕평비를 성균관 앞에 건립하였다. 홍경래의 난은 순조 때 일어난 농민 봉기이다. 따라서 정조의 문물 제도의 정비는 (마) 시기에 이루어졌음을 알 수 있다.

10 **정답 세도 정치** 순조, 헌종, 철종의 3대 60여 년간 왕실과 혼인 관계를 맺은 일부 가문이 정권을 장악하여 권세를 휘두른 세도 정치가 전개되었다.

11 **정답 ③** (가) 시기에 안동 김씨, 풍양 조씨 등 왕실과 혼인 관계를 맺은 소수 세도 가문에 의한 세도 정치가 전개되었다. 이 시기에 정치적 견제 세력이 없는 상황에서 세도 가문

은 국가의 최고 기구인 비변사와 군사권을 장악하고 국정을 좌우하였다. 또 세도 가문이 자기 가문의 이익만 추구하는 경향을 보이면서 각종 부정부패가 나타나 과거 시험에서 실력보다 부정으로 합격하는 경우가 많았다.

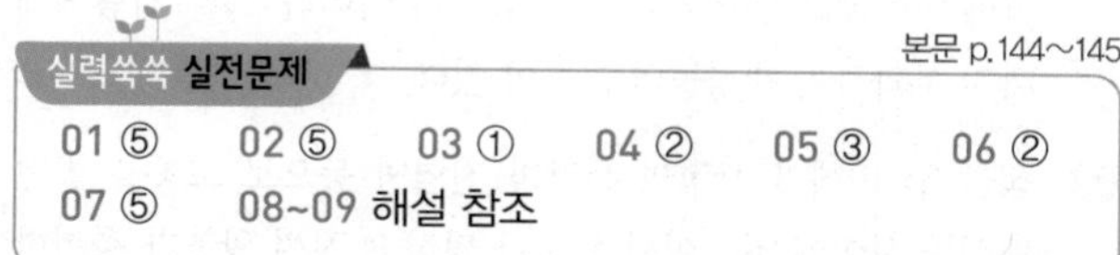


본문 p.144~145

01 ⑤ 02 ⑤ 03 ① 04 ② 05 ③ 06 ②
07 ⑤ 08~09 해설 참조

**01 정답** ⑤ (가)는 비변사이다. 비변사는 중종 때 삼포 왜란을 계기로 설치된 임시 군사 회의 기구였으나, 임진왜란과 병자호란을 겪으면서 권한이 확대되어 국정을 총괄하는 최고 기구로 발전하였다.

자료 분석

요즘 큰일이건 작은 일이건 모두 (가) 에서 처리합니다. 의정부는 이름밖에 없고 6조는 할 일을 모두 빼앗겼습니다. 이름은 '국경의 방비를 담당하는 곳'이라고 하면서 과거나 비빈 간택까지 모두 여기에서 합니다. -『효종실록』

→ '국경의 방비를 담당하는 곳'이라는 의미의 이름을 가진 비변사는 외적의 침입을 대비하여 임시로 설치한 군사 회의 기구였다. 양 난을 거치면서 국방뿐만 아니라 내정·인사 등은 물론 왕실의 혼사까지 관여하는 최고의 기구로 발전하여 권한이 막강해졌다. 이로 인해 기존의 최고 권력 기관이었던 의정부와 6조의 기능은 크게 약화되었다.

**02 정답** ⑤ 학생들은 선조 때 시작된 붕당 정치에 대해 대화를 나누고 있다. 붕당 정치가 본격화되면서 각 붕당은 서원이나 향약을 통해 지방 사림의 여론을 모아 중앙 정치에 반영하였다. 따라서 향촌에서는 산림의 역할이 중요해졌다.

**03 정답** ① 현종 때 두 차례 예송이 전개되고 숙종 때 거듭된 환국 속에서 붕당 간 갈등이 극심해졌다. 이러한 상황을 해결하기 위해 영조와 정조 때 본격적으로 탕평책이 실시되어 붕당 간 대립이 약화되었지만, 정조 사후 어린 순조가 즉위하면서 세도 정치가 출현하였다.

**04 정답** ② 탕평비는 영조가 미래에 핵심 관료가 될 인재들에게 탕평의 정신을 알리고자 성균관 앞에 세운 비석이다. ② 영조는 군포 부담을 덜어 주기 위해 백성이 내야 할 군포를 1필로 줄이는 균역법을 실시하는 등 다양한 민생 안정책을 마련하였다.

오답 피하기

①, ③, ④ 정조가 시행한 정책이다.

⑤ 숙종은 의도적으로 환국을 일으켜 정국을 운영하였다.

**05 정답** ③ 밑줄 친 '왕'은 정조이다. 정조는 학술 연구 기구로 규장각을 설치하여 왕실 도서관 기능은 물론 정책 개발과 중요 정보 수집까지 담당하게 하였다. 또 정조는 아버지 사도 세자의 묘를 수원으로 옮기고 수원에 화성을 세워 자신의 정치적 기반으로 삼으려 하였다.

**06 정답** ② (가)는 철종이다. 헌종이 후사 없이 죽자, 왕족이었지만 반역죄로 집안이 몰락하여 강화도에서 숨어 지내던 청년이 세도 가문에 의해 갑작스럽게 왕위에 올랐는데, 그가 철종이다. 철종 시기에 안동 김씨의 세도 정치가 절정에 달하였다. 순조, 헌종, 철종 시기에 안동 김씨와 풍양 조씨 등 세도 가문이 권력을 독점한 세도 정치가 전개되었다. 정치적 견제 세력도 없었던 세도 가문은 국가 최고 기구인 비변사와 군사권을 장악하고 국정을 좌우하였다. 이로 인해 왕권은 위축되었으며, 왕족이라 하더라고 세도 가문에 억눌렸다.

**07 정답** ⑤ '이 시기'는 안동 김씨, 풍양 조씨 등의 소수 가문이 비변사를 장악한 세도 정치 시기이다. 정조 사후에 어린 국왕들이 잇달아 즉위하면서 왕실과 혼인 관계를 맺은 몇몇 외척 가문이 정치를 주도하였다.

**08 예시 답안** 붕당을 없애자는 논의에 동의하는 인물들을 등용하여 이들을 자신의 측근 세력으로 삼아 정국을 주도하였다. 붕당의 여론을 주도하는 산림의 존재를 인정하지 않았다. 붕당의 근거지가 된 서원을 상당수 정리하였다.

채점 기준

| | |
|---|---|
| 상 | 붕당을 없애자는 논의에 동의하는 인물과 함께 국왕이 직접 정국 운영, 산림 존재 부정, 상당수의 서원 정리 중 두 가지를 서술한 경우 |
| 중 | 위의 내용 중 한 가지를 서술한 경우 |
| 하 | 탕평책을 실시하였다고만 서술한 경우 |

**09 예시 답안** (1) 탕평책

(2) 탕평책으로 붕당의 기반이 해체되고 정치권력이 국왕과 소수의 집권층에게 집중되면서 정조가 죽은 후 세도 정치가 출현하는 배경이 되었다.

채점 기준

| | |
|---|---|
| 상 | 탕평책을 쓰고, 붕당의 기반 해체, 정치권력이 국왕과 소수의 집권층에게 집중되어 세도 정치 출현의 배경이 되었다고 정확하게 서술한 경우 |
| 중 | 탕평책을 쓰고, 세도 정치 출현을 가져왔다고만 서술한 경우 |
| 하 | 탕평책이라고만 쓴 경우 |

**10** **예시 답안** 안동 김씨, 풍양 조씨 등 소수의 특정 가문이 비변사를 장악하고 국정을 좌우하였다.

채점 기준

| | |
|---|---|
| 상 | 안동 김씨, 풍양 조씨 등 세도 가문이 비변사를 장악하여 국정을 좌우하였다고 정확하게 서술한 경우 |
| 중 | 안동 김씨, 풍양 조씨 등이 비변사를 장악하였다고만 서술한 경우 |
| 하 | 안동 김씨, 풍양 조씨가 국정을 주도하였다고 서술한 경우 |

## 2 사회 변화와 농민의 봉기

본문 p.148~149

기초튼튼 **기본문제**

01 ③ 02 **상평통보** 03 ③ 04 ⑤ 05 ③
06 ② 07 ① 08 ① 09 ④ 10 **홍경래의 난**

**01** **정답** ③ 조선 후기에는 정부 주도의 수공업이 쇠퇴하고 민간에서 운영하는 수공업이 활기를 띠면서 장인들이 자유롭게 물건을 만들어 시장에 내다 팔았다.

**02** **정답 상평통보** 18세기 후반 전국에서 유통된 상평통보는 엽전이라고도 불렸다. 이는 상품 매매와 세금 납부, 소작료 지급, 품삯 지급 등에도 사용되었다.

**03** **정답** ③ 대동법 시행에 따라 정부에서 필요한 물품을 공인이 공급하였고, 공인이 대량으로 물품을 구매하면서 상공업이 활성화되었다.

**04** **정답** ⑤ 조선 후기 양반 중심의 신분 질서가 크게 흔들려 양반의 권위가 떨어졌음을 보여 주는 자료이다. ㄷ, ㄹ. 조선 후기에 정부 주도의 수공업이 쇠퇴하고 민간에서 운영하는 수공업이 활기를 띠어 장인들이 질 좋은 상품을 만들어 시장에 내다 팔았다. 또한 전국 각지에는 장시가 들어섰고, 보부상과 대상인이 활발하게 활동하였다.

**05** **정답** ③ 공명첩은 임진왜란 이후 부족한 정부 재정을 메우고자 발행된 명예직 임명장이다. 상민층은 공명첩 구입을 통해 양반과 같은 특권을 얻고자 하였는데, 특히 군역을 면제받으려는 목적이 컸다.

**06** **정답** ② (가)는 중인이다. 중인 중 경제력이 있는 사람들은 그림처럼 시사를 조직하여 양반과 같은 문화생활을 즐기고자 하였다. ㄱ, ㄷ. 중인은 법적으로 양인 신분이며, 대개 전문 기술직이나 관청의 행정 실무를 하는 하위 지배층이다. 양반보다 하급 계층으로 인식되어 중앙의 주요 관직에 임명되지 않았다. 이에 자신들에 대한 차별을 철폐하고자 신분 상승을 요구하기도 하였다.

**07** **정답** ① 삼정 중에서 군포를 거두어들이는 행정이 문란하였음을 보여 주는 정약용의 한시이다. 세도 정치 시기 양인 남자에게만 부과해야 하는 군포를 어린아이나 죽은 사람에게까지 부과하여 백성들의 고통이 컸다.

**08** **정답** ① 19세기 삼정의 문란과 전염병 등으로 고통을 받던 백성들 사이에서는 이씨 왕조가 망하고 정씨 왕조가 출현한다는 내용의 『정감록』과 같은 예언서가 유행하였다.

**09** **정답** ④ 순조~철종에 이르는 60여 년 동안 세도 정치가 전개되면서 삼정이 문란하였으며, 가뭄과 홍수, 전염병까지 돌면서 백성들의 삶은 어려워지고 불안하였다. 이에 백성들 사이에서는 새로운 세상이 열리기를 바라는 각종 비기나 예언 사상이 유행하였다. 또한 지배층의 수탈에 고통을 받던 농민들이 세도 정권에 맞서 봉기를 일으켰다. 순조 때 홍경래 등이 평안도 가산에서 봉기하였고, 철종 때에는 유계춘이 중심이 된 진주 농민 봉기를 비롯하여 전국 각지에서 삼정의 문란 등에 저항하여 농민 봉기가 일어났다. ④ 정조는 서얼에 대한 차별을 완화하여 박제가, 유득공 등 서얼 출신 학자를 규장각 검서관에 임명하였다.

**10** **정답 홍경래의 난** 몰락 양반 홍경래가 세도 정권의 과도한 수탈과 평안도 지역에 대한 차별에 저항하여 평안도 가산에서 봉기를 일으켰다.

본문 p.150~151

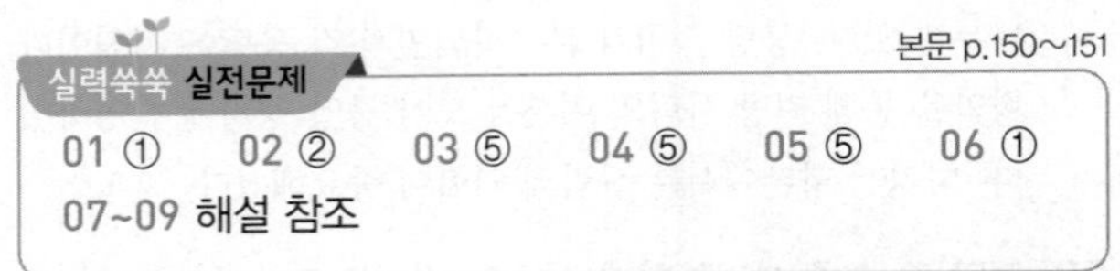
실력쑥쑥 **실전문제**

01 ① 02 ② 03 ⑤ 04 ⑤ 05 ⑤ 06 ①
07~09 **해설 참조**

**01** **정답** ① 그림은 모내기하는 모습을 그린 것으로, 조선 후기에 모내기법이 전국적으로 보급되었다. 조선 후기에는 상공업이 활성화되어 보부상과 대상인이 활발하게 활동하면서 재산을 축적하는 등 크게 성장하였다. 또한 상공업의 발달로 화폐 사용도 확산되어 상평통보가 전국적으로 유통되었다.

오답 피하기

ㄷ. 정부 주도의 수공업이 쇠퇴하고 민간에서 운영하는 수공업이 성장하였다.

ㄹ. 모내기법, 상품 작물 재배 등으로 재산을 축적한 부유한 농민이 생겨나기는 하였지만 대다수 농민은 여전히 가난에 시달렸다.

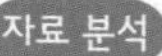

자료 분석

→ 모내기는 모판에서 모를 미리 길러 논에 옮겨 심는 농사법이다. 모내기법이 널리 보급되면서 논의 잡초를 제거하는 일손을 줄일 수 있었고, 수확량이 늘어났으며 벼와 보리의 이모작도 가능해졌다.

**02 정답** ② 곡식을 강제로 빌려주고 이자까지 요구하는 상황을 통해 환곡이 문란하게 운영되고 있음을 알 수 있다. 환곡은 원래 빈민을 구제하기 위한 제도였지만, 운영이 문란해지면서 세금처럼 변질되어 그 폐단이 심각하였다.

**03 정답** ⑤ 세도 정치 시기 정치 상황과 이로 인한 부정부패의 모습을 설명한 것이다. ⑤ 시전 상인의 난전 단속권을 폐지하는 조치는 정조 때 이루어졌다.

**04 정답** ⑤ 평안도 지역에 대한 차별, 세도 가문의 권력 독점과 횡포에 저항하여 일어난 홍경래의 난 중에 발표된 격문이다. 홍경래는 정부에 불만을 가진 평안도 지역의 상공업자와 광산업자들을 끌어들여 자금을 마련하고, 가난한 농민과 광산 노동자들과 함께 봉기하였다.

오답 피하기

ㄱ. 순조 때에 일어났다.

ㄴ. 평안도 가산에서 봉기한 홍경래의 난은 한때 청천강 이북의 넓은 지역을 점령하는 등 세력을 확장하기도 하였다. 한편 철종 때 유계춘이 중심이 되어 일으킨 진주 농민 봉기 과정에 농민들이 진주성을 점령하기도 하였다.

**05 정답** ⑤ 자료는 중간 계층에 속한 서얼이 자신들에 대한 차별을 철폐해 줄 것을 요구하여 올린 상소이다. 아버지가 양반이지만 서얼은 예초부터 문과 응시가 제한되었기 때문에 높은 관직에 오를 수 없는 등 사회적 차별을 받았다. 18세기 이후부터 자신들에 대한 차별을 철폐하고자 적극적으로 집단 상소를 올렸고, 정조 시기에 그 효과가 나타나기도 하였다.

**06 정답** ① 철종 때에 이르러 더욱 극심해진 삼정의 문란에 분노한 농민들이 전국 각지에서 봉기를 일으켰다. 특히 1862년인 임술년 한 해 동안 전국 70여 곳이 넘는 지역에서 봉기가 일어났다.

**07 예시 답안** (1) 대동법

(2) 공인이 국가에 필요한 물품을 대량 구매하면서 상공업의 발달이 촉진되었다.

채점 기준

| | |
|---|---|
| 상 | 대동법이라 쓰고, 공인의 대량 구매 활동으로 상공업 발달이 촉진되었다고 서술한 경우 |
| 중 | 대동법이라 쓰고, 공인의 활동을 언급하지 않고 상공업의 발달이 촉진되었다고만 서술한 경우 |
| 하 | 대동법만 쓴 경우 |

**08 예시 답안** (1) 노비종모법

(2) 조세와 군역을 부담하는 상민층이 감소하자 노비를 줄이고 상민을 늘려서 세금 부담층을 확보하기 위해 시행하였다.

채점 기준

| | |
|---|---|
| 상 | 노비종모법을 쓰고, 조세와 군역을 부담하는 상민의 수가 감소하자 상민의 수를 늘려 세금 부담층을 확보하기 위해서라고 서술한 경우 |
| 중 | 노비종모법을 쓰고, 세금을 걷기 위해서라고 서술한 경우 |
| 하 | 노비종모법을 쓰고, 세금에 대한 설명 없이 상민의 수를 늘리기 위해서라고 서술한 경우 |

**09 예시 답안** 평안도 지역을 차별 대우하고, 세도 가문의 수탈이 극심하였기 때문이다.

채점 기준

| | |
|---|---|
| 상 | 평안도에 대한 지역 차별이 있었고, 세도 가문의 수탈이 극심하였기 때문이라고 정확하게 서술한 경우 |
| 하 | 위의 내용 중 한 가지만 서술한 경우 |

## 3 학문과 예술의 새로운 경향 ~ 4 생활과 문화의 새로운 양상

기초튼튼 기본문제

본문 p.156~158

| | | | | | |
|---|---|---|---|---|---|
| 01 통신사 | | 02 ⑤ | 03 ① | 04 ④ | 05 ② |
| 06 ② | 07 ① | 08 ③ | 09 ⑤ | 10 ③ | 11 ⑤ |
| 12 ① | 13 ④ | 14 홍길동전 | | 15 ③ | |

**01 정답 통신사** 통신사는 조선 국왕이 국제적 신의를 통하기 위해 일본에 파견한 외교 사절단이었다. 400~500명 내외의 인원으로 편성되었다.

**02** **정답** ⑤ (가)는 연행사이다. 연행사는 베이징에 머무르며 공식적인 외교 업무를 수행하였고, 청의 학자들이나 서양 선교사들과 교제하며 새로운 문물을 접하였다.

오답 피하기

ㄱ. 명에 사신으로 갔던 정두원이 천리경, 자명종을 가져왔다.
ㄴ. 고구마는 통신사를 통해 일본에서 들어왔다.

**03** **정답** ① 밑줄 친 '이들'은 북학파 실학자들로, 유수원, 홍대용, 박지원, 박제가 등이 해당한다. ① 이익은 농민의 생활 안정을 가장 시급하게 해결할 사회 문제로 보았고, 이를 위해서 토지 제도를 개혁하여 자영농을 육성해야 한다고 주장하였다.

**04** **정답** ④ 북학론자인 박제가는 조선 사회가 검소와 절약을 강조하며 상공업을 억제한 것과 달리 적절한 소비의 중요성을 강조하였다.

**05** **정답** ② 과학 기술에도 관심이 많았던 정약용은 서양 선교사가 쓴 『기기도설』을 참고하여 거중기를 만들어 수원 화성 건설 공사에 이용하였다.

**06** **정답** ② 『택리지』는 이중환이 현지답사를 기초로 하여 편찬한 지리서이다.

**07** **정답** ① 유득공은 『발해고』를 저술하여 발해를 우리 역사로 본격적으로 다루면서 남북국이라는 용어를 사용하였다.

**08** **정답** ③ (가)는 19세기 중엽 최제우가 서학에 대한 경계를 바탕으로 창시한 동학이다. 기존의 성리학적 질서를 부정하고 새로운 사회를 지향하였으나 사교로 규정되어 정부의 탄압을 받았다.

**09** **정답** ⑤ 비 내린 후 인왕산의 모습을 그린 「인왕제색도」는 「금강전도」와 함께 정선이 그린 대표적인 진경 산수화이다.

**10** **정답** ③ 고려 시대~조선 전기에는 아들과 딸의 구별 없이 자녀들이 돌아가면서 제사를 지냈다. 그러나 성리학적 규범이 향촌 사회에 널리 보급된 조선 후기에는 적장자가 제사를 전담하였고, 이에 따라 재산 상속에서도 적장자가 우대받았다. 아들이 없는 경우에는 양자를 들여와 집안의 제사를 지내도록 하였다.

**11** **정답** ⑤ 성리학적 규범이 정착되면서 가부장적 가족 제도가 강화되어 적장자가 집안의 대를 이어야 한다는 의식이 확산되었다. 이에 따라 재산 상속에도 적장자를 우대하는 경향이 확산되었다. 반면 여성의 역할은 더욱 제한되고 사회적 지위도 낮아졌다.

**12** **정답** ① 조선 후기 성리학적 규범이 강조되면서 여성의 정절을 중시하여 과부의 재가를 금지하였다. 또한 신부가 혼례 후 바로 신랑 집으로 가 시집살이를 하는 것이 보편화되었으며, 여성이 호주가 되는 비율은 확연히 낮아졌다.

**13** **정답** ④ 조선 후기 상품 화폐 경제가 발달하면서 일부 서민들의 경제력이 커졌고, 서당 교육이 보급되고 글을 읽고 쓸 줄 아는 사람이 늘어났다. 이에 서민들의 의식 수준이 높아지고 문화생활을 즐기고자 하는 욕구가 커졌다. 이를 바탕으로 서민 문화가 발달하였다.

**14** **정답** **홍길동전** 허균은 『홍길동전』에서 서얼 차별 철폐, 탐관오리 응징, 이상 국가 건설 등의 문제를 다루었다.

**15** **정답** ③ (가)는 형식에 구애받지 않고 길게 풀어쓴 사설시조, (나)는 양반들을 풍자하는 탈놀이의 대사이다. (가)는 백성들을 착취하는 하급 관리가 중앙의 높은 관리를 보고 도망가다가 넘어졌지만, 자신이 날랜 덕에 다치지 않았다고 허세를 부리는 모습을 비판·풍자한 작품이다. (나)와 같은 탈놀이는 주로 양반에 대한 풍자나 불교에 대한 비판 등을 주제로 삼아 전국 각지에서 공연되었다. ③ 판소리는 소리꾼이 고수의 장단에 맞춰 이야기를 전개하는 공연 예술이다.

본문 p.159~161

**실력쑥쑥 실전문제**

| | | | | | |
|---|---|---|---|---|---|
| 01 ② | 02 ② | 03 ① | 04 ② | 05 ④ | 06 ④ |
| 07 ③ | 08 ② | 09 ② | 10 ④ | 11~12 **해설 참조** | |

**01** **정답** ② 조선에서 일본에 파견한 통신사 행로이다. 임진왜란으로 단절되었던 국교가 재개된 후 에도 막부는 쇼군이 바뀔 때마다 권위를 과시하려고 조선에 통신사 파견을 요청하였다. 통신사는 외교 사절의 역할뿐만 아니라 조선의 문화를 전하는 역할을 하여 일본의 문화 발전에 영향을 끼쳤다.

자료 분석

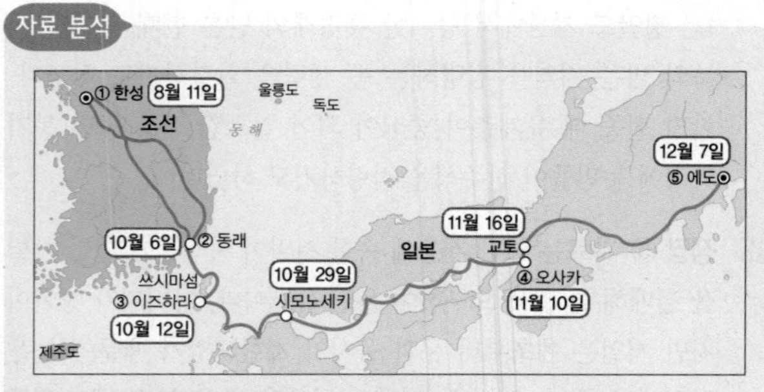


1636년 4차 통신사의 행로

→ 임진왜란으로 단절된 외교 관계가 에도 막부의 요청으로 회복된 후 통신사 파견이 재개되었다. 통신사는 한양에서 국왕의 명을 받들어 출발하여 동래를 지나 쓰시마섬을 거쳐 에도 막부의 쇼군이 있는 에도(지금의 도쿄)까지 이동하였다. 에도에 도착할 때까지 통신사 행렬이 지나는 길목의 모든 지방에서는 통신사를 극진히 영접하고 환대하였다.

**02** **정답** ② 가상 인터뷰는 조선 후기에 나타난 여러 사회 문제의 해결 방안에 대해 문답하고 있다. 조선 후기 사회 문제가 심화되는 가운데 지식인들을 중심으로 현실 문제에 관한 다양한 개혁 방안이 모색되었는데, 이러한 학문적 경향을 실학이라고 한다. 가상 인터뷰에 답하는 인물은 토지 제도 개혁을 통해 자영농을 육성하는 방식으로 농민 생활을 안정시키는 데 집중할 것을 주장하였다. 이러한 주장을 한 실학자로 유형원, 이익, 정약용 등이 있다.

**03** **정답** ① 유수원, 홍대용, 박지원, 박제가는 청의 영향을 많이 받아 북학파라고 불린 실학자이다. 이들은 상공업 발전과 기술 혁신으로 국가를 부강하게 만들 수 있다고 여겼다. 또한 청과의 교역을 확대하고 수레와 선박, 화폐 등을 적극적으로 활용해야 한다고 주장하였다.

**04** **정답** ② 김정호의 「대동여지도」는 전국의 산맥·하천·포구·도로망 등이 자세히 표시된 지도이며, 조선 후기에 중국 중심의 세계관에서 벗어나 우리 국토에 관한 연구가 활발해지는 가운데 제작되었다.

**05** **정답** ④ 유득공은 『발해고』를 써 발해가 고구려를 계승한 나라임을 밝혔다. 안정복은 『동사강목』을 써 단군 조선에서 고려까지의 역사를 정리하였다.

**06** **정답** ④ 국학은 민족의 전통과 현실에 관한 관심이 높아지면서 우리의 역사, 지리, 국어 등을 연구하는 학문 경향이다. 조선 후기에 실학의 발달과 함께 국학이 발달하여 『동사강목』, 『발해고』 등의 역사서와 『택리지』, 「동국지도」 등 지리서 및 지도 등이 만들어졌다. ④ 『열하일기』는 박지원이 청에 다녀와 그곳에서 경험한 내용을 기록한 책이다.

**07** **정답** ③ (가)는 천주교이다. 천주교는 17세기 중국을 오가던 사신을 통해 서학의 하나로 조선에 소개되었으며, 18세기 후반부터 일부 지식인들에 의해 신앙으로 수용되었다. 천주님 앞에서는 모든 사람이 평등하다는 사상과 죽은 후 천당에 갈 수 있다는 약속은 당시 백성들에게 큰 위안을 주었다. 그러나 천주교는 동학과 마찬가지로 기존의 성리학적 질서를 부정하여 조선 정부로부터 사교로 규정되고 탄압받았다.

**08** **정답** ② 조선 후기에 정선이 그린 진경 산수화 중 하나인 「인왕제색도」이다. 조선 후기에는 성리학적 생활 규범이 정착되어 부계 중심의 가족 제도가 강화되었다.

ㄱ. 성리학적 규범이 향촌 사회에 널리 보급되면서 아버지 쪽의 혈연이 중시되어 같은 성씨끼리 결속하는 경향이 강해졌다. 이에 따라 같은 성씨를 사용하는 사람들만 모여 사는 동족 마을이 각지에 생겨났다.

ㄷ. 적장자가 제사를 전담하는 것이 일반화되었고, 이에 따라 재산 상속에서도 적장자를 우대하는 경향이 강해졌다.

**09** **정답** ② 안동 하회 별신굿 탈놀이 중 일부 대목으로, 양반에 대한 풍자를 담았다. 탈놀이는 조선 후기에 발달한 서민 문화 중 한 분야이다. 얼굴에 탈을 쓴 광대들이 등장하는 탈놀이는 양반의 위선과 사회 모순을 풍자하는 내용이 많았다.

**10** **정답** ④ (가)는 김홍도의 풍속화 중 하나인 「무동」, (나)는 대표적인 민화 「까치호랑이」이다. 조선 전기에는 주로 사대부들의 내적인 정신세계를 그림으로 표현하였지만, 조선 후기에는 변화된 사회 모습을 바탕으로 일상의 여러 모습을 그리는 풍속화가 유행하였다. 또한 서민 사이에서는 주로 생활 공간을 장식하려고 그린 민화가 널리 유행하였다. 주로 해, 달, 동물, 식물 등을 소재로 그린 민화는 행복과 장수를 기원하는 서민들의 소박한 소망을 반영한 그림이다.

**11** **예시 답안** (1) 정약용

(2) 토지 제도를 개혁하여 자영농을 육성해야 한다고 주장하였다.

채점 기준

| | |
|---|---|
| 상 | 정약용을 쓰고, 토지 제도 개혁을 통해 자영농 육성을 주장하였다고 서술한 경우 |
| 중 | 정약용을 쓰고, 토지 제도 개혁 또는 자영농 육성 중 한 가지만 서술한 경우 |
| 하 | 정약용이라고만 쓴 경우 |

**12** **예시 답안** 성리학적 규범이 향촌 사회에 널리 보급되면서 가장의 권위가 강조되고 적장자가 집안의 대를 이어야 한다는 의식이 확산되었다.

채점 기준

| | |
|---|---|
| 상 | 성리학적 규범의 확산으로 가장의 권위 강조, 적장자가 집안의 대를 이어야 한다는 의식 확산을 모두 서술한 경우 |
| 중 | 성리학적 규범의 확산으로 가부장 중심의 가족 제도가 강화되었다라고 서술한 경우 |
| 하 | 가족 내에서 가장의 권위가 강조되었다거나 아들을 중시하는 사회 분위기가 형성되었다고만 서술한 경우 |

**대단원 정리하기** 본문 p.162~163

① 비변사 ② 동인 ③ 서인 ④ 예송 ⑤ 환국 ⑥ 탕평책 ⑦ 서원 ⑧ 규장각 ⑨ 장용영 ⑩ 균역법 ⑪ 서얼 ⑫ 세도 ⑬ 모내기법 ⑭ 대동법 ⑮ 공인 ⑯ 상평통보 ⑰ 공명첩 ⑱ 노비종모법 ⑲ 삼정 ⑳ 환곡 ㉑ 정감록 ㉒ 평안도 ㉓ 진주 ㉔ 통신사 ㉕ 연행사 ㉖ 조공·책봉 ㉗ 정약용 ㉘ 북학파 ㉙ 안정복 ㉚ 대동여지도 ㉛ 동학 ㉜ 진경 산수화 ㉝ 민화 ㉞ 성리학 ㉟ 서당

자신만만 적중문제

본문 p.164~166

| 01 ④ | 02 ② | 03 ② | 04 ③ | 05 ① | 06 ④ |
|---|---|---|---|---|---|
| 07 ① | 08 ③ | 09 ③ | 10 ③ | 11~12 해설 참조 | |

**01** **정답** ④ 현종 시기에 효종과 효종 비의 국장을 치르는 과정에서 효종의 계모인 자의 대비가 상복을 입어야 하는 기간을 두고 두 차례 예송이 진행되었다.

오답 피하기

① 선조 때 동인이 정국을 주도하였고, 광해군 때는 북인이 주도하였다.

③ 환국은 숙종 시기에 여러 차례 반복되었고, 이 과정에서 서인과 남인의 대립이 격화되었다.

**02** **정답** ② 정조 시기 건립된 수원 화성의 남문인 팔달문이다. ② 정조는 규장각을 설치하여 인재를 등용하고 개혁 정치의 핵심 기구로 삼았다.

**03** **정답** ② 세도 정치 시기 극심하였던 삼정의 문란 중 군포 문란을 지적한 정약용의 한시이다. ② 정조가 죽은 후 어린 순조가 즉위하면서 왕실과 혼인 관계를 맺은 몇몇 특정 가문이 권력을 독점하여 정국을 운영하는 세도 정치가 시작되었다. 이 시기에는 부정부패가 만연하고 탐관오리가 늘어나 세금 제도의 운영이 문란해져 백성들은 고통을 받았다.

**04** **정답** ③ 조선 후기 농촌에서 모시, 오이, 배추 등의 상품 작물을 재배하여 일부 농민이 큰 이득을 얻었음을 보여 주는 자료이다. ㄴ. 부유한 농민이나 상인은 공명첩을 구입하여 양반 신분이 되기도 하였다. ㄷ. 서얼과 중인은 자신들에 대한 차별 철폐와 신분 상승을 요구하였다.

오답 피하기

ㄱ. 공명첩 구입, 납속 등을 이용하여 양반 신분을 얻는 사람들이 있어 양반의 수가 늘어났다.

ㄹ. 정부 주도의 수공업이 쇠퇴하고 민간에서 운영하는 수공업이 활발하였다.

자료 분석

농민이 밭에 심는 것은 곡물만이 아니다. 모시·오이·배추·도라지 등의 농사도 잘 지으면 그 이익이 헤아릴 수 없이 크다. 도회지 주변의 파밭·마늘밭·배추밭·오이밭에서는 10무(4두락)의 밭에서 수만 전의 수입을 올릴 수 있다.

– 정약용, 『경세유표』

→ 조선 후기 농촌에서는 곡물 재배 외에 시장에 내다 팔기 위한 목적으로 모시, 오이, 배추 등의 상품 작물을 재배하였다. 상품 작물 재배로 부유한 농민들이 생겨났다.

**05** **정답** ① 붕당 정치가 거의 해체되고 몇몇 세도 가문이 권력을 독점하였다는 내용을 통해 밑줄 친 '이 시기'가 19세기 세도 정치 시기임을 알 수 있다. ① 명은 17세기 전반에 멸망하였다.

**06** **정답** ④ 지도의 봉기는 1811년 평안도 지역에 대한 차별과 세도 정권의 과도한 수탈에 저항하여 일어난 홍경래의 난이다. 평안도 지역의 상공업자와 광산업자, 광산 노동자, 가난한 농민 등이 봉기에 가담하였다.

오답 피하기

ㄱ, ㄷ. 철종 시기 경상 우병사 백낙신의 수탈에 저항하여 진주 농민들이 봉기하였고, 이 소식이 알려지면서 전국 각지에서 농민 봉기가 일어났다. 이를 임술 농민 봉기라고 한다. 홍경래의 난은 순조 시기에 일어났다.

**07** **정답** ① (가)는 홍대용, (나)는 정약용이다. ㄱ, ㄴ. 홍대용은 청의 선진 문물 수용을 주장한 북학파 실학자이며, 상공업 발전과 기술 혁신으로 국가를 부강하게 만들 수 있다고 보았다.

오답 피하기

ㄷ. 최제우가 동학을 창시하였다.

ㄹ. 유득공에 대한 설명이다.

**08** **정답** ③ 유형원, 이익, 정약용은 농촌 문제를 해결하기 위해서는 먼저 토지 제도를 개혁하여 자영농을 육성해야 한다고 주장하였다.

**09** **정답** ③ 조선 후기 진경 산수화의 대표 작품인 정선의 「금강전도」와 풍속화가 김홍도가 그린 「서당」이다. 조선 후기에 성리학적 규범이 향촌 사회에 널리 보급되면서 가부장 중심의 가족 제도가 강화되어 고려에 비해 여성의 사회적 지위가 낮아지고 가정 내 역할도 제한되었다.

**10** **정답** ③ 정선이 그린 「인왕제색도」는 조선 후기에 등장한 진경 산수화이다. 산수화는 중인이나 상민층이 생산하고 소비한 서민 문화의 사례로 보기 어렵다.

**11** **예시 답안** 백성의 군포 부담을 줄여 주고자 균역법을 실시하였다. 신문고 제도를 부활하여 여론을 수렴하였다. 홍수 피해를 줄이고자 청계천 일대를 정비하는 준천 사업을 실시하였다.

채점 기준

| | |
|---|---|
| 상 | 균역법 실시, 신문고 제도 부활, 청계천 준천 사업 실시 중 두 가지를 정책 설명과 함께 정확하게 서술한 경우 |
| 중 | 균역법 실시, 신문고 제도 부활, 청계천 준천 사업 실시 중 두 가지를 설명 없이 나열한 경우 |
| 하 | 균역법 실시, 신문고 제도 부활, 청계천 준천 사업 실시 중 한 가지를 설명 없이 쓴 경우 |

**12 예시 답안** (1) (가) 천주교, (나) 동학
(2) 기존의 성리학적 질서를 부정하고 새로운 사회를 지향하였다. 사교로 규정되어 조선 정부의 탄압을 받았다.

채점 기준

| | |
|---|---|
| 상 | (가), (나)를 모두 쓰고, 성리학적 질서를 부정하고 사교로 규정되어 탄압받았다는 공통점을 모두 서술한 경우 |
| 중 | (가), (나)를 모두 쓰고, 성리학적 질서 부정이나 사교로 규정되어 탄압받았다는 것 중 한 가지만을 정확하게 서술한 경우 |
| 하 | (가), (나)를 모두 썼으나, 백성에게 위안을 주면서 확산되었다는 등 막연하게 서술한 경우 |

**최고난도 문제** 본문 p.167

01 ⑤ 02 ②

**01 정답** ⑤ (나)는 중간 계층(서얼, 중인), (라)는 노비이다. ⑤ 노비는 비자유민으로 조세와 군역의 의무가 없었다.

**02 정답** ② (가)는 북학파 실학자 홍대용의 무한 우주론과 지전설을 담은 글이다. 홍대용은 청을 통해 조선에 전해진 서학, 서양 문물 등을 접하고 서양 과학을 참고하여 지전설을 주장하였다. (나)는 북학파 실학자 유수원의 글로, 상공업 진흥과 사농공상의 직업 평등을 주장하였다. 사농공상은 선비(양반 사대부), 농민, 수공업자, 상인을 뜻하는데, 당시 사회에서는 같은 상민이라도 농민보다 상인과 수공업자를 천시하였다. 유수원 등의 학자는 이러한 차별을 철폐하고 상공업을 장려하고 발전시키면 국가를 부강하게 만들 수 있다고 생각하였다.

오답 피하기
ㄴ. 최제우에 대한 설명이다.
ㄹ. 유형원, 이익, 정약용 등에 해당한다.

# VI 근·현대 사회의 전개

## 1 국민 국가의 수립

**기초튼튼 기본문제** 본문 p.176~178

01 ⑤ 02 ① 03 ④ 04 통리기무아문 05 ②
06 ④ 07 ③ 08 독립 협회 09 ① 10 ②
11 ③ 12 ⑤ 13 ③ 14 (가) 홍범도, (나) 김좌진
15 ① 16 ③ 17 ③ 18 ⑤

**01 정답** ⑤ 철종의 뒤를 이어 아들이 왕(고종)이 되면서 흥선군은 대원군이 되어 어린 고종을 대신하여 10여 년 동안 국정을 운영하였다. ⑤ 권력을 잡은 흥선 대원군은 세도 가문이 장악하고 있던 비변사의 기능을 축소하였다.

**02 정답** ① 1866년 흥선 대원군의 천주교 탄압(병인박해) 과정에서 프랑스 신부가 처형된 사실에 항의하여 프랑스군이 강화도를 침공하는 병인양요가 일어났다. 프랑스 부대는 양헌수 부대에 패배해 돌아갔다.

**03 정답** ④ 강화도 조약은 조선이 외국과 맺은 최초의 근대적 조약이지만, 일본에 영사 재판권과 연안 측량권 등을 허용한 불평등 조약이었다.

**04 정답 통리기무아문** 개항 후 조선은 통리기무아문을 설치하고 개화 정책과 개혁을 추진하였다.

**05 정답** ② 구식 군인들이 신식 군대인 별기군보다 차별 대우를 받는 것에 불만을 품고 일으킨 사건은 임오군란이다. 당시 경제적 어려움을 겪고 있던 하층민도 군란에 참여하였다.

**06 정답** ④ 1894년 군국기무처를 중심으로 갑오개혁이 추진되었다. ④ 대한 제국 수립 후 1899년 고종 황제가 전제 군주제를 강화하는 내용의 대한국 국제를 발표하고 황제 중심의 국정을 운영하겠다는 방침을 밝혔다.

**07 정답** ③ 삼국 간섭 이후 조선 정부가 러시아를 끌어들여 일본을 견제하려고 하자 일본은 이러한 조선 정책을 주도하는 인물이 명성 황후라고 생각하여 황후를 살해하는 을미사변을 일으켰다. 이 사건으로 일본에 대한 분노가 높아지는 가운데 정부가 단발령을 실시하자 의병 운동이 일어났다.

**08 정답 독립 협회** 고종의 아관 파천을 계기로 러시아를 비롯한

열강의 이권 침탈이 확대되자 서재필 등이 설립한 독립 협회는 만민 공동회를 개최하여 이를 비판하였다.

**09** **정답** ① 러일 전쟁에서 승리한 일본은 전쟁이 끝나자마자 군대를 동원하여 대한 제국에 을사늑약 체결을 강요하였다. 일본이 을사늑약으로 대한 제국의 외교권을 빼앗자 이에 항의하는 의병 운동이 전국에서 일어났다. 고종 황제는 을사늑약이 무효라는 점을 알리기 위해 네덜란드 헤이그에서 열린 만국 평화 회의에 특사를 파견하였다.

**10** **정답** ② 1907년 고종의 강제 퇴위와 군대 해산에 분노하여 정미의병이 일어났다. 해산된 군인들도 의병에 가담하여 일제와 맞서 싸웠다.

**11** **정답** ③ 해외에서 의병 활동을 하고 있던 안중근은 침략의 원흉인 이토 히로부미를 만주 하얼빈역에서 처단하였다.

**12** **정답** ⑤ 독도는 울릉도의 부속 섬으로 신라 지증왕 때부터 우리 영토였다. 조선 숙종 때에는 일본 어민들이 독도 근해에서 불법적인 어업 활동을 하자 안용복이 일본에 건너가 독도가 우리 영토임을 확인받았다. 이후 고종 황제는 1900년 대한 제국 칙령 제41호를 공포하여 독도를 울릉군의 관할로 하였다.

오답 피하기

ㄱ. 강화도 조약으로 조선은 부산, 인천 등 항구를 개항하였고, 일본에 영사 재판권과 해안 측량권을 인정하였다. 독도와 관련된 내용을 담고 있지는 않다.

ㄴ. 러일 전쟁 중 독도의 가치에 주목한 일본이 독도를 자기 땅으로 편입하기 위해 시마네현 고시 제40호를 발표하였다.

**13** **정답** ③ (가)는 1910년대 무단 통치 시기, (나)는 이른바 문화 정치가 이루어지고, 일제가 한반도를 병참 기지로 삼아 침략 전쟁을 확대한 시기에 해당한다. 1910년대에 일제는 전국 각지에 헌병 경찰을 배치하고, 언론과 결사의 자유를 박탈하는 등 무단 통치를 실시하였다. 이 시기에 헌병 경찰은 한국인의 일상생활을 감시하고 재판 없이 태형을 가하였다. 3·1 운동 후 일제는 이른바 문화 정치를 내세워 『동아일보』, 『조선일보』의 발행을 허용하는 등 유화적인 정책을 시행하였으나 언론에 대한 검열을 강화하였다.

**14** **정답 (가) 홍범도, (나) 김좌진** 3·1 운동 이후 만주와 연해주 지역에서 독립군 부대가 항일 무장 투쟁을 벌였다. 1920년 만주의 간도 지역에서 벌어진 봉오동 전투와 청산리 대첩이 대표적인 전투였다.

**15** **정답** ① 우리 역사상 최초의 공화제 정부로 수립된 대한민국 임시 정부는 비밀 행정 조직으로 연통제를 실시하여 국내와 연락하고 독립운동을 지도하였다.

**16** **정답** ③ (가)는 여운형이다. 미소 공동 위원회가 미국과 소련 양측의 입장 차이를 좁히지 못해 결렬된 후 여운형 등은 좌우 합작 위원회를 만들어 통일 정부 수립을 위해 노력하였다. 그러나 성과를 거두지는 못하였다.

오답 피하기

① 서재필, ② 김구, ④, ⑤ 이승만에 대한 설명이다.

**17** **정답** ③ 1945년 말 미·영·소 3국의 외무 장관이 모스크바 3국 외상 회의에서 한반도에 임시 민주 정부를 구성할 것, 이를 위해 미소 공동 위원회를 개최하고 한국의 정당 및 사회단체와 협의할 것, 4개국이 최고 5년간 신탁 통치를 시행할 것 등에 합의하였다.

**18** **정답** ⑤ 5·10 총선거는 우리나라 최초의 민주적인 보통 선거로, 남한만의 단독 선거였다. ⑤ 이승만은 제헌 국회에서 간접 선거로 대통령에 선출되었다.

**실력쑥쑥 실전문제**

본문 p.179~181

| | | | | | |
|---|---|---|---|---|---|
| 01 ① | 02 ⑤ | 03 ③ | 04 ⑤ | 05 ⑤ | 06 ③ |
| 07 ② | 08 ① | 09 ④ | 10 ⑤ | 11~12 해설 참조 | |

**01** **정답** ① 그림은 흥선 대원군이 척화비를 세우는 상황을 담았다. 병인양요에서 프랑스 군대, 신미양요에서 미국 군대와 맞서 싸운 후 흥선 대원군은 전국 각지에 서양 세력과 화친을 맺지 않겠다는 내용을 새긴 척화비를 세웠다.

**02** **정답** ⑤ (가)는 강화도 조약이다. 흥선 대원군이 정치에서 물러난 후 조선은 운요호 사건을 계기로 일본과 강화도 조약을 체결하여 문호를 개방하였다. 강화도 조약은 조선이 외국과 맺은 최초의 근대적 조약이었지만, 영사 재판권과 연안 측량권 등을 허용한 불평등 조약이었다. 이후 조선은 서양 여러 나라와도 조약을 맺고 문호를 개방하였다. ⑤ 고종이 즉위하면서 어린 국왕 대신에 국정을 운영한 흥선 대원군이 안동 김씨, 풍양 조씨 등 세도가를 몰아냈다.

**03** **정답** ③ 자료는 갑신정변을 일으킨 급진파 개화 세력이 정변을 일으킨 후 발표한 개혁안 중 일부 내용이다. 김옥균, 박영효 등 급진파 개화 세력은 우정총국 개국 축하연을 이용해 정변을 일으켰지만 청군의 개입으로 3일 만에 실패하였다. ③ 갑오개혁 추진에 대한 설명이다.

**04** **정답** ⑤ 전봉준이 이끈 동학 농민군이 황토현과 황룡촌 전투에서 승리하고 전주성을 점령한 후 정부군과 대치하자, 정부는 이를 진압하기 위해 청에 파병을 요청하였다. 청군이 조선에 파견된다는 소식을 들은 일본도 군대를 파견하였다.

외국군이 개입하자 농민군은 전주에서 정부군과 폐정 개혁 및 집강소 설치에 합의하고 물러났다. 이후 농민군은 조선의 내정을 간섭하고 청일 전쟁을 일으킨 일본군을 몰아내기 위해 다시 봉기하였지만, 공주 우금치에서 정부군과 일본군에 패하였다.

**05** **정답** ⑤ 고종은 러시아 공사관에서 돌아와 대한 제국 수립을 선포하고 황제로 즉위하였다. 이후 1898년 전제 군주제를 강화하는 내용의 '대한국 국제'를 발표하고, 황제를 중심으로 국정을 운영하겠다는 방침을 표방하였다.

자료 분석

**제1조** 대한국은 세계 만국에 공인된 자주독립 제국이다.
**제3조** 대한국 황제는 무한한 군주권을 지니고 있다.
**제5조** 대한국 황제는 육해군을 통솔하고 계엄의 시행을 명할 수 있다.
**제6조** 대한국 황제는 법률을 제정할 수 있고, …… 법률을 개정할 권리를 가진다.

→ 대한 제국의 고종 황제는 '대한국 국제'를 발표하여 대한 제국이 자주독립 국가이며, 군사권과 외교권 등 모든 권한이 황제에게 있음을 밝혔다. 이를 통해 대한 제국이 전제 군주국임을 알 수 있다.

**06** **정답** ③ 일제는 1937년 중일 전쟁을 일으키고 「국가 총동원법」을 실시하여 물적 수탈은 물론 징용, 징병 등 인적 수탈을 본격화하였다. ③ 김구가 1940년에 한국 독립당을 구성하여 대한민국 임시 정부의 활동을 강화하면서 임시 정부는 한국 광복군을 조직하여 대일전을 전개하였다.

오답 피하기

①, ②, ⑤ 3·1 운동 후 1920년대 일어난 항일 운동이다.
④ 1919년에 일어난 3·1 운동이다.

**07** **정답** ② 자료는 1917년 만주에서 신규식 등의 독립운동가들이 작성한 대동단결 선언이다. '우리 국민들이 당연히 3가지 보배(영토, 인민, 주권)를 계승하여 통치할 특권이 있고 그것을 상속할 의무가 있다.'라는 점을 통해 국민 주권 의식이 반영되었음을 알 수 있다.

**08** **정답** ① 3·1 운동 때 발표된 기미 독립 선언서이다. 3·1 운동을 계기로 임시 정부를 만들자는 움직임이 일어나는 등 독립운동이 활성화되었다. 그 결과 중국 상하이에 우리 역사상 최초의 공화제 정부인 대한민국 임시 정부가 수립되었다.

오답 피하기

②, ⑤ 광주 학생 항일 운동에 대한 설명이다.
③ 3·1 운동 이후 국내에서 전개된 물산 장려 운동 등 실력 양성 운동에 대한 설명이다.

**09** **정답** ④ 1930년대 지청천이 이끈 한국 독립군은 만주 지역에서 벌어진 쌍성보 전투, 대전자령 전투 등에서 일본군과 맞서 싸워 승리하였다.

**10** **정답** ⑤ (마) 1945년 말 모스크바 3국 외상 회의 개최 → (라) 3국 외상 회의의 결정에 따라 개최된 미소 공동 위원회가 결렬되자 좌우 합작 위원회 결성 → (나) 1948년 5월 10일, 5·10 총선거 실시로 제헌 국회 구성 → (다) 1948년 8월 15일, 대한민국 정부 수립 → (가) 제헌 국회에서 「반민족 행위 처벌법」 제정 순으로 일어났다.

**11** **예시 답안** (1) 강화도 조약(조일 수호 조규)
(2) 영사 재판권과 연안 측량권을 일본에 허용하였다.

채점 기준

| | |
|---|---|
| 상 | 조약 이름을 쓰고, 영사 재판권과 연안 측량권 허용을 모두 서술한 경우 |
| 중 | 조약 이름을 쓰고, 영사 재판권 허용이나 연안 측량권 허용 중 한 가지를 서술한 경우 |
| 하 | 조약 이름만 쓴 경우 |

**12** **예시 답안** 고종은 을사늑약이 무효라는 점을 주장하고자 헤이그에서 열린 만국 평화 회의에 특사를 파견하였다.

채점 기준

| | |
|---|---|
| 상 | 을사늑약 무효를 주장하고자 헤이그에서 열린 만국 평화 회의에 특사를 파견하였다고 서술한 경우 |
| 중 | '헤이그', '만국 평화 회의', '특사 파견' 중 일부를 누락하여 서술한 경우 |
| 하 | 을사늑약을 인정하지 않았다고 하거나 특사를 파견하였다고만 서술한 경우 |

## 2 자본주의와 사회 변화

기초튼튼 기본문제

본문 p.186~187

| | | | | |
|---|---|---|---|---|
| 01 ④ | 02 ④ | 03 ③ | 04 국채 보상 운동 | 05 ⑤ |
| 06 ④ | 07 ① | 08 ③ | 09 ④ | 10 ③ | 11 ① |

**01** **정답** ④ 강화도 조약(조일 수호 조규)과 함께 체결된 조일 무역 규칙에는 개항장으로 들어오는 물품에 관세를 물린다는 조항이 없었고, 일본 상인이 조선에서 생산된 쌀을 일본으로 가져가는 양에 제한을 두지 않았다.

**02** **정답** ④ 아관 파천 이후 제국주의 열강의 이권 침탈이 확대

되는 과정에서 러시아는 광산 채굴권, 삼림 채벌권 등을 빼앗아 갔고, 부산 절영도 조차를 요구하기도 하였다. 이에 독립 협회가 만민 공동회를 열어 러시아를 비롯한 열강의 이권 침탈을 비판하는 반대 운동을 전개하였다.

**03 정답** ③ 일본이 러시아와 전쟁 중에 대한 제국 정부에 황무지 개간권을 요구하자, 보안회가 결성되어 반대 운동을 펼쳐 이를 저지하였다.

**04 정답 국채 보상 운동** 을사늑약 이후 대한 제국이 일본에게 진 빚이 날로 늘어 나라의 경제적 자립이 위태로워졌다. 이에 1907년 대구에서 금주, 금연, 패물 모으기 등을 통해 나라의 빚을 갚자는 국채 보상 운동이 시작되어 전국으로 확산되었다.

**05 정답** ⑤ (가) 시기는 개항기로 이 시기에 학교, 철도, 신문 등 근대적 문물이 도입되었다. 1883년 최초의 근대적 학교인 원산 학사가 설립된 이후 근대 학교가 많이 세워졌고, 개신교 선교사들이 배재 학당, 이화 학당 등을 세우기도 하였다. 또 1899년 경인선 개통 이후 일제에 의해 여러 곳에 철도가 부설되었다. ⑤ 개항 후에는 1883년 『한성순보』를 시작으로 『독립신문』, 『대한매일신보』 등 여러 근대 신문이 발간되었다. 한편 『조선일보』, 『동아일보』는 일제 강점기 이른바 문화 정치 시기에 발행되었다.

**06 정답** ④ 1910년대 일제가 식민 통치에 필요한 비용을 마련하고자 실시한 토지 조사 사업의 결과이다. 토지 조사 사업 과정에서 주인이 불분명한 토지 등 많은 토지가 조선 총독부의 소유로 편입되었다.

오답 피하기

① 일제가 침략 전쟁을 확대하는 과정에서 군량미 확보를 위해 미곡 공출제를 시행하였다.

② 일제 강점 이전에 일본인 재정 고문 메가타가 주도하여 시행한 정책이다. 백동화를 사용하지 못하게 하고 일본 제일 은행에서 발행한 화폐로 바꾸게 하였다.

③ 1930년대에 일제가 공업 원료를 일본인 회사에 안정적으로 공급하고자 한국에서 실시한 정책이다.

⑤ 일제는 한국에서 쌀을 증산하여 자국의 부족한 식량 문제를 완화하고자 산미 증식 계획을 추진하였다.

**07 정답** ① 1950년대 외국에서 들어온 원조 물자의 대부분은 미국의 농산물이었다. 민간에서는 이 원조 물자를 이용하여 사업을 하는 회사가 등장하였는데, 당시에 삼백 산업이라 불렀다. 삼백 산업은 전후 외국의 원조 물자를 이용해 밀가루, 설탕, 면직물을 제조해 판매한 산업을 말한다.

**08 정답** ③ 1948년 대한민국 정부 수립 후 제헌 국회에서 「농지 개혁법」이 만들어졌고, 이에 따라 농지 개혁이 실시되었다.

**09 정답** ④ 미국이 베트남 전쟁에 개입하면서 우리나라에 파병을 요청하였고, 파병의 대가로 경제 개발에 필요한 자금을 우리나라에 빌려주기로 하였다. 또한 우리나라는 한일 기본 조약을 체결하면서 청구권 및 경제 협정 등을 맺어 일본으로부터 경제 개발에 필요한 자금을 들여왔다.

**10 정답** ③ 1990년대 후반 외환 위기가 발생하자 국가 부채를 줄이자는 취지에서 금 모으기 운동이 전개되었다.

**11 정답** ① 산업화에 따라 가족 구조와 인구 구조에 많은 변화가 일어났다. 1960년대 이후 산업화 과정에서 정부는 산아 제한 정책을 추진하였으나 최근에는 출산율이 크게 떨어져 출산 장려 정책을 펼치고 있다.

본문 p.188~189

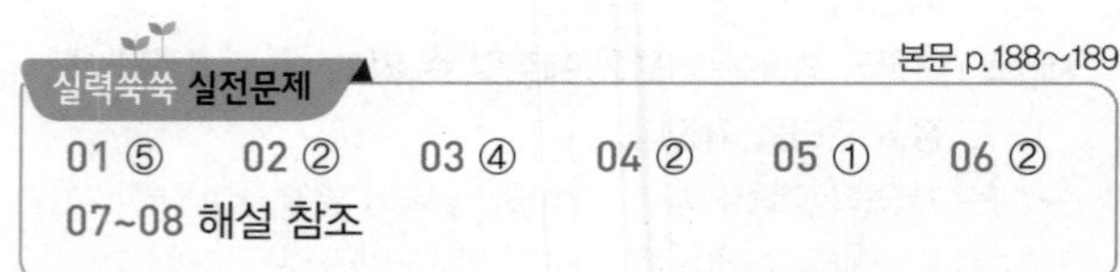
실력쑥쑥 실전문제

01 ⑤ 02 ② 03 ④ 04 ② 05 ① 06 ②
07~08 해설 참조

**01 정답** ⑤ 조선은 조일 무역 규칙의 불리한 내용을 고치기 위해 일본에 조약의 개정을 요구하여 조일 통상 장정을 체결하였다. 이에 따라 조선 정부는 일본 상인의 수출입 상품에 관세를 부과할 수 있게 되었다. 또 지방관이 방곡령을 내려 곡물 수출을 금지할 수 있게 되었다. ⑤ 함경도 등의 지방관이 방곡령을 내리자 일본은 1개월 전 미리 통보해야 한다는 조일 통상 장정의 규정을 내세워 방곡령을 철회시켰다.

**02 정답** ② 1920년대 일제가 한국에서 쌀을 증산하여 자국의 식량 문제를 해결하기 위해 산미 증식 계획을 실시하였다. 산미 증식 계획이 실시된 시기에 쌀 수확량은 조금 늘었다 줄었다 하지만 반출량은 꾸준히 늘어났음을 알 수 있다.

**03 정답** ④ 일제는 1930년대 만주를 침략하고 중일 전쟁을 일으키는 등 침략 전쟁을 확대하면서 한반도를 군수 물자를 보급하는 기지로 만들고자 하였다. ④ 일제는 대한 제국의 국권을 침탈하는 과정에서 경제 이권을 차지하기 위해 1908년 동양 척식 주식회사를 설립하였다.

**04 정답** ② 자료는 정부 수립 이후 제헌 국회가 만든 「농지 개혁법」이며, 이에 따라 이승만 정부는 1950년 농지 개혁을 실시하였다. 농지 개혁으로 지주제가 없어지는 성과를 거두었다.

오답 피하기

ㄴ. 6·25 전쟁으로 잠시 중단되었다가 다시 추진되었다.

ㄹ. 자영농의 수가 늘어나는 결과를 가져왔다.

**05 정답** ① 박정희 정부는 베트남 파병에 대한 대가로 미국이

경제적 지원과 차관을 약속하는 내용을 담은 브라운 각서를 받았다. 또 한일 기본 조약을 체결하여 경제 개발에 필요한 자금을 일부 확보하였다. 이러한 자금을 토대로 박정희 정부는 수출 주도산업을 집중적으로 육성하였다.

**06** **정답** ② 기대 수명이 높아짐에 따라 노령 인구의 비율이 증가하면서 노인을 대상으로 하는 실버산업 육성과 고령자에 대한 사회 보장 제도 마련의 필요성이 높아지고 있다.

**07** **예시 답안** 국유지 일부가 헐값에 동양 척식 주식회사로 넘어갔고 일본인 지주가 늘어났다. 주인이 불분명한 토지가 총독부에 넘어갔다. 소작인의 경작권이 보호되지 않아 지주가 마음대로 소작인을 내쫓거나 고율의 소작료를 매길 수 있게 되었다.

채점 기준

| | |
|---|---|
| 상 | 일본인 지주 증가, 총독부 소유 토지 증가, 소작농의 경작권이 보호되지 않았다 등의 내용 중 두 가지를 정확하게 서술한 경우 |
| 중 | 위의 내용 중 한 가지를 정확하게 서술한 경우 |
| 하 | 농민의 형편이 더 어려워졌다고만 서술한 경우 |

**08** **예시 답안** 식민 지배에 대한 충분한 사과와 배상을 받지 못하였기 때문이다.

채점 기준

| | |
|---|---|
| 상 | 식민 지배에 대한 사과와 배상을 받지 못하였다는 내용을 정확하게 서술한 경우 |
| 하 | 식민 지배에 대한 사과를 받지 못하였다거나 배상을 받지 못하였다고 일부만 서술한 경우 |

# 3 민주주의의 발전 ~

# 4 평화 통일을 위한 노력

**기초튼튼 기본문제**

본문 p.196~198

| | | | | | |
|---|---|---|---|---|---|
| 01 ⑤ | 02 국민 | 03 ③ | 04 ③ | 05 ③ | 06 ① |
| 07 베트남 | 08 ⑤ | 09 ⑤ | 10 ④ | 11 ① | 12 ③ |
| 13 | 14 인천 상륙 작전 | 15 ⑤ | 16 ④ | 17 ① | |

**01** **정답** ⑤ 대한민국 임시 정부 국무원이 대한민국 임시 헌장의 내용을 보강하여 공포한 대한민국 임시 정부 헌법이다. 이 헌법에서는 대한민국의 주권이 군주가 아닌 국민에게 있음을 밝혔으며, 1948년 제정된 제헌 헌법은 대한민국이 대한민국 임시 정부를 계승하였음을 명시하였다.

자료 분석

**제1조** 대한민국은 대한 인민으로 조직한다.
**제2조** 대한민국의 주권은 대한 인민 전체에 있다.
**제4조** 대한민국의 인민은 일체 평등하다.
**제5조** 대한민국의 입법권은 의정원이, 행정권은 국무원이, 사법권은 법원이 행사한다.

→ 대한민국 임시 정부 헌법을 통해 임시 정부가 국민 주권에 입각한 민주 공화정을 추구하였고, 입법·행정·사법이 독립된 3권 분립의 원칙을 따랐음을 알 수 있다.

**02** **정답 국민** 제헌 헌법에서 대한민국은 국민이 주권을 가진 민주 공화국임을 명시하였다.

**03** **정답** ③ 6·25 전쟁 중에 이승만 정부는 불법적인 방식으로 대통령 직선제 등의 내용을 담은 발췌 개헌안을 국회에서 통과시켰다. 이 개헌에 따라 실시된 제2대 대통령 선거에서 이승만이 당선되었다.

**04** **정답** ③ 이승만 정부는 장기 집권을 꾀하여 발췌 개헌과 사사오입 개헌을 강행하고, 조봉암에게 간첩 혐의를 씌워 제거하는 진보당 사건을 일으켰다. 또한 「국가 보안법」을 개정해 야당과 언론에 대한 탄압을 강화하였다.

**05** **정답** ③ (가)의 4·19 혁명은 이승만 정부와 자유당의 장기 독재, 3·15 부정 선거에 항의하여 일어났다. ③ 1960년 이승만 정부는 3월 15일에 실시된 정·부통령 선거에서 대대적인 선거 부정을 저질러 대통령에 이승만, 부통령에 이기붕을 당선시켰다. 이에 마산 등지에서 부정 선거에 항의하여 학생과 시민이 시위를 벌였고, 이후 전국 각지로 확산되었다.

오답 피하기

④ 4·13 호헌 조치는 1987년 6월 민주 항쟁의 배경이다.
⑤ 5·16 군사 정변으로 4·19 혁명 후 들어섰던 장면 내각이 붕괴되었다.

**06** **정답** ① 4·19 혁명 후 개헌을 통해 새로 구성된 정부는 장면 내각이다. 그러나 5·16 군사 정변으로 무너졌다.

**07** **정답 베트남** 박정희 정부는 한일 국교 정상화와 베트남 파병을 통해 경제 개발에 필요한 일부 자금을 마련하였다.

**08** **정답** ⑤ 1972년 유신 헌법에 따르면 대통령은 통일 주체 국민 회의에서 선출하는 국회 의원의 3분의 1의 후보자를 추천하고, 법관의 영장 없이 국민을 체포·구금할 수 있는 권한이 포함된 긴급 조치권을 발동할 수 있었다.

오답 피하기

ㄱ, ㄴ. 1987년 6월 민주 항쟁의 결과 이루어진 제9차 개헌의 내용이다.

**09** **정답** ⑤ (가)는 유신 체제이다. 유신 체제라고 불리는 강화된 박정희 정부의 독재 체제 기반은 유신 헌법이었다. 유신 헌법이 발표된 후 이에 반대하는 움직임이 확산되고 헌법 폐기를 요구하는 시위가 벌어졌다. 박정희 정부는 긴급 조치를 발표하여 시위를 강력하게 탄압하고 단속하였다. 그러나 유신 반대 운동은 사그라지지 않았고, 이러한 가운데 1976년 재야인사들이 명동 성당에서 3·1 민주 구국 선언을 발표하고 대통령의 퇴진을 요구하였다.

**10** **정답** ④ 자료는 1980년 전두환 등 신군부의 계엄령 확대에 반대하여 일어난 5·18 민주화 운동에 대한 설명이다. 5·18 민주화 운동을 무력으로 억누른 후 전두환이 통일 주체 국민 회의를 열어 대통령에 취임하였다.

**11** **정답** ① 5·18 민주화 운동 당시 광주의 시민들은 신군부의 비상계엄 해제와 민주화 실현을 요구하였다.

오답 피하기

② 6월 민주 항쟁 과정에서 등장한 구호이다.

③ 1979년 박정희 대통령이 측근 인물에게 살해됨에 따라 사실상 유신 체제가 막을 내린 상황이었다.

④ 4·19 혁명 과정에서 등장한 구호이다.

⑤ 5·16 군사 정변 직후 만들어진 국가 재건 최고 회의는 박정희 정부가 들어서면서 폐지되었다.

**12** **정답** ③ 박종철 고문치사 사건이 알려지면서 사건의 진상 규명과 대통령 직선제 개헌을 요구하는 민주화 시위가 일어나 확산되었고, 시위 도중 연세대 학생 이한열이 최루탄에 맞아 쓰러지면서 6월 민주 항쟁은 격렬해졌다.

**13** **정답** ⑤ 외환 위기 속에서 치러진 선거를 통해 최초의 평화적인 여야 정권 교체가 이루어져 김대중 정부가 출범하였다. 새로운 정부는 외환 위기를 극복하고자 자본 유치, 부실기업 정리, 구조 조정 등을 추진하였고, 민주주의의 발전을 위한 인권법 등을 제정하였다.

오답 피하기

ㄱ, ㄴ. 김영삼 정부가 추진한 정책이다.

**14** **정답 인천 상륙 작전** 국군과 유엔군은 인천 상륙 작전에 성공하여 서울을 수복하고 북진하였다.

**15** **정답** ⑤ 6·25 전쟁으로 남과 북의 적대감과 대결 구도가 심화되었다. 또한 남쪽의 이승만 정부는 반공 체제를 더욱 강화하였고, 북쪽의 김일성도 독재 체제를 확고히 하였다. ⑤ 6·25 전쟁 전의 상황이다.

**16** **정답** ④ (가) 노태우 정부, (나) 문재인 정부, (다) 김대중 정부, (라) 박정희 정부, (마) 이명박 정부 시기의 사실이다.

**17** **정답** ① 자료는 2000년 최초의 남북 정상 회담의 결과 발표된 6·15 남북 공동 선언이다. 이 선언에서 남과 북은 경제, 문화 등 교류와 협력을 활성화하며 이산가족 문제 등을 조속히 풀어 나가기로 합의하였다. 이에 따라 이산가족 상봉, 경의선 복원과 개성 공단 건설 등 교류와 협력이 활발해졌다.

본문 p.199~201

**실력쑥쑥 실전문제**

| | | | | | |
|---|---|---|---|---|---|
| 01 ② | 02 ④ | 03 ④ | 04 ③ | 05 ③ | 06 ⑤ |
| 07 ③ | 08 ② | 09 ① | 10 ① | 11~12 해설 참조 | |

**01** **정답** ② 제헌 국회에서 정부 수립을 위해 제정한 밑줄 친 '헌법'은 제헌 헌법이다. 제헌 헌법은 대한민국 임시 정부 헌법의 큰 틀을 계승하였다.

**02** **정답** ④ 이승만 정부는 발췌 개헌과 사사오입 개헌 등 헌법 개정을 통해 장기 집권을 꾀하였다. (가)는 대통령 간선제를 직선제로 변경한 발췌 개헌, (나)는 초대 대통령에 한해 중임 제한을 없앤다는 내용의 개헌안을 통과시킨 사사오입 개헌이다.

오답 피하기

ㄷ. 발췌 개헌은 6·25 전쟁 직전 구성된 제2대 국회, 사사오입 개헌은 제3대 국회에서 이루어졌다.

**03** **정답** ④ (가)는 3·15 부정 선거를 계기로 일어난 4·19 혁명이다. 전국으로 확산되는 시위를 막기 위해 정부가 계엄령을 선포한 가운데 대학교수단이 시국 선언문을 발표하고 이승만 대통령의 퇴진을 요구하는 시위를 전개하였다.

**04** **정답** ③ 자료는 유신 헌법의 주요 내용이다. 유신 헌법은 통일 주체 국민 회의에서 선출하는 국회 의원 3분의 1의 후보자를 대통령이 일괄 추천하게 하였다. 이로써 삼권 분립의 원칙은 무시되었다.

오답 피하기

①, ② 유신 헌법 제정 이전 박정희 정부 시기의 사실이다.

④ 이승만 정부 시기의 사실이다.

⑤ 전두환 정부 시기의 사실이다.

**05** **정답** ③ 자료는 5·18 민주화 운동 중에 발표된 광주 시민군의 궐기문이다. 광주에 투입된 신군부의 계엄군이 비상계엄 해제와 민주화 실현을 요구하는 시민들에게 총을 발포하며 시위를 진압하였다. 광주 시민들은 시민군을 조직하여 저항하였지만 계엄군에 의해 무자비하게 진압되었다.

**06** **정답** ⑤ 5·18 민주화 운동을 억누른 후 들어선 전두환 정부가 시행한 유화 정책과 강압적 통치 내용이다.

**07 정답** ③ 대통령 직선제를 요구한 6월 민주 항쟁이 이끌어 낸 6·29 민주화 선언이다. 이후 9차 개헌이 이루어져 대통령 직선제와 5년 단임제가 규정되었고 현재까지 적용되고 있다.

**자료 분석**

친애하는 국민 여러분! …… 여야 합의하에 조속히 대통령 직선제 개헌을 하고 새 헌법에 의한 대통령 선거를 통해 88년 2월 평화적 정부 이양을 실현토록 해야 하겠습니다. ……

→ 민주화에 대한 국민의 열망이 실린 6월 민주 항쟁의 결과 전두환 정부는 당시 여당의 차기 대통령 후보였던 노태우를 앞세워 대통령 직선제 개헌을 약속하는 6·29 민주화 선언을 발표하였다.

**08 정답** ② 자료는 1987년 6월 민주 항쟁이 이끌어 낸 5년 단임의 대통령 직선제를 규정한 9차 개헌 헌법이다. ② 박정희 대통령이 사망하면서 유신 체제는 막을 내렸다.

**09 정답** ① 국군과 유엔군은 인천 상륙 작전의 성공으로 서울을 수복하고 북진하다가 대규모의 중국군 참전으로 밀려나 서울을 다시 내주었다(1·4 후퇴).

**10 정답** ① 2000년 6월 평양에서 개최된 최초의 남북 정상 회담이다. 회담의 결과 6·15 남북 공동 선언이 발표되었고, 이후 이산가족 상봉, 경의선 복원과 개성 공단 건설 등의 남북 간 교류 협력이 활발히 진행되었다.

**11 예시 답안** 오랫동안 이승만과 자유당의 독재 정치가 계속되었고, 3·15 부정 선거가 자행되었다.

채점 기준

| | |
|---|---|
| 상 | 이승만 정부의 장기 독재와 3·15 부정 선거를 모두 정확하게 서술한 경우 |
| 중 | 위의 내용 중 한 가지만 서술한 경우 |
| 하 | '독재 정치를 하였다', '부정 선거가 일어났다' 등 명확하지 않게 서술한 경우 |

**12 예시 답안** (1) 유신 헌법

(2) 대통령을 통일 주체 국민 회의에서 간접 선거로 선출한다. 국회 의원의 3분의 1 후보자를 대통령이 추천한다. 대통령에게 긴급 조치를 발동할 수 있는 권한을 부여한다.

채점 기준

| | |
|---|---|
| 상 | 유신 헌법을 쓰고, 위의 헌법 내용 중 두 가지 이상 서술한 경우 |
| 중 | 유신 헌법을 쓰고, 위의 헌법 내용 중 한 가지를 서술한 경우 |
| 하 | 유신 헌법만 쓴 경우 |

**대단원 정리하기** 본문 p.202~203

① 척화비 ② 강화도 조약 ③ 임오군란 ④ 전주 화약 ⑤ 신분제 ⑥ 을미사변 ⑦ 독립 협회 ⑧ 을사늑약 ⑨ 헌병 경찰 ⑩ 3·1 운동 ⑪ 국민 대표 회의 ⑫ 한국 광복군 ⑬ 신간회 ⑭ 여운형 ⑮ 5·10 총선거 ⑯ 이승만 ⑰ 국채 보상 운동 ⑱ 토지 조사 ⑲ 산미 증식 계획 ⑳ 농지 개혁 ㉑ 외환 위기 ㉒ 발췌 ㉓ 3·15 부정 선거 ㉔ 유신 체제 ㉕ 4·13 호헌 ㉖ 직선제 ㉗ 중국군 ㉘ 김대중

**자신만만 적중문제** 본문 p.204~206

01 ③ 02 ③ 03 ① 04 ④ 05 ④ 06 ②
07 ① 08 ① 09 ① 10 ③ 11~13 해설 참조

**01 정답** ③ (가)는 어린 고종을 대신하여 국정을 운영한 흥선 대원군이다. 흥선 대원군은 세도가들이 정치를 장악하던 비변사의 기능을 축소하였다.

**02 정답** ③ 조선의 개혁 추진을 강요한 일본이 청일 전쟁에서 승리하고 청으로부터 랴오둥반도를 확보하였다. 그러나 삼국 간섭으로 이를 청에 반환하였다. 삼국 간섭을 접한 조선 정부 내에서는 러시아 세력을 이용하여 일본을 견제하려는 움직임이 나타났다. 이에 일본은 일본군을 궁궐에 난입시켜 명성 황후를 시해하는 을미사변을 저질렀다. 신변의 위협을 느낀 고종은 러시아 공사관으로 거처를 옮겼다가(아관 파천) 1년 만에 경운궁으로 환궁하여 대한 제국 수립을 선포하였다. 이후 일본은 러시아 세력을 몰아내고 한반도에 대한 영향력을 회복하고자 러일 전쟁을 일으켰고, 전쟁에서 승리한 후 대한 제국에 을사늑약 체결을 강요하였다.

**03 정답** ① 자료는 을사늑약이다. 이에 항의하여 전국에서 의병 운동이 일어났고, 고종은 강제로 체결된 을사늑약이 무효라는 점을 주장하고자 네덜란드 헤이그에서 열린 만국 평화 회의에 특사를 파견하였다.

**04 정답** ④ 일제는 1910년대 헌병 경찰을 앞세운 무단 통치를 실시하였다. 헌병 경찰은 한국인의 일상생활을 감시하고 재판 없이 태형을 가할 수 있었다. 일제는 3·1 운동을 계기로 1920년대에 이른바 문화 정치로 방침을 전환하여 헌병 경찰을 보통 경찰로 바꾸고 태형도 폐지하였다.

**05 정답** ④ (가)는 러일 전쟁 중에 체결된 제1차 한일 협약에 따라 재정 고문으로 대한 제국에 온 메가타가 주도한 화폐 정리 사업이다. 이로 인해 일부 상공업자들이 큰 타격을 입었다. (나)는 일제가 1930년대 공업 원료를 확보하기 위해 실시한 남면북양 정책이다.

**06 정답** ② 1961년 5·16 군사 정변 이후 제1차 경제 개발 5개년 계획이 시작되어 수출 주도산업을 집중적으로 육성하면서 수출액이 급격히 늘어나는 등 경제 성장이 이루어졌다.

오답 피하기
① 1950년부터 시작된 농지 개혁으로 자영농이 늘어나고 지주제가 없어지는 성과를 거두었다.
⑤ 1980년대 중반에 3저 호황 현상이 나타났다.

**07 정답** ① 자료는 1960년 이승만 정부가 저지른 3·15 부정 선거와 이에 항의하여 일어난 시위 모습이다. 3·15 부정 선거에 대한 항의 시위는 이승만 대통령의 퇴진을 요구하는 4·19 혁명으로 발전하였다.

**08 정답** ① 자료는 대학생 박종철이 고문으로 사망한 사건과 정부의 4·13 호헌 조치에 저항하여 전개된 6월 민주 항쟁 중에 나온 선언이다. 대통령 직선제 개헌과 민주화를 요구하는 시위는 전국적으로 확대되었고, 학생뿐 아니라 넥타이 부대라 불리는 직장인들까지 시위에 참여하였다.

**09 정답** ① 6·25 전쟁 발발 직후 북한의 남침을 침략 행위로 규정한 유엔은 유엔군 파병을 결의하였다. 전쟁 초 낙동강 유역까지 밀렸던 국군은 유엔군과 함께 인천 상륙 작전에 성공하여 전세를 역전하고 북쪽으로 진격하였다. 하지만 중국군의 참전으로 국군과 유엔군은 한강 이남 지역까지 밀렸다가 다시 서울을 탈환하였고, 이후 38도선 부근에서 공방전이 이어졌다. 이러한 상황에서 시작된 휴전 회담은 2년간 이어졌고, 1953년 7월 27일 휴전 협정이 체결되었다.

**10 정답** ③ 자료는 1972년 남북한이 발표한 7·4 남북 공동 성명이다. 닉슨 독트린 발표 후 미국과 중국 간에 긴장이 완화되면서 남북 사이에도 대화를 위한 노력이 시작되었다. 이에 이산가족 상봉을 위해 남북 적십자 회담으로 통로를 열고, 비밀 특사 파견 등의 접촉 끝에 남북한 당국은 서울과 평양에서 7·4 남북 공동 성명을 동시에 발표하였다.

**11 예시 답안** 신분제와 과거제가 폐지되었고, 탁지아문으로 재정이 일원화되었으며, 조세 금납화가 이루어졌다.

채점 기준

| | |
|---|---|
| 상 | 신분제 폐지, 과거제 폐지, 탁지아문으로 재정 일원화, 조세 금납화 중 세 가지를 정확하게 서술한 경우 |
| 중 | 위의 내용 중 두 가지를 정확하게 서술한 경우 |
| 하 | 위의 내용 중 한 가지만 정확하게 서술한 경우 |

**12 예시 답안** 수리 조합비의 과다 징수, 소작료 상승, 지주가 소작농에게 조합비 전가 등이 나타나 농민의 삶이 더욱 어려워짐, 일부 농민은 국외나 도시로 이주함

채점 기준

| | |
|---|---|
| 상 | 수리 조합비 과다 징수, 소작료 상승, 지주의 조합비 전가 등으로 농민의 생활이 어려워졌고, 일부 농민이 농촌을 이탈하였다는 내용을 모두 서술한 경우 |
| 중 | 농민이 조합비와 소작료를 감당하지 못하여 농촌을 떠났다고만 서술한 경우 |
| 하 | 농민 생활이 어려워졌다고만 서술한 경우 |

**13 예시 답안** 내각 책임제와 양원제 국회를 주요 내용으로 담았다.

채점 기준

| | |
|---|---|
| 상 | 내각 책임제, 양원제 국회를 모두 쓴 경우 |
| 하 | 위의 내용 중 한 가지만 쓴 경우 |

**최고난도 문제** 본문 p.207

01 ③ 02 ③

**01 정답** ③ (가)는 서양 문물을 수용하되 기술을 중심으로 수용하고 서양의 종교와 사상을 배제하자는 온건 개화파의 주장이다. (나)는 성리학을 지키고자 천주교를 사악한 종교로 규정하고 배척하는 위정척사파의 주장이다.

오답 피하기
ㄱ, ㄹ. 급진 개화파에 대한 설명이다.

**02 정답** ③ (가)는 1948년에 실시된 5·10 총선거, (나)는 1954년 사사오입 개헌의 상황이다. 5·10 총선거로 구성된 제헌 국회에서 이승만이 초대 대통령으로 선출되었다. 이후 6·25 전쟁 중 이승만 정부는 이승만 대통령의 재선을 위해 대통령 직선제로 바꾸는 발췌 개헌안을 국회에서 불법적으로 통과시켰고, 1954년에는 초대 대통령에 한해 중임 제한을 없애는 부칙 내용을 담은 사사오입 개헌안을 통과시켰다.